Michael Peuser

Kapillaren
bestimmen unser Schicksal

Aloe
Kaiserin der Heilpflanzen

Quelle für Vitalität und Gesundheit

Ich bedanke mich besonders bei
Frau Ilse Grantsau,
die die mühselige Arbeit der Durchsicht
meines Manuskriptes übernommen hatte,
desgleichen Herrn Georg Marx
und meinem Bruder Rembert Peuser.
Dank dem Ornithologen Rolf Grantsau
für wertvolle Hinweise und
Anfertigung der zwei Zeichnungen im Buch.
Pater Romano Zago OFM und Herrn Malte Weltzien
Dank für die überlassenen Photos
und Herrn Gerd Pütz für die Gestaltung des Umschlages.
Herrn Dr. med. Roberto Helbert Bammann
danke ich für sein besonderes Vorwort.

Umschlaggestaltung: Gerd Pütz

Redaktion: Ilse Grantsau

Illustr. Zeichnungen: Rolf Grantsau

Seitengestaltung: Printec GmbH.

Druck: Printec GmbH. Kaiserslautern
www.printec-media.de

St. Hubertus
C.P. 21.194
São Paulo S.P.
04602-970
Brasilien
Email: mpeuser@hotmail.com
Bestelladressen nur für den Buchhandel:
bestellung@michaelpeuser.de
Fax.: (030) 66 098 967

Ein Brasilianisches Buch in Deutscher Sprache
Made in Germany
© 2002 by St. Hubertus Produtos Naturais Ltda.
ISBN 3-00-009940-X

Alle Rechte der Verbreitung und Vervielfältigung, auch durch Film, Fernsehen, Funk, fotomechanischer Weitergabe, Tonträger jeder Art, vorbehalten. Kein Teil des Werkes darf in irgendeiner Form (durch Fotografie, Mikrofilm oder ein anderes Verfahren) ohne schriftliche Genehmigung des Autors reproduziert oder unter Verwendung elektronischer Systeme verarbeitet, vervielfältigt oder verbreitet werden.

Kapillaren bestimmen unser Schicksal

Aloe
Kaiserin der Heilpflanzen
Quelle für Vitalität und Gesundheit

Der Verfasser gibt weder direkt noch indirekt medizinische Ratschläge noch verordnet er Anweisungen einer Behandlung und/oder Diät ohne ärztliche Beratung und Begleitung. Dies Buch wurde für Ärzte und medizinisch interessierte Laien geschrieben und vereint die weltweit zugängliche Splitterliteratur zu diesem Thema, speziell in Bezug auf die seit Jahrtausenden zu Heilzwecken benutzte Aloe, zu einem umfassenden Gesamtwerk. Es liegt nicht in der Absicht des Autors, Diagnosen zu stellen oder Verordnungen zu erteilen. Die Zielrichtung dieses Buches besteht lediglich darin, Informationen aus dem Gesundheitsbereich anzubieten und bei dem Streben nach Gesundheit die Zusammenarbeit mit Ihrem Arzt zu unterstützen. Wenn Sie die vorliegenden Informationen ohne Einschaltung eines Arztes anwenden, so verordnen Sie sich eine Selbstbehandlung - ein Recht, das Ihnen zusteht. Der Verlag und der Autor übernehmen jedoch keine Verantwortung.

Die in diesem Buche beschriebenen Anwendungen der Aloe sind Anregungen für ärztliches Handeln in charakteristischen Situationen. Sie schildern ausschließlich ärztlich-wissenschaftliche Aspekte und sind für Ärzte und medizinisch interessierten Laien unverbindlich und haben weder haftungsbegründete noch haftungsbefreiende Wirkung.

Aloe ist ein Gemüse und Produkte, die Aloe enthalten, sind keine Medikamente im herkömmlichen Sinne und ersetzen daher keine ärztliche Behandlung.

Vor jeglicher Anwendung der Aloe oder Produkten, die Aloe enthalten, muß ein Allergietest gemacht werden, da ca. 1% der Menschen allergisch auf Aloe reagieren. Dieser einfache Allergieschnelltest ist in diesem Buche ausführlich beschrieben. Personen, die allergisch auf Aloe reagieren, dürfen unter keinen Umständen Aloe oder Produkte auf Basis der Aloe benutzen, da es in Einzelfällen zu gesundheitlichen Schädigungen kommen kann.

Alle in diesem Buch erwähnten Patienten und ihre Angehörigen erhielten aus Gründen des Schutzes der Persönlichkeit veränderte Namen. Alle anderen erwähnten Namen verblieben original.

In vielen übernommenen Texten waren die Aloe-Arten mit Synonymen bezeichnet. Zur Vereinheitlichung wurde stets korrigiert auf den korrekten botanischen Namen.

Das vorliegende Buch ist in seiner Aussage als eine Einheit zu betrachten. Isolierte Kapitel oder aus dem Zusammenhang gerissene Abschnitte können zu Fehldeutungen und -interpretierungen führen. Aus diesem Grunde muß bei einer eventuellen Zitierung von Textstellen aus diesem Buch stets ein Sinn wiedergegeben werden, der nicht konträr zu dem Gesamtwerk aller Kapitel steht.

Dieses Buch soll regelmäßig aktualisiert in neuen Auflagen erscheinen. Dazu ist die Mithilfe der Ärzte und der medizinisch interessierten Leserschaft erwünscht, die mit Heilungsberichten und interessanten Anwendungsbereichen der Aloe für kommende Neuausgaben beitragen können. Diese Zusendungen werden erbeten unter der Anschrift: St. Hubertus, C. P. 21.194, São Paulo S.P. 04602-970 Brasilien.

Dieses Buch ist eine völlig überarbeitete Ausgabe von „Aloe, Kaiserin der Heilpflanzen" ISBN 3-00-007473-2, wobei der Bereich Krebs verkürzt und die Kapillarenlehre des Autors stark erweitert wurde.

Inhaltsverzeichnis

Vorwort 10
Die Entdeckung des gemeinsamen Nenners vieler Krankheiten 13
150.000 km Kapillaren: Hauptentscheidungsträger unserer Gesundheit 19
Wie wichtig ist der Sauerstoff für den Menschen 29
Aloe in der Geschichte der Jahrtausende 33
Botanik und Inhaltsstoffe der Aloe vera L. und
   Aloe arborescens Miller 47
Sauerstoffmangel durch verengte Kapillaren ist die
   Hauptursache von Krebs 55
Brasilianische Erfolgsformel gegen Krebs 73
Heilungsberichte von Pater Romano Zago OFM 77
Aloe mildert die typischen Nebenwirkung der Strahlen- und
   Chemotherapie und bestätigt damit die Kapillarenlehre 83
Aloe als Schmerzmittel 93
Fibromyalgie ein neues Volksleiden, verursacht durch verengte
   Kapillaren und deren Poren 97
Diabetes schädigt die Kapillaren 101
Wichtiger Hinweis für Zuckerkranke 113
Die Kapillarenlehre deutet darauf hin, daß AIDS
   möglicherweise AEDS ist 115
Die Wichtigkeit gesunder Kapillaren der Niere 129
Kapillaren entscheiden über unsere Haut, Aloe ein Balsam für
   deren Pflege und gegen Juckreiz 133
Kleinkinder leiden unter verengten Kapillaren 143
Hormone und die Kapillaren 145
Die großen Seuchen kommen wieder 147
Die Aloe im erfolgreichen Einsatz bei weiteren Krankheiten 151
Rezepte für Aloe-Kraft-Getränke 201
Nebenwirkungen der Aloe 205
Medikation mit Naturheilmitteln während der Schwangerschaft 209
Pro und Kontra bei Blatthaut und Aloin 211
Halten Sie sich wieder eine Aloe im Haus! 219
Kirlianfotographie beweist die Spitzenstellung der Aloe als
   Kaiserin der Heilpflanzen 223
Hauptkrankheitsursache: Falsche Ernährung - 50 Sprüche 227
Essen Sie was Ihnen bekommt, und bei Beachtung einiger
   kleiner Regeln können Sie Ihre Gesundheit besser erhalten
   bzw. wiederherstellen 233
Die Macht des Gebetes 263
Bibliographie 271
Namens- und Sachregister 291

Vorwort der 1. Auflage unter dem Titel „Aloe, Kaiserin der Heilpflanzen"

Ausbreitung der Wissenschaft....... Superspezialisierung in den ärztlichen Fachbereichen...... Immer neuere Erkenntnisse über den menschlichen Körper, die zur totalen Fragmentierung bis hin zu den Teilen des Genoms....
Bedeutet das unbedingt mehr Gesundheit?!

Oder vergißt man damit woher wir kommen, sogar daß wir eine Zusammenfassung, eine individuelle Einheit dieser kleinen Bausteine sind?! Herr Peuser zeigt uns durch seine ungewöhnliche jahrelange, seriöse und auch passionierte Forschung in einer überraschend umfangreichen Datensammlung, daß jeder von uns, ja, Sie können es glauben - einen einmalig individuellen komplexen Körper besitzt, der aus den vielen kleinsten Bausteinen, wie kleine Welten besteht, der durch sein Milieu sehr stark beeinflußt, jedoch auch geschädigt werden kann und den wir aber auch selbst beeinflussen können.

Was Sie in den folgenden Seiten lesen werden, wird sicherlich heftige Diskussionen auslösen, was sehr zu begrüßen ist, da nunmehr zum ersten Male in einer derartigen konzentrierten Form das gesamte bisherige Wissen über die Vitalkräfte der Aloe in einem Buch zusammengefaßt angeboten wird und man sich damit ernsthaft auseinandersetzen wird. Für viele Ärzte sicherlich ein völliges Neuland. Die wissenschaftliche Forschung wird sich dem Aufruf von Herrn Peuser sicherlich nicht verschließen können, um seine logischen Erkenntnisse und Schlußfolgerungen durch Doppelblindstudien zu untermauern. Da seine Literaturauswertung schließlich fünftausend Jahre erfolgreicher ärztlicher Heilkunst umfaßt, finden wir auch viele bereits vergessene Therapien in den Zitierungen, die ebenso wert sind, in unserer heutigen Zeit wieder einmal nachvollzogen zu werden. Aus diesem Wissen kann man selbst heute noch wertvollste Erkenntnisse gewinnen und darauf weiter aufbauen. Ich bin sicher, daß nicht nur die Anhänger der Naturheilverfahren ihm die sicherlich verdiente Anerkennung und Ehre für seine Arbeit zukommen lassen.

Gleichzeitig werden uns die vielen fast unglaublichen Wunder der Aloe überzeugend vorgestellt. Die kosmetische Industrie ist allen anderen schon um viele Jahre voraus, und wir finden seit Jahrzehnten die Aloe in Tausenden Produkten für die Körperpflege und der Kosmetik. Herr Peuser öffnet nunmehr mit seinem gesammelten Wissensschatz die Türen für die Pharmaindustrie, die durch dieses Buch wertvollste Anregungen erhält, um nunmehr sicherlich in immer größerem Maße verstärkt die einmaligen, fast phantastisch wirkenden Vitalkräfte der Aloe für ihre Präparate einsetzen werden. Damit liegen wir auch im zeitgerechten Trend, aus dem Füllhorn der Natur hochwertige Produkte zu fertigen.

Aber lesen Sie bitte selbst, was hier angeboten wird, und achten Sie auf alle für Sie wertvollen Vorschläge. Eine natürliche Ernährung - das kann ich Ihnen versichern - ist sicher der beste Weg, Ihre Gesundheit zu erhalten bzw. wiederzugewinnen. Und trotz allem, sollte der Fall eintreten, daß Sie von einer schweren

VORWORT

Krankheit betroffen werden, schalten Sie sofort um, genau wie es in diesem Buch beschrieben ist, und begleiten sie die Ihnen verordnete medizinische Therapie vertrauensvoll mit der vorgeschlagenen Aloe-Zusatzernährung unter der Aufsicht Ihres Arztes.

Es lohnt sich fürs Leben....

1. Mai 2000   Dr. med. Robert Helbert Bammann

Vorwort der 2. Auflage, nunmehr mit dem Titel „Kapillaren bestimmen unser Schicksal"

Unabhängige und mühevolle Arbeit bringen immer gute Ergebnisse. Herr Peuser, fasziniert von den Wirkungen der Kaiserin der Heilpflanzen, die nach seiner ersten Auflage uns schon bekannten *Aloe vera* L. und *Aloe arborescens* Miller, gab sich kaum eine Ruhepause, bis er hinter das Geheimnis der Wirkungsweise dieser Pflanzen in derartig vielen verschiedenen Krankheiten kam.

Im Bereich des Blutkreislaufes - und zwar im feinsten und engsten Bereich, also den Kapillaren - findet der lebenswichtige Stoffaustausch statt. Auf unsere häufig ungesunden Lebensgewohnheiten reagieren die Kapillaren über einen Schwellkörper ihrer Innenwände mit einer Verengung ihres internen Durchmessers und behindern dadurch die Ver- und Entsorgungsaufgaben der roten Blutkörperchen. Diese vom Autor erkannte Verengung der Kapillaren ist für sehr viele Krankheiten der Ausgangspunkt. Herr Peuser listet in seinem bekannten erklärenden Stil die Ursachen auf, die zu Kapillarenverengungen führen und bietet die Aloe an, um mit ihrer Vitalkraft diese Kapillaren wieder auf ihren gesunden und normalen Durchmesser zu weiten zur Verbesserung Ihres Wohlbefindens und der von Ihrem Arzt angewandten Therapien.

1. Oktober 2002   Dr. med. Robert Helbert Bammann
Vinhedo S.P., Brasilien

KAPILLAREN BESTIMMEN UNSER SCHICKSAL

Die Entdeckung des gemeinsamen Nenners vieler Krankheiten

Durch die Veröffentlichung meiner Bücher „Krebs, wo ist dein Sieg?" bzw. „Aloe, Kaiserin der Heilpflanzen", welche die Ergebnisse meiner Aloe-Forschungen waren, kam ich weltweit in Kontakt mit Menschen, die ebenfalls positive Erfahrungen mit der *Aloe vera* L. gemacht haben. Durch meine jahrelange Auswertung der medizinischen Fachzeitschriften und -bücher sowie von historischen Dokumenten der erfolgreichsten Ärzte der Weltgeschichte, hatte ich bereits Dutzende Krankheiten zusammengetragen, bei denen die Aloe erfolgreich zum Einsatz kam, bzw. hochschulmedizinische Therapien ideal ergänzte, oder deren zahlreiche Nebenwirkungen milderte und Gesundungen beschleunigte.

Ständig erhielt ich weitere Informationen und Zuschriften, und die Zahl der Krankheiten und Beschwerden überstiegen die Zahl von 50, danach 60 und jetzt schon 100, bei denen die Aloe zum Einsatz kam. Irgend etwas mußte doch nicht mit rechten Dingen zugehen, war meine Meinung. Wenn eine Heilpflanze eine Krankheit positiv beeinflußt, dann wird sie von der Hochschulmedizin anerkannt. Wenn eine andere Heilpflanze eine andere Krankheit heilt, ebenfalls. Wenn ich nun aber vor die kritische Ärzteschaft trete und verkündige, daß ein einfacher Gemüsesaft der Aloe in 50 und inzwischen in über 100 Krankheitsbildern wertvolle Hilfe leistet, dann wendet sich jeder normal denkende Arzt mit Recht ab, denn so etwas darf und kann es einfach in der Natur nicht geben. Das klingt nicht ernst!

Nun wurde ich aufgrund meiner Veröffentlichungen in Brasilien, die weltweit Furore machten, regelmäßig zu Vorträgen und zu Fernsehsendungen nach Europa eingeladen, wo man wißbegierig alle Neuigkeiten von der Wiederentdeckung der Aloe hören wollte. Ich hatte zwar den überaus großen Fächer des bisher bekannten Einsatzgebietes anzubieten, jedoch fehlte mir eine logische Erklärung, warum gerade die Aloe so vielseitig helfen kann. Und diese Erklärung suchte ich intensiv. Ich suchte einen logischen gemeinsamen Nenner dieser Krankheiten.

In der Kosmetik hatte bereits seit rund 40 Jahren der Siegeszug der Aloe begonnen, da es kein besseres Hautpflege- und Schönheitsmittel auf der ganzen Erde gibt als die Aloe. Und alle namhaften Kosmetikhersteller benutzen bereits die Aloe in ihren Produkten. Die Entwicklung setzte sich bereits fort in Shampoos, Seifen und Zahnpasten.

Den meisten Mitteleuropäern war seit Großmutters Zeiten die Aloe nur bekannt als „Erste-Hilfe-Pflanze" bei Verletzungen und Verbrennungen, und viele Urlauber lernten die Aloe erst im sonnigen Süden kennen als beste Hilfe bei Sonnenbrand und Mückenstichen. Alle diese bekannten modernen Anwendungen mit dem frischen Aloesaft waren jedoch stets äußerlich.

Einen gewaltigen Durchbruch erlebte die Aloe, nachdem man begann, aus dem inneren Gel der Blätter wertvolle Vitalgetränke herzustellen, die als Frischsaft von einem Millionenpublikum weltweit getrunken werden. Dieser Frischsaft kommt von

KAPILLAREN BESTIMMEN UNSER SCHICKSAL

riesigen Aloe-Plantagen und ist allen bisher bekannten Obst- und Gemüsesäften als Vital- bzw. Gesundheitsgetränk haushoch überlegen. Mit diesem Aloegetränk wird dem Körper eine derartig große Vielfalt von lebenswichtigen Vitalstoffen angeboten, so daß der Organismus dankbar mit vermehrter Gesundheit antwortet. Heute ist dieser Saft der Aloe in vielen Familien nicht mehr wegzudenken und die ideale und zeitgerechte Antwort auf unsere heutige moderne ungesunde Lebensführung.

Einen weiteren Durchbruch gab es ab den 90er Jahren des 20. Jahrhunderts, als der brasilianische Franziskanerpater Romano Zago OFM eine brasilianische Uraltformel aus Aloe-Ganzblatt (also mit der Blatthaut, jedoch ohne Stacheln), Honig und Zuckerrohrschnaps durch seine Tätigkeit in Israel bekannt machte. Er arbeitete an der Grabeskirche und später an der Geburtskirche von Christus in Israel und betreute Hunderttausende Pilger, darunter auch viele Krebskranke im Endstadium. Er mischte und gab diesen kranken Pilgern, so wie er es von Brasilien mit großem Erfolg her gewöhnt war, das Aloe/Honig/Alkohol-Produkt oder gab ihnen die Formel mit auf den Weg. Mit dieser Saftmischung sollen über 70 % der Krebskranken im Endstadium, die bereits von der Hochschulmedizin aufgegeben waren, Gesundung erfahren haben.

Am 16. August 2000 hielt ich aufgrund einer Einladung von Herrn Peter Möller einen Vortrag in Berlin-Charlottenburg im Concept-Hotel in der Grolmannstraße in der unmittelbaren Nähe vom Kurfürstendamm. Hier trug ich zum ersten Male vor einem gesundheitsbewußten Publikum eine Hypothese vor, die für mich sinnvoll die vielseitige Heilwirkung der Aloe erklären konnte. In der Presse erschienen daraufhin verschiedene Reportagen, wovon ich Ihnen den Bericht von Reporter R. Bürks in der Ausgabe der Brasil-Post Nr. 2587 vom 15. September 2000, Seite 16, nicht vorenthalten möchte. Der Artikel erschien unter der Überschrift:

Neue Hypothese für Krebs- und Aidstherapie!

„Der Autor der Bücher „Krebs, wo ist dein Sieg?" und „Aloe, Kaiserin der Heilpflanzen", Michael Peuser, aus São Paulo, wurde zu Vorträgen nach Berlin und Hamburg eingeladen. Vor einem elitären Publikum, welches weder lange Anfahrtswege noch hohe Eintrittspreise scheute, sprach Herr Peuser zum Thema „Gesunde Ernährung" und „Die Aloe vera L. als Heilpflanze". Zahlreiche Ärzte, die diese Veranstaltungen besuchten, waren tief beeindruckt, besonders von einer neuen Hypothese, die erstmalig von Herrn Peuser in Charlottenburg (seinem Heimatbezirk) am 16. August 2000 dem Publikum vorgetragen wurde, zum Thema der Ursache und Therapieverbesserung von Krebs und AIDS. Hierbei machte der Redner zunächst auf die bekannten Nebenwirkungen der Chemo- und Strahlentherapie bei der Krebsbehandlung durch die Hochschulmedizin aufmerksam. Diese sind während und auch noch kurz nach der Therapie sehr zahlreich und reichen vom Brechreiz, Hautreizungen bis hin zum Haarausfall. Wird bei diesen Therapien die Aloe vera L. mitverwendet, entstehen kaum oder gar keine Nebenwirkungen, wie der medizinischen Literatur zu entnehmen ist.

Die Entdeckung des gemeinsamen Nenners verschiedener Krankheiten

Die Ursache des Unwohlseins ist laut der Hypothese des Autors darin zu suchen, daß sich der Organismus gegen die Giftstoffe der Chemotherapie und gegen die Strahlen wehrt und die Kapillaren zusammenzieht. Die 150.000 km Kapillaren (3 1/2 mal der Umfang der Erde) unseres Organismus sind derartig fein im Durchmesser, daß oft die roten Blutkörperchen nur mit großer Mühe durchkommen, um die an diesen Kapillaren liegenden Zellen mit Sauerstoff zu versorgen. Wenn sich nun die Kapillaren verengen, kommen weniger oder keine roten Blutkörperchen durch. Die Zellen werden nicht mehr ausreichend mit Sauerstoff versorgt. Dann können die Zellen nicht genug Energie produzieren. Entweder sterben diese Zellen, was Entzündungen hervorruft, oder, falls diese Zellen überleben können, es zur Zellgärung (d.h. Krebs) kommen kann. Diese Zellgärung lehrte bereits der deutsche Nobelpreisträger Otto Warburg. Seine durch Jahrzehnte hindurch gültige Lehre wurde Ende der 60er Jahre des 20. Jahrhunderts von der neuen Generation der damaligen jungen US-Wissenschaftler abgelöst, die da glaubten, über die Genforschung den Krebs innerhalb von 5 Jahren besiegen zu können.

Seitdem die US-Genforscher und die Retrovirologen die Richtung bestimmen, gibt es seit 30 Jahren keine großen Fortschritte in der Krebstherapie, bis auf die Chirurgie, die immer besser wurde. Der Präsident der Deutschen Krebsgesellschaft, Dr. Lothar Weissbach, berichtete sogar unter dem Titel „Die Ärzte haben versagt" im DER SPIEGEL 12/2000 darüber. Aber nicht die Ärzte haben versagt, sondern die Forscher, die einseitig nur auf die Genforschung setzten und dabei die Lehre Otto Warburgs verdrängten oder in Vergessenheit geraten ließen.

Wahrscheinlich werden sie auch in weiteren 30 Jahren an den Genomen forschen und nichts bei der Krebsbehandlung verbessern. Aus den genannten Beispielen der Reaktion auf die Chemo- und Strahlentherapie (Verengung oder Verödung der Kapillaren) kann man sich dann auch viele andere Reaktionen erklären. Unser Organismus wehrt sich gegen verkehrte Ernährung, Nikotin, Alkoholmißbrauch und bestimmte Viren (z.B. Aidsvirus) durch ein Zusammenziehen der Kapillaren. Es entsteht Krebs, und beim Aidskranken beobachtet man ganz spezifische sogenannte „opportunistische Infektionen" wie Altersflecken, Schweißausbrüche, Fieber, Durchfall, körperliche Schwäche und Unwohlsein (PCP, KS, CMV und MAI), alles typische Krankheitsbilder, die sich bei Menschen bilden, die sauerstoffentleert sind. So schwächt sich der Aidspatient immer mehr, wodurch diese Krankheit häufig tödlich enden kann.

Nun wissen wir aus der Jahrtausendalten Literatur, daß die Ärzte stets mit großem Erfolg die *Aloe vera* L. angewandt haben, selbst für Krebs. Deshalb ist auch die *Aloe vera* L. im ersten gesamtdeutschen Apothekerbuch als das meist verwendete Heilmittel seit der christlichen Zeitrechnung bezeichnet worden.

Die *Aloe vera* L. bewirkt als Haupteigenschaft eine Erweiterung der verengten Kapillaren um bis zu 35 Prozent, d.h. bis zum normalen und gesunden Durchmesser. Dadurch werden die Zellen wieder besser mit Sauerstoff versorgt, der Krebs kann dadurch zum Stillstand kommen und in vielen Fällen verschwinden. Der sauerstoffentleerte Aidskranke, wird dank der Aloe, wieder besser mit Sauer-

KAPILLAREN BESTIMMEN UNSER SCHICKSAL

stoff versorgt und kann die sogenannten „opportunistischen Infektionen" weniger stark empfinden, wird wieder gestärkt und sein eigener Organismus kann dann oft den Virus selbst besiegen.

Die naturbelassene *Aloe vera* L. ist wie frisches Obst und Gemüse ein Nahrungs-mittel, welches dem Körper Vitalität schenkt und mit lebenswichtigen Wirkstoffen versorgt, die häufig durch unsere ungesunde „gut bürgerliche Kost" dem Körper vorenthalten bleiben. Es gibt 700.000 verschiedene Lebewesen auf der Erde, doch nur der Mensch denaturalisiert sein Essen, und nur der Mensch und seine Haus-tiere kennen so viele Krankheiten, Krankenhäuser, Siechenheime usw..

Der Autor empfiehlt den Ärzten, bei den 50 verschiedenen in seinen Büchern erwähnten Krankheitsbildern stets sofort bei Beginn der hochschulmäßigen Therapie die Aloe vera L. begleitend mitzuverwenden, als Vitalgetränk zur Stärkung der Abwehrkräfte. Dadurch lassen sich bessere und schnellere Heilergebnisse erzielen.

Der Autor empfahl dem deutschen Publikum wieder eine *Aloe vera* L. im Hause zu haben als „Erste-Hilfe-Pflanze", so wie es bis vor 80 Jahren in jedem Haushalt üblich war, als man noch kein elektrisches Licht und kein Gas hatte und somit den häuslichen Herd ständig unter Feuer halten mußte, wobei häufig zahlreiche Ver-letzungen auftraten. Damals benutzte man äußerlich die Aloe viel bei Brand- und Schnittwunden, wodurch schnellste Heilung erfolgte. Unvergessen ist das Zitat von Wilhelm Busch in seinen lustigen Bildgeschichten: „Da steht die bittre Aloe, setzt man sich drauf, so tut es weh". Dieser Text zeigt, daß damals die Aloe allgemein bekannt war.

Die *Aloe vera* L., wegen der phantastischen Hautpflegeeigenschaft bereits seit über 40 Jahren weltweit im Einsatz, ist nun endlich auch von der Medizin wieder-entdeckt worden. Es wird die Zeit kommen, in der man die Medizin um die Jahr-tausendwende einteilen wird in die Zeit „vor" und „nach" der Wiederentdeckung der *Aloe vera* L. ." (Soweit die Berichterstattung in der Zeitung)

Forschung bestätigt die Kapillaren-Hypothese

Die im August 2000 in Berlin-Charlottenburg erstmals von mir vorgetragene Hypothese über den gemeinsamen Nenner von damals über 50 Krankheitsbildern, welche die Heilwirkungen der Aloe erklären sollte, suchte nunmehr ihre wissen-schaftliche Untermauerung. Die Hauptstichwörter „die Verengung, bzw. die Wiederherstellung des normalen Durchmessers der Kapillaren" zur Erklärung von Krankheiten und deren Heilungen war in den Raum gestellt. Nun hieß es, die rich-tigen Quellen dafür zu finden. Über die Kapillaren gibt es eine recht umfangreiche wissenschaftliche Literatur. Über 1.700 Dokumente wurden zur Auswertung heran-gezogen. Zu meiner Freude konnte in fast jedem dritten Dokument mal ein Wort oder auch ein Satz gefunden werden, der genau in mein Mosaik meiner Kapillaren-Hypothese paßte. Nach und nach füllten Steinchen auf Steinchen dieses Mosaikbild aus, und heute ist es für mich komplett und wissenschaftlich unter-

DIE ENTDECKUNG DES GEMEINSAMEN NENNERS VERSCHIEDENER KRANKHEITEN

mauert. Aus einer Hypothese wurde eine wissenschaftliche Erkenntnis. Auf einmal klang alles logisch und verständlich, und ein neuer Horizont öffnete sich mit der neuen Kapillarenlehre. Der gemeinsame Nenner vieler Krankheiten war gefunden, und der Hauptentscheidungsträger für unsere Gesundheit, die Kapillaren, identifiziert.

KAPILLAREN BESTIMMEN UNSER SCHICKSAL

150.000 km Kapillaren: Hauptentscheidungsträger unserer Gesundheit

Unsere Gesundheit schwindet, wenn die Ver- und Entsorgung unseres Organismus durch die 150.000 km Kapillaren unseres Körpers beeinträchtigt werden, bzw. zusammenbrechen. Sie haben richtig gelesen! Unser Organismus enthält 150.000 km Kapillaren, was der dreieinhalbmaligen Länge des Erdumfanges entspricht.

Dieses feine Kapillarensystem mit einem Gesamtvolumen von ca. drei Litern ist der Hauptentscheidungsträger, ob wir gesund oder krank sind. Die Kapillaren werden häufig als Haargefäße bezeichnet. Hätten diese den Durchmesser von Haaren (0,1 mm), wäre das Gesamtvolumen der 150.000 km Kapillaren etwa 1200 Liter groß und würde im menschlichen Organismus keinen Platz finden. Der Zustand unseres Kapillarensystems entscheidet über die Entstehung von mehr als 80 verschiedenen Krankheiten, darunter auch schwerste Leiden wie z.B. Krebs, Angina pectoris, Psoriasis und Fibromyalgie mit Millionen an Opfern.

Deshalb sollten wir uns sehr intensiv mit unseren Kapillaren bekannt machen, ihre Funktionsweise entdecken und verstehen lernen. Mittels der in diesem Buch beschriebenen Informationen und Therapien können wir auf natürlichem Weg korrigierend eingreifen und somit vielen Krankheiten die Ausgangsbasis rauben.

Der Blutkreislauf

Unser Blutkreislauf ist ein überaus sinnvolles Transportsystem. Selbst in Ruhezeiten pumpt unser Herz etwa in einer Minute die gesamte Blutmenge unseres Körpers in den Blutkreislauf, etwa 10.000 Liter am Tag, das entspricht der Füllung eines Tanklastwagens. Keine Frage, der Zustand der Blutgefäße hat entscheidende Bedeutung für unsere Gesundheit. Leistungsfähige Gefäße sind gefragt: gesunde Arterien, die alle Körperregionen mit sauerstoffreichem Blut und Nährstoffen versorgen; gesunde Venen, die das Gewebe entschlacken und das sauerstoffarme Blut wieder zu Herz und Lungen zurücktransportieren. Besonders wichtig ist der Zustand unseres Gefäßsystems dort, wo der Austausch von Stoffen vom Blut in die Körperzellen und umgekehrt stattfindet: in den Kapillaren, die feinsten Äderchen, die jede Zelle versorgen. Das sauerstoffreiche Blut wird vom Herzen über das arterielle System in die Peripherie gepumpt. Dort teilen sich die Arterien in Arteriolen, in Präkapillaren und schließlich in die kleinsten Gefäße unseres Körpers, die Kapillaren. Die Kapillaren sind die kleinsten Bluttransportwege; jede von ihnen hat einen Durchmesser von nur sieben bis zehn tausendstel Millimeter.

Kapillaren bestehen aus einer röhrenförmigen Zellschicht. Sie verbinden Arterien und Venen und sind der Ort des Gasaustausches. In den Kapillaren ist der Blutstrom besonders langsam. Dies begünstigt den Stoffaustausch. Die Strömungsgeschwindigkeit beträgt in den Kapillaren ca. 0,01 cm/s und dient über eine Wegstrecke von nur 0,01 cm dem Stoffaustausch. In der Aorta ist diese Geschwindigkeit 1200 mal schneller. Während die Aorta eine Querschnittsfläche

KAPILLAREN BESTIMMEN UNSER SCHICKSAL

von ungefähr vier Quadratzentimeter hat, beträgt diese bei den sich millionenfach verzweigenden Kapillaren zusammengerechnet 4.800 Quadratzentimeter.

Poröse Kapillarenwände

Die dünne Kapillarwand ist porös. Durch die Poren tauscht der Körper Substanzen wie Sauerstoff, Wasser, Salz und Eiweiße zwischen Gefäß und Gewebe aus (semipermeable Membran). Nur Blutkörperchen und Riesenmoleküle der Plasmaeiweiße können diese Poren nicht passieren. Der hydrostatische Druck (hoher Druck im Gefäß, niedriger Druck im Gewebe) treibt diesen Austausch an. Dieser Druckunterschied ist auf der arteriellen Seite des Kapillargebietes hoch, auf der venösen Seite niedrig. Dadurch erfolgt der Austausch von Nahrungsstoffen, Sauerstoff, Abbauprodukten und Kohlendioxid geordnet. Der Abtransport geschieht über das venöse System. Die Venen sind mit Klappen ausgestattet, um den Blutrückstrom zu gewährleisten. In den fünfziger und sechziger Jahren des 20. Jahrhunderts wurde festgestellt (Rohracher), daß es in den Venolen und sogar im Venenteil der Kapillaren anatomische Gebilde gibt, die als Klappen fungieren. Wird die Umgebung einer Kapillare (z.B. ein Muskel) komprimiert, wird Flüssigkeit aus dem Gefäß herausgepreßt. Löst sich der Druck auf die Kapillare, wird die Ausgangsform dank der Wandelastizität wiederhergestellt, d.h. im Inneren der Kapillare bildet sich ein leerer Raum, eine Art Vakuum. Dadurch gelangt die herausgedrückte Flüssigkeit wieder zurück in die Kapillare. Ein Rückfluß aus dem venösen Teil wird durch die Klappe gehemmt und somit fließt nur arterielles Blut nach. Geschieht dies mehrmals hintereinander, übernimmt die Kapillare die Rolle einer Pumpe, die das Blut, unterstützt durch die Muskeln, pumpt. Je mehr Gefäße gleichzeitig auf diese Weise komprimiert oder entlastet werden, desto höher wird der Pumpeffekt sein. Durch mechanische Impulse längs der Muskelfasern (Vibrationen) wird die Gestaltsveränderung der Kapillaren stimuliert.

Kapillaren reagieren auf Temperatur und Wunden

Hautkapillaren sind wichtig bei der Regulierung der Körpertemperatur. Wenn sie ansteigt, wird die Haut stärker durchblutet, und das Blut kann sich an der Körperoberfläche abkühlen.

Kommt es zu einer Verletzung der empfindlichen Kapillaren, gerät Blut in das Gewebe, und es entsteht ein Bluterguß. Zur Behandlung im akuten Stadium eignen sich am besten Kälte und Druckverband. Das Hämoglobin in diesem ausgetretenen Blut verfärbt sich blau, weil das Gewebe ihm den Sauerstoff entzieht. Wird der blaue Fleck später grün oder gelb, so liegt das am Bilirubin, ein Abbauprodukt des Hämoglobins. Diese Färbung kündigt die Erneuerung der verletzten Kapillaren an.

Wie kommen Sauerstoff und Stickstoff ins Blut?

Sauerstoff, Stickstoff und eines der Endprodukte, das Kohlendioxid, wandern, wie alle Gase, immer in die Richtung, in der am wenigsten des jeweiligen Gases vorhanden ist. Dies gilt ganz besonders für die Atmung in der Lunge und in der Zelle. Atemluft enthält mit seinen 21 % viel Sauerstoff und mit 78 % viel Stickstoff neben 1 % Restgasen. Dieses Verhältnis befindet sich ebenfalls nach der Einatmung in den Lungenbläschen.

In den Kapillaren, welche die Lungenbläschen umgeben, ist wenig Sauerstoff und auch weniger Stickstoff, weil diese Stoffe im Körper verbraucht wurden. Also „wandern" diese Gase in die Kapillaren, denn Lungenbläschen und Kapillaren sind durchgängig für Sauerstoff und Stickstoff. Von hier aus gelangen die Stoffe in die Zellen und können dort verstoffwechselt werden.

Wichtig für das Verständnis der Wirkung von Sauerstoff und Stickstoff ist ebenfalls der Transport von Sauerstoff im Blut: Sauerstoff benötigt für einen ausreichenden Transport im Blut ein Transportsystem. Dieses Transportsystem befindet sich in den roten Blutkörperchen. Es ist der „Rote Blutfarbstoff", das Hämoglobin. Davon gibt es in den roten Blutkörperchen sehr viel. Der Sauerstoff gelangt in die roten Blutkörperchen und bindet sich an das Hämoglobin. Jedes Hämoglobinmolekül kann zwei Sauerstoffmoleküle binden.

Daneben gibt es noch die sogenannte „physikalische Bindung". Das ist ein physikalischer Effekt, da sich Gase unter bestimmtem Druck in Flüssigkeiten lösen. Dieser Druck, der den Sauerstoff im Blut „physikalisch" löst, ist der Atmosphärendruck, den wir Menschen so gar nicht wahrnehmen, da wir damit leben. Jeder kennt das Phänomen, das auftritt, wenn man eine Sprudelwasserflasche öffnet. Die Flasche steht unter Druck, und bei diesem Druck löst sich die Kohlensäure in der Flüssigkeit. Dreht man die Flasche auf, entweicht der Druck, und die gelöste Kohlensäure wird frei, es sprudelt.

Druck auf Kapillaren

Zwischen dem zwanzigsten und sechzigsten Lebensjahr verbringen wir mehr als 15 Jahre im Bett. In einem Zeitraum von 50 Jahren schlafen wir rund zwanzigtausendmal ein. Für uns alle ist der Schlaf eine grundlegende Voraussetzung, gesund zu bleiben und so die Lebensqualität zu steigern. Beim Schlafen ist jedoch die störungsfreie Blutzirkulation in den Kapillaren nicht gewährleistet. Es entsteht z.B. bei der Rückenlage Druck auf Hinterkopf, Brustwirbelsäule, Becken, Waden und Fersen; in der Seitenlage auf Schultergürtel, Hüfte, Knie und Knöchel. Dadurch werden Kapillaren zusammengedrückt. Sollte dieser Druck jedoch über längere Zeit anhalten, würden schwere Gesundheitsschäden entstehen. Die Natur hat auch da vorgesorgt. Der Blutstau in den Kapillaren der Haut und die Verspannung der Muskulatur bewirken, daß der Mensch sich im Schlaf dreht und wendet und stets in eine andere Lage wechselt. Bei Menschen, die sich vor Schmerzen nicht im Bett bewegen können, kann es zum Wundliegen kommen, bei dem sich an den Auflageflächen, wo ständig Kapillaren zusammengedrückt werden, tiefschwarze plastikartig aussehende Plaketten bilden.

KAPILLAREN BESTIMMEN UNSER SCHICKSAL

Auch beim längeren Sitzen wie z. B. bei Büroarbeiten oder bei interkontinentalen Flügen kommt es zu Problemen. Empfohlen wird das dynamische Sitzen. Dieses führt zu natürlichen Be- und Entlastungen der Muskulatur und der Bandscheiben und sorgt für ausreichende Durchblutung der Kapillaren. Generell sollte man beim Sitzen starre Dauerhaltungen vermeiden. Statt dessen: möglichst viel bewegen. Orthopäden und Arbeitswissenschaftler fordern das Konzept des dynamischen Sitzens. Dynamisch sitzen heißt, die Sitzposition häufig zu wechseln, zwischen vorgeneigter, aufrechter und zurückgelehnter. Das verhindert statisches Anspannen von Muskeln und vorzeitiges Ermüden. Dynamisches Sitzen schont auch die Bandscheiben. Denn es bewirkt den wohltuenden Wechsel zwischen Be- und Entlasten von Muskeln und Wirbelsäule. Bei der dynamischen Muskelarbeit spannt und verkürzt sich der Muskel, es entsteht eine Bewegung. Während der Entspannungsphase öffnen sich die Kapillaren und der Muskel wird durchblutet. Der Stoffwechselaustausch beginnt, der Muskel wird mit frischem Sauerstoff versorgt. Bei der statischen Muskelarbeit wechseln Spannung und Entspannung nicht miteinander ab. Bei andauernder Anspannung kommt es zu einer Kompression der Kapillaren, die Durchblutung des Muskels ist mangelhaft. Die Muskulatur ermüdet rasch, es fehlt Sauerstoff.

Leichter Sport stärkt die Versorgung durch Kapillaren

Auch leichter Sport kann uns Energie durch vermehrte Sauerstoffversorgung über die Kapillaren liefern. Mit Ausdauer können wir einer körperlichen und psychisch ermüdenden Belastung widerstehen und uns danach rascher erholen. Sobald wir Bewegungen machen, an denen mindestens 1/6 der gesamten Muskulatur unseres Körpers (etwa ein Bein) beteiligt ist, sprechen wir von allgemeiner Ausdauer. Typische Ausdauerbewegungen sind Gehen, Laufen, Rad fahren, Rudern, Langlaufen, Kajak fahren, Rollerblades, Scooter fahren, usw. .

Allgemeine Ausdauer ist wichtig für unsere Gesundheit. Bei allen, die Ausdauer trainieren, funktionieren Herz-Kreislauf-System sowie Atmung besser. Die Muskulatur wird stärker durchblutet. Das Herz arbeitet ruhiger und schickt mit jedem Schlag etwas mehr Blut durch den Körper, also muß es weniger oft schlagen. Vergleichbar mit jemandem, der in einer bestimmten Zeit mit einem Gefäß ein volles Boot ausschöpfen muß und sich dabei weniger anstrengt, wenn er ein größeres Gefäß zur Verfügung hat. Beim Ausdauersportler bilden sich im Herzmuskel und in allen anderen Muskeln viele neue Kapillaren, die für eine bessere Blutverteilung sorgen. Gut durchblutete Muskeln können mehr Sauerstoff und Nährstoffe aufnehmen und ermüden daher weniger rasch. Stoffwechselmüll wird rascher abtransportiert und belastet die Muskelzellen weniger. Vom Training profitiert auch die Atemmuskulatur. Trainierte atmen tiefer und langsamer als Untrainierte, somit sauerstoffreicher.

Der Austausch von Sauerstoff und Nährstoffen findet in der Muskulatur durch Diffusion zwischen den Kapillaren auf der einen Seite und der Muskulatur auf der anderen statt. Diffusion bedeutet die Bewegung eines Stoffes zum Ort seiner niedrigeren Konzentration. Sauerstoff und Nährstoffe werden ja im Muskel verbraucht und liegen demzufolge im Muskel in niedrigerer Konzentration vor als im Blut der Kapillaren. Wenn Sie über einen längeren Zeitraum hinweg systematisch ihre Ausdauer trainieren, kommt es zu einer verbesserten Kapillarisierung. Das bedeutet eine im Vergleich zum Untrainierten größere Zahl von eröffneten Kapillaren in der arbeitenden Muskulatur bei Ausdauerbelastung und der Vergrößerung des Querschnitts der Summe der Kapillaren im arbeitenden Muskel. Die Kontaktfläche zwischen Blut und Muskelfaser wird dadurch größer und der Weg für die Diffusion kleiner. Das bedeutet insgesamt eine verbesserte Durchblutung und damit Ernährung der belasteten Muskulatur.

Verengte Kapillaren als Krankheitsursache

Die Durchblutung der kleinsten Gefäße, die Kapillaren, ist bei allen Warmblütern eine komplizierte Angelegenheit. Das größte Problem liegt darin, daß der Durchmesser der roten Blutkörperchen (Erythrozyten) für die Kapillaren ein wenig zu groß ist und sie sich deshalb förmlich durch die Kapillaren in Einerkolonne bzw. im „Gänsemarsch" hindurchquetschen müssen.

Um dies zu ordnen, wurden verschiedene Ausgleichsmechanismen entwickelt. Beispielsweise stoßen sich die roten Blutköperchen durch ihre elektrische Ladung gegenseitig ab. Das funktioniert nicht immer einwandfrei. Bei verschiedenen Störungen kommt es zu einer Entladung und damit zu einem „Stau" in den Kapillaren. Dann fließt das Blut langsamer und transportiert weniger Nährstoffe und Sauerstoff zur Muskulatur. Gleichzeitig ist der Abtransport des Stoffwechselmülls gestört, der dann in den Zellzwischenräumen der Muskeln zurückbleibt, Schmerzen und Gliedersteifigkeit verursacht und als Fibromyalgie bekannt ist.

Auch die Zuckerkrankheit wirkt sich auf die Kapillaren aus. Ab 200 mg% Blutglucose ist soviel Zucker in den Kapillaren, daß der Durchfluß der roten Blutkörperchen (Fließgeschwindigkeit) durch die Verengung der Kapillaren schon erheblich abnimmt, ähnlich einem Stau auf der Autobahnabfahrt. Bei 300 mg% steht bereits das Blut in den Kapillaren. Da werden dann Kurzschlußverbindungen geöffnet, und das Blut fließt an seinem Zielort vorbei wie bei einer gesperrten Abfahrt auf der Autobahn.

Die ständige Erhöhung des Blutzuckers bei unerkanntem oder schlecht eingestelltem Diabetes schädigt vorzugsweise Zellen, welche die Glucose ohne Insulin aufnehmen können. Zu diesen insulinunabhängigen gehören Zellen, welche die Blutgefäße in der Netzhaut des Auges wie eine Tapete auskleiden (Endothelzellen genannt). Mit zunehmender Dauer der diabetischen Erkrankung werden diese Zellen geschädigt, sterben und müssen durch neue Endothelzellen ersetzt werden. Leider funktioniert dieser Reparaturvorgang nicht immer, so daß zunächst an wenigen Stellen und später in immer größer werdenden Gebieten die Kapillaren kollabieren. Durch sie fließt dann kein Blut mehr. Außerdem sind die Kapillaren, deren Endothelzellen zwar noch leben aber bereits geschädigt sind, für die Blutbestand-

KAPILLAREN BESTIMMEN UNSER SCHICKSAL

teile durchlässig. An den Stellen der Netzhaut, wo kleine Gruppen von verschlossenen Kapillaren liegen, wird der Versuch unternommen, neue Blutgefäße zu bilden. Es entstehen kleine Aussackungen - Mikroaneurysmen -, die mit dem Augenspiegel als kleine rote Flecken erkannt werden können. Sie sind die ersten sichtbaren Zeichen, daß der Diabetes die Netzhaut geschädigt hat.

Wenn größere Felder der Kapillaren in der Netzhaut verschlossen sind, versucht die Netzhaut, den entstehenden Sauerstoffmangel durch die Neubildung von Gefäßen auszugleichen. Dieser Versuch ist jedoch fatal, da die neu gebildeten Gefäße sehr brüchig sind und in den vor der Netzhaut liegenden Glaskörper einsprossen. Dort bluten sie leicht. Liegt jedoch die Blutung vor der Stelle des schärfsten Sehens - der Makula -, ist dieser Patient akut erblindet.

Die Kapillaren in der Evolution der Menschheit

Der Grund für diese zahlreichen Merkwürdigkeiten der engen Kapillaren liegt in unserer Entwicklungsgeschichte: In früheren Zeiten waren unsere Kapillaren weitaus dicker, und die roten Blutkörperchen fanden bequem darin Platz. Im Laufe von 500.000 Generationen unserer Vorfahren, d.h. in 15 Jahrmillionen, stellte sich jedoch heraus, daß engere Kapillaren einen überragenden Vorteil aufweisen. Sie haben eine relativ große Oberfläche und ermöglichen so einen besseren Stoffaustausch. In der gleichen Zeit, in der sich die Kapillaren verengten, blieben die roten Blutkörperchen jedoch in ihrer Originalgröße erhalten. Durch diese sehr wesentliche   Veränderung entstand der heutige Hochleistungsmensch. Alle Hochleistungsorganismen, wie wir Menschen, haben heute diese Form der engeren Kapillaren. Die alten breiten Haargefäße gibt es heute nur noch bei den langsameren Kaltblütern.

Diese „neue" Art der Durchblutung wurde jedoch mit einem Nachteil erkauft. Diese nunmehr engeren Kapillaren neigen zum Verstopfen, da in der Entwicklungsgeschichte des menschlichen Organismus sich in diesen Kapillaren äußerst hochsensible Schwellkörper bildeten. Diese Schwellkörper können den inneren Durchmesser der Kapillaren für den Durchfluß der roten Blutkörperchen vermindern oder wieder auf den normalen und gesunden inneren Durchmesser erweitern. Gleichzeitig werden durch ein Zusammenziehen der Kapillaren die Öffnungen vermindert, durch welche die Versorgung der Zellen mit Nährstoffen, Sauerstoff usw. erfolgen soll. Bei einer Verminderung des Durchmessers der Kapillarenöffnungen wird auch der Abtransport des Stoffwechselmülls beeinträchtigt und kann total unterbunden werden, wie bei einer sinnbildlich vergleichbaren „Gullydeckelverstopfung" mit Herbstlaub.

Dieses sinnvolle Schwellkörpersystem in den Kapillaren hatte vermutlich ursprünglich eine wichtige Aufgabe in unserer langen Entwicklungsgeschichte. Durch das Zusammenziehen der Kapillaren bildeten sich viele Krankheiten, die zum Tode führten. Die Evolution hat lenkend eingegriffen. Sie prämierte richtiges Verhalten durch ein längeres Leben und vermehrte Nachkommenschaft. Somit konnten die Vorläufer der   Menschen für das ihnen vorgegebene Ambiente und die richtige

Ernährung vertraut werden (in einem weiteren Kapitel wird darüber sehr ausführlich berichtet). Dadurch, daß dieses System über 500.000 Generationen aktiv war bzw. noch immer teilweise aktiv ist, stand ein natürliches Ausleseverfahren zur Verfügung. So konnten sich unsere Vorfahren in den vielen Jahrmillionen zum heutigen Hochleistungsmenschen mit aufrechtem Gang und mit Verstand entwickeln. Der Entwicklungsabschluß dieser Evolution wurde dann vor wenigen tausend Jahren als Krönung der Schöpfung und Ebenbild Gottes bezeichnet. Diesem paradiesischen Menschen wurde eine Seele eingehaucht.

Der berühmte Dresdner Physiker Prof. Manfred von Ardenne (1907 - 1997) lehrte: „Ist die Zelle stark, ist der Körper stark." Bei seinen zahlreichen Forschungen in Bezug auf die Sauerstoffversorgung der Zellen, die zu seiner „Sauerstoff-Mehrschritt-Therapie" (SMT) führte, beobachtete er, daß beim Anschwellen der Kapillarenwandzellen stets ein Sauerstoffmangel vorlag und der Blutstrom gedrosselt war. Durch künstliche Sauerstoffzufuhr konnte ein Abschwellen der Wandzellen der Kapillaren beobachtet werden, wodurch der Blutstrom deutlich erhöht werden konnte. Seine „Sauerstoff-Mehrschritt-Therapie" gliederte sich in drei Schritte. Der erste Schritt dient der Vorbereitung des Organismus auf die Optimalversorgung mit Sauerstoff. Die Gabe von Vitaminen, Mineralstoffen (z.B. Magnesium) und Spurenelementen (z.B. Zink und Selen) erhöht die zelluläre Sauerstoffaufnahme und sichert eine energetisch orientierte Sauerstoffverwendung. Zusätzlich kann das Immunsystem stimuliert werden (z.B. mit Thymus- oder Mistelpräparaten). Der zweite Schritt beinhaltet die Inhalation (Einatmen) eines sauerstoffangereicherten Luftgemisches. Der 90 %ige Sauerstoffanteil wird durch ein Spezialgerät (Ionisator) zusätzlich aktiviert (ionisiert). Die Inhalation erfolgt über hygienische Einwegmasken täglich über einen Zeitraum von 18 Tagen. Der dritte Schritt sieht dann die Verbesserung der Durchblutung des Gesamt-Organismus durch Bewegungsübungen (auch bei Ruheanwendungen alle 8 - 10 Minuten im Intervall) bzw. Anregung der Hirndurchblutung durch geistige Tätigkeit (z.B. Lesen) vor.

Neubildung von Kapillaren

Wie wichtig die Kapillaren sind, beobachtet man auch in den Krebstumoren. Eine der Hauptursache der Tumoren ist das Zusammenbrechen der Sauerstoffversorgung der Zellen. Dabei haben sich Kapillaren verengt oder sind verödet. Bei fehlender Sauerstoffversorgung gehen die Zellen, lt. dem deutschen Nobelpreisträger Otto Warburg, in die Zellgärung über, wodurch erheblich mehr Energie erzeugt wird, als bei der natürlichen und gesunden Sauerstoffversorgung der Zellen, so daß es zum unkontrollierbaren schnelleren Zellwachstum kommen kann, den man als Krebs bezeichnet. Bei fehlendem Sauerstoff will die Natur sofort ausgleichen, und neue Kapillaren wachsen in den bedrohten Tumorbereich. Man spricht dann von Angiogenese. Der Begriff stammt von J. Folkmann und resultierte aus dem Studium der Bildung von neuen Kapillaren in den Tumoren. Tumorangiogenese bedeutet jedoch fast ausschließlich Wachstum von neuen Kapillaren. Sobald ein Tumor eine bestimmte Größe erreicht hat, sendet er Signale aus, sogenannte „Wachstumsfaktoren", die an Rezeptoren der Endothelzellen auf den Gefäßwänden andocken und sie zur Bildung neuer Kapillaren anregen. Diese neuen Kapillaren erreichen leider nicht alle unter- und unversorgten Zellen, so daß der Tumor häufig nicht komplett gestoppt wird und seine Wucherungen fortsetzen kann. Normalerweise erfüllt dieser natürliche Prozeß der Angiogenese eine wichtige biologische Funktion im Organismus, wie z.B. in der Embryonalentwicklung und bei der Wundheilung. Bei diesen Fällen spielt die Angiogenese eine entscheidende Rolle.

Auch die Entwicklungsbiologen haben den Begriff Angiogenese reserviert für das Sprossen von Kapillaren, sei es die Vaskularisierung von Organanlagen durch die Invasion von Kapillaren aus dem primären Netzwerk während der Embryonalentwicklung oder im Erwachsenenalter die Vaskularisierung von Wunden oder generell bei Entzündungen.

Kapillaren versorgen das Hirn

Zwanzig Prozent des vom Organismus aufgenommenen Sauerstoffes wird zum Hirn transportiert und dort verbraucht. Ist die Sauerstoffversorgung nicht gewährleistet oder aus irgendwelchen Gründen eingeschränkt, kann dies nicht nur zu merklichen Veränderungen der Hirnleistung führen, sondern auch die Übertragung von Impulsen des Hirns an andere Organe, Drüsen und Muskeln negativ beeinflussen. Solche Störungen können das Funktionieren des gesamten Organismus in Frage stellen und auf lange Sicht auch bleibende Schäden verursachen. Aufgrund mangelnder Sauerstoffversorgung können abgestorbene Hirnzellen nicht mehr ersetzt werden. Aus diesem Grunde sollte man der Ernährung des Hirns durch die Kapillaren wesentlich mehr Beachtung schenken, als die meisten Menschen dies tun.

Übersäuerter Organismus läßt Blutkörperchen erstarren

Wenn die roten Blutkörperchen durch einen übersäuerten Organismus in den Kapillaren wandern, wird die Elastizität der roten Blutkörperchen beeinträchtigt. Diese normalerweise runden Körper können sich dann nicht mehr ausreichend in eine längliche Stäbchenform verwandeln, um sich in die allerletzten und engsten Kapillaren hineinzuzwängen zu können. Sie erstarren in ihrer runden Form. Man spricht dann von Azidosestarre (Dr. Worlitschek - "Praxis des Säure-Basen-Haushaltes", S. 55) Die Folge ist dann ebenfalls eine Unterversorgung der Zellen.

Die Zellen, ein Kosmos im Kleinen

Wir wissen heute, daß jede Zelle unseres Organismus eine ganze Welt für sich ist. In jeder Zelle laufen mehr chemische Prozesse ab, als in allen chemischen Fabriken dieser Erde. Man kann nur andächtig staunend diese einmalige Schöpfung bewundern. In jeder Zelle sind derartig viele Informationen gespeichert, mehr als der Speicherkapazität von unzähligen Computern entsprechend. Das Klonen von Lebewesen aus Zellmaterie beweist dieses Wunderwerk einer jeden Zelle. An uns Menschen liegt es aber, diese Wunderwelt der Zellen richtig zu versorgen und die

150.000 km Kapillaren

Abbauprodukte richtig zu entsorgen. Dies gelingt uns, wenn wir durch dieses Buch lernen, unsere 150.000 km Kapillaren richtig zu warten, um diese stets auf ihrem natürlichen und gesunden Durchmesser zur Aufrechterhaltung bzw. Wiedergewinnung unserer Gesundheit zu halten. Wenn wir uns ernsthaft um unsere Kapillaren sorgen, werden wir weniger Sorgen mit Krankheiten haben.

Das Kapillarensystem mit seiner Länge von 150.000 km wird deshalb von mir ganz bewußt als **Hauptentscheidungsträger unserer Gesundheit** bezeichnet.

„Es wäre ein Irrtum zu glauben, daß eine Wissenschaft aus lauter streng bewiesenen Lehrsätzen besteht und ein Unrecht, solches zu fordern."

Siegmund Freud, österreichischer Psychoanalytiker
(1856 - 1939)

Verursacher der Verengung der Kapillaren

Die vielfachen Ursachen, auf die unsere Kapillaren durch einen Verengung ihres Durchmessers reagieren, können wie folgt zusammengefaßt werden:

1. **Verkehrte Ernährung.**

2. **Verkehrte Ernährungszusammenstellung.**

3. **Rauchen und Passives Rauchen.**

4. **Alkoholmißbrauch.**

5. **Strahlungen (Exzeß von Sonnenstrahlung, Röntgenstrahlen, radioaktive Strahlung, Strahlentherapie, Erdstrahlen)**

6. **Bestimmte Chemikalien und die Chemotherapie.**

7. **Bestimmte Viren.**

8. **Bestimmte Parasiten.**

9. **Schlechte Nachrichten, Konfliktschock, Stress, Gram, Mobbing.**

10. **Hormonveränderungen.**

11. **Bewegungsmangel.**

KAPILLAREN BESTIMMEN UNSER SCHICKSAL

Wie wichtig ist Sauerstoff für den Menschen?

Eines der größten Leistungen der Evolution der heutigen Lebewesen auf dem Lande ist das Verlassen des Meeres gewesen. Dieses Wasser, voller Sauerstoff und Mineralien, enthält alles, was Tiere zum Leben brauchen. Ohne Wasser und Sauerstoff ist kein Leben möglich. Hierzu sind zwei Organe unseres Körpers, Niere und Lunge, nötig.

In der chinesischen Kultur ist die Niere das Organ für Angst. Warum? Was glauben Sie, bedeutet es, die Macht der Weltmeere zu ersetzen. Mit einem Partner - dem Menschen nämlich - der häufig nicht einmal genug Wasser trinkt? Das macht Angst! Unendliche Angst. Wenn z.B. jeder Mensch dieser Erde täglich 1 Liter Trinkwasser zusätzlich konsumieren würde, könnte sich der allgemeine Gesundheitszustand der Erdbevölkerung ganz gewaltig verbessern. Besonders ältere Menschen haben kaum Durst. Dies kann fatal sein! Es wurden Versuchsreihen in Seniorenzentren durchgeführt, wo Heimbewohner verpflichtet wurden, täglich bis zu 3 Liter Wasser zu trinken. Die Erfolge waren phantastisch! Personen, die sich keine Telefonnummer mehr merken konnten und oft nicht mal mehr ihren eigenen Namen wußten, erlebten eine Regeneration Ihres Gedächtnisses und erinnerten sich wieder. Wir dürfen nicht vergessen, daß unser Körper zu 70 %, unser Gehirn jedoch aus 90 % Wasser besteht. Selbst Menschen mit unheilbaren Krankheiten wie Alzheimer erfuhren Verbesserungen im Befinden bei erhöhter Flüssigkeitszufuhr.

Die Lunge nimmt Sauerstoff auf und muß diesen dem Körper für seinen Stoffwechsel zur Verfügung stellen. Eine geniale Erfindung. Doch was geschieht eben mit diesem Sauerstoff? Der Mensch und sein Gehirn können nur wenige Minuten ohne Sauerstoff leben! Was ist das Geheimnis? Das Blut braucht Sauerstoff, um zu leben. Nichts neues, oder? Wichtig ist, daß Sauerstoff nicht nur das Blut, sondern auch Ihren Körper am Leben erhält. Er ist der Motor für alle ihre Transportsysteme; der Treibstoff des Lebens sozusagen. Ohne ihn hat der Körper keine Möglichkeit, seine Funktionen zu erfüllen. Er treibt an, er powert, er gibt Kraft und Energie.

Denken Sie an Ihren persönlichen Haushalt. Was brauchen Sie zum Leben? Essen? Ja, natürlich! Wasser, ganz klar! Aber haben Sie Ihre Atmung, die wahre Grundlage vergessen? „Wenn Sie Ihren Atem beherrschen, so beherrschen Sie Ihr Leben", sagen die Weisen aus Indien.

Im Notfall braucht man immer zuerst Sauerstoff. Das ist bekannt. Doch welche Wirkungen hat Sauerstoff noch? Nun, er wirkt unmittelbar. Ein paar Hübe mehr Sauerstoff ist Balsam für Ihren Körper. er macht die Sauerstoffträger, die roten Blutkörperchen, erst so richtig agil. Sie strömen mit Freude, haben keinen Stau - Thrombose genannt - und gleiten lustvoll durch die 150.000 km Ihrer Kapillaren. Selbst kleinste Mengen von mehr Sauerstoff, z.B. durch Spazierengehen, bewirken Wunder bei Menschen, die sich normalerweise wenig bewegen. Viele Kranke inhalieren auch frische Luft oder Sauerstoff zusätzlich. Sie gewinnen dadurch das

Erlebnis schneller Frische und Regeneration. Alles kommt wieder in Fluß, der neue Tag kann kommen. Ob nach einem ermüdenden Arbeitstag, einer langen Autofahrt, oder einer langen Nacht. Sauerstoff wird Sie wieder frisch machen, und Sie werden vergessen was war: Mühe und Last. Der Mensch vergreist und stirbt langsam, wenn seine Lunge immer schwächer wird und schließlich ihre Tätigkeit einstellt. „Wohlan denn Herz, nimm Sauerstoff, und gesunde" schrieb Hermann Hesse.

Sauerstoff ist ein farb-, geruch- und geschmackloses Gas. Als lebenswichtigstes Element der Natur ist es von allen am weitesten verbreitet. In Verbindung mit anderen chemischen Elementen macht es die Hälfte des Gewichtes der Erde aus.

Ohne Sauerstoff kein Leben

Sauerstoff ist Leben, ohne Sauerstoff kein Leben! Mit dem Sauerstoff kam Leben auf unsere Erde. Das war vor einer Milliarde Jahren. Der Luftsauerstoff wurde und ist das unerläßliche Element für alle Stoffwechselvorgänge, die für das Leben charakteristisch sind: Atmung und Leben der Zelle. Das wichtigste Verbindungsglied dazwischen sind die Kapillaren.

Wir wissen, daß ein Mensch bis zu 7 Wochen ohne Nahrung auskommen kann, 3 Tage ohne Flüssigkeit, er aber in 5 Minuten ohne Sauerstoff die tödliche Grenze erreicht. Daraus folgt, daß die Sauerstoffaufnahme für den Körper lebenswichtig ist. Gesunde Kapillaren mit dem normalen Innendurchmesser garantieren den freien Durchzug der roten Blutkörperchen und beeinträchtigen nicht die optimale Versorgung der Zellen mit Sauerstoff. Dies bedeutet, daß beim Menschen die normale und gesunde Sauerstoffversorgung die Basis seiner Existenz darstellt und jegliche Störungen der Sauerstoffaufnahme, -zufuhr oder -verwertung zu schwerwiegenden Krankheiten, bis hin zum Tode, führen kann. Herrscht Sauerstoffmangel im Zellgewebe, so kommt es zwangsläufig zu verminderter Leistung, im schlimmsten Fall zur Zellgärung oder Zelltod. Mit steigendem Alter, unter Streß, bei seelischen und körperlichen Überbelastungen, nach Operationen, Krankheiten, Unfällen, verkehrter Ernährung, Rauchen, Alkoholmißbrauch, Parasiten, Chemikalien, Strahlungen, Viren, Umweltgiften, bei Bewegungsmangel, usw. sinkt der meßbare Sauerstoffpartialdruck im Blut, verursacht durch eine Verengung der Kapillaren.

Wichtig für die Atmung ist die gute Funktion der Lungen. Die eingeatmete Luft gibt ihren Sauerstoff im Bereich der Lungengefäße ab. Die Kapillaren durchziehen die Lungenbläschen mit einer hohen Austauschfläche, die so groß ist wie ein Fußballfeld. Jawohl, Sie lesen richtig. Diese Kontaktoberfläche in der Größe eines Fußballfeldes ist unbedingt notwendig! Dort kommt der Sauerstoff in Kontakt mit dem Blut, d.h. er verbindet sich mit dem Hämoglobin, die roten Blutkörperchen.

Der Transport des Sauerstoffes erfolgt durch die Blutgefäße zu den Geweben. Dieser Transport ist gut organisiert. Er wird durch den Druck und den Rhythmus der Herzpumpe bestimmt. Die Steuerung von Blutdruck und Herzrhythmus befindet sich im Gehirn. Es ist ein regelrechter Computer, der auf die benötigte Menge von

WIE WICHTIG IST SAUERSTOFF FÜR DEN MENSCHEN

Sauerstoff reagiert. Das Kohlendioxid ist ein Abfallprodukt der zellulären Atmung des Körpergewebes und wird ausgeatmet. Durch die Venen wird es zu den Lungen zurückgebracht. Das Blut ist hier dunkelrot, also arm an Sauerstoff.

Die letzte Etappe ist besonders wichtig, sie findet direkt in den Geweben statt und ist sozusagen das Leben selbst. Jede menschliche Zelle, also der ganze Organismus, braucht zum Erhalt der Lebensfunktion Sauerstoff. Dieser wird zu jeder einzelnen Körperzelle über die Kapillaren transportiert. Wehe, wenn eine Kapillare verengt oder verödet ist! Denn der Sauerstoff ist für die lebenswichtigen Verbrennungsvorgänge zur Erfüllung der Aufgaben jeder einzelnen Zelle und aller Organe von entscheidender Wichtigkeit. Alle Organe haben ihren eigenen Blutdurchfluß. Dieser ist abhängig vom jeweiligen Sauerstoffverbrauch. Je nach Tätigkeit und Anstrengung wird mehr oder weniger Sauerstoff benötigt. Druck, Herzleistung und Atemrhythmus stehen in Wechselwirkung zueinander.

Auf den Menschen wirken viele Störfaktoren ein. Dadurch wird der Organismus stark belastet. Eine Mangelversorgung der Zellen des Gefäß- und Nervensystems ist die Folge. Wenn Sauerstoffaufnahme und -transport nicht mehr optimal funktionieren ist der Stoffwechsel gestört. Sauerstoffmangel führt zu Degenerationsprozessen in den Blutgefäßen. Diese verengen weiter, verkalken und werden unelastisch. Das Bindegewebe wird schlaff, die Knochenstrukturen werden verändert und brüchig. Die Abwehrkräfte, das Immunsystem, sind nicht mehr voll leistungsfähig. Organe wie Leber und Niere, die den Körper von Abfallprodukten befreien, können nicht mehr ausreichend arbeiten. Dadurch wird der Organismus mit Giftstoffen überladen, was wiederum Stoffwechselstörungen, Organveränderungen und verschiedene Krankheiten hervorrufen kann. Auch das Gehirn leidet unter chronischem Sauerstoffmangel. Es kommt zu Schlafstörungen, Gedächtnis- und Konzentrationsschwäche. Wie wir nun erkennen, sind die Kapillaren, die mit dem normalen und gesunden Durchmesser die Sauerstoffversorgung unseres Organismus garantieren können, die Hauptentscheidungsträger über Gesundheit, Krankheit oder Tod.

Durch Sauerstofftherapien bei Kranken, so lehrt der deutsche Arzt und Biochemiker Dr. A. P. Schneller, der auch eine langjährige Erfahrung in der Anwendung der Aloe vera L. gesammelt hat, erreicht man folgende Behandlungserfolge: Erhöhung der körperlichen und geistigen Leistungsfähigkeit, Steigerung der körpereigenen Abwehrkräfte, Verbesserung der Herzleistung, Vorbeugung von Angina pectoris und Herzarrhythmien, Schutz vor Herzinfarkt, Stabilisierung des Kreislaufes, Normalisierung des Blutdrucks, Erhöhung des Energiestoffwechsels im Gehirn und Schutz vor Gehirnschlag, Senkung der Häufigkeit und Stärke von Kopfschmerzen (Migräneanfälle) und Verhinderung von Durchblutungsstörungen der Beine.

Aus all diesen Gründen beschäftigen sich gerade in den letzten Jahren zahlreiche Ärzte und Wissenschaftler weltweit intensiv mit Sauerstoffmangelerkrankungen und deren Behandlung. Hierbei setzt sich die Erkenntnis nach und nach durch, daß die Vitalgetränke, gewonnen aus der Aloe vera L., bzw. der Aloe arborescens Miller,

KAPILLAREN BESTIMMEN UNSER SCHICKSAL

besonders die Eigenschaft besitzen, verengte Kapillaren wieder auf ihren normalen und gesunden Durchmesser zu erweitern, wodurch die Sauerstoffversorgung in sehr vielen Fällen normalisiert und zahllosen Krankheiten die Basis entzogen werden kann.

Aloe in der Geschichte der Jahrtausende

Wenn ich in meiner Privatbibliothek alte Schriften durchschaue, stoße ich immer wieder überraschenderweise auf die Nennung der Aloe. Diese Heilpflanze begleitet die Menschheit schon seit Jahrtausenden. Sie ist fest verankert mit der Menschheit und Bestandteil der Zivilisation. Wer sich eingehender mit diesem faszinierenden Gewächs befaßt, wird feststellen, daß die Aloe hinter ihrem bescheidenen Äußeren Heilkräfte von ungewöhnlicher Vielfalt und Wirksamkeit verbirgt. Sowohl äußerlich als auch innerlich angewandt übt sie seit Jahrtausenden zahlreiche heilende Wirkungen auf den menschlichen Organismus aus. Das aus den Blättern gewonnene Mark enthält mehr als 300 verschiedene lebenswichtige Vitamine, Mineralstoffe, Spurenelemente, Aminosäuren und Enzyme und ist bis heute die beste Medizin aus der Apotheke Gottes hier auf Erden.

Das altehrwürdige erste gesamtdeutsche Apothekerbuch, welches nach der zweiten Reichsgründung durch Fürst Otto von Bismarck mit Verordnung vom 1. Juli 1872 im Jahre 1873 die in den einzelnen Bundesstaaten geltenden Pharmakopöen ersetzte, bringt bereits eine Kurzfassung der Geschichte. Der vier Seiten umfassende Bericht über die „Aloë" in dem „Commentar zur Pharmacopoea Germanica", wie das ehrwürdige Werk sich nannte, lautete wie folgt: „Die Aloë scheint seit undenklichen Zeiten medicinische Verwendung gefunden zu haben. Von Alexander dem Großen (333 vor Chr.) wird gesagt, daß er griechische Männer nach der Insel Socotora, eine Insel an der östlichen Spitze Afrika's, geschickt habe, um die Cultur der Aloë zu unterstützen. Dioskurides und Plinius erwähnen die Aloë, unterscheiden mehrere Sorten und wissen von der Verfälschung der Aloë. Seit der christlichen Zeitrechnung ist die Aloë eines der gebrauchtesten Arzneimittel gewesen. Alexander Trallianus, Arzt zu Tralles in Lydien, später in Rom (555), bereitete bereits einen wäßrigen Aloë-extract".

In der Dritten Ausgabe des deutschen Apothekerbuches, die sich im Jahre 1891 „Kommentar zum Arzneibuch für das Deutsche Reich" nannte, findet man noch ergänzende Hinweise auf die älteste Urkunde, welche die Aloe erwähnt. Es handelt sich um das Ebersche Papyrus, etwa zwei- bis eintausend Jahre v. Chr..

Vielfach wird fälschlicherweise die Zitierung von Aloe im Alten Testament in den Sprichwörtern Salomons im 7. Kapitel, 17. Vers der Heilpflanze Aloe zugeschrieben. Hier handelt es sich jedoch um das ebenfalls mit Aloe bezeichnete und als Kau- und Räuchermittel benutzte harzreiche Aloeholz, Lignum aloës agallochia, das Holz von Aquilaria agallocha Roxburgh, ein in Cochinchina, Assam etc. einheimischen Baum. Dieses Holz wird auch mit Adlerholz, Agallochenholz, Paradiesholz oder Kalambakholz bezeichnet und stammt von Exoecaria Agallocho und ist von rötlichbrauner Farbe, dicht und schwer. Beim Erhitzen verbreitet dieses Holz einen sehr lieblichen, animeartigen Geruch. Sonst hätte ja der Text Salomons im 17. Vers: „Ich habe mein Lager mit Myrrhe besprengt, mit Aloe und Zimt", keinen Sinn. Wer sollte denn schon seine Bettstatt mit einer glitschigen Flüssigkeit aus der Heilpflanze Aloe besprengen. Vielmehr ging es um eine Parfümierung durch Aloeholz.
Selbst Kaiser Napoleon I. benutzte es in seinen Palästen als Parfüm.

KAPILLAREN BESTIMMEN UNSER SCHICKSAL

Die Aloe war zuerst in Babylonien und dann in Ägypten

Die älteste Aufzeichnung der Aloe stammt wahrscheinlich aus Babylonien. Auf einer Tonscherbe (ca. 4200 v. Chr.) wurde eine Aloe-Rezeptur gefunden. Im alten Ägypten der Pharaonen wurde die Heilpflanze Aloe ab 3000 v. Chr. sehr verehrt. Auf Grund ihrer Heilkraft wurden ihr religiöse Attribute zuerkannt und sie war bekannt als „Pflanze der Unsterblichkeit". Die alten Ägypter nannten sie auch „das Blut der Götter". Wir finden ihre Spuren in den Wandmalereien der Tempel und den Gräbern der Pharaonen. Ebenso findet man die Aloe in verschiedenen Hieroglyphen-schriften. Man schmückte in Altägypten seine Eingangstüren mit einem Aloeblatt, benutzte sie als Hochzeitsgeschenk zum Ausdruck der Glückwünsche für Ge-sundheit und langes Leben und als Geschenk zur Geschäftseröffnung.

Die ältesten Funde im Bezug auf die medizinischen Eigenschaften der Aloe stam-men jedoch nicht von den Ägyptern, sondern von den Sumerern, die Vorläufer der Hochkultur der Mesopotamier. In einer Tontafel aus dem 18. Jahrhundert v. Chr., die in der sumerischen Stadt Nippur ausgegraben wurde und die im Jahre 1953 entzif-fert werden konnte, waren bereits recht ausführlich die medizinischen Wirkungen der Aloe beschrieben. Das ägyptische Arzneibuch bzw. das bereits erwähnte Ebersche Papyrus wurde auf das Jahr 1550 v. Chr. datiert. Es befindet sich in der Universität von Leipzig und enthält mindestens zwölf Arzneirezepte, in denen die Aloe besonders hervorgehoben wurde. Angeblich sollen bereits Kleopatra und Nofretete die Wirkung der Aloe geschätzt haben. Das extrahierte Gel aus dem Aloe-Blatt eignet sich nämlich vorzüglich für die Pflege der Haut und dient bis heute als Schönheitsmittel. Die wertvollen Inhaltsstoffe wirken ausgleichend, denn sie binden die Feuchtigkeit und straffen dadurch die Haut. Es darf jedoch angenommen wer-den, daß die alten Ägypter den Saft der Aloe gegen Sonnenbrand, Moskitostiche und auch als Deodorant benutzten.

Bisher konnte noch nicht wissenschaftlich bestätigt werden, daß für die Ein-balsamierung der ägyptischen Adligen und Pharaonen die Aloe Verwendung fand. In den gefundenen Texten für die Einbalsamierung ist die Aloe nicht ausdrücklich erwähnt. Vielleicht fiel die Aloe in den Auflistungen der Produkte der Einbalsamie-rungs-Formeln in die Gruppe der erwähnten „anderen Öle und Beimischungen", da Aloe sicherlich damals eine Selbstverständlichkeit war. Man darf aber die Verwendung der Aloe annehmen, da in späteren Zeiten die Aloe-Anwendung bei der Totenbestattung lange Zeit üblich war. Sie wurde auch den Bestattungsriten der Israeliten zugeschrieben, die vorher lange Zeit in Ägypten lebten. Wir finden dann später eine Beschreibung der Grablegung von Christus, wo 100 Pfund (=32 kg) Aloe und Myrrhe verwendet wurden, wie es in der Hl. Schrift im Johannes-evangelium Kap. 19, Verse 39-40, geschrieben steht.

Interessant ist die Tatsache, daß in Turin, in dem dort verehrten sogenannten Grabtuch Jesu, Aloe und Myrrhe identifiziert werden konnten. Der Verfasser des berühmten Werkes „Die Geschichte der Juden" Flavio Josefo (37-95 n.Chr.), beschrieb im Gegensatz dazu die Bestattungsriten der Israeliten und erwähnt dabei jedoch die Verwendung von Aloe, das Holz mit dem animeartigen Geruch. Wenn dies zutreffen sollte, hätten alle biblischen Zitierungen der Aloe nichts mit unserer Aloe zu tun. Die Übersetzung des biblischen Wortes „ahaloth" würde dann stets das genannte Holz bedeuten und nicht die Heilpflanze. Bewiesen wurde bisher lediglich, daß Aloe als ein Geschenk den ägyptischen Toten beigegeben wurde und rings um die Pyramiden gepflanzt wurde für die „Reise des Pharaos in das Reich des Todes".

Die Aloe in Asien

Die Aloe-Pflanze gehört unbestritten zu den ältesten den Menschen bekannten Heilpflanzen unseres Planeten. Auch in Fernost und Asien galt sie als begehrtes und bewährtes Heilmittel gegen äußere Wunden und innere Leiden. Bereits im Jahre 600 v. Chr. kam die Aloe durch arabische Händler nach Persien, Sumatra und Indien. Es liegen Berichte vor, daß die Aloe-Blätter mit bloßen Füßen ausgedrückt wurden, der Saft an der Sonne getrocknet und das so gewonnene Aloe-Pulver als leicht zu transportierendes Heilmittel durch arabische Karawanen seinen Weg nach Asien fand. Man vermutet, daß das Wort Aloe aus dem Arabischen stammt und „bitter" bedeutet.

Alexander der Große und die Aloe

500 Jahre v. Chr. gab es auf der Insel Sokotra am östlichen Horn von Afrika bereits riesige Aloe-Pflanzungen mit hoher Qualität (*Aloe soccotrina* Lamarck). Diese dort angebaute Ware ging nach China, Indien, Malaysia und Tibet. Die Legende erzählt, daß Alexander der Große diese Insel eroberte, um sein Heer besser mit Aloe zu versorgen, denn er zog nur dann in einen Krieg, wenn er genügend Aloe für die Wundversorgung seiner Truppen hatte. Die Aloe wurde dadurch eine strategische Pflanze. Denn wer schneller seine verwundeten Soldaten heilen konnte, war mächtiger und erfolgreicher. Nach dem 2. Weltkrieg wurde die Aloe wieder eine strategische Pflanze in den USA. Die USA unterhalten bis heute das größte strategische Aloe-Lager für den Fall eines atomaren Angriffes oder eines GAU (größter anzunehmender Unfall) eines Kernkraftwerkes.

In seiner Beschreibung der indischen Heilkunst berichtet Copra, daß die Verwendung der Aloe (mussabar) seit dem 4. Jahrhundert v.Chr. selbstverständlich war bei schmerzhaften und entzündeten Körperteilen und als Abführmittel. In Sanskrit trägt die Aloe den Namen Ghrita-kumari. Kuman bedeutet im Sanskrit auch Mädchen. Man glaubte, daß die Pflanzenheilkunde den Frauen die Energie der Jugend verleiht und von regenerierender Wirkung für die weibliche Natur ist. In der indischen Ayurveda-Medizin findet die Aloe vielfältige Anwendungs-möglichkeiten, z.B. als Verjüngungsmittel, bei Menstruationsbeschwerden und zur Kreislaufstabilisierung. Ayurveda umschließt den ganzen Menschen; Seele und Körper müssen in Harmonie zueinander stehen, um gesund zu werden und zu bleiben. In China wird die Aloe erwähnt unter dem Namen lu wei (schwarzer Niederschlag) wie auch als hsiang-tqan (Elefantengalle - wegen des bitteren Geschmacks). Schriftliche Dokumente aus China über die Aloe gibt es erst ab der

Dynastie Tang (Beginn des 7. Jahrhunderts). Diese Schriften (Li Sun, aus dem Jahre 625) beschreiben sehr ausführlich die Heilerfolge durch innerliche Anwendung bei Sinusitis, von Parasiten verursachtem Fieber bei Kindern und äußerlich angewendet bei Hautproblemen.

Die Aloe bei den Griechen und Römern

Während der Vater der Medizin, Hippokrates (460-375 v.Chr.) in seinen Werken die Aloe nicht erwähnte, war der griechische Arzt und Physiker Pedanios Dioskurides im 1. Jahrh. n. Chr. aus Anazarbas (in Kilikien) derjenige, der im Altertum am ausführlichsten die Heilwirkungen der Aloe beschrieb und die Anwendung der Aloe für die einzelnen Krankheiten aufzeigte. Seine Schriften in fünf Bänden waren 1500 Jahre lang die maßgebenden Lehrbücher der Pharmakologie und Pharmazie des Abendlandes. Sie wurden im Jahre 512 sogar mit farbigen Darstellungen der Aloe versehen. In diesen Werken finden wir folgende Textstellen: „....von starkem Geruch und bitterem Geschmack, hat nur eine Wurzel sowie einen Stamm. Wächst viel in Indien, woher auch der Saft geliefert wird. Wächst auch in Arabien und in Asien und in bestimmten Küstenstreifen und Inseln....Hat die Kraft zum Schließen der Wunden, nimmt die Schmerzen, trocknet die Wunden, stärkt den Körper und reinigt den Magen; ....wirkt blutstillend und entzündungshemmend. Beim Einnehmen mit Wein, mit Wasser oder Honig wirkt Aloe als Magentonikum und bei größeren Mengen als drei Drachmen (grch: Handvoll) als Abführmittel. Beim Mischen mit anderen Abführmitteln, wirken diese schonender für den Magen. Trocken und zu Pulver verarbeitet heilt die Aloe Verletzungen und schließt Abszesse. Heilt schnell Geschlechtskrankheiten und die Wunden der Zirkumsision (Beschneidung) jüdischer Knaben (am achten Tage nach der Geburt, die als Symbol des von Gott mit Abraham geschlossenen Bundes vorgenommen wird). Zusammen mit Honig genommen stillt sie die Blutung der Hämorrhoiden und bewirkt, daß sie heilen. Heilt Entzündungen und das Brennen der Augen, lindert Kopfschmerzen durch Aufbringen einer Mischung mit Essig und Rosaceum auf die Stirne und Augenbrauen. Zusammen mit Wein gemischt bekämpft sie den Haarausfall und zusammen mit Wein und Honig heilt sie Mandel- und Zahnfleischentzündungen und Verletzungen im Mundbereich." Heute liegen diese Schriften in Wien als Codex Anicine Julianae in der Österreichischen Nationalbibliothek.

Plinius der Ältere (23 - 79 n. Chr.), gleichfalls ein berühmter Physiker, bestätigte die Heilungsbeschreibungen von Dioskurides, der während der Herrschaft von Kaiser Nero um 50 n. Chr. lebte und als im ganzen Orient herumreisender Arzt und Naturforscher bekannt wurde. Er erstellte in mehreren Büchern eine Arzneimittellehre mit vielen Rezepten zur Behandlung von einigen hundert Krankheitsbildern. In seinen umfangreichen Kapiteln über die positive Wirkung von Pflanzen beschreibt er die Aloe als eine seiner bevorzugten Heilpflanzen. Er empfahl die Anwendung des frischen Aloe-Saftes bei zahlreichen Beschwerden zur Wundbehandlung, bei Magen und Darmbeschwerden, Zahnfleischentzündungen, Gelenkschmerzen, Juckreiz, Sonnenbrand, Akne und Haarausfall. Seit dem 2. Jahrhundert n. Chr. war die Aloe Hauptbestandteil der westlichen Heilkunst und wurde von den römischen Ärzten Galeno, Antillo und Aretaco verwendet. Der griechische Arzt Paulus von

ALOE IN DER GESCHICHTE DER JAHRTAUSENDE

Egina beschreibt im Jahre 685 die Aloe als entzündungshemmendes Mittel und wandte es an gegen Geschwüre und äußere Schmerzen.

Kreuzritter bringen die Aloe nach Westeuropa

Im 9. Jahrhundert finden wir die Schriften des berühmten arabischen Philosophen, Architekten und Arztes Avicena, der die Beobachtungen von Dioskurides und Plinius bestätigte und die Behandlung der Augen und interessanterweise auch der Melancholie (!) hinzufügte. In seinen Schriften benutzt er für die Aloe die Bezeichnung sabhra oder sebrara (Syrisch) bzw. Sabir oder sabr (Arabisch). Alle Bezeichnungen bedeuten „bittere und glänzende Substanz".

Die Kreuzzüge, die Eroberung von Jerusalem und die Besetzung der Iberischen Halbinsel durch die Araber brachten einen weiteren Aufschwung für die Verbreitung der Aloe und der Erkenntnisse ihrer vielfältigen Heilkräfte. Im 10. Jahrhundert empfahl schließlich der Patriarch von Jerusalem Alfred dem Großen von England die Aloe-Heilpflanze. Auf diesem Wege gelangte sie nach Britannien.

Während des Mittelalters verbreitete sich die Verwendung in Europa, besonders in Spanien, Portugal und Italien, wo die Aloe auch heimisch wurde. Während seiner phantastischen Reisen in den fernen Orient notierte Marco Polo viele dort angetroffene Anwendungsbeispiele für die Heilung mit Aloe. In der berühmten Ärzteschule von Salermo war die Aloe die meist verwendete Medizin, und Robert Dehin verehrte die Aloe in seinem berühmten Buch Docteur Aloes mit Gedichten. Er selbst schrieb schon damals in einem Gedicht, **daß die Aloe den Krebs zerstört**.

Selbst Theophrastus Bombastus von Hohenheim, bekannt als Paracelsus, beschreibt in seinem großen Werk aus dem Jahre 1529 ausführlich die Aloe. Sein Werk wird derzeitig immer wieder neu gedruckt. In einem Brief an Amberg berichtet Paracelsus über die „mysteriöse und geheime Aloe, deren goldener Saft Verbrennungen heilt und das Blut entgiftet."

Die Aloe in Amerika

In Amerika schätzten die Majas auf der Halbinsel Yukatan und die Eingeborenen in Florida die Aloe als "Quelle ewiger Jugend". Die Indianerstämme waren mit der Aloe-Heilpflanze vertraut. Mit verdünntem Aloe-Saft rieben sie sich den ganzen Körper ein, um bei ihren beschwerlichen Wanderungen in den Sumpfgebieten vor Insekten geschützt zu sein. Diese insektenabweisende Eigenschaft der Aloe wurde später von den Indianern auch dazu genutzt, Materialien, die insektenanfällig waren, z.B. Holz, mit dem Aloe-Saft einzureiben. Dadurch blieben sie viele Jahre unbeschädigt.

Kolumbus war begeistert über die großen Mengen von Aloe, die er bei seinen Entdeckungen vorfand und berichtete dem Verwalter der königlichen Privatschatulle, Luis de Santágel: „Ihre Hoheiten können schon jetzt gewiß sein, daß ich ihnen so viel Gold beschaffen kann, als sie nur wollen (...) Überdies werden ihnen

KAPILLAREN BESTIMMEN UNSER SCHICKSAL

Gewürze, Baumwolle und Mastixharz in jedem gewünschten Ausmaß zu Gebote stehen (...) Auch Aloe und Sklaven werden in jeder gewünschten Menge eingeführt werden können." Kolumbus sah sich schon als Retter der Staatsfinanzen! In seinen Tagebüchern zitiert Kolumbus am 21. und 23. Oktober 1492 die in Amerika angetroffenen Aloe-Arten und ordnete an, daß eine gute Menge davon an Bord genommen werden sollte.

Im 15. Jahrhundert „entdeckten" die Jesuiten in Spanien den hohen Heilwert der Aloe, nachdem sie die alten Schriften der Griechen und Römer studiert hatten. So nahmen sie als Begleiter der Entdecker und Eroberer stets Aloe-Pflanzensorten im Gepäck mit. Sie verbreiteten die in Europa und Afrika bekannten Arten in Südamerika bis hinauf nach Mexiko und Texas, wo man heute sehr dankbar dafür ist. Die Nachfrage nach Aloe wurde immer größer und die englische Krone beschloß daher in ihrer Kolonie Barbados ein Produktionszentrum zu errichten. 1775 schrieb der Historiker Griffith Hughes: „Jeder Sklave nimmt drei oder vier Eimer. Sie schneiden die Blätter an ihrem Wurzelende ab und legen sie mit ihrer Schnittfläche nach unten in die Eimer. Da die Blätter über Adern verfügen, die längsseitig geführt sind, fließt der Saft tropfenweise ab. Der Saft wird dann fünf Stunden in einem Kupferkessel eingedampft, bis sich ein solider Rest bildet, der in seinem Aussehen ähnlich dem Zucker ist.....

Diese gezielte Großproduktion blieb nicht nur auf Barbados beschränkt. Man fand sie kurz darauf auch in Südafrika, in Aruba an der Küste des Roten Meeres, in den Holländischen Antillen, auf der Insel Curaçao und auf Jamaika. Man darf dabei jedoch nicht übersehen, daß diese internationale Großproduktion erhitzte und deshalb denaturierte Aloe ergab, die sehr viele Nebenwirkungen hatte, und mit der heutigen naturbelassenen bzw. frischen Aloe nicht verglichen werden kann. 1801 berichtete der Historiker Quillame Olivier, daß in Indien Aloe benutzt wird zur Regulierung der Menstruation und zur Erhöhung der Fruchtbarkeit. 1908 publizierte Sir Georg Watt in seinem Nachschlagewerk über die indische Wirtschaft, daß die Aloe dort gegen mehr als 40 Krankheiten benutzt wird.

Im Jahre 1701 ließ der Herzog von Braunschweig-Wolfenbüttel den Aloetaler mit einer Abbildung der Aloe als Silbermünze prägen. Anlaß war das Blühen einer Aloe.

Aloe bei den Naturvölkern Afrikas

Es wird berichtet, daß der britische Botaniker M. Miller, als er an das Kap der Guten Hoffnung kam, die Eingeborenen wegen ihrer äußerst schönen und glatten Haut bewunderte. Auch die Ältesten beeindruckten durch ihre glatte Haut. Er beobachtete ihre Lebensart und stellte fest, daß sie ihren Körper und ihre Haare mit Aloe-Gel wuschen. Heute weiß man, daß die Aloe nicht nur die Haut heilt, sondern auch pflegt und schützt. Gleichzeitig dient die Aloe-Behandlung als Schutz gegen Insektenstiche. Da Aloe auch als Deodorant dient, benutzten die Eingeborenen ein Bad mit Aloe, um ihre Hautgerüche zu beseitigen. So konnten sie bei der Jagd von ihren Beutetieren nicht mehr gewittert werden. Die Jagd war dadurch viel erfolgreicher.

Der berühmte Afrikaforscher Sir Robert Burton beobachtete, bei den Eingeborenen in Äthiopien und in Somalia einen Bestattungsbrauch, bei dem um das Grab der Verstorbenen Aloe gepflanzt wurde. Wenn die Aloe dann blühte, galt es als Zeichen, daß die Verstorbenen ins Paradies aufgenommen worden waren. Ein anderer Volksstamm in Afrika badete sich öffentlich und gemeinsam mit dem Saft der Aloe beim Ausbruch einer Grippeepidemie. Die Medizinmänner der Bantus unterschieden bereits zwanzig verschiedene Arten von Aloe für die Behandlung von Wunden, Augenentzündungen, Erkältungen, Geschlechtskrankheiten, Hämorrhoiden und Darmträgheit.

Kristallisierte Aloe für Formeln und Geheimrezepte

In die kälteren Zonen Nordeuropas, wie z.B. in das Hl. Römische Reich Deutscher Nation, kam die Aloe leider meist nur in kristallisierter und dadurch denaturierter Form. In den Anbauländern, besonders in Afrika, wurde der Aloe-Saft ausgepreßt, eingedickt, eingekocht und zu einer kristallartigen Masse unter äußerst primitiven und unhygienischen Bedingungen von den Eingeborenen verarbeitet. Das Apothekerbuch von 1873 berichtet von Verunreinigungen und Verfälschungen. Man fand in der Aloe Schiffspech und auch andere Pechsorten, erdige Stoffe, gebranntes Elfenbein und gummiartige Substanzen. Trotz der Hitzebehandlung erfüllten diese denaturierten Aloe-Kristalle noch zahlreiche medizinische Zwecke, und eine überaus reiche Formelsammlung zeugt von der vielfältigen Anwendung in mehr als tausend Jahren.

Diese früher verwendeten Kristalle, im Gegensatz zu den heute verwendeten unerhitzten und naturbelassenen Aloe-Säften, wurden besonders bekannt in hohen Dosierungen als kräftiges Abführmittel (Drasticum) und sogar als Abtreibungsmittel (Emmenagogum). Ein g Aloe-Kristall entspricht ca. 200 - 400 g frischem Aloe-Gel. Wegen der hohen Konzentration der kristallisierten Aloe wurden nur sehr geringe Mengen benötigt. Das Arzneibuch für das Deutsche Reich von 1891 notierte in der damaligen Schreibweise: „In kleinen Gaben (zu 0,02-0,06 gr) wendet man die Aloë als tonisches, in Gaben von 0,06-0,3 gr als gelind eröffnendes Mittel, in grösseren Gaben als Drasticum an. Man gibt sie bei Hartleibigkeit, Stuhlverhaltung und wegen ihrer erregenden Wirkung auf die Blutgefässe des Unterleibes, um Hämorrhoiden fliessend zu machen, als Emmenagogum, bei Congestionen nach Gehirn, Herz, Lungen. Äusserlich findet sie bisweilen zu Klystiren, Augenpulvern, Augensalben, Pflastern, in Auflösung bei Brandwunden etc. Anwendung. In der Veterinaerpraxis gilt sie als das beste Laxirmittel, für die grösseren Hausthiere (15,0-30,0), und in weingeistiger Lösung als Wundmittel. Das Volk braucht die Aloë als Laxiermittel, selbst als Fiebermittel, indem es dieselbe in grösseren oder kleineren Maßen in Branntwein gelöst trinkt." Kurios sind zwei Sätze in der „Pharmacopoea Germanica", das Apothekerbuch des Deutschen Reiches von 1873. Dort steht: „Die Apotheker sind zu tadeln, wenn sie für wenig Geld große Mengen Aloë zum Gebrauch für Menschen abgeben, was ich häufig gefunden habe. Sie könnten sehr wohl für den Gebrauch bei Menschen eine sogenannte gereinigte Aloë und geformt in kleinen Portionen also theuerer verkaufen".

KAPILLAREN BESTIMMEN UNSER SCHICKSAL

Während in den warmen Ländern Europas, Afrikas, Asiens und Amerikas die Aloe als Erste-Hilfe-Pflanze in den Gärten der Einwohner heimisch war, legten sich viele Nord- und Mitteleuropäer Aloe-Pflanzen im Hause oder in Wintergärten zu. Bis 1920 hatte man z.B. im Deutschen Reich meist noch kein elektrisches Licht und auch keinen Gasanschluß in der Küche. Die Hausfrau mußte deshalb den häuslichen Herd ständig unter Feuer halten, Holz spalten und die Ringe der Kochplatte entsprechend der Topfgröße austauschen. Bei den damals häufigen Brandwunden am häuslichen Herd oder bei Schnittwunden in der Küche war die frische Aloe von der Topfpflanze die vielgeliebte schnelle Hilfe und erbrachte die Heilung in Rekordzeiten. Eine *Aloe vera* L. - Pflanze gehörte damals zur Grundausstattung einer jeden Küche. Selbst Wilhelm Busch zitiert sie vor dem Ende des 19. Jahrhunderts in seinen lustigen gezeichneten Geschichten im Kapitel „Vetter Franz auf dem Esel": „Da steht die bittere Aloe, setzt man sich drauf, so tut es weh!" Also wußten damals die deutschsprachigen Zentraleuropäer sehr genau, daß die Aloe bitter schmeckt und spitze Stacheln an den Blatträndern aufweist.

Das bedeutende deutsche Werk „HAGERS HANDBUCH DER PHARMAZEUTISCHEN PRAXIS FÜR APOTHEKER, ÄRZTE, DROGISTEN UND MEDIZINALBEAMTE" aus dem Jahre 1920 berichtet im 1. Band auf den Seiten 217-230 sehr ausführlich über die verschiedenen Aloearten, ihre Anbaugebiete und die Prüfmethoden. Es wird jedoch nur von Aloe berichtet, welche bereits in ihrem Anbaugebiet eingekocht, eingedickt und zu einer kristallinen Masse verarbeitet wurde. Diese erhitzte, also denaturierte Ware wurde nach Europa und den USA verschifft. Das Handbuch vergleicht für Aloe die Daten der verschiedenen Apothekerbücher (Ph. Germ., Ph. Austr., Ph. U-St., Ph. Brit., Ph. Hung. und Ph. Helvet.). Nur das Ph. Austr. schreibt die ärztliche Verordnung für die Abgabe vor. In den anderen Ländern ist der Verkauf frei. Das Handbuch legt 127 Produkte komplett offen, die zu ihrer Herstellung Aloe benötigen und nennt dazu exakt die entsprechenden prozentualen Anteile. Ferner werden 61 Geheimmittel genannt, in denen Aloe enthalten ist, jedoch ohne Nennung der prozentualen Anteile. Man findet da kuriose Namen wie "Kaiserpille", "Blutreinigungspillen", "Klosterpillen", "Mutterpillen", "Milchpillen", "Universalpillen", "Pfarrer Kneipp'sche Abführpillen", "Richard Brandt'sche Schweizerpillen", "Frankfurter Pillen", "Balsamische Pillen", "Silberpillen", "Appetit- und Magenpillen", zum Einstreuen in schlaffe, übelriechende Wunden und Geschwüre "Jerne's Testament", "Pfarrer Kneipp's Wühlhubertthee I. und II.", "Heiligenbitter", "Versüßte Blutreinigungstropfen", "Warburg's Fiebertropfen", "Schwarze Blutreinigungstropfen", "Wurmsalbe", "Kolikpille", "Laxierpille für Pferde und Rinder", "Latwerge gegen Kreuzlähme der Rinder", "Klauenseuche-Liniment", "Hundepille", "Trank gegen Gelbsucht der Rinder", "Abolitionstropfen", "Alpenkräuter-Magenbitter", "Augenwasser von Brun", "Englische Pferdepille", "Gesundheits-Liqueur", "Hämorrhoidentod", "Holländisches Wurmöl", "Kaisertropfen", "Schwedische Lebensessenz", "Menschenfreund", "Miraculo-Pillen", "Reinigungspillen", "Wiener Balsam", "Suppenpillen", "Vatikanpillen", "Elixir de longue vie" (Elixir für langes Leben"), "Rothe-backen-pillen", "Italienische Pillen" und "Kapuzinerpillen". Diese Aufzählung zeigt deutlich, wie umfangreich in den vergangenen Jahrhunderten von der Aloe Gebrauch gemacht wurde. Diese Art von Zubereitungen wurden jedoch nach und nach durch die modernen Medikamente der pharmazeutischen Industrien verdrängt, da während des 1. Weltkrieges und der Nachkriegszeit der Import der Aloe stagnierte. Dieses bedeutende Handbuch nennt jedoch keine einzige Formel, bei der frische und nicht erhitzte Aloe zum Einsatz kam, so daß sich alle diese Rezepturen in ihrer Wirkung gegenüber frischer Aloe total anders verhalten, da erhitzte bzw. kristallisierte Aloe nur noch über einen Bruchteil der ursprünglichen natürlichen Heilkräfte verfügt.

Diese breite Anwendungsskala läßt jedoch schon ahnen, daß die frische Aloe ein Wirkungsspektrum haben muß, welches sich mit keinem anderen Produkt dieser Erde vergleichen läßt. Die Aloe trägt daher zurecht den von mir verliehenen Titel **„Kaiserin der Heilpflanzen"**.

Die Wiederentdeckung der Heilkraft der frischen Aloe

Der erste große wissenschaftliche Durchbruch der Aloe wurde durch die beiden Ärzte Creston Collins (Vater und Sohn mit gleichem Namen) in Maryland in den 30er Jahren des 20. Jahrhunderts erzielt. Immer wieder kam es vor, daß sich Patienten, Ärzte und Krankenhelfer beim Durchleuchten mit Röntgenstrahlen schwere Hautverbrennungen zuzogen, da ihnen noch das Know-how fehlte. Alle nur möglichen Behandlungen wurden ausprobiert. Die erfolgreichste war das Anlegen einer Kompresse aus einem in der Mitte aufgeschnittenen frisch geernteten Aloe-Blatt, wobei das fleischige und glitschige Innere der Aloe direkt auf der Wunde zu liegen kam. Alle zwei Stunden wurden die Kompressen getauscht, und die Wunden heilten mit unerwarteter Geschwindigkeit ohne Nebenwirkungen. Die beiden Ärzte Collins fertigten daraufhin ein Gel aus Aloe, welches sie unter dem Markennamen „Alvagel" auf den Markt brachten. 1935 publizierten sie ihre Erkenntnisse in der Zeitschrift The American Journal of Roentgenology. Die Amerikaner nennen die Aloe noch heute "The silent Healer" ("Die stumme Heilerin"). Diese sensationelle nunmehr wissenschaftliche Meldung ging um den Erdball, und viele Ärzte wandten diese neue Technik an. Wir finden nunmehr Berichte von Dr. Carrol D. Wright aus dem Jahre 1936 im Journal of the American Medical Association und von Gilber W. Reynolds in seinem Buch The Aloes of Tropical Africa and Madagascar. In seinem Buch berichtete er, daß er wegen des Fehlens von *Aloe vera* L. frische *Aloe arborescens* Miller anwandte und alle Fälle mit vollem Erfolg kurierte.

Nach diesen Erfolgen wandte Dr. J. E. Crewe die frische Aloe bei unzähligen Geschwüren, Ekzemen, Verbrennungen durch Feuer und kochendes Wasser, Sonnenbrand, Verletzungen und Allergien an. Alle seine Behandlungen waren von Erfolg gekrönt, und er berichtete 1937 und 1939 in dem Minnesota Journal of Medicine darüber. Im gleichen Jahr 1939 finden wir auch Erfolgsberichte von Dr. Adolph Loveman und Dr. Frederick Mandeville. Alle wandten die Aloe frisch geerntet an.

KAPILLAREN BESTIMMEN UNSER SCHICKSAL

Forschung und Einsatz der Aloe seit Hiroshima

Nach den Atombombenabwürfen der US-Luftwaffe auf Hiroshima und Nagasaki 1945 in Japan gab es neben den über 100.000 Toten auch gleichviel Verletzte mit fürchterlichen Brandwunden durch Feuer und Radioaktivität. Um den Verletzten mit den vorher noch nicht gekannten Verbrennungen helfen zu können, wurden alle der Medizin zur Verfügung stehenden Mittel getestet. Die besten Ergebnisse wurden mit frischer Aloe erzielt.

1953 wurden dann wissenschaftliche Versuche in der US-Basis Los Alamos in New Mexico gestartet unter der Schirmherrschaft der amerikanischen Atomenergiekommission. Die Leitung oblag Dr. Lushbagh und Dr. Hale. Man testete radioaktive Verbrennungen an Hasen. Mit frischem Aloe-Gel konnten die besten und schnellsten Heilungen erzielt werden.

Man beobachtete auf den Versuchgeländen der Atomwaffen, daß nach Beendigung der Kernwaffenexplosionen, auf dem radioaktiv verseuchten Boden, als erste Pflanze die Aloe wieder wuchs. Die Aloe beweist damit, daß sie unempfindlich gegen die Radioaktivität ist.

In den USA wird ein strategisches Aloe-Lager gehalten als Vorsorge für eine nukleare Katastrophe (GAU eines Kernkraftwerkes oder atomarer Angriff). Somit wurde die Aloe wieder eine strategisch wichtige Pflanze wie zu Zeiten Alexander des Großen. In Europa schläft man dagegen noch!

Ein weiterer Großtest wurde gemacht, um die Wirkung von 161 Heilpflanzen im Kampf gegen die Tuberkulose zu beobachten. Die vier Wissenschaftler vom Gesundheitsamt von Michigan, Dr. Gottshal, Dr. Lucas, Dr. Lickfeldt und Dr. Roberts, isolierten zwei Heilpflanzen, die gegen den Bazillus der Tuberkulose wirkten. Es waren die *Aloe soccotrina* und die *Aloe chinensis*. Die Versuche wurden leider nicht weiter verfolgt, da die Tuberkulose damals auf dem Rückzug war. Jetzt meldete jedoch die US-Zeitschrift „Newsweek" vom 8. November 1999 unter dem Titel "Tuberculosis Is Making a Comeback" in einem Bericht von Thomas Hayden, daß die Tuberkulose mit aller Kraft zurückkommt, da sie jetzt widerstandsfähig ist gegen Antibiotika. Während es in den USA derzeit jährlich 18.000 Tuberkulosefälle gibt mit 1 % Antibiotikumresistenten, zählt man in Rußland alleine in den Gefängnissen 100.000 Tuberkulöse, von denen 30 % Antibiotikumresistenz besitzen. Durch die derzeitige Bewegungsfreiheit der Touristen wird sich die antibiotikumresistente Tuberkulose weltweit verbreiten, so daß schon jetzt auf eine TBC - Seuchengefahr im Jahre 2010 hingewiesen werden muß, wenn nicht sofort etwas unternommen wird. 1999 gab es bereits in 104 Ländern dieses TBC - Problem. Es wäre gut, die Forschung mit der Aloe wiederaufzunehmen. Übrigens, als vor einigen Jahren ein Verwandter von mir in Deutschland an Tuberkulose erkrankte, wurde Nachrichtensperre verhängt. Damit kann man sicherlich nicht diese ansteckende Krankheit verhindern, die 1999 in Deutschland um 50 % zunahm, und an der bereits jährlich weltweit fast drei Millionen Menschen sterben. Übrigens trägt bereits jeder 2. Erdenbürger den Tuberkel bereits in sich.

ALOE IN DER GESCHICHTE DER JAHRTAUSENDE

Am 23.12.1954 meldete Dr. Alexander Farkas in Miami ein Patent an für die Behandlung von Verletzungen und Verbrennungen der Haut durch Aloe. 1963 war ein weiterer großer Durchbruch. Die drei Ärzte aus Florida, Dr. Blitz, Dr. Gerard und Dr. Smith, berichteten von der Heilung von zwölf Patienten, die an Ulcus pepticus litten und die innerliche Gaben von Aloe verabreicht bekamen. Im gleichen Jahr kamen Untersuchungsberichte eines Forschungsteams unter der Leitung von Frau Dr. Lorenzetti heraus, die bewiesen, daß die Aloe folgende Mikroorganismen abtötet: *Staphylococcus aureus, Staphylococcus pyogenes, Corynebacterium xerosis, Shigella paradysenteriae, Salmonella typhy* und *Salmonella paratyphy*. 1973 meldeten aus Ägypten Dr. El Zawahry, Dr. Hegazy und Dr. Helal in dem International Journal of Dermatology die Behandlung und Heilung von chronischen offenen Geschwüren an den Beinen mit frischem Aloe-Saft. 1974 meldete Dr. Logai, ein Anhänger der Ideen des russischen Arztes Dr. Vladimir Filatow, die Behandlung und Heilung eines verletzten Auges durch Anwendung von Spritzen eines Extraktes aus Aloe. Einer der führenden Wissenschaftler in der ehemaligen Sowjetunion war Prof. Dr. Israel Bekhman, Direktor des Institutes für Biologischaktive Substanzen in Vladivostok. Durch ihn wurde die Aloe im ganzen Ostblock bekannt. Im Gegensatz zu der im Westen verwendeten *Aloe vera* L. wurde die auch am Schwarzen Meer beheimatete *Aloe arborescens* M. verwendet. Inzwischen züchtet man die Aloe striatula Haw. in Rußland, welche die tieferen Temperaturen besser verträgt. Genau wie Prof. Dr. Brekhman widmete sich der berühmte russische Augenarzt Dr. Vladimir Filatow aus Odessa der Aloe. Er versuchte die Chemotherapie mit der Naturheilkunde zu versöhnen. Er selbst erhielt sein Diplom persönlich aus der Hand von Zar Nikolaus II. Seine Entdeckungen sind bahnbrechend. In den kaukasischen Ländern und in Sibirien erforschte er selbst die Wirkstoffe von Pflanzen und hinterließ dem Kreis seiner Schüler wertvolle Anregungen, in dieser Richtung weiterzuforschen. So schuf Filatow mit seiner „dialektischen Medizin", mit der Einheit von Chemotherapie und biologischen Heilmethoden, erstmals die Möglichkeit, den Patienten ganzheitlich zu behandeln, „es ist demnach nicht die Parole auszugeben, den Heilpraktiker gegen den Hochschulmediziner in den Kampf um die Heilung des Patienten zu schicken, sondern den Hochschulmediziner eben auch ganzheitlich auszubilden, damit er ganzheitlich heilen kann. Bevor man den kranken Patienten heilt, lehrte er, muß man die "kranken Universitäten" heilen, die über die Phytotherapie fast völlig hinweggehen, und die "kranken Krankenkassen", die Präparate aus der Naturheilkunde als „nur erfahrungsheilkundlich" nicht finanzieren, obwohl hier ein Umdenken hervorragend kostendämpfend wäre."

Nach seinen aufsehenerregenden, erfolgreichen, über tausend Verpflanzungen von Hornhäuten bis 1949, die Filatow vorher biogen stimulierte (zehn Tage in Dunkelheit bei 3°C), begann er auch, Aloe biogen zu stimulieren. Er trennte Aloe-Blätter von der Pflanze und bewahrte sie etwa zehn Tage ohne Licht bei einer Temperatur von 3°C auf, danach wurden die Blätter zerrieben und der daraus entstandene Saft, nachdem man ihn vorher an Tieren ausprobiert hatte, einem Kranken unter die Haut gespritzt. Der Extrakt wirkte auf die Krankheit. Das Verfahren für die vom Stamm getrennten Blätter, deren Gewebe ihr Überleben organisieren, ist absolut neu und folgt den Gesetzen organischen Lebens, nicht denen der Homöopathie allein. Die Arbeit von Prof. Dr. Filatow mit biogenen Stimulatoren ist im Zusammenhang mit seinen zahlreichen Indikationsansprüchen (siehe: „Mit Aloe heilen"- von Dr. Wolfgang Wirth) für die westliche Hochschulmedizin ein absolutes Novum.

Brasilianische Aloe-Zubereitung bewährt sich bei Krebs

Im Jahre 1988 erfuhr der brasilianische Franziskanerpater Frei Romano Zago OFM beim abendlichen Rundgespräch im Kloster in Rio Grande do Sul mit dem gerade gewählten Provinzial Pater Arno Reckziegel OFM von einem seit vielen Generationen in Brasilien benutzten Naturheilmittel, welches sich bei Krebs bewährt haben soll. Pater Arno Reckziegel OFM berichtete, daß Krebs in den armen Gegenden von Rio Grande do Sul kaum ein Problem ist. Er ist es schon seit Jahren gewöhnt, todkranke arme Krebspatienten kurz darauf wieder gesund und munter zu sehen. Das einfache Volk benutzt eine bereits über Generationen hinweg mündlich überlieferte Formel auf der Basis von Aloe/Honig/Alkohol, die auch in verschiedenen brasilianischen Naturheilbüchern seit vielen Jahrzehnten zu finden ist, von vielen jedoch wegen ihrer Einfachheit nicht ernstgenommen wird. Pater Romano Zago OFM kopierte sich später ungläubig die Formel von einem Mitbruder, der sie sich notiert hatte.

Als er kurz darauf von einer Frau gebeten wurde, das Sakrament der Krankensalbung für ihren Mann zu spenden, der mit Prostatakrebs schwer erkrankt in der Endphase im Krankenhaus daniederlag, erinnerte er sich der Formel, und gab sie dem Sohn des Krebskranken. Der Sohn bereitete sofort die Aloe/Honig/Alkohol-Mischung und gab sie seinem Vater zu trinken. Nach drei Tagen wurde der Vater aus dem Krankenhaus entlassen, nur noch Haut und Knochen, unheilbar, damit er in Ruhe zu Hause sterben könne. Seine Ehefrau bemerkte gleich nach der Heimkehr des krebskranken Mannes, daß die tennisballgroße Ausbuchtung am Bauch weg war, die noch vor wenigen Tagen da war, bevor er mit der Aloe-Behandlung begann. Ihr Mann begann wieder Appetit zu bekommen, nahm zu, stand wieder auf, kümmerte sich um die Tiere und wurde voll gesund. Durch dieses Erlebnis angeregt, verbreitete Pater Romano Zago OFM die Aloe-Formel. Auch im Hinterland von Rio Grande do Sul, wo sich viele deutschsprachige Ortschaften befinden. Überall ein Erfolg nach dem andern. Kurz darauf wurde er nach Jerusalem versetzt. Hier hatte er im Laufe der Jahre mit Tausenden Pilgern Kontakt, die schwer erkrankt waren und vor ihrem Tode noch das Hl. Land kennen lernen wollten. Allen Kranken, die er betreute, gab er die Aloe-Formel mit auf den Weg oder bereitete selbst die Aloe-Mischung und gab sie diesen Kranken zu trinken.

Heilungsberichte auf Heilungsberichte trafen ein und füllten sein Archiv. Sein Name wurde bekannt, und er wurde nach Portugal, Italien und in die Schweiz zu Vorträgen eingeladen. Viele Kranke benutzten seinen Ratschlag. Laut seinen Beobachtungen sprachen etwa 70 % der Kranken sehr gut auf die Aloe an und konnten gesunden. Pater Romano Zago OFM ist heute der Mann, der die meisten Krebsheilungen weltweit bezeugen kann, bei denen die Aloe mitverwendet wurde.

ALOE IN DER GESCHICHTE DER JAHRTAUSENDE

Diese einfache Formel von Aloe/Honig/Alkohol wurde Anregung und Thema zu meinem ersten Buch „Krebs, wo ist dein Sieg?". Ich selbst erlebte diesen sympathischen Franziskanerpater bei zwei Vorträgen in São Paulo, einmal vor dem Imkerverband und einmal im Rahmen einer Vortragsveranstaltung einer deutschsprachigen Körperschaft in den Räumen vom Club Transatlântico und lernte ebenfalls viele Menschen kennen, die mit dieser Aloe-Formel geheilt wurden oder sich danach besser fühlten. Nicht nur von Krebs wurde berichtet, sondern auch von Dutzenden anderen Krankheiten, bei denen das Vitalgetränk der Aloe die Therapien hervorragend unterstützt.

Am 16. März 2002 erhielt ich eine E-Mail von Frau Ursula Leuchtenberg aus Südafrika. Dort ist seit über 50 Jahren ein Getränk bekannt, welches aus Aloe und Weinstock gefertigt wird. Man bezeichnet dieses dort als „Wundertrunk", der bei der Mitbenutzung bei sehr vielen Krankheiten die Therapieergebnisse der Patienten durch die Ärzte erheblich verbessert. Frau Leuchtenberg schrieb mir dazu: „Durch Zufall habe ich das Getränk entdeckt und jeden Abend einen Teelöffel voll davon genommen. Mein Gesundheitszustand hat sich seitdem stark verbessert, und ich bin begeistert. Meine Schwägerin in Deutschland ist schwer an MS (Multiple Sklerose) erkrankt. Nach ein paar Telefongesprächen habe ich meiner Schwägerin eine Flasche geschickt. Sie hatte mir am Telefon erzählt, daß sie das linke Bein nicht mehr bewegen kann und daß es ihr aufgrund der Medikamente und ihrer schweren Krankheit sehr schlecht geht. Sie glaubte nicht recht an diesen südafrikanischen Trank, aber nahm auch jeden Abend einen Teelöffel voll davon. Nach ca. 14 Tage bemerkte sie, daß ihr Gesundheitszustand besser wurde und sie auf einmal keine Probleme mit ihrem Bein hatte. Nach weiteren 14 Tagen konnte sie wieder richtig laufen, und sie fühlt sich erst mal wieder wohl. Die Ärzte haben keine Erklärung und haben ihr gesagt, daß sie das Mittel weiter nehmen soll, wenn es ihr gut tut. Vor ein paar Tagen hat meine Schwägerin mich angerufen und mir überglücklich erzählt, daß sie wieder ihr Fahrrad benutzen kann und an Arbeit denkt. Ich glaube daran, daß ihr der Aloesaft geholfen hat. Sie hatte über ein Jahr Medikamente genommen, und ihr Zustand wurde immer schlechter. Da die Krankheit MS ihre Höhen und Tiefen hat, wollen wir abwarten, wie ihr Zustand in einem oder zwei Jahren ist. Aber der Moment zählt, und es geht ihr besser. Ihr Mann und die Kinder sind ebenso glücklich, daß es ihr endlich besser geht."

Auf den Wochenmärkten in Südafrika wird die *Aloe arborescens* Miller angeboten. Leider kochen die Südafrikaner das Blatt vor der Anwendung. Der Sud ist dann rötlich. Durch die Denaturierung der Aloe durch Kochen, verliert die Aloe den Großteil ihrer Wirkung. Die Bewohner Südafrikas wären besser beraten, wenn Sie die Aloe nur naturbelassen ohne Erhitzung als Vitalgetränk und zur Hautpflege nutzen würden.

Von Mahatma Gandhi wird berichtet, daß er während seiner langen Fastenperioden die *Aloe vera* L. nicht nur als Nahrung, sondern auch zur Körperentschlackung benutzte.

Aus allen diesen Berichten ersehen wir , daß die Aloe seit Jahrtausenden die

KAPILLAREN BESTIMMEN UNSER SCHICKSAL

Menschheit begleitet und unter allen Obst- und Gemüsesorten für die Erhaltung und Rückgewinnung der Gesundheit eine absolute Spitzenstellung einnimmt.

Aber nicht nur in der Heilkunde für die Menschen spielt die Aloe eine hervorragende Rolle. Auch aus der Tierheilkunde ist die Aloe nicht mehr fortzudenken. Einen großen Bericht finden wir darüber z.B. im Pferdemagazin „Cavallo". Besonders Rinder oder Pferde, die sich leicht verletzen, erhalten Wundbehandlung mit dem Saft der Aloe, da es auch im Tierbereich ein schneller wirkendes Heilmittel nicht gibt.

Ein Freund von mir kaufte im Großmarkt von Stuttgart eine besonders schöne Aloe-Pflanze, die er stolz nach Hause brachte. Sein Weg führte ihn zunächst durch seinen Pferdestall. Als ein Pferd die Aloe-Pflanze in den Händen meines Freundes sah, biß dieses Pferd sofort zu und verschlang die Pflanze. Wie wir sehen, erkennen sogar Tiere die wertvolle Aloe zur Gesunderhaltung.

Dr. Windel Winters, von der University of Texas Health Science Center in San Antonio, schloß seine weltweite Forschung über die Aloe in einem Satz zusammen: **„Wir glauben, daß die Aloe wirklich eine Apotheke in einer einzigen Pflanze ist."**

H.R. McDaniel, M.D., Pathologe und Forscher an dem Dallas-Fort Worth Medical Center kam zu folgendem Schluß: **„Die Anwendung der Aloe vera wird der wichtigste Schritt in der Behandlung von Krankheiten in der Geschichte der Menschheit sein."**

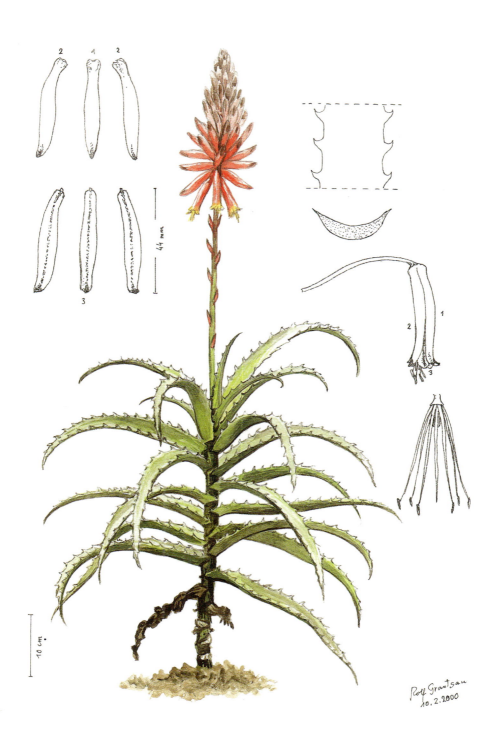

I. *Aloe arborescens* Miller
Die medizinisch wertvollste Aloe

II. **Pater Romano Zago OFM**
Vor einer *Aloe arborescens* Miller

Botanik und Inhaltsstoffe der *Aloe vera* L. und *Aloe arborescens* Miller

Aloe vera Linné Sp. Pl. 320.-Reg. medit. (Tourn. Ex Linn. Syst. Ed. I. 1735), Syn.: *Aloe barbadensis* Miller, *Aloe elongata* Murr., *Aloe vulgaris* Lam., *Aloe perfoliata* L. var. vera L., *Aloe flava* Pers., var. *officinalis* Baker (*Aloe officinalis* Forsk., *Aloe rubescens* DC.), DC., Pl. Gr. 15;

(Aniospermae - Familie der Liliaceae), Aloe; Engl. und Russ. Aloes; Franz. Aloés; Span. Acíbar; Port. Aloe; Bras. Babosa bzw. Babosa-medicinal; Ind. Kumari; Chin. Lu-huei; Lat. Aloë). Diese Aloe wurde zuerst von dem berühmten Karl von Linné, Professor der Botanik und Direktor des Botanischen Gartens von Upsala 1735 beschrieben. Die Weltbotanik unterscheidet heute bereits 300 - 400 Aloe-Arten. Die Aloe ist eine agavenähnliche Wüstenpflanze und gehört zu den Liliazeen, also der Familie der Lilien, ist aber in ihren Merkmalen einem Kaktus sehr ähnlich. Zu dieser Familie der Liliazeen gehören der Knoblauch (*Allium sativum*), der Bärenlauch (*Allium ursinum*), die Küchenzwiebel (*Allium cepa*), die Meerzwiebel (*Urginea maritima*), die Herbstzeitlose (*Colchicum autumnale*), die Tigerlilie (*Lilium tigrinum*), die Einbeere (*Paris quadrifolia*), das Maiglöckchen (*Convallaria majalis*), die Weißwurz (*Polygonatum officinale*), der weiße Germer (*Veratrum album*), die Palmlilie (*Yucca filamentosa*), der Spargel (*Asparragus officinalis*) und die im tropischen Südamerika beheimatete Sarsaparilla (*Smilax aristolochiaefolia*).

Diese einmalige Pflanze gehört auch zu einer größeren Pflanzenfamilie, den sogenannten Sukkulenten (Wasserspeichernde), die wenig Wasser brauchen und auch nicht viel Regen vertragen können. Die immergrüne Pflanze wird auch als Hundertjährige bezeichnet. Sie ist kraftvoll, majestätisch mit prall gefüllten Blättern und lebt im vollen Einklang der Natur. Viele Jahre wächst das Gebilde, bis nach dieser Periode gewaltig angestauter Lebenskräfte, die des vehementen Blüte-Aufschießens folgt. Sie fährt mit halbmeterhohem Schaft die mit nickenden Blüten dicht bestandene Ähre hoch und bringt dreifächerige, häutige Kapselfrüchte hervor. Der Saft der Aloeblätter ist bitter, zusammenziehend, scharf/süß/kühlend/süß. Der pH-Wert des Saftes liegt zwischen 4,0 und 5,0.

Zur besseren Identifizierung der beiden wichtigsten Aloe-Pflanzen, siehe die farbigen Seiten in diesem Buch mit den Photos und den botanischen Zeichnungen.

Die *Aloe vera* L. in freier Natur und im Garten

Wild wächst die Pflanze auf den Kanarischen Inseln, in Afrika, Süd- und Mittelamerika und in den Mittelmeergebieten mit heißen, trockenen Sommern und milden Wintern. Wichtige Anbaugebiete sind Mexiko, Texas, Kalifornien, Zentralamerika, Brasilien, Türkei, Israel, Indien, China und die kaukasischen Länder. Es gibt auch Vorkommen in Süditalien, Griechenland, Spanien, Portugal, auf Zypern und den arabischen Staaten sowie in der Südsee.

KAPILLAREN BESTIMMEN UNSER SCHICKSAL

Die Aloe ist eine dekorative Kübelpflanze, die den Sommer über draußen stehen kann, wenn sie vor starkem Regen geschützt ist. Viele Arten blühen im Spätwinter bis Frühjahr, allerdings nur bei entsprechender Pflege, d.h. sie benötigen bei Frost im Winter einen Wintergarten oder ein Gewächshaus jedoch mit Luftzirkulation, einen vollsonnigen Platz bei Temperaturen von etwa zehn Grad Celsius und dürfen nur ab und zu ein bißchen gegossen werden. Über den Sommer wird wöchentlich mit einem schwach konzentrierten Dünger oder einem speziellen Kakteendünger gedüngt. Beim Gießen muß man darauf achten, daß kein Wasser in den Blattachseln stehen bleibt, da es sonst leicht zu Fäulnis kommt.

Die Blätter sind aufeinanderfolgend, saftig und dick, bis 50 cm lang, 3 - 20 cm breit und bis 5 cm dick. Im Inneren der fleischigen Blätter verbirgt sich das wasserspeichernde Gewebe. An den Rändern verfügen die Blätter über Stacheln, die bei den medizinisch interessanten Arten in einem Abstand von etwa Fingerbreite sägeförmig angeordnet sind. Schneidet man die Blätter ab, so fließt ein wäßriger Saft heraus, der ungemein bitter schmeckt. Er sitzt in Sekretzellen, die in einer Zellschicht den Siebteil der Gefäßbündel halbmondförmig umgeben. Weil sie nur durch sehr dünne Zellwände voneinander getrennt sind, läuft der Saft leicht ab. Der aus dem Blattschopf entspringende Blütenschaft ist bis zu 1 m lang und besitzt schuppige, halbstengelumfassende Hochblätter sowie zahlreiche, in einer endständigen Traube stehende, meist gelbe, aber auch orange, rot-orange bis rote, an der Spitze grünliche Blüten, deren Blütenstiele länger sind als die Hochblätter. Die Blüte besitzt sechs Staubblätter und einen oberständigen, dreifachen Fruchtknoten mit länglichem Griffel und einfacher Narbe. Es gibt viele Farbvarianten. Die Frucht hat die Form eines zylindrischen Kästchens. Die Pflanze wächst teilweise straußartig als Rosette geöffnet mit den Blattstümpfen in der Nähe der Erde, wo die Blätter auch abgetrennt werden.

Die medizinisch hochwertigste Aloe

Aloe arborescens Miller, Syn.: *Aloe arborea* Medikus, *Aloe perfoliata* var. *aborescens* Ait., *Aloe fruticosa* Lam., *Aloe arborea* Medic. Sie wurde zuerst beschrieben von Phillip Miller, botanischer Schriftsteller zu Linnés Zeit in London, im Gard. Dict. Ed. VIII. N. 3.-Afr. austr. Er starb 1771.

Die *Aloe arborescens* Miller wächst teilweise als Busch oder in baumähnlicher Form. Diese Art besitzt einen 1-2 m hohen, bis zu 10 cm dicken, unten kahlen, von abgefallenen Blättern genarbten Stamm. Oben am Stamm sitzt ein Schopf mit vielen fleischigen, bis zu 50 cm langen und 3 cm breiten Blättern. Diese sind am Ansatz flach, zur Spitze rinnig, unterseits gewölbt, bläulichgrün und am Rand mit gekrümmten Zähnen besetzt. Der am Blattschopf entspringende Blütenschaft ist bis zu 1 m lang und besitzt schuppige, halbstengelumfassende Hochblätter sowie zahlreiche, in einer endständigen Traube stehende, rot-purpurne, an der Spitze grünliche Blüten, deren Blütenstiele länger sind als die Hochblätter. Die Blüte besitzt sechs Staubblätter und einen oberständigen, dreifachen Fruchtknoten mit länglichem Griffel und einfacher Narbe. Die Erntezeit ist regional verschieden. Geerntet werden nur die Blätter. Der pH-Wert des Saftes ist 5,0 - 6,0.

Diese *Aloe arborescens* Miller ist medizinisch gesehen bis zum heutigen Tag die absolute Spitzenart. Entsprechend den Untersuchungen des Instituto Palatini de Salzano in Venedig, ist die *Aloe arborescens* Miller 200 % reicher an medizinischen Wirkstoffen als die *Aloe vera* L.. Die *Aloe arborescens* Miller enthält auch über 70 % aktive Wirkstoffe gegen Krebs, gegenüber nur 25 % von *Aloe vera* L.

Beide Arten haben sich jedoch bei der Herstellung und Anwendung der brasilianischen Formulel der Aloe/Honig/Alkohol-Mischung gegenüber der Mehrheit der 300-400 Arten Aloe als überlegen erwiesen. Bei der Verwendung der *Aloe vera* L. ist lediglich das Verhältnis zwischen dem inneren Gel und der wertvollen Blatthaut ungünstig und kann leicht korrigiert werden. Da diese Art zuviel Gel enthält, entfernt man zum Ausgleich einen Teil davon und nutzt ihn für andere Zwecke, z.B. kosmetische, und kann zu ähnlichen Ergebnissen kommen wie bei der *Aloe arborescens* Miller.

Die medizinischen Inhaltsstoffe der Aloe

Fast alle Aloe-Arten haben irgendwelche medizinischen Heilkräfte. Im Gel und in der Blatthaut der *Aloe vera* L. und *Aloe arborescens* Miller wurden bisher über 300 verschiedene bioaktive Stoffe und Lebensbausteine entdeckt, wie Enzyme (Aliinase, Creathine-Phosphokynase, Lactic-Dehydrogenase, Lipase, Pentosane, Phosphatase, SGOT Transamine, SPGT Transaminase, Bradykinase, Zellulase, Tyrosinase, Katalase, Amylase, Oxydase, Carboxipeptidase und 5 Nucleotidase), RNS, 17 der 20 essentiellen Aminosäuren (Lysin, Histidin, Glutamin, Arginin, Asparagin, Glycin, Alanin, Valin, Methionin, Hydroxyprolin, Prolin, Theronin, Tryptophan, Isoleucin, Leucin, Tyrosin und Phenylalanin), 9 der nichtessentiellen Aminosäuren (Asparaginsäure, Cystin, Glutaminsäure, Glutaninsäure, Glycerin, Histidin, Prolin, Serin und Tyrosin), Fettsäuren (Beta-Sitosterol, Camposterol, Cholesterol und Lupeol), Triglyceride, Sterine, organische Salze und Säuren, Spurenelemente, Monopoly- und Mucopolysaccharide, Glukose, Aldopentose, Galakturonsäure, Glykoronsäure, Manuronsäure, Pentosan, Manose, Rhamnose, Xylose, Arabinose, Galaktose, Zellulose, Uronsäure u.v.m. wie auch Aloin, Saponin, Lignin, Saponine, Chryphansäure, Seim und Acemannan. Acemannan spielt eine besondere Rolle. Die Substanz wird bis zur Pubertät vom menschlichen Organismus selbst gebildet, muß danach jedoch mit der Nahrung aufgenommen werden. Sie ist in allen Zellhüllen des menschlichen Organismus zu finden und hat entscheidenden Einfluß auf die Immunabwehr der Körperzellen. Sie soll die Abwehrkräfte fördern, indem sie Antikörper, Freß- und Killerzellen aktiviert. Eine vergleichbare Substanz findet man übrigens auch im Ginseng. Der Pflanzenschleim besteht hauptsächlich aus neutralen Polysacchariden: b-(174) Glucomananose, b-D-Mananose, Galaktanose, Arabinogalaktinose, usw., im allgemeinen, acetyliert und methyliert. Von besonderer Bedeutung ist die aus dem äthanolischen Anteil des Gels extrahierte Acemannanose. Die Acemannanose ist ein teilweise acetyliertes Polysaccharid, welches aus linearen Einheiten von (1/4)-D-Manoiranosyl besteht. Die Neutralzucker, die sich in Ketten mittels Verknüpfungen (1/6) zusammenschließen, sind Galaktopiranosen in einem Verhältnis von 1 zu 20 Zuckern. Der Pflanzenschleim enthält auch saure Polysaccharide mit verschiedenen Anteilen an

KAPILLAREN BESTIMMEN UNSER SCHICKSAL

Galakturonsäuren. Die restlichen Feststoffe, aus denen das Gel besteht, sind Säuren und organische Salze (Glutaminsäure, Apfelsäure, Salizylsäure, Zitronensäure, Magnesiumlaktat, Kalziumoxatat), Enzyme (Zellulase, Karboxypeptidase, Bradykinase, Katalase, Amilase, Oxydase, Tyrosinase), sapogenische Stoffe, Tannine, anthrazenische Heteroxyde, Steroide, Triglyceride, Aminosäuren, Ribonukleinsäuren, Alkaloid-Spuren, Vitamine (A, B1, B2, B3, B6, B12, C, E, F, Beta Carotin, Carotin, Cholin, Folsäure und Niacin) und Minerale (Aluminium, Bor, Barium, Kalzium, Chrom, Kupfer, Eisen, Germanium, Kalium, Mangan, Magnesium, Natrium, Phospor, Rubinium, Strontium, Silizium, Zink) in Abhängigkeit von Niederschlagsmenge, Böden und Erntezeit. Die Aloe ist deshalb so interessant, weil sie Stoffe enthält, die in der normalen Kost und oft sogar bei naturbelassener und ausgewogener Ernährung nicht oder in immer geringeren Mengen vorkommen. Jedes einzelne in der Aloe enthaltenen Nahrungsmittel oder Vitalstoff ist sehr wichtig für unseren Organismus, aber alle zusammen haben eine sich gegen- und miteinander potenzierende Aktionswirkung, die zur Zeit noch in keinem Labor der Welt synthetisch hergestellt werden kann. Dadurch ist die Aloe ein absolutes Spitzenprodukt für unsere Gesunderhaltung und ein unerläßliches Vitalgetränk bei sehr vielen Krankheiten.

Medizinische Anwendung der Aloe

Zu den seit Jahrtausenden bekannten dermatologischen Wirkungen der *Aloe vera* L. zählen die entzündungshemmenden, emollierenden (weichmachenden), epithelisierenden (hautschichtaufbauenden), immunsystemregulierenden und hydratisierenden. Pharmakologische Untersuchungen weisen dem Pflanzenschleim Heilungsförderung bei Narben, Geschwüren und regenerative Wirkung auf die Gewebe nach. Der Saft, äußerlich angewendet, beugt der Ischämie (mangelnde Blutzufuhr) der Haut vor und übt heilenden Einfluß auf Nekrosen und Hautentzündungen aus, denen Verbrennungen zugrunde liegen (Unfall, Sonne, Strahlungen, chemische Produkte, Stromschläge, Erfrierungen). Sehr bekannt sind die Beschleunigungen der heilenden Prozesse durch Reduzierung der bakteriellen Aktivität. Ebenso wurde der hemmende Einfluß auf Alterungsprozesse durch Wiederherstellung des Gleichgewichtes zwischen Regeneration und Degeneration der Haut und Anregung der Synthese von Kollagen sowie Elastin-Fasern beobachtet. Die Wirkstoffe des Gels dringen rasch bis zur Hautwurzel durch, erweitern die verengten Kapillaren auf den normalen und gesunden Durchmesser und sorgen für lokale Schmerzlinderung. Seine fortgesetzte Anwendung hemmt durch den Tyrosin-Anteil des Gels die Melanin-Bildung, welches ursächlich an der Hyperpigmentierung von Hautzonen beteiligt ist. Das Gel ist somit sehr geeignet zur Behandlung irritierter Hautzonen, wo es die Wiederherstellung des zellulären Gewebes beschleunigt.

Innerlich wird das Gel für Kreislauf, Verdauungstrakt, weibliche Fortpflanzungsorgane und Ausscheidungsorgane benutzt. Es gilt als Umstimmungsmittel, Bittertonikum und Verjüngungsmittel. Als Indikationen werden oft genannt: Fieber, Verstopfung, Fettleibigkeit, entzündliche Hautzustände, Drüsenschwellungen, Konjunktivitis, Schleimbeutelentzündung, Gelbsucht, Vergrößerung der Leber oder

der Milz, Herpes, Geschlechtskrankheiten, Amenorrhoe, Dymenorrhoe, Beschwerden der Wechseljahre, Vaginitis, Geschwülste und Wurmkrankheiten.

Aloe wirkt als allgemeines Tonikum für die Leber, jenes Organ, das am Verdauungsprozeß beteiligt ist zur Entgiftung der Toxine. Ihre Wirkung sind Anti-Vata, Anti-Pitta und Anti-Kapha, so daß keines durch ihren Gebrauch gestört wird. Aloe hilft, einen Zustand des Gleichgewichtes unter Vata, Pitta und Kapha im Körper herzustellen.

Aloe als Großlieferant eines wertvollen Saftes

Von den 300-400 bekannten Aloe-Arten haben sich in der medizinischen Praxis jedoch nur 4 behauptet, von denen die zwei absoluten Spitzenarten *Aloe vera* L. und *Aloe aborescens* Miller weltweit von den erfolgreichsten Ärzten bevorzugt angewendet werden.

Die *Aloe vera* Linné wird fälschlicherweise oft noch *Aloe barbadensis* Miller genannt, besonders in den USA. Aber auch in Deutschland findet man selbst in amtlichen Dokumenten verkehrte botanische Bezeichnungen, wie z.B. *Aloe vera barbadensis* Miller (der botanisch richtige Name mit einem Synonym gemischt). Sie wird nicht nur in großem Stile biologisch dynamisch in Mischkultur zusammen mit Bäumen und Nutzpflanzen angebaut (die sogenannte Maja-Kultur), sondern hauptsächlich auf riesigen Plantagen in Monokultur. Diese Pflanze gibt den Produzenten die größte Saftmenge und ist auch der weltweit größte Lieferant dieses für die Gesundheit und die Kosmetik gesuchten wertvollen Saftes, der bereits mehrere Milliarden Dollar Jahresumsatz erzielt, mit sehr stark steigender Tendenz. Die bekanntesten Marken im deutschsprachigen Raum sind: Aloe Vera Gel der Firma Forever Living Products (z.B. bei Aloe Center Monika Jocher, Geranienweg 4 D-72574 Bad Urach, sowie Akquisa-Consulting GmbH., Julius Moser Str. 9 D-75179 Pforzheim), Produkte der Firma Pharmos, Produkte der Firma LifePlus (z.B. bei Gesellschaft für innovative Gesundheit in der Herbert-Bayer-Str. 4, D-13086 Berlin), Aloeprodukte der Firma WTF, Hersteller Aloe Jaumave S.A. aus Mexiko und Aloeprodukte der Firma Aloevida S. A. aus Paraguay (bei Firma Furtmühle Vertrieb, in Furtmühle 4, D-88353 Kisslegg), Aloesaft der Firma LR International, Aloe Vera-Juice der Firma VESIS International GmbH. Aloeelixir, Total Process Aloe (Dr. Schneller, Bleichstr. 55-77 in D-60313 Frankfurt). Diese Aloesäfte dienen bereits seit Jahren überwiegend als gesunde Nahrungsergänzung und tägliches Fitneßgetränk für Millionen gesundheitsbewußter Menschen. Gleichzeitig ist das Gel aus dem Blattinneren der Aloe ein Bestandteil hochwertiger kosmetischer Produkte und Gesundheitscremes. Die Reifezeit der Blätter beträgt entsprechend der Region 3-4 Jahre (in Brasilien 3, in Spanien 4). Meist wird leider in Unkenntnis der wirklichen medizinischen Eigenschaften für die Krankenbehandlung die wertvolle grüne Schale nach dem Auspressen des Saftes verschmäht und dann oft nur als Dünger wieder im Monokulturanbau verwendet. Gerade diese grüne Blatthaut ist im Verhältnis zum wäßrigen Gel des Blattinneren hochkonzentriert und enthält zusätzlich noch wertvollste Bitterstoffe mit ganz besonderen Vitalkräften und diese sind für bestimmte Krankheiten der entscheidende Schlüssel zur Genesung. Rund

70 % der Menschen sprechen sehr gut auf die Aloe an und können diese zur Unterstützung der Therapien hervorragend nutzen.

Für die Behandlung von Krebs, AIDS, Fibromyalgie und anderen schweren Krankheiten ist jedoch stets die ganzheitliche Verwendung der Blätter, also Gel und Blatthaut für den schnellen und bestmöglichen Behandlungserfolg, in Ergänzung zur Hochschulmedizin, von elementarer Bedeutung. Diese ganzheitliche Anwendung ist besonders dann empfehlenswert, wenn sie als die seit zwei Jahrhunderten mit Erfolg angewendete brasilianische Mischung Aloe-Ganzblatt/Honig/Alkohol zum Einsatz kommt, entsprechend der in diesem Buch ausführlich beschriebenen Formel.

Aloe, eine wahre Apotheke

Wenn man heutzutage in die größte und best sortierteste Apotheke der Erde geht und sich das Angebot der pharmazeutischen Produkte betrachtet und dann deren Wirkstoffe auflistet, kann man feststellen, daß rund 25 % von ihnen in einer einzigen Pflanze vereint sind und zwar in der Aloe. Deshalb trägt sie nicht zu Unrecht den Titel eine „Apotheke in einer einzigen Pflanze" zu sein. Es gibt viele Königinnen unter den Heilpflanzen, aber nur eine trägt den von mir verliehenen Titel „Kaiserin der Heilpflanzen". Und das mit voller Souveränität!

Bei allen diesen Betrachtungen darf man nicht außer acht lassen, daß die Aloe diese über 300 pharmazeutischen Wirkstoffe als lebende und organisch gewachsene anbietet. In den Apotheken gibt es chemisch gesehen die gleichen Wirkstoffe, jedoch aus synthetischer Produktion. Diese liegen naturgemäß in ihren Dosierungen oft viel höher, um zu annähernd ähnlichen Ergebnissen zu kommen wie bei der Anwendung pharmazeutischer Bestandteile aus dem Füllhorn der Natur. Die Tendenz, aus der Natur Vitalprodukte zu gewinnen, ist erfreulich weltweit steigend. Was unserem Körper am besten hilft sind lebende organisch gewachsene reine Naturprodukte, wie beispielsweise die „Kaiserin der Heilpflanzen", die Aloe.

Eine sehr interessante Erfahrung machen häufig Erstanwender der Aloe. Wenn der Arzt ein umfangreiches Blutexamen bei einem Patienten anordnet, der zufällig kürzlich zum ersten Male eine Aloe-Kur vornahm, ergeben sich überraschender Weise stark verbesserte Blutwerte im Verhältnis zu vorangegangenen Analysen. Die Ärzte vermuten dann meistens, wenn sie diese Resultate vergleichen, daß die Ergebnisse versehentlich mit denen des Ehepartners vertauscht wurden. Diese Beobachtungen erhalte ich von zahlreichen meiner Leser aus allen Kontinenten bestätigt.

Diese kuriosen Berichte bestätigen stets, daß von allen gesunden Nahrungsmitteln die Aloe für den menschlichen Organismus die absolute Spitze darstellt. Die Aloe ist unter allen Obst- und Gemüsesorten die segensreichste für die Erhaltung der Gesundheit und deren Rückgewinnung. Gleichzeitig finde ich in diesen Beobachtungen stets meine Kapillarenlehre bestätigt. Wo sich die Kapillaren wieder zum gesunden und normalen Durchmesser erweitern, verbessern sich dadurch

BOTANIK UND INHALTSTOFFE DER ALOE VERA L. UND ALOE ARBORESCENS MILLER

zwangsweise die Blutwerte. Ebenso erhalte ich regelmäßig Information von Personen, die von dem Vitalgetränk der Aloe Gebrauch machen, daß sich ihre bereits geschädigte Leber wider Erwarten normalisierte und bei den Ultraschalluntersuchungen wieder völlig gesund aussieht.

Die übergroße Fülle und Vielfalt an hochwirksamen lebenswichtigen Inhaltsstoffen der Aloe, in der gerade für den menschlichen Organismus perfektesten Zusammenstellung, finden wir in der Natur nicht ein zweites Mal. Kein pharmazeutisches Laboratorium ist jemals imstande, etwas auch nur annähernd gleichwertiges, wie die Aloe es uns liefert, synthetisch herzustellen. Die Aloe ist ein wahres Füllhorn aus der Apotheke Gottes.

KAPILLAREN BESTIMMEN UNSER SCHICKSAL

III. *Aloe vera* Linné
Die medizinisch und kosmetisch meist verwendete Aloe

IV. Aloe-Pflanzer Malte Weltzien
Mit einer *Aloe vera* L. in den Händen

Sauerstoffmangel durch verengte Kapillaren ist die Hauptursache von Krebs

Krebs ist keine einheitliche Krankheit, sondern ein Oberbegriff für mehr als hundert verschiedene Formen bösartiger Erkrankungen. Nahezu jedes Gewebe unseres Körpers kann krebsartige Entartungen hervorbringen, manchmal sogar mehrere unterschiedliche Typen. Und jedes der Leiden wiederum hat seine eigenen Merkmale. Trotz dieser Verschiedenartigkeit entstehen alle Tumore offenbar durch ähnliche grundlegende Prozesse. Die 75 Billionen Zellen eines gesunden menschlichen Körpers leben in einer komplexen Gemeinschaft, die auf wechselseitiger Abhängigkeit und geteilter Herrschaft beruht. Ob sich eine Zelle vermehrt oder nicht, unterliegt dem Einfluß anderer. Normalerweise teilt sie sich nur, wenn sie von benachbarten Zellen dazu eine Aufforderung erhält. Diese unaufhörliche Kontrolle gewährleistet, daß jedes Gewebe eine dem Körper angemessene Ausdehnung und Architektur behält.

Ganz anders die Krebszellen: Sie durchbrechen die Kontrollen, beachten die üblichen Beschränkungen des Zellwachstums nicht mehr und folgen ihrem eigenen Vermehrungsprogramm. Hinzu kommt noch eine heimtückische Eigenschaft - ihre Fähigkeit, den Ort ihres Entstehens zu verlassen, in benachbarte Gewebe einzudringen, sich dort anzusiedeln und selbst an weit entfernten Stellen im Körper zu neuen Wucherungen auszuwachsen. Tumoren aus bösartigen Zellen werden im Verlauf ihrer Entwicklung immer aggressiver. Sie können schließlich zum Tod führen, wenn lebenswichtige Gewebe und Organe bis zur Funktionsunfähigkeit geschädigt werden.

Erkenntnisse über Krebsursachen seit Prof. Warburg

Vor mehr als 70 Jahren analysierte der Arzt und Biochemiker Prof. Otto Warburg (1883-1970) als Professor am Kaiser-Wilhelm-Institut (ab 1918) die Zellatmung, die außer in den roten Blutkörperchen rund 90 % der molekularen Energieträger in den menschlichen Zellen produziert. Die Atmungskette nutzt den molekularen Sauerstoff, um die durch Photonenenergie angeregten, energiereichen Elektronen durch den Abbau der Makronährstoffe wie Zucker, Fette und Eiweiße auf die universelle Energiewährung der Zelle, das Molekül Adenosintriphosphat (ATP), zu übertragen. Für die Analyse der Komplexe der Atmungskette, welche für die geregelten Elektronenflüsse und Wasserstoffionengefälle in Form hintereinandergeschalteter sogenannter Redox-Sterne verantwortlich sind, erhielt Prof. Warburg schon Anfang der 30er Jahre des 20. Jahrhunderts, als Leiter des Berliner Kaiser-Wilhelm-Instituts für Biologie/Zellphysiologie, den Nobelpreis.

Warburg hat als weitere herausragende Leistung bei seinen Forschungen erkannt, daß beim Stoffwechsel in der Krebszelle aus der Glukose erstaunlich viel Milchsäure („Glykolyse") produziert wird. Dies trifft sowohl in vitro (im Reagenzglas) als auch in vivo (im lebenden Organismus) zu und gilt für aerobe wie auch anaerobe Stoffwechselprozesse (mit positivem bzw. negativem Sauerstoffüberschuß) in

KAPILLAREN BESTIMMEN UNSER SCHICKSAL

unterschiedlichem Ausmaß je nach betreffender Krebsart. In normalem Gewebe von tierischen Organismen dagegen wird niemals in vergleichbarem Umfang unter aerobischen Bedingungen Milchsäure aus Glukose produziert. Krebszellen unterscheiden sich demnach von Nicht-Krebszellen durch ihr Unvermögen, die Glykolyse in Gegenwart von Sauerstoff zu unterdrücken. In den Krebszellen ist die Kontrolle der Gärung durch Atmung gestört.

Hauptkrebsursache ist der Sauerstoffmangel

Erst im Laufe der nächsten Jahre und Jahrzehnte konnte dieser Mechanismus, der auf der Aktivität von Enzymen beruht, vollständig aufgeklärt werden. Im Rückblick schreibt Warburg hierzu 1967: „In wenigen Worten zusammengefaßt **ist die letzte Ursache des Krebses der Ersatz der Sauerstoffatmung der Körperzellen durch eine Gärung**. Alle normalen Körperzellen decken ihren Energiebedarf aus der Sauerstoffatmung, die Krebszellen allein können ihren Energiebedarf aus einer Gärung decken. Vom Standpunkt der Physik und Chemie des Lebens betrachtet ist dieser Unterschied zwischen normalen Körperzellen und Krebszellen so groß, daß man ihn sich größer nicht vorstellen kann. **Der Sauerstoff ist in den Krebszellen entthront** und ersetzt durch die energieliefernden Reaktionen der niedrigsten Lebewesen, durch eine Gärung". Durch die Zellgärung wird mehr Energie erzeugt als durch die normale Sauerstoffversorgung, so daß sich die Zellen schneller vermehren können. Es entstehen Wucherungen. Man spricht dann von Krebs.

Diese Erkenntnisse beherrschten die Krebsforschungen durch Jahrzehnte und waren einleuchtend, also logisch. Statt Sauerstoff in der gesunden Zelle, Gärungsgase in der Krebszelle. Da in einer einzigen menschlichen Zelle mehr verschiedene Chemieprozesse ablaufen, als in allen Chemiefabriken unserer Erde, können wir erahnen, wie komplex eine solche Forschung sein muß.

Wende in der Erkenntnis über Krebsursachen

1966 jedoch, beim alljährlichen Treffen der Nobelpreisträger in Lindau am Bodensee, kam es zu einer epochemachenden Begegnung zwischen Warburg und den führenden Krebsforschern der jüngeren Generation, insbesondere aus den USA. Diese junge Generation von Nobelpreisträgern und Autoritäten wie Warburg, aber in der Regel Medizinprofessoren, war fasziniert von der Entdeckung des genetischen Code seit Anfang der 50er Jahre des 20. Jahrhunderts und glaubte enthusiastisch, durch die Entschlüsselung des menschlichen Erbguts in den Genen auch die Schalter für die Krebsgene finden zu können. Warburg hielten sie entgegen, er habe neuentdeckte Gensequenzen übersehen, die endogene „Retroviren" genannt werden, die offensichtlich Erbgutveränderungen in Gang setzen könnten, welche letztendlich die Transformation von aus differenzierten Zellen zu Krebszellen bewirken könnten. Diese „Mutationstheorie" dominiert die Krebsforschung bis heute und lenkte die Krebsforschung leider in eine sicherlich verkehrte Richtung und entfernt sich dabei immer weiter vom Ziel. Die wahre Lehre des deutschen Nobelpreisträgers geriet dadurch fast in Vergessenheit.

Als 1970 dann nordamerikanische Laborforscher mit indirekten Nachweismethoden ein Enzym identifiziert zu haben glaubten, das die Botensubstanz RNA der Retroviren in die DNA-Form der Erbsubstanz des menschlichen Genoms umschreiben sollte, wurde der euphorische Wissenschaftsglaube genährt, innerhalb von 5 Jahren das Krebsrätsel mit molekular-genetischen Labormethoden lösen zu können.

US-Präsident Nixon erklärt dem Krebs den Krieg

Der US-Präsident Richard Nixon rief im Kampf gegen den Krebs zu Höchstleistungen auf. Historisch hatten die USA bereits zweimal vorher alle verfügbaren Mittel in zwei Projekte investiert und beide führten innerhalb der gesetzten Zeitfrist zum Erfolg. Das erste war das Manhattan-Projekt Roosevelts zum Bau der Atombombe und das zweite das Apollo-Projekt von Kennedy zur ersten Mondlandung. Nun wollte auch Nixon ein Riesenprojekt für den Fortschritt der Menschheit starten, indem er den „Krieg gegen den Krebs" ausrief und die Retrovirus-Krebs-Laborforschung mit nahezu unbegrenzten Forschungsmitteln ausstatten ließ.

Der bis heute beispiellose Kapitaleinsatz in der Krebsforschung in High-Tech-Labors und Forschungskliniken hat eine nicht mehr zu überschauende Detailfülle an Laborwissen und klinischen Daten erbracht. Aber die seinerzeit militant geschürte Euphorie der heroischen Kämpfer an der Krebsfront findet nur noch in den Medien statt. Totale Ernüchterung ist eingetreten. Statt auf dem Gebiet des Sauerstoffmangels weiter geradeaus voran zu schreiten, bog man rechtwinklich ab und marschierte 30 Jahre in die absolute Finsternis. Kleine Erfolge sind zwar da, aber in zu geringem Ausmaß. Der große Durchbruch kam nie. Bis heute sind sich die Forscher noch immer alle im Unklaren, was die endgültige Wahrheit bei der Entstehung des Krebses ist. Die wahre Lehre Warburgs wurde einfach verdrängt. Es wurden viele krebserregende Produkte identifiziert und die klassischen Krebsbehandlungen weiter verfeinert und verbessert sowie deren Nebenwirkungen vermindert. Die forschende Ärzteschaft kann sicherlich stolz ihre Erfolge aufzeigen. Bisher gewann man erst Schlachten in Teilgebieten, aber nicht den Sieg über den Krebs selbst , ein bisher 30-Jähriger Krieg! Selbst Experten der amerikanischen Gesundheitsbehörden und die Leiter der Krebsforschung haben im Jahre 2000 zugeben müssen, das der „Krieg gegen Krebs noch nicht gewonnen wurde".

Zum Ende der Regierungszeit von US-Präsident Clinton im Jahre 2000 wurden wiederum neue Projekte vorgelegt, um den Krebs innerhalb von 5 Jahren besiegen zu können. Diesmal glaubte man über die Genomen an das Geheimnis des Krebses zu gelangen. Erneut wurden unvorstellbare Summen für die Forschung bereitgestellt. Aber auch diese Genomen - Forschung kann nichts bringen, denn Krebs hat nichts mit Genomen zu tun. Man marschiert weiterhin rechtwinklich vom geraden Wege abgebogen in die Finsternis und wird sich in weiteren 30 Jahren noch weiter vom Ziel entfernt haben, denn die Hauptkrebsursache ist im Grunde genommen das Fehlen des Sauerstoffes in den Zellen, verursacht durch eine schlechte Sauerstoffversorgung über die roten Blutkörperchen durch verengte Kapillaren.

KAPILLAREN BESTIMMEN UNSER SCHICKSAL

Krebs seit hundert Jahren im Ansteigen

Zu Beginn des vorigen Jahrhunderts litt jeder achte Einwohner an Krebs, jetzt, ein Jahrhundert später, jeder dritte. Bei Naturvölkern und den Tieren in freier Wildbahn ist Krebs eine Rarität. Bei den Haustieren und beim modernen Menschen ist Krebs dagegen fast schon eine Normalität. Das muß nicht sein und ist für einen logisch denkenden Menschen erklär- und korrigierbar.

Erschreckend ist die Zunahme der Krebshäufigkeit bei Kindern, die in der westlichen Welt um 1 % pro Jahr steigt. Es wurde beobachtet, daß der Transport des molekularen Sauerstoffes gestört wurde durch Oxidation des reduzierten Eisens im roten Blutfarbstoff infolge der Einwirkung starker Oxidationsgifte. Zu denen gehören unter anderen zahlreiche cancerogene Nahrungs- und Umweltgifte sowie Nitrite. Die Literatur berichtet auch über Verdachtsmomente, daß einige Sulfonamide und Antibiotika eine Störung der hintereinandergeschalteten Redox-Systeme in der Atmungskette der Mitochondrien und eine chronische Minderung des Sauerstoffumsatzes bewirken.

Gesunde Ernährung senkt Krebsrisiko

Ein wesentlicher Störfaktor kann aber auch der Verlust der "Fluidität" der Membranen der Zellen und Zellorganellen durch Mangel an essentiellen ungesättigten Fettsäuren in den industriell gefertigten, aus Gründen der Massentransporte und Lagerfähigkeit oxidativ denaturierten und an Mikronährstoffen verarmten Nahrungsmittel sein. Von einigen Obst- oder Gemüsesorten müßte man heutzutage, gegenüber von vor zehn Jahren, das Dreifache essen, um die Mengen an Mineralstoffen, Vitaminen und Spurenelementen zu erhalten. Je schöner unsere landwirtschaftlichen Produkte werden, desto armseliger werden sie meist an den wertvollen Inhaltsstoffen wie Vitaminen, Mineralien und sonstigen Vitalstoffen. Die heutigen Umwelteinflüsse, unsere Lebensweisen, z.B. vermehrter Stress und steigende Hektik usw., sowie unsere veränderten Eßgewohnheiten, tragen entscheidend zu einer vermehrten Bildung sogenannter "freier Radikale" bei. Diese „freien Radikale" z.B. sind aggressive und sehr aktive Atome, Moleküle und Verbindungen, die unsere Körperzellen angreifen, sie schädigen und zu unkontrolliertem Wachstum verleiten können. Um diese "freien Radikale" unter Kontrolle zu halten, benötigt unser Organismus eine ausgewogene und gesunde Ernährung mit möglichst hohem Anteil von nicht denaturierten Lebensmitteln. Unsere derzeitigen Kartoffeln haben, um einmal ein Beispiel zu nennen, heute 70 % weniger Calcium und 30 % weniger Magnesium als vor zehn Jahren (1990 - 2000). So wurde beobachtet, daß alle Völker, die in ihrem Speiseplan viele reine und kalt gepreßte Pflanzenöle benutzen, weniger Fälle von Krebs und Herzinfarkten aufweisen, als solche, die z.B. Margarine essen, ein leider denaturiertes Pflanzenöl. Obwohl die Margarinehersteller die wertvollen Pflanzenöle benutzen, mit den gesuchten langen, ungesättigten Fettsäuremolekülen werden diese so wertvollen Bestandteile bei der industriellen Fertigung denaturiert und sogar zu gesättigten umgeformt. Unsere Erde bietet jedoch derartig viele wertvolle Pflanzenöle an, wie z.B. das Nachtkerzenöl (*Oenothera binnis*), welches sogar Gammalinolensäure enthält, die

SAUERSTOFFMANGEL DURCH VERENGTE KAPILLAREN

sonst nur in der Muttermilch anzutreffen ist und 165 mal mehr Wirkung hat als die Linolensäure. Bekannt ist seine hervorragende und geschätzte Wirkung als Verminderer der Geschwindigkeit bei der Ausbreitung des Krebses im Körper. 40 % der Frauen zwischen sechzehn und fünfzig Jahren leiden z.B. an Mangel von Gammalinolensäure, die sie brauchen, um daraus die Prostaglandine zu fertigen, die so wichtig sind wie die Vitamine. Dieser Mangel ist die Mitursache vieler Krankheiten, inklusive teilweise auch Krebs, darunter auch vom prämenstrualen Syndrom; leicht zu korrigieren durch die Einnahme von Nachtkerzenöl. Ein weiteres Spitzenöl ist das Traubenkernöl, und in der Wertung danach kommt das preiswerte Sonnenblumenöl, welches in keiner Küche fehlen sollte, gefolgt von Oliven- und Sojaöl. Alles reine Gesundheit, wenn sie als kaltgepreßte Öle im reinen Zustand unerhitzt täglich auf unsere frischen Salate kommen. Dadurch wird die „Fluidität" der Membranen der Zellen und Zellorganellen wieder hergestellt.

Bei verschiedenen Krebsarten kann das Erkrankungsrisiko durch eine gesundheitsbewußte Lebensweise entscheidend gesenkt werden. Es gehört heute zum Wissensstand, daß 70 % aller Krankheiten durch unser verkehrtes Ernährungsverhalten verursacht werden. Bei Krebs gilt die gleiche Prozentzahl. Darin eingeschlossen sind 15 %, die auf das Konto des Rauchens gehen und 2 %, die dem Alkoholmißbrauch zugeschrieben werden müssen. Gesunde Nahrung schützt vielfach vor Krebs und verengt nicht unsere Kapillaren. Die Vitamine A, D, E, C und das Spurenelement Selen (Fisch, Nüsse) fangen "freie Radikale" ab. Bioaktive Substanzen, z.B. Beta-Carotin in Möhren, verhindern mit hoher Wahrscheinlichkeit das Tumorwachstum durch die Umwandlung krebserregender Stoffe. Ballaststoffe, z.B. in Getreidekörnern, neutralisieren u.a. gefährliche Gallensäuren. Auch Milchsäurebakterien in probiotischem Joghurt und im Sauerkraut gelten als Krebskiller.

Die Deutsche Krebshilfe beschreibt in ihrem Informationsblatt zum Thema Krebsdiät die "Sogenannte krebsfeindliche stoffwechselaktive Vollwertkost": „Es handelt sich um eine vorwiegend laktovegetabile Diät, die einer allgemeinen Schonkost bzw. qualitativen Diabetes-Diät entspricht. Ihre Prinzipien sind: Vermeidung von Überernährung, Übergewicht. Verteilung der täglichen Nahrungsmengen auf mehrere kleine Mahlzeiten. Zufuhr hochwertiger, nicht denaturierter Kohlehydrate mit viel Ballaststoffen (Gemüse), Verzicht auf raffinierten Zucker und ausgemahlenes Getreide zugunsten von natürlichen Süßmitteln und Vollkornprodukten. Eingeschränkte Zufuhr von tierischen Eiweißen, dafür vorwiegend Speisen pflanzlicher Herkunft, Vermeidung tierischer und anderer unnatürlicher, gesättigter Fette (Margarine - Anm. Aut.), Ersatz durch kaltgepreßte Öle und Fette mit möglichst mehrfach ungesättigten Fettsäuren.

Pioniere dieser Vollwertkost sind Kollath, Zabel, Kretz, Bircher-Benner und andere. Sie wird heute vor allem von Anemueller und Ries, Kretschmer-Dehnhard, MarKleine und Schultz-Friese propagiert. Zugrundeliegende Theorie ist die von Warburg postulierte universelle Gärung der Krebszellen. **Krebszellen entstehen angeblich durch irreversible Schädigung der Atmung, welche die Krebszelle durch Gärungsenergie zu kompensieren versucht, was wiederum zu undifferenziertem, ungeordneten Zellwachstum führen soll.** Tatsächlich sind diese

KAPILLAREN BESTIMMEN UNSER SCHICKSAL

Phänomene Folge und nicht Ursache einer malignen Entartung und stellen längst nicht die einzige und entscheidende Krebsursache dar. Warburg, und später viele seiner Nachfolger, glaubten schon vor Jahrzehnten, mit einer sogenannten stoffwechselaktiven Vollwertkost die Sauerstoffversorgung der Zellen verbessern und damit den Krebs hemmen zu können."

Die Deutsche Krebshilfe e.V. zitiert in ihrem Bericht "Einfluß der Ernährung auf die Krebsentstehung" noch folgende Nahrungsbestandteile, die Krebs erzeugen können: „Schadstoffe, die beim Verderben entstehen, z.B. Schimmelpilzgift, Braunfäule oder ranzige Fette, sowie Schadstoffe, die während der Erzeugung und Verarbeitung ungewollt oder gewollt in das Lebensmittel gelangen: Rückstände von Düngemitteln (Nitrat), Umweltgifte (Blei, Cadmium, Benzpyren aus Benzinmotoren und Industrieabgasen), bestimmte Lebensmittelzusatzstoffe (Nitritpökelsalz bildet Nitrosamine), Verbrennungsrückstände beim Räuchern und Grillen (Benzpyrene u.a. krebserregende Kohlenwasserstoffe), Schadstoffe, die durch starkes Erhitzen entstehen (Peroxide in Öl, zersetztes Eiweiß in Fleisch)." Unser Organismus reagiert auf diese Gifte mit einer Verengung der Kapillaren und/oder mit einer Verminderung der Kapazität der roten Blutkörperchen, um Sauerstoff transportieren zu können.

Die Bildung der Krebszellen

Die Bildung der Krebszellen geht von den Stammzellen oder deren unmittelbaren, noch undifferenzierten Tochterzellen aus. Der Ort für die Tumorentstehung ist die teilungsfähige Zelle und hier insbesondere der Träger der Erbstruktur, die DNA (Desoxyribonukleinsäure). Bösartige Tumoren können daher in allen erneuerungsfähigen (regenerierbaren) Geweben entstehen. Sie haben ein rasches Wachstum und weichen in ihrer Struktur nicht selten vom Muttergewebe ab, sie sind also falsch programmiert, d.h. sie haben falsche Informationen und sind gegen ein gesundes Gewebe kaum abgrenzbar, weil die Tumorzellen immer noch den Ursprungszellen gleichen. Der Tumor durchbricht dann die Grenzen und greift auch umliegendes Gewebe an.

Wenn man die Entstehung von Tumoren einmal genauer betrachtet, muß man erst das Wachstum einer gesunden Zelle beschreiben. Bei der gesunden Organbildung dirigieren die Chaloten die Zellteilung. Chaloten sind Wachstumsfaktoren und gleichzeitig Hemmfaktoren, die fehlendes Gewebe, welches z.B. operativ entfernt wurde, durch rasche Teilung von Stammzellen wieder herstellen. Sobald die Originalgröße des Organs erreicht ist, hört das Wachstum wieder auf. Jede Zelle hat spezifische Chaloten (Hemmfaktoren), die ihr mitteilen, wann die richtige Größe erreicht ist. Diese Hemmfaktoren sind gewebespezifische Proteine. Können Gewebe keine Chaloten mehr bilden oder verlieren sie ihre Reaktionsfähigkeit, kommt es zur Tumorbildung. Diese Umwandlung der normalen Zellen zu ungehemmt teilungsfähigen Zellen nennt man Zelltransformation. Diese Zellen nehmen eine andere Gestalt an. Im Stoffwechsel wird der Glukoseabbau verstärkt, außerdem ändert sich die Zellmembran, so daß sie dem Organismus fremd erscheint. Bei jedem Menschen entstehen Tag für Tag normalerweise viele einzelne Tumorzellen, doch da sofort Antikörper gebildet werden, können diese Tumorzellen

SAUERSTOFFMANGEL DURCH VERENGTE KAPILLAREN

durch die Immunabwehr beseitigt werden. Sobald aber andere Faktoren, wie bestimmte Viren, die das Protoonkogen zum Onkogen aktivieren, können Stoffwechselmüll, Gifte, Schlacken, radioaktive Strahlungen oder Karzinogene, die in die Zellen eindringen, auf den Organismus einwirken, kann das Immunsystem die Tumorzellen nicht mehr abbauen, und es kann dann Krebs entstehen.

Viele Menschen fürchten die Diagnose Krebs so sehr, daß sie Anzeichen wie Knötchen, Hautveränderungen oder veränderte Körperreaktionen verdrängen und den erforderlichen Arztbesuch immer wieder aufschieben, leider oft zu lange! Früherkennungsuntersuchungen werden ebenfalls nur zögerlich genutzt, vor allem für Prostata- und Brustkrebs. Doch je länger ein Krebs ungestört wuchern kann, desto schwieriger wird der Kampf danach gegen ihn. Doch die Diagnose Krebs bedeutet heutzutage nicht automatisch das Todesurteil. Die moderne Medizin kennt viele hoffnungsvolle Ansätze zur seiner Behandlung, ja sogar zur vollständigen Heilung.

Warnsignale zur Früherkennung von Krebs

Man sollte immer auf Warnsignale achten. Je früher der Krebs erkannt wird, desto besser sind die Heilungschancen. Ein Krebs macht sich durch unterschiedliche Signale bemerkbar. Bei den folgenden Krankheitszeichen ist ein Arztbesuch zur Ursachenklärung unbedingt geboten:

1. Eine nicht heilende Wunde, ein nicht heilendes Geschwür auf der Haut oder auf den Schleimhäuten.
2. Knoten oder Verdickung in oder unter der Haut, besonders im Bereich der Brustdrüsen sowie Lymphknotenschwellungen an Hals, Achseln oder in der Leistengegend.
3. Alle Veränderungen an Warzen, Pigmentflecken oder Muttermalen, z.B. Entzündung, Blutung, Wachstum, Vergrößerung oder Neubildung.
4. Änderung der Verdauungsgewohnheiten, anhaltende Magen-, Darm- oder Schluckbeschwerden, starker Gewichtsverlust, auffällige Blässe, allgemeine, sonst nicht erklärbare Schwäche.
5. Heiserkeit oder Husten, mehr als drei Wochen andauernd.
6. Ungewöhnliche, insbesondere blutige oder eitrige Absonderungen aus einer der Körperöffnungen, gestörte Harnentleerung, Schmerzen beim Wasserlassen, blutiger Urin und Stuhl oder Bluterbrechen.
7. Unregelmäßige Monatsblutung oder Scheidenausfluß mit Blutbeimischung, Blutungen und blutige Absonderungen nach altersbedingtem Aufhören der Monatsblutungen.
8. Unerklärliche Schmerzen und unerklärliche Knochenschmerzen.
9. Dauerhafte grundlose Müdigkeit, Gewichtsverlust und Appetitlosigkeit.

Prozentuale Aufteilung der Krebsursachen

Wenn man sich die Graphiken der prozentuellen Aufteilungen der Krebsursachen in der Weltliteratur einmal anschaut gibt es da sehr krasse Unterschiede.

KAPILLAREN BESTIMMEN UNSER SCHICKSAL

Besonders der Prozentsatz der Ursachen, die mit der Ernährung zusammenhängen, klafft von extrem niedrig (30 %) bis zu überhöht (80 %) sehr stark auseinander. Wenn man nun Durchschnittswerte sucht, kommt man auf folgende abgerundete Werte:

Ernährung	53 %
Rauchen	15 %
Alkoholmißbrauch	2 %
Zusammen	70 % (Nahrungs- und Genußmittel)

Infektiöse Erreger	5 % (1. Welt - global 15 %)
Arbeitsplatz	5 %
Genetische Faktoren	5 %
Geschlechtsspezifische Faktoren	4 %
Bewegungsmangel	3 %
Strahlung	2 %
Umweltverschmutzung	2 %
Andere Faktoren	4 %
Zusammen	30 % (nicht nahrungsbedingt)

Ursachen der Krebsbildung

Leider sind die genauen Ursachen der meisten Krebserkrankungen trotz intensiver Forschung nicht exakt bekannt. Viele Tumorbildungen haben auch gemischte Ursachen, wie z.B. beim starken Raucher, der auch Alkoholiker ist. Fast alle haben jedoch eines gemein: Sie sind die Ursachen für die Verengung der Kapillaren. Deshalb sollte man die folgende Auflistung aufmerksam lesen, welche die Ursachen der Krebsbildung analysiert:

1. Verkehrte Ernährung durch Mischen von Nahrungen, die nicht zusammen gegessen werden sollten. Zu niedriger Anteil von wasserhaltiger Nahrung, besonders frischem Obst und Gemüse, die mindestens 5 Portionen unserer täglichen Ernährung ausmachen sollten. Zu hoher Anteil an denaturierter oder erhitzter Nahrung. Auch hierdurch sind einige ganz spezifische Krebsarten betroffen, darunter ebenfalls wieder bösartige Neubildungen in der Mundhöhle, der Speiseröhre, des Kehlkopfes und der Bauchspeicheldrüse, darüber hinaus insbesondere des Magens und des Darmes sowie der Brust und der Prostata. Verschiedene Berichte geben für die Prostatakrebsursache einen zu hohen Brotverzehr an, da Brot angeblich das Blut verdickt und damit die feinen Kapillaren der Prostata verstopft.

2. Es besteht heute kein Zweifel mehr daran, daß das Rauchen den bedeutendsten Einzelrisikofaktor für Lungenkrebs darstellt. Gleichzeitig können sich beim Raucher (und bei der Raucherin) auch andere Krebsarten bilden, darunter Tumoren der Mundhöhle, der Speiseröhre, des Kehlkopfes, der Bauchspeicheldrüse, der Harnblase und des Gebärmutterhalses. In einigen Studien wird sogar festgestellt, daß 25 - 30 % aller Krebsursachen direkt mit Rauchen

SAUERSTOFFMANGEL DURCH VERENGTE KAPILLAREN

in Verbindung stehen (Boyle et al. 1995, Harvard Report on Cancer Prevention 1996).

3. Ein geschwächtes Abwehrsystem, z.B. bei AIDS-Patienten.

4. Übermäßige Sonnenbestrahlung auf der Haut erhöht das Hautkrebsrisiko. Dies gilt besonders für Personen mit heller, empfindlicher Haut und vielen Pigmentflecken.

5. Erbliche Vorbelastung. Die genetischen Faktoren haben durch die Identifizierung spezifischer Gene (z.B. bei Brustkrebs) in letzter Zeit besondere Aufmerksamkeit auf sich gezogen. Der Anteil der durch eine genetische Vorbelastung bedingten Krebserkrankungsfälle dürfte in einer Größenordnung von etwa 5 % liegen. Einige Autoren geben einen Bereich von 5 - 10 % an (z.B. Lynch et al. 1995). Gesichert ist die Beteiligung genetischer Faktoren bei bösartigen Neubildungen des Auges, des Darmes, der Brust und der Eierstöcke. Verengte Kapillaren lassen sich vererben.

6. Chemische Substanzen am Arbeitsplatz, in der Umwelt und Nahrung. Als krebserzeugend (kanzerogen) gelten z.B. Asbest, Benzoldämpfe (z.B. beim Einatmen von Benzin), Nitrosamine (die aus Nitrit in geräucherten Nahrungsmitteln entstehen), Aflatoxine (ein Gift, das durch eine Schimmelpilzart produziert wird und auf Lebensmitteln, z.B. Erdnüssen zu finden ist) oder Pflanzenschutzmittel. Auch Schwermetalle in Lebensmitteln stehen in Verdacht, Krebs zu erzeugen. Besonders gefährdet sind Personen, die wegen ihres Berufes häufig mit krebserzeugenden Substanzen umgehen müssen. Betroffen am Krebsgeschehen sind besonders die Lunge und die Harnblase. Der Prozentsatz muß als landesweiter Durchschnitt gesehen werden. In stark industrialisierten Regionen können diese Werte aufgrund eines höheren Anteils beruflich exponierter Personen an der Gesamtbevölkerung auch überschritten werden. (Vineis und Simonato 1991).

7. Radioaktive Strahlung erhöht das Risiko, an Leukämie zu erkranken, um ein Vielfaches.

8. Psychische Belastungen können den Körper schwächen und die Ausbreitung von Krebszellen erleichtern.

9. Infektiöse Erreger. Infektionen mit viralen Erregern sind an der Entstehung von Leberkrebs (Hepatitis-B- und Hepatitis-C-Viren), Gebärmutterhalskrebs (Papillomviren), Lymphomen (Epstein-Barr-Virus), einer bestimmten Leukämie (HTLV-1) sowie möglicherweise noch anderen Krebsarten beteiligt. Bei der Entstehung von Magenkrebs wird ein ursächlicher Zusammenhang mit einer Infektion mit Helicobacter pylori vermutet. Weltweit spielen viele infektöse Erreger eine nicht unbeträchtliche Rolle, so daß der Anteil global mit 15 % bei den Krebsverursachern berechnet wird, während der Anteil in der 1. Welt oder in der Bundesrepublik Deutschland weitaus niedriger liegt und auf etwa 5 % geschätzt wird (Harvard Report on Cancer Prevention 1996).

KAPILLAREN BESTIMMEN UNSER SCHICKSAL

10. Der Alkoholmißbrauch spielt mit einem geschätzten Anteil von 2 % zwar eine weitaus geringere Rolle als die zuvor genannten Bereiche, ist aber im Steigen. Im Unterschied zu Rauchen und auch Ernährungsfaktoren steht die Tatsache, daß ein hoher Alkoholkonsum zu einem erhöhten Krebsrisiko führt, was aber hierzulande in weiten Teilen der Bevölkerung noch praktisch unbekannt ist. Bei den in erster Linie betroffenen Lokalisationen handelt es sich um Mundhöhle und Rachen, Speiseröhre, Kehlkopf und Leber.

11. Druck und Quetschungen, besonders im Brustbereich.

12. Schließlich gibt es eine Reihe weiterer Faktoren, z.B. die persönliche medizinische Vorgeschichte, Medikamente, ionisierende Strahlung usw., die im Bereich von einem Prozent oder weit darunter an der Krebsentstehung beteiligt sind (Doll und Peto 1981, Harvard Report on Cancer Prevention 1996).

Der heute erreichte Wissensstand impliziert ein erhebliches Potential an Möglichkeiten zur Krebsprävention, aufgrund dessen die Krebssterblichkeit deutlich niedriger sein könnte, als sie es tatsächlich ist. Es liegt an jedem einzelnen seinen Beitrag zu seiner Gesunderhaltung zu leisten. Der Wahlspruch der Deutschen Krebsgesellschaft e.V.: „Durch Wissen zum Leben", sollte zum Nachdenken anregen, wie jeder einzelne durch sein nunmehr erworbenes Wissen seine Lebensqualität verbessern kann.

Vorbeugen ist wichtiger als Heilen

Gehen Sie regelmäßig zu den empfohlenen Vorsorgeuntersuchungen. Dazu gehören:

1. Bei Frauen ab 40 Jahren regelmäßig Untersuchung der Brust.

2. Gynäkologische Untersuchung der Gebärmutterschleimhaut ab 20 Jahren jährlich.

3. Jährliche Brustuntersuchung durch die Frauenärzte bei Frauen ab 20 Jahren. Jede Frau sollte zusätzlich regelmäßig ihre eigenen Brüste nach Knoten abtasten.

4. Jährliche Prostatauntersuchung bei Männern ab 45 Jahren. Jährliche ärztliche Untersuchung der äußeren Geschlechtsorgane (ab 40 Jahren).

5. Stuhluntersuchung auf okkultes (verstecktes) Blut bei Frauen und Männern ab 50 Jahren.

6. Untersuchung des Mastdarms bei Männern und Frauen ab 50 Jahren.

7. Beobachtung von Hautveränderungen, Muttermalen usw. durch den Hautarzt, Häufigkeit, je nach Hauttyp.

SAUERSTOFFMANGEL DURCH VERENGTE KAPILLAREN

8. Nicht rauchen.

9. Übergewicht vermeiden.

10. Gesunde Ernährung mit viel frischem Obst und Gemüse. Der Anteil von frischem Obst und Gemüse an der Gesamternährung sollte täglich 5 Portionen betragen.

11. Den Vitaminen A und E werden krebsvorbeugende Funktionen zugeschrieben. (Obst, Gemüse und Pflanzenöle).

12. Regelmäßige körperliche Betätigung.

13. Vermeiden Sie den Umgang mit Stoffen, die in Verdacht stehen, krebserzeugend zu sein (sogenannte Kanzerogene). Müssen Sie beruflich mit solchen Stoffen arbeiten, dann treffen Sie die entsprechenden Schutzmaßnahmen. (Gefahr erkannt! Gefahr gebannt!).

Die häufigsten Bereiche für den Krebs

Bei Frauen: Haut, Brust, Magen, Geschlechtsorgane, Darm, Leber, Galle, Eierstöcke, Blut, Knochenmark, Lunge, Bauchspeicheldrüse, Speiseröhre.

Bei Männern: Haut, Lunge, Magen, Prostata, Darm, Blut, Knochenmark, Bauchspeicheldrüse, Leber, Galle, Speiseröhre, Hoden.

Maßnahmen im Rahmen der Hochschulmedizin

1. Durch regelmäßige Vorsorgeuntersuchungen können entstehende Krebserkrankungen frühzeitig erkannt werden.

2. Der Arzt kann aus den zur Verfügung stehenden Therapiemöglichkeiten eine geeignete Behandlung auswählen. Ob ein Krebsleiden heilbar ist, hängt von der Größe des Tumors, von dem Ort seines Entstehens und von der Metastasenbildung ab. Dabei gibt es folgende Behandlungsmöglichkeiten:

3. Mit einer Operation kann in bestimmten Fällen das erkrankte Gewebe großzügig aus dem Körper entfernt werden. Dies ist vor allem bei Krebsarten sinnvoll, die sich noch nicht weiter ausgebreitet haben.

4. Mit gezielt gegen den Tumor gerichteter Röntgen- oder Gammastrahlung (Strahlentherapie) lassen sich Krebszellen zerstören. Diese Therapie kann eine Reihe von unangenehmen Nebenwirkungen wie Müdigkeit, Appetitlosigkeit, Verdauungsbeschwerden, Haarausfall, Zerstörung gesunder Körperteile im Umfeld, Knochenbrüchigkeit, Zahnzerfall, Abmagerung, Verbrennungen oder Entzündungen von Haut und Schleimhaut haben.

KAPILLAREN BESTIMMEN UNSER SCHICKSAL

5. Mit Medikamenten, den sogenannten Zytostatika (Chemotherapie), werden die Krebszellen an der Vermehrung gehindert. Da diese Medikamente nicht nur die Krebszellen angreifen, sondern alle Zellen im Körper, die sich schnell teilen, haben sie zahlreiche und unangenehme Nebenwirkungen (z.B. Übelkeit, Haarausfall, Herabsetzung der körpereigenen Abwehr und dadurch Anfälligkeit für opportunistische Krankheiten wie Grippe, Infektionen, Mundfäule usw.), weil der Organismus mit einer Verengung der Kapillaren reagiert.

6. Bei bestimmten hormonabhängigen Tumorformen (z.B. Prostatakrebs, Brustkrebs) können Medikamente helfen, die in den Hormonhaushalt eingreifen.

7. Viele Krebspatienten leiden unter starken Schmerzen. Der Arzt kann durch die Gabe eines geeigneten Schmerzmittels die Lebensqualität erheblich verbessern.

8. Einige Krebspatienten haben während der Behandlung Schwierigkeiten mit der Ernährung und beim Schlucken und können sogar dabei verhungern. Hier kann der Arzt helfend eingreifen und eine passende Diät verordnen. Die Frage der Ernährung ist eine der wichtigsten für die erfolgreiche Krebsheilung und wird oft völlig unterschätzt.

Strategie der Hochschulmedizin zur Bekämpfung des Krebses

Die Strategie der Hochschulmedizin zur Behandlung von Krebspatienten gliedert sich heute hauptsächlich in drei Therapieformen: Die Operation, die Chemotherapie und die Bestrahlung. Manchmal kommen zwei oder drei dieser Methoden kombiniert zum Einsatz. Der Erfolg der Therapie ist abhängig vom Krebstyp und vom Zeitpunkt der Diagnose. Solange der Tumor im Anfangsstadium, also noch lokal auf einem Punkt konzentriert ist und keine Metastasen gebildet hat, kann er sehr erfolgreich behandelt werden. Deshalb ist die Früherkennung der Schlüssel zur erfolgreichen Heilung. Je später der Tumor entdeckt wird, desto größer die Wahrscheinlichkeit, daß sich inzwischen Tochtergeschwüre in anderen Körperregionen gebildet haben. Dann reichen lokale Behandlungsformen wie Operation und Bestrahlung oft nicht mehr aus, um die Ausbreitung der Krebserkrankung zu stoppen. In diesem Fall wird die Chemotherapie eingesetzt. Verschiedene Krebserkrankungen reagieren unterschiedlich darauf. Bei Hodenkrebs oder bei Tumoren im Kindesalter gelingt es zumindest, die Tumormasse zu verkleinern und damit die Lebenszeit des Patienten zu verlängern.

Operation

Operation ist die älteste und noch immer häufigste Behandlung bei Krebs. Durch die Operationen wurden die meisten Heilungen verbucht. Es kann vorkommen, daß der Krebs jedoch schon lebenswichtige Strukturen erfaßt hat, die sich nicht chirurgisch entfernen lassen oder bei der Chirurgie zur Verstümmelung führt. Leider läßt sich diese Therapieform der Operation oft nicht mehr anwenden, wenn die Metastasen sich schon im Körper ausgebreitet haben. Dann ist es zu spät!

Strahlentherapie oder Radiotherapie

Diese Therapie nutzt eine energiereiche Strahlung. Durch die Strahlentherapie werden Zellen so geschädigt, daß sie absterben. Leider sind die Reaktionen im Krebsgewebe dieselben wie im gesunden Gewebe. Aus diesem Grunde muß man das gesunde Gewebe mit Blenden und Masken abschirmen, damit es so wenig wie nur möglich geschädigt wird. Dank der modernsten Technologie kann sich der Arzt mit Hilfe bildgebender Verfahren wie der Computertomographie ein exaktes Bild von der Lage des Tumors machen und die Strahlung genau darauf zielen. Dennoch läßt es sich nicht vermeiden, daß trotzdem ein Teil des gesunden Gewebes mitbestrahlt und dadurch geschädigt wird. Die geschädigten gesunden Zellen können sich jedoch mit Hilfe von Reparaturmechanismen besser erholen als die Tumorzellen.

Die Bestrahlung wird hauptsächlich von außen durch die Haut vorgenommen. Man benutzt kleine Einzeldosierungen, die auf 4 - 5 Sitzungen pro Woche verteilt werden. Die Pausen dazwischen dienen dazu, den gesunden Zellen Erholung zu gönnen. Um einen Tumor durch Strahlentherapie zu beseitigen sind normalerweise 25 - 35 Sitzungen erforderlich. Die Anzahl ist abhängig von der Art und Beschaffenheit des Tumors, sowie der Strahlendosis. Die Bestrahlung erfolgt ambulant, und man benötigt dafür einen Aufenthalt in der Klinik von etwa 30 Minuten.

Inzwischen gibt es eine neue Form der Strahlentherapie. Bei dieser wird während der Operation der Tumor direkt bestrahlt. Das umliegende Gewebe wird dabei nahezu vollständig verschont. So kann man die tumorzerstörende Dosis in nur einer Sitzung verabreichen.

In der Mehrheit der Fälle wird die Bestrahlung gut vertragen. Unangenehme Nebenwirkungen können jedoch auftreten, die sehr unterschiedlich sind. In jedem Fall sollte man sich vorher vom Arzt informieren lassen und sich darauf vorbereiten, um gegebenenfalls etwas dagegen zu tun. So kann zum Beispiel Durchfall durch eine geeignete Diät gelindert werden. Bei einer Bestrahlung im Mundraum kann man dem Auftreten von Karies durch vermehrte Zahnpflege entgegenwirken. Eine eventuell notwendige Zahnbehandlung sollte vorher gemacht werden, da zwei Jahre nach dem Ende der Therapie im Mundraum nichts verletzt werden darf. (Zahnziehen, Kanal-Bohrungen usw. heilen in dieser Zeit oft nicht). Zur Vermeidung bzw. Verminderung von Hautschäden durch die Bestrahlung können durch den Arzt die modernen Aloe-Gels (in Brasilien: Veraloe Gelatum der Firma Cassiopéia) verordnet werden, die stets hervorragende Ergebnisse bei der Vermeidung von Hautschäden bzw. schnellen Wiederherstellung von geschädigten Hautoberflächen zeigten.

KAPILLAREN BESTIMMEN UNSER SCHICKSAL

Chemotherapie

Die vielfach angewandte Chemotherapie unterscheidet sich von der Operation und der Bestrahlung dadurch, daß sie den ganzen Organismus erfaßt. Künstlich erzeugte Substanzen werden direkt in die Blutbahn verabreicht oder als Tabletten eingenommen. Diese Medikamente hemmen das Wachstum der Krebszelle oder töten sie ab. In vielen Fällen kann eine Chemotherapie zusätzlich zur Operation das Rückfallrisiko senken.

Auch vor einer Operation kann die Chemotherapie bei einigen Krebsformen die Heilungergebnisse verbessern, indem die Tumormasse vor der Operation verkleinert werden konnte; dies besonders beim Osteosarkom, ein bestimmter Knochenkrebs, der bei Kindern auftritt, beim Eierstockkrebs und Speiseröhrenkrebs.

Chemotherapeutika wirken nicht nur ausschließlich auf die Krebszellen, leider auch auf gesunde Zellen, besonders auf solche, die sich schnell teilen. Diese werden geschädigt. Deshalb erfolgt die Behandlung in Intervallen. Auf eine Behandlungsphase folgt eine Behandlungspause. Zur Durchführung der Therapie können kurzfristige Krankenhausaufenthalte notwendig werden, damit der Arzt die Wirksamkeit der Therapie überprüfen und gleichzeitig die Nebenwirkungen unter Kontrolle halten kann. Die Nebenwirkungen sind für den Patienten oft sehr belastend durch Übelkeit, Erbrechen, Müdigkeit und Haarausfall. Das hängt damit zusammen, daß vor allem sich schnell teilende Zellen geschädigt werden, das bedeutet z.B., daß neben den Krebszellen auch gesunde Zellen wie die der Magenschleimhaut oder Kopfhaut in Mitleidenschaft gezogen werden können.

Besonders betroffen sind auch die weißen Blutkörperchen. Sinkt ihre Zahl durch die Chemotherapie stark ab, macht dieser Umstand den Patienten besonders anfällig für Infektionen.

Alle Nebenwirkungen können von Patient zu Patient sehr verschieden stark ausgeprägt sein. Heute stehen speziell gegen die Übelkeit wirksame Medikamente zur Verfügung, wobei die Aloe eine Spitzenposition einzunehmen scheint, da sie durch Milderung der Nebenwirkungen zum Wohlbefinden des Patienten sehr stark beiträgt. Auch die Schädigung des Knochenmarks kann man durch Substanzen abmildern, die Blutzellen zum Wachstum anregen und die Regeneration beschleunigen. Nach Absetzen der Therapie erholen sich auch die Zellen der Haarwurzeln wieder, und die ausgefallenen Haare wachsen in der Regel normal nach.

Hochdosis-Chemotherapie

Bei der Chemotherapie werden die Zellgifte so dosiert, daß sie alle Krebszellen treffen, ohne nach Möglichkeit gesunde Körperzellen zu schädigen. Eine höhere Dosierung der chemotherapeutischen Heilmittel hat auch hohe Nebenwirkungen, so daß diese Anwendung problematisch ist und sich in bestimmten Fällen von selbst verbietet. Bei der normalen Dosis dagegen überleben oft einige Krebszellen und können dadurch wieder zu Tumoren wachsen.

SAUERSTOFFMANGEL DURCH VERENGTE KAPILLAREN

Um alle Krebszellen abzutöten, wird bei der Hochdosis-Chemotherapie bis zu zehnmal mehr Zellgift in den Körper geleitet als bei einer herkömmlichen Chemotherapie. Das ist jedoch nur möglich, wenn dem Patienten die besonders empfindlichen blutbildenden Zellen für die Zeit der Therapie entnommen werden. Sonst könnten die Patienten innerhalb weniger Wochen an Blutmangel oder Infektion sterben. Die blutbildenden Zellen werden entweder aus dem Knochenmark oder direkt aus dem Blut entnommen und dem Patienten nach der Behandlung wieder zurückgegeben. Innerhalb von zwei bis drei Wochen bauen sich aus den blutbildenden Zellen wieder neue Blutkörperchen auf. In dieser Zeit müssen die Patienten vor Infektion geschützt werden.

In verschiedenen Studien zeigte sich, daß die Überlebenschancen von Brustkrebs-Patienten nach dieser Behandlung höher waren als bei einer normalen Chemotherapie. In Deutschland setzt man daher bei der Behandlung von Brustkrebs die hochdosierten Zellgifte immer häufiger ein, um sicherzugehen. Ob die Hochdosis-Chemotherapie auch bei anderen Krebsarten sinnvoll ist, wird noch experimentell untersucht.

Grenzen der Chemotherapie

Die Chemotherapie hat einen bestimmten Nachteil. Ähnlich wie Bakterien gegen Antibiotika resistent werden können, werden auch Krebszellen unempfindlich gegen Chemotherapeutika. Davon einige sofort, andere wiederum erst nach wiederholter Behandlung. Das Problem ist sehr ernst, da der Arzt diesen Umstand nicht gleich erkennen kann. In vielen Fällen gibt es auch eine Resistenz gegen verschiedene Wirkstoffe.

Ziel der Wissenschaft ist es, in Zukunft Vorhersagen über die Wirksamkeit eines Medikamentes machen zu können. Für Gebärmutterhalskrebs gibt es bereits eine Methode, die Hoffnung macht. Vor einer Chemotherapie werden der Patientin Tumorzellen entnommen, die Wirkung verschiedener Chemotherapeutika auf die Zellen dann im Reagenzglas getestet. Erweisen sich die Zellen dabei als resistent, so ist mit einer 95 prozentigen Sicherheit auch im Organismus eine Resistenz vorhanden. Auf diese Weise lassen sich unwirksame Medikamente von Anfang an ausschließen. Ob die im Versuch empfindlichen Zellen im Körper auch tatsächlich auf die Therapie ansprechen, läßt sich allerdings nur mit einer 60prozentigen Sicherheit vorhersagen.

Spontanheilung

Als Spontanheilung bezeichnet man das plötzliche Verschwinden des Tumors ohne eine Behandlung. Es gibt Spontanheilungen bei Krebs, aber sie sind sehr selten. Wie es zu Spontanheilungen kommt, ist ungeklärt. Wissenschaftler machen das körpereigene Abwehrsystem der Patienten dafür verantwortlich, andere sprechen jedoch von Wunderheilungen durch den Glauben.

KAPILLAREN BESTIMMEN UNSER SCHICKSAL

Die deutsche Arbeitsgruppe Biologische Krebstherapie haben Pionierarbeit geleistet. In kurzer Zeit hat sich das Außenseiterthema "Spontanheilung" zu einer ernstzunehmenden internationalen Forschungseinrichtung entwickelt. Im April 1997 konnte mit großem Erfolg eine internationale Ärztetagung zum Thema "Spontanremission bei Krebspatienten" veranstaltet werden. Der Begriff ist damit auch bei Medizinern gesellschaftsfähig geworden, und es ist nicht weiter anrüchig, sich mit damit zu beschäftigen.

Diese Wende bleibt nicht ohne Folgen: Heute denkt man darüber nach, ob nicht die Selbstregulierungskräfte des Körpers vielleicht eines Tages auch völlig neue Horizonte für die Therapie eröffnen werden. Spontanremissionen verändern die medizinische Vorstellungen über Tumoren und ihre Entstehung. Die Frage lautet nicht länger bloß: „Warum sterben die Menschen an Krebs?", sondern auch: „Warum überleben manche Menschen, die scheinbar unheilbar krank waren?"

Diese Fragen wirken nicht nur auf die medizinische Forschung ein, sondern sie verändern auch Beziehungen zwischen Ärzten und Patienten. Oft wird übersehen, daß die katholische Kirche seit Jahrhunderten Berichte über unerklärliche Heilungen sammelt. Für Katholiken gibt es Menschen, die Gott besonders nahestehen. Sie werden Heilige genannt. Zum Zeichen ihrer Erwähltheit durch Gott sollen sie Wunder wirken können. Das sind auch für die katholische Kirche „medizinisch nicht erklärbare Heilungen".

Die katholische Kirche hat eine Art Gerichtshof eingesetzt, der entscheidet, ob man einem bestimmten Heiligen zugeschriebene Wunder anerkennt oder nicht. Dabei macht es sich die Kirche nicht leicht. Mehrere Ärztegremien müssen Berichte über Heilungen als „medizinisch unerklärbar" begutachten. Die beteiligten Mediziner sind durchaus nicht immer gläubige Katholiken und urteilen sehr kritisch.

Die Mediziner, die im Prozeß der Heiligsprechung ihr Urteil abgeben, können allerdings immer nur die Tatsache der Heilung bekräftigen. Über die Ursache der spontanen Gesundung wissen sie genauso wenig wie ihre anderen Kollegen, die sich mit überraschenden Heilungen beschäftigen.

Die Tatsache, daß es spontane Krebsheilungen wirklich gibt, bedeutet zuerst einmal für jeden Krebspatienten, daß sein Krankheitsverlauf nicht mit absoluter Sicherheit vorhersehbar ist. Diese Tatsache sollte nicht dazu führen, daß die Patienten jetzt vergebens rätseln, wie kann ich eine Spontanremission erreichen, sondern die Betroffenen sollten vielmehr überlegen, was kann ich machen, daß ich mit der Erkrankung oder trotz der Erkrankung gut leben kann. Es gibt keine seriösen Maßnahmen, um eine Spontanremission herbeizuführen. Es gibt aber durchaus physiologische und psychotherapeutische Hilfen, um mit der Erkrankung besser und vielleicht auch länger zu leben.

Ein typischer Fall, der die spontane Heilung erklären könnte, ist folgender: Ein Unternehmer war tief verschuldet, und vor lauter Ärger über seine ausweglose Situation bekam er Krebs. Als die Endphase kam, empfahl ihm der Arzt das Testament zu machen, da in den nächsten Tagen mit seinem Ableben zu rechnen

SAUERSTOFFMANGEL DURCH VERENGTE KAPILLAREN

sei. Als der Unternehmer nunmehr sein Testament machte mit der genauen Auf-
stellung seines Vermögens und seiner Schulden, entdeckte er, daß sein Vermögen
bei weitem seine Schulden übertraf. Durch diese Feststellung strahlte er vor
Freude, seine vor Gram verengten Kapillaren erweiterten sich wieder zum normalen und gesunden Durchmesser, seine Zellen wurden dadurch wieder ausreichend
mit Sauerstoff versorgt, die Zellgärung gestoppt, und der Krebs verschwand vollkommen. Er wurde „spontan" geheilt.

Wer aufmerksam dieses Kapitel gelesen hat, erkennt die Anlässe auf welche die
Schwellkörper in den 150.000 km unserer Kapillaren reagieren und dadurch eine
Verengung des Kapillarendurchmessers verursachen. Dadurch gelangen immer
weniger rote Blutkörperchen durch die Kapillaren, immer weniger Sauerstoff kommt
durch die Kapillaren zu den Zellen, so daß diese auf Grund des Sauerstoffmangels
zur Zellgärung übergehen, sich dadurch sogar mehr Energie schaffen, die diese zur
vermehrten Zellvermehrung nutzen können. Diese Wucherungen sind Krebs. Wer
diesen Mechanismus begriffen hat, weiß dann auch, was man unternehmen muß
um seine Zellen besser mit Sauerstoff zu versorgen und um dem Krebs vorzubeugen.

Zur Verbesserung der Sauerstoffversorgung der Zellen durch Erweiterung der
Kapillaren bietet sich das Vitalgetränk der Aloe an, besonders im Krebsfall die
Formel (Ganzblatt/Honig/Alkohol) aus Brasilien. Diabetiker ersetzen den Honig-
anteil durch Agaven-Dicksaft. Gleichzeitig kann eine Umstellung auf eine gesunde
Ernährung und die Beseitigung der aufgezählten Krebsursachen die Verengung der
Kapillaren wieder aufheben, ebenso ein positives Denken und richtige Einstellung
zum Leben. Im Krebsfall sollte man alle Register ziehen, um seine Kapillaren auf
den normalen und gesunden Durchmesser zu erweitern. Dadurch kann man die
hochschulmedizinischen Therapien am günstigsten unterstützen. 70 % der Krebskranken reagieren sehr gut auf den Aloesaft. Diese kommen dadurch zu besseren
und schnelleren Heilergebnissen bei gleichzeitig verminderten Nebenwirkungen der
Chemo- und Strahlentherapie.

Von dem o.g. Aloe-Vitalgetränk mit Blatthaut trinkt der Krebskranke 10 Tage lang
3 x pro Tag 1 Eßlöffel voll 15 min. vor den Mahlzeiten. Danach 10 Tage Pause. Dann
wieder 10 Tage Saftkur und wieder 10 Tage Pause usw.. Zur Krebsvorbeugung
empfiehlt sich eine 10 Tage-Saftkur ein- bis dreimal pro Jahr. Während der Chemo-
und Strahlentherapie wird keine Pause eingelegt.

Ausführliche Informationen zum Themenkreis Krebs können in Deutschland an-
gefordert werden bei:

Deutsche Krebshilfe e.V.   Deutsches Krebsforschungsinstitut
Thomas-Mann-Str. 40   Im Neuenheimer Feld 280
53111 Bonn   69120 Heidelberg

Telefonische Beratung durch den Krebsinformationsdienst im Deutschen Krebsforschungsinstitut: (06221) 41 01 21 Mon. bis Frei. von 8 bis 20 Uhr.

Kapillaren bestimmen unser Schicksal

Brasilianische Aloe-Erfolgsformel gegen Krebs

Eine uralte brasilianische Formel, die 30 % Aloe-Ganzblatt (inkl. der Blatthaut, jedoch ohne Stacheln), 65 % Honig und ca. 1,2 % Alkohol enthält, und bei unzähligen Krankheiten eine der wertvollsten Therapieunterstützungen ist, selbst bei schweren Leiden wie Krebs, AIDS und Fibromyalgie, ist derartig einfach, daß viele Menschen dieser Formel überhaupt keine Aufmerksamkeit geben und nicht ernstnehmen wollen, ja sogar lächerlich machen, weil sie meinen, das wäre viel zu primitiv. Jedoch rund 70 % der Menschen reagieren äußerst positiv auf die Mitbenutzung dieser Aloe-Erfolgsformel und sind sehr dankbar dafür, die hochschulmedizinischen Therapien begleitend unterstützen zu können, um zu noch besseren Ergebnissen in kürzeren Zeiten und mit verminderten Nebenwirkungen zu gelangen. Die ständig bei mir eintreffenden Schreiben von begeisterten Lesern zeugen davon.

Generationen von Wissenschaftlern haben bereits viele Milliarden Dollar ausgegeben und trotzdem den 1968 von US-Präsidenten Nixon erklärten Krieg gegen den Krebs bisher nur auf einigen bescheidenen Nebenkriegsschauplätzen gewonnen, nicht jedoch den Krieg gegen den Krebs an sich. Seit 1968 wurden unvorstellbare Geldmengen, aufgrund der Behauptung der Forscher den Krebs innerhalb von 5 Jahren endgültig besiegen zu können, bereitgestellt. Dieser 30-Jährige Krieg konnte auch nicht gewonnen werden, da die Forscher bisher nicht die Kapillaren als Hauptentscheidungsträger unser Gesundheit erkannten, die Neubildung von Kapillaren im Krebsfall sogar unverständlicherweise unterdrücken. Man forsche am Ziel vorbei! Das ist genauso, als ob in einem Haus die Wasserleitungen durch Kalkablagerungen total verengt sind, so daß kaum noch Wasser fließt, und man nun zur Ursachenforschung der verminderten Wasserversorgung die Zusammensetzung des Mörtels oder der Backsteine der Wände und die Hauskonstruktionspläne erforscht. Man wird auf diese Weise nie zu einem Ergebnis kommen.

Vor 100 Jahren, als die Deutsche Krebsgesellschaft gegründet wurde, starben in Deutschland jährlich 43 000 Menschen an bösartigen Tumoren. Der Krebs stand auf Platz 6 der Todesursachenstatistik. Jetzt sterben bei ähnlich großer Bevölkerung 218 000 Menschen jährlich an Krebs (lt. DER SPIEGEL 12/2000). Bösartige Neubildungen stehen auf Platz 2 der Todesursachenstatistik. Der Präsident der Deutschen Krebsgesellschaft, Dr. Lothar Weißbach, sagte in einem Interview in DER SPIEGEL 12/2000, „...... daß spätestens in zehn Jahren Krebs in Deutschland die häufigste Todesursache sein wird - und darauf sind wir nicht vorbereitet."

Und nun kommt ein einfacher Franziskanerpater aus dem vielerorts deutschsprachigen Südbrasilien und erklärt, daß eine seit vielen Generationen in Brasilien bekannte und bereits in vielen brasilianischen Naturheilbüchern vor Jahrzehnten beschriebene und vielleicht durch Jahrhunderte mündlich weitergegebene einfache Formel bei einem Großteil der Krankheiten erfolgreich ist, darunter auch so komplizierte Fälle wie Krebs und AIDS. Und diese brasilianische Uraltformel ist eine so einfache, fast nicht ernstzunehmende Formel, die zudem noch eine unscheinbare

KAPILLAREN BESTIMMEN UNSER SCHICKSAL

bescheidene Heilpflanze verwendet, welche die gesamte forschende Wissenschaft provozieren kann, die sich seit 1968 mit der Gen- und jetzt mit der Genomforschung beim Krebs befaßt und bisher keine nennenswerten Ergebnisse vorweisen kann. Diese einfache, von jedem nachvollziehbare, Formel setzt sich wie folgt zusammen:

a. 300 g frische, gewaschene Blätter der *Aloe arborescens* Miller oder *Aloe vera* L. (bei denen vorher die Stacheln an den Blattkanten abgeschnitten wurden) werden mit dem Messer in kleine Stücke von ca. 1-2 cm zerteilt und in ein Küchenmixgerät gegeben.

b. Danach 500 g echten Bienenhonig zugegeben.

c. Dann 3-4 Eßlöffel Zuckerrohrschnaps, Rum, Whisky, Wodka oder ein anderes hochprozentiges (bis 40%) alkoholisches Destillat (keine Liköre) zugesetzt.

Nun läßt man das Küchenmixgerät diese Mischung 30 Sekunden bis 3 Minuten lang zu einem trinkbaren Saft zerkleinern. Die Stückchen des Aloeblattes brauchen nur so weit zerkleinert werden, damit sie problemlos beim Trinken heruntergeschluckt werden können.

Bei der Zubereitung soll nach Möglichkeit kein direktes Sonnenlicht und auch kein direktes elektrisches Licht benutzt werden, da diese Lichteinwirkung Veränderungen in der Mischung bewirken könnte, bevor der Honig sich mit allen Komponenten der Aloe vereint und somit die wertvollen Bestandteile stabilisiert hat. Diese Mischung bewahrt man im Dunkeln an einem kühlen Ort auf und sollte sie innerhalb von 30 Tagen konsumieren, da keine Konservierungsstoffe verwendet werden, wie z.B. bei der industriellen Fertigung dieses Produktes. Beim industriell hergestelltem Aloesaft nach dieser Formel werden jedoch zur Haltbarmachung Kaliumsorbat, Natriumbenzoat und Natriumcitrat zugegeben. Diese Produkte sind die in der ganzen weltweiten Lebensmittelindustrie zugelassenen üblichen Konservierungsstoffe. Dadurch kann der Aloesaft für einen Zeitraum von bis zu 2 Jahren haltbar gemacht werden, solange die dafür vorgeschriebene braune Flasche nicht geöffnet wurde. Nach dem Öffnen der Flasche, muß diese jedoch im Kühlschrank verwahrt und innerhalb von 2 Monaten verbraucht werden.

Bei Verwendung von sehr dicken und fleischigen *Aloe vera* L.- Blättern, die sehr viel Gel enthalten, sollte ein Teil des Gels am Blattansatz für andere Zwecke entnommen werden, um zu einem idealeren Gel/Blatthaut- Verhältnis zu kommen, wie bei der Benutzung von Blättern der *Aloe arborescens* Miller, die verhältnismäßig weniger Gel, dafür aber mehr Blatthaut aufweisen.

Es wird berichtet, daß Personen, die keinen Honig vertragen, den Honiganteil ersetzen durch Agaven-Dicksaft (aus der blauen Agave). Auch Gemüsesaft dient, ebenso Süßstoff, um den bitteren Geschmack der Aloeblatthaut abschwächen, wodurch jedoch die Wirkung verringert wird. Wichtig für Zuckerkranke!

BRASILIANISCHE ALOE-ERFOLGSFORMEL GEGEN KREBS

Einige Anwender legen großen Wert darauf, daß die Aloeblätter frühmorgens abgeschnitten werden und möglichst nach einigen Tagen ohne Regen.

Der weltberühmte russische Professor Filatow empfiehlt sogar, die abgeschnittenen Aloeblätter zunächst 10 Tage bei 3°C im Dunkeln zu lagern (z.B. im Kühlschrank). Dadurch werden zusätzliche Heilkräfte der Aloeblätter geweckt, da diese im Dunkeln ums Überleben kämpfen und dazu alle ihre besonderen Kräfte mobilisieren.

Pater Romano Zago OFM, sowie auch alle anderen brasilianischen Naturheilbücher, empfehlen eine jährliche Kur zur Vorbeugung gegen Krebs. Während dieser Kur werden 10 Tage lang, morgens, mittags und abends, jeweils 1 Eßlöffel dieser Aloe/Honig/Alkohol-Mischung 15 Minuten vor den Mahlzeiten eingenommen. Einige machen diese Kur seit vielen Jahren sogar mehrmals pro Jahr. Vor dem Trinken soll der Saft in der Flasche geschüttelt werden, damit die festen Partikel vom Bodensatz sich gleichmäßig im Saft verteilen.

Im Krankheitsfall Krebs, AIDS oder Fibromyalgie werden ebenso diese 10-Tage-Kuren empfohlen, jedoch im Rhythmus von 10 Tagen Kur und 10 Tagen Behandlungspause, usw. bis zur Genesung.

KAPILLAREN BESTIMMEN UNSER SCHICKSAL

Heilungsberichte von Pater Romano Zago OFM

Zweimal hatte ich bisher die Freude gehabt, den beliebten und sehr sympathischen Franziskanerpater Romano Zago OFM aus Porto Alegre, der Hauptstadt des südlichsten Bundesstaates Brasiliens, Rio Grande do Sul, persönlich in São Paulo bei Vorträgen zu erleben. Das erste Mal war vor vier Jahren beim Imkerverband São Paulos, dem überwiegend japanische Einwanderer angehören, die eine besondere Liebe zur Natur und zu Naturprodukten haben. Diese japanische Kolonie ist die größte außerhalb Japans, und die japanischen Gemüse- und Obstanbauer haben einen wahren grünen Gürtel um die 17 Millionen Einwohner zählende Stadt Groß-São-Paulo gelegt, so daß São Paulo derartig gut mit einer solchen Vielfalt an frischem Obst und Gemüse versorgt wird wie wahrscheinlich keine andere Großstadt der Welt. Jeder Tourist staunt, besonders über die prunkvollen Gemüsebuffets in den Restaurants. Der Bundesstaat São Paulo hat 600.000 Einwohner japanischer Abstammung (seit 1908 im Lande), im Gegensatz zu 300.000 Einwohnern deutschsprachiger Abstammung (seit 1824 im Lande auf Einladung der Kaiserin Leopoldine von Brasilien, Tochter des letzten deutschen Kaisers des 1. Reiches, Franz II.). Übrigens ist São Paulo auch die größte deutsche Industriestadt der Welt. Wenn man die Beschäftigten der deutschen Industrien in der Stadt São Paulo zusammenzählt, kommt man auf eine Zahl, die es in Deutschland in keiner Stadt gibt. Das Generalkonsulat der Bundesrepublik Deutschland in São Paulo ist das drittgrößte der Welt nach New York und Breslau. In São Paulo erscheinen zwei deutschsprachige Zeitungen, die „Brasil-Post" von Frau Ursula Dormien und seit mehr als 100 Jahren die „Deutsche Zeitung" von Herrn Dr. Egon von Weidebach. Beide Zeitungen informieren auch regelmäßig ihre Leser über die Neuigkeiten von Pater Romano Zago OFM.

Vorträge in São Paulo

Bei seinem Vortrag vor den Imkern beobachtete ich überaus großes Interesse an den Ausführungen des Paters. Im Gespräch mit verschiedenen Japanern erfuhr ich, daß seine Formel schon seit vielen Jahrzehnten in der japanischen Kolonie mit Erfolg angewandt wird. Auch viele Heilungsberichte hörte ich. Der große Saal war überfüllt und man stand dichtgedrängt auf den Eingangstreppen bis hin zur Straße. Alle lauschten aufmerksam den Worten des Paters Romano, keiner wollte ein Wort verpassen. Eine interessante Diskussion und Fragestunde schlossen sich an. Es zeigte sich, daß die Japaner sehr wißbegierig sind und Fragen über Fragen stellen, bis sie das Thema voll ausgelotet haben. Ich übergab ihm an diesem Abend eine große Anzahl der von mir zu diesem Thema gesammelten Dokumente und einen von mir verfaßten ausführlichen Bericht in der „Brasil-Post" über die Aloe und die Erfolge des Paters. In sein damals gerade herausgegebenes Buch „Câncer tem cura" (Krebs ist heilbar) schrieb Pater Romano eine sehr liebe persönliche Widmung für mich. Inzwischen ist sein Buch ein Bestseller geworden, erreichte bereits die 37. Auflage, wurde aus dem Portugiesischen übersetzt und ist in Italien und Spanien veröffentlicht worden.

KAPILLAREN BESTIMMEN UNSER SCHICKSAL

Fast alle Fernsehsender Brasiliens luden Pater Romano zu Diskussionsrunden ein, so daß er landesweit bekannt wurde. Ein kleiner Teil der Ärzteschaft, die nichts für Produkte aus der Apotheke Gottes übrig hat, wurde nervös und suchte Wege, das Ansehen Pater Romanos zu schädigen. Sie analysierte die Filme seiner Fernsehauftritte und die Bänder der unzähligen Radiointerviews und fand einen unglücklich formulierten Satz, der isoliert vorgetragen den Eindruck erwecken kann, daß Pater Romano negativ von der Hochschulmedizin sprach. Das war jedoch nie seine Absicht. Diesen einen Satz brachte nun die Lobby dieser kleinen Ärztegruppe in ständiger Wiederholung in einem beliebten Sonntagabend-programm eines der Fernsehsender mit der landesweit in Brasilien höchsten Einschaltquote. Das Ziel war es, Pater Romano lächerlich zu machen und ihn in die Nähe von Scharlatanen zu rücken. Das Ziel wurde anfangs sogar teilweise erreicht und zwar nur bei denen, die Pater Romano noch nicht kannten. Die darauf erfolg-ten privaten Diskussionen in den Familien, zwischen Freunden und Bekannten und Geschäftspartnern gaben jedoch, dank der landesweiten positiven Erfahrungen mit der Aloe, dem Pater recht, so daß diese kleine Lobby der Ärzteschaft, die sich gegen die Mitbenutzung von Naturheilmitteln zur Hochschulmedizin sträubt, keine weiteren Angriffe startete und nunmehr seit Jahren ruhig bleibt.

Im November 1999 wurde der Bestsellerautor Pater Romano Zago OFM zu einem Vortrag in die Räume des eleganten Club Transatlântico in der Stadt São Paulo ein-geladen, der ein deutsch-brasilianisches Begegnungszentrum ist, in dem bereits die Bundeskanzler Kohl und Schröder referierten. Er wurde für den Vortrag aus Porto Alegre nach São Paulo eingeflogen. In den Räumen des Club Transatlântico finden regelmäßig Vorträge für die deutschsprachige Kolonie statt, zu denen natio-nale und internationale Persönlichkeiten aus allen Wissensgebieten zu Wort kom-men. Verschiedene große Ärzte wie z.B. Prof. Dr. Zerbini, der die erste und die mei-sten Herzverpflanzungen in Brasilien durchführte (meine Abteilung hatte ihm 1968 das dabei benutzte Operationsbesteck vergolden lassen, und ich wurde danach von ihm persönlich als Gast zu einer Herzoperation eingeladen) und der brasiliani-sche Bundesgesundheitsminister Prof. Dr. Jatene hielten dort bereits Vorträge. Ich selbst hielt dort 6 Vorträge zu den verschiedensten Wissensgebieten.

Pater Romano Zago OFM, berichtete über weitere und neue Erkenntnisse auf dem Sektor der Aloe und brachte als Sondermeldung, daß nunmehr aus den USA und aus Rio Grande do Sul die ersten Heilungen von AIDS durch den Einsatz von Aloe gemeldet wurden. Bei seinen vorherigen Vorträgen und auch in seinem Buch hat er stets unmißverständlich zum Ausdruck gebracht, daß Aloe nicht AIDS heilt, jedoch eine ähnliche Wirkung hat wie AZT. Als letzte Neuigkeit brachte er auch die Information, daß inzwischen in Großbritannien im Laboratorium Adrian Blake eine große Versuchsreihe abgeschlossen wurde, um zu untersuchen, ob wirklich die Mischung Aloe/Honig/Alkohol erfolgreicher ist als Aloe pur. Man machte Ver-gleichstests mit einer Versuchsgruppe, die nur Aloe bekam und einer Versuchs-gruppe, die Aloe/Honig/Alkohol-Mischung zu sich nahm.

Die Ergebnisse bei Prostatakrebs und Gebärmutterkrebs brachten praktisch dop-pelt so gute Resultate bei der Aloe/Honig/Alkohol-Mischung als Aloe ohne

HEILUNGSBERICHTE VON PATER ROMANO ZAGO OFM

Honigzusatz. Das beweist, daß diese Uraltformel aus Brasilien nicht zu Unrecht besteht und sich nunmehr weltweit durchsetzt.

Eine weitere Versuchsreihe wurde in Italien gestartet im Laboratorium TAU in Turin. Man machte dort Versuche, um die Aloe/Honig/Alkohol-Formel aus Brasilien noch weiter zu verbessern. Noch bessere Resultate, brachte ein Zusatz von Magnesiumchlorid, und zwar 24 g bei Patienten über siebzig Jahren und 12 g bei Patienten unter siebzig Jahren. Der Zusatz erfolgte pro Mischung von 300 g Aloe, 500 g Honig und 3-4 Eßlöffeln Zuckerrohrschnaps.

Im Anschluß an den Vortrag wurde von einem Teilnehmer noch ein Film gezeigt über die großen Aloe-Plantagen in Zentralamerika und die industrielle Verarbeitung der Blätter, wobei das Blattinnere zu einem wertvollen Gesundheitsgetränk verarbeitet wird, das weltweit vermarktet wird. Man sah blitzblanke Edelstahltanklastzüge, die den gesuchten Aloe-Saft transportierten und Anlagen, in denen der Saft am Fließband abgefüllt wurde. Es handelte sich um einen Film der Firma Forever Living Products, die heute eine der Großen der Welt ist in der Produktion des Aloe-Saftes und von Produkten auf Aloe-Basis. Diese Firma unterhält Verkäufer weltweit und zählt zu den größten Firmen der USA mit einem Umsatz bei den Aloe-Produkten von über 4 Milliarden Dollar..

Am Morgen danach hatte ich die Ehre, Pater Romano Zago OFM vom Hotel abzuholen und zum Flugplatz zu bringen. Ich berichtete ihm damals, daß ich ein Buch in Deutscher Sprache („Krebs, wo ist dein Sieg?") zu seinem Thema vorbereite und dazu in den drei Jahren zuvor weltweit Unterlagen auswertete. Er gestattete mir, von seiner Sammlung von Heilungsberichten Auszüge in mein Buch aufzunehmen, und ich versprach ihm dafür das erste Buch, als Ehrenexemplar zuzusenden mit Widmung, da es sein Verdienst ist, die brasilianische Erfolgsformel als Erster international bekannt gemacht zu haben. Die erste internationale Veröffentlichung über seine Erfolge mit der Aloe erfolgte 1994 in der November/Dezember-Ausgabe der Zeitschrift „Terra Santa" (Heiliges Land), die in italienischer und spanischer Sprache erscheint mit einem Anhang in portugiesischer Sprache. Hierin berichtet Pater Paulino Dantas, daß er durch die brasilianische Formel vom Pater Romano Zago OFM vom Halskrebs befreit wurde und aus Dankbarkeit nunmehr mithelfen möchte, die Formel international bekanntzumachen.

Von Pater Romano Zago OFM erlebte Heilungen

Aus dem reichen Schatz der schriftlichen und mündlichen Heilungsbestätigungen, die Pater Romano Zago OFM seit 1988 gesammelt hat, habe ich mir zehn herausgenommen, um sie ebenfalls international dem deutschsprachigen Leserkreis bekanntzumachen.

Fall 1. Der Dienst im Heiligen Land begann am 7. Mai 1991 für Pater Romano Zago OFM. Durch den „Golfkrieg" kamen weniger Touristen als sonst. Nach einem Monat der Aklimatisierung, beschloß sein Abt, ihn an das Heilige Grab zu versetzen, der Ort, wo die Christenheit der Auferstehung des Erlösers gedenkt. Da die

KAPILLAREN BESTIMMEN UNSER SCHICKSAL

dort eingesetzten drei Priester kaum die Betreuung der Pilger alleine bewältigen können, war dort auch ein junger Araber, Nagib, beschäftigt. Dem Pater fiel auf, daß er täglich nach seinem Dienst zum Arabischen Hospital in Jerusalem eilte. Er befragte seine Mitbrüder und die klärten ihn auf, daß dieser Junge nur noch wenige Wochen zu leben hatte, da er an Lymphdrüsenkrebs leidet. Pater Romano bereitete sogleich die brasilianische Erfolgsmischung, die er so oft für Heilungen in Rio Grande do Sul anwandte und schenkte sie dem jungen Nagib. Er nahm vorschriftsmäßig diesen Gesundheitstrank auf Basis Aloe/Honig/Alkohol ein. Er selbst und schon gar nicht die Ärzte konnten begreifen, daß es zu einer schnellen Heilung kam. Der junge Araber Nagib lebt bis heute ohne Lymphdrüsenkrebs.

Fall 2. Einmal erhielt Pater Romano ein Schreiben von Pater Alviero Niccaci OFM, Direktor des „Pontificale Athenaeum Antonianum" in Rom aus seiner Filiale „Studium Biblicum Fransciscanum" in Jerusalem. Dort gab es den Pater Francisco Xavier aus Indien, der dort studierte. Er hatte einen Gehirntumor und war bereits im Hospital Hadassa operiert worden, aber mysteriöse Infektionen folgten, die enorme Tumoren am Kopf und am Hals bildeten. Aus diesen floß Eiter und es stank derartig, daß dieser Pater nicht am gemeinsamen Tisch mehr mitessen konnte und seine Mahlzeiten separat einnahm. Pater Romano Zago OFM bereitete die brasilianische Aloe-Mischung, und in kürzester Zeit war der Pater aus Indien komplett geheilt, beendete erfolgreich sein Studium und ging zurück nach Indien.

Fall 3. Am 31.08.1991 wurde Pater Romano Zago OFM vom Heiligen Grab zum Geburtsort von Jesus nach Bethlehem versetzt, um dort Philosophie und Latein zu lehren. Er traf dort den Schuldirektor sehr verstört an, da sein Sekretär todsterbenskrank darniederlag ohne Aussicht auf Rettung durch die Ärzte. Ohne genau zu wissen, um was für eine schwere Krankheit es sich handelte, fertigte er die brasilianische Erfolgsmischung und heilte in kurzer Zeit den Sekretär Miguel Souto.

Fall 4. In dem großen Kloster St. Salvador in Jerusalem arbeitete viele Jahre hindurch ein Jugoslawe mit Namen Eliseu, der mit einer Araberin verheirat war. Er war das "Mädchen für alles", wie man sagt, denn er war als Elektriker für die Instandhaltung verantwortlich. Als er wegen Prostatakrebs nicht mehr arbeitsfähig war, verlor er seinen Posten. Er unterzog sich verschiedenen Operationen und selbst seine Hoden wurden entfernt. Eliseu war auf den Rollstuhl angewiesen und wurde ein Pflegefall für seine Frau und seine Freunde. Da erinnerte sich der Verwalter des Klosters, Pater Luis Garcia, an das brasilianische Aloe-Produkt und ließ sich Pater Romano mit der Aloe/Honig/Alkohol-Mischung kommen. Eliseu wurde vollkommen geheilt und arbeitet seitdem in seiner Funktion der Instandhaltung bei den St. Vincent-Schwestern in der Jaffas Street in Jerusalem.

Fall 5. Über die Redaktion der Zeitschrift "La Terra Santa" erhielt Pater Romano Zago OFM einen französisch geschriebenen Brief mit einem Bericht über ein Mädchen Nikole. Nikole ist Opfer der Radioaktivität von Chernobyl. Nach nur einem Monat Behandlung mit der brasilianischen Formel, konnte Nikole nach Kiew in die Ukraine zurückkehren, komplett geheilt. Nikole war 12 Jahre alt. Als sie in Frankreich war, bekam sie einen Brief aus Moskau, in dem sie gebeten wurde, die

HEILUNGSBERICHTE VON PATER ROMANO ZAGO OFM

Erfolgsmischung von Pater Romano Zago zu testen. Keiner konnte feststellen, wie diese Information nach Moskau kam, keiner weiß, ob nicht auch andere Opfer der Radioaktivität gleichfalls behandelt wurden. Warum wurden nicht alle Opfer in Tschernobyl damit behandelt?

Fall 6. Schwester Hiltrud von der St. Anna Kirche in Jerusalem besuchte Pater Romano Zago OFM und berichtete, daß der holländische Pater van Gelder, seine Missionsarbeit in Afrika abbrechen mußte, da er an Leberkrebs erkrankte und nach Aussage seiner Ärzte nur noch drei Monate zu leben hatte. Er kehrte in seine Heimat Holland zurück, um dort zu sterben. Er erhielt in Holland die Aloe/Honig/Alkohol-Mischung und wurde völlig kuriert, so daß er nach Afrika zurückkehren konnte, um dort seine segensreiche Arbeit fortzusetzen.

Fall 7. Frau Mirna, eine Jüdin aus der Sokolov Street in Jersusalem hörte von der Formel des Paters Romano Zago OFM und lud ihn in ihr Haus ein, um das "Geheimnis" zu lernen. Sie war so aufmerksam und band dem Pater sogar eine Schürze um, damit die Mönchskutte nicht beschmutzt werde. Unter ihrer Aufsicht fertigte der Pater zwei Flaschen voll, eine für Frau Mirna und eine für ihren Ehemann. Sie wollte es am eigenen Leibe testen. Sie war deratig begeistert, daß sie diese Formel in ihrem ganzen Freundes- und Bekanntenkreis in Israel und Italien verbreitete, wo viele Menschen Heilung fanden. Übrigens ist sie eine große Verehrerin der Franziskaner, zumal Pater Ricardo Niccaci in Assisi sie und ihre Familie in den Kellergewölben des dortigen Klosters in der Zeit der Judenverfolgung vesteckt hielt. Nun hilft sie mit, die Erfolgsformel unter den Juden bekannt zu machen.

Fall 8. Natali, 13 Jahre alt, aus der Region Ancone in Italien litt seit ihrem fünften Lebensjahr an Gehirnkrebs. Dreimal wurde sie bereits in der berühmtesten Klinik in Paris, die zu den besten der Welt zählt, operiert. Wieder schlug der Krebs zurück in noch stärkerer Weise. Kein Cortison und kein Morphium konnten die Schmerzen dieses Kindes beseitigen, und eine vierte Operation wurde von den Ärzten als ohne Perspektive verworfen. Sie erhielt das Aloe/Honig/Alkohol-Produkt von Pater Romano Zago OFM, und die Schmerzen verschwanden. Sie konnte wieder sprechen, spielen und Rad fahren. Der Krebs war aber immer noch laut den Analysen vorhanden. Sie erhielt eine zweite Flasche des Produktes von Pater Romano Zago OFM und wurde vollkommen geheilt. Die Analyse danach ergab keinen Krebs mehr.

Fall 9. Marcus, sechs Jahre alt und mit Leukämie kam mit seinen Eltern nach Bethlehem. Die Ärzte gaben dem Knaben noch zwei Monate. Aber die Aloe half, die er in Bethlehem von Pater Romano Zago OFM erhielt. Vorher war der Junge an den Rollstuhl gefesselt. Nach der Aloe begann er ohne fremde Hilfe zu laufen, nur das rechte Bein zog er hinter sich her. Nach der Anwendung einer zweiten Flasche Aloe, die in Bethlehem bereitet wurde, rief der Vater aus Südafrika an und berichtete, daß die Frist, welche die Ärzte gaben, bereits abgelaufen ist und sein Junge lebt. Selbst das rechte Bein zieht er nicht mehr nach. Er hat die Leukämie besiegt. Die Eltern luden Pater Romao Zago OFM nach Südafrika und Mozambik ein, um dort die Formel bekanntzumachen und legten Wert darauf, ihm aus Dank eine Seiko-

KAPILLAREN BESTIMMEN UNSER SCHICKSAL

Armbanduhr zu schenken. Pater Romano sagte daraufhin, daß nicht er den Sohn heilte, sondern die Aloe.

Fall 10. Einer der bekanntesten Fälle, der auch ausführlich in der Zeitschrift "Terra Santa" veröffentlicht wurde, ist die Geschichte des Knaben Juan aus Argentinien, der an Leukämie litt. Die Rückenmarkverpflanzung war in Spanien erfolglos verlaufen, und vor seinem Tode wollte er noch das Heilige Land kennenlernen. Er lernte auch Pater Romano Zago OFM kennen und das brasilianische Aloe-Getränk. Er wurde vollkommen geheilt und lebt ein völlig normales Leben in El Palomar, Buenos Aires in Argentinien.

Ein fast gleicher Fall ereignete sich auch in Nazareth in Israel. Daniel Silberstain fand keinen Spender für die Rückenmarkverpflanzung, da alle in seiner Familie nicht für diese Operation in Frage kamen. Sein Vater, ein berühmter Arzt, der große Beziehungen hat, setzte sogar Anzeigen auf, bis hin in die USA, um Spender für seinen Sohn zu finden. Durch den Fall von Juan aus Argentinien gestärkt, "provozierte" Pater Romano Zago die Mutter von Daniel Silberstain, in dem er ihr wünschte, keinen Spender zu finden. Daraufhin nahm ihr Sohn Daniel die Aloe/Honig/Alkohol-Mischung und wurde komplett geheilt. Er versäumte keinen Unterricht mehr, kam durch alle Prüfungen und ist jetzt der Klassenbeste. Pater Romano empfahl dem Jungen, in größeren Abständen ab und zu wieder Aloe zu nehmen.

70 % der Menschen reagieren sehr gut auf die Aloe

Durch seine jahrelange Begleitung von Patienten, die von dem Vitalgetränk der Aloe Gebrauch machen, kam Pater Romano Zago OFM zur Erkenntnis, daß 70 % der Menschen sehr gut auf die Aloe reagieren.

Aloe mildert die typischen Nebenwirkungen der Strahlen- und Chemotherapie und bestätigt damit die Kapillarenlehre

In Brasilien gab es 1999 261.900 neue Krebsfälle, 23 % mehr als vor 20 Jahren, 104.200 Patienten starben daran (Brasilien hat derzeit doppelt soviel Einwohner wie Deutschland, jedoch sind fast 50 % der Bevölkerung unter 21 Jahre alt). Der Krebs steht an dritter Stelle der Todesursachen mit 11,38 %. In Deutschland erkranken pro Jahr rund 300.000 Menschen an Krebs und etwa 40 % davon sterben an einer Tumorerkrankung. Die Überlebensrate liegt derzeit bereits bei 60 %. Für die Behandlung von Krebserkrankungen gibt es vier grundsätzliche Therapieverfahren der Hochschulmedizin. Zu den lokalen Verfahren gehören die chirurgische Tumorresektion (Operation) und die Strahlentherapie. Bei beiden Therapiemöglichleiten bilden der Tumor und die umliegenden Lymphknoten das Hauptangriffsgebiet für die Therapie. Bei der zytostatischen Chemotherapie und der Hormontherapie wird durch Aufnahme eines Medikamentes die Tumorzellvermehrung in allen Organen des Körpers gehemmt. Diese Substanzen durchfluten den gesamten Körper, egal ob Tumorzellen oder Normalgewebe.

Anwendung der Strahlentherapie

Die moderne Strahlentherapie bzw. Radioonkologie ist eine tragende Säule der Krebstherapie. Etwa 45 % aller Krebserkrankungen können heute, lt. Prof. Dr. Michael Molls (vom Klinikum rechts der Isar in München), langfristig geheilt werden. Von den geheilten Personen (Personen, die je nach Tumorerkrankung fünf oder zehn Jahre nach der Therapie keinen Tumorrückfall entwickelt haben) haben 70 % im Rahmen der primären, auf Heilung abzielenden Behandlung eine Strahlentherapie entweder als alleinige Behandlungsform oder in Kombination mit einem operativen Eingriff oder einer Chemotherapie erhalten. Die alleinige Chemotherapie spielt in der kurativen Tumortherapie eine wesentlich geringere Rolle als die Strahlentherapie.

Eine Strahlentherapie ist vergleichbar mit einem chirurgischen Eingriff. Der Strahl des Strahlentherapeuten findet seine Entsprechung im "Stahl" des Chirurgen. Die Strahlentherapie stellt, ebenso wie die Chirurgie, eine lokale Therapiemaßnahme dar, welche sich hinsichtlich der Wirkung und möglicher Nebenwirkung auf die behandelte Körperregion beschränkt und sich damit von einer systemischen Therapie (z.B. medikamentöse Therapie) unterscheidet. In der Tumortherapie wird unabhängig vom normalen Therapieprinzip (Strahlentherapie, Chirurgie, Chemotherapie) grundsätzlich zwischen einem kurativen (auf Heilung ausgerichteten) und einem palliativen (nur auf Beschwerdelinderung ausgerichteten) Therapieansatz unterschieden, wenn eine Heilung nicht mehr möglich ist.

Prof. Dr. Rolf-P. Müller schreibt für die Arbeitsgemeinschaft Radiologische Onkologie (ARO) in Bezug auf die Radioonkologie: etwa 55 % aller Patienten kommen mit einer noch örtlich begrenzten Tumorerkrankung zur Therapie, hiervon kön-

KAPILLAREN BESTIMMEN UNSER SCHICKSAL

nen ca. zwei Drittel durch die lokalen Therapiemaßnahmen (Chirurgie und Strahlentherapie) geheilt werden. Die restlichen 45 % kommen mit einer fortgeschrittenen, metastasierenden Erkrankung zur Behandlung. Von diesen Patienten erhalten etwa 70 % in ihrem weiteren Krankheitsverlauf eine Strahlenbehandlung. Diese dient dann im wesentlichen der Bekämpfung von Schmerzen und anderen Symptomen, eine Ausheilung der Erkrankung ist in diesen fortgeschrittenen Krankheitsstadien nur in wenigen Fällen mit der Hochschulmedizin möglich.

Der Angriffsort der Bestrahlung ist die im Zellkern jeder Zelle befindliche DNA (Desoxyribonukleinsäure). Diese ist Träger der Erbinformation, die bei jeder Zellteilung an die Tochterzellen weitergegeben wird. Eine Bestrahlung führt zu einer Vielzahl an DNA-Schäden, die zum großen Teil von zelleigenen Enzymen repariert werden. Einige Schäden können aber nicht repariert werden, bzw. werden falsch repariert. Die Zelle führt dann noch 1-3 Teilungen durch, bevor sie ihre Teilungsfähigkeit irreversibel verliert. In weiteren Schritten werden die geschädigten Zellen aufgelöst und die dabei entstehenden Fragmente vom Immunsystem des Körpers abgebaut.

Die Wirkung einer Bestrahlung auf Krebsgewebe und auf normales gesundes Körpergewebe ist im Prinzip gleich. Auch im natürlichen Reparaturvermögen von Tumor- und Normalzellen lassen sich keine Unterschiede nachweisen. Die im Vergleich zum gesunden Gewebe oft schlechtere Versorgung der Tumorzellen (wegen verengten und verödeten Kapillaren) mit Nährstoffen und vor allem mit Sauerstoff hat aber zur Folge, daß in den dadurch entstehenden hypoxischen Tumorzellen einerseits die Reparatur von DNA-Schäden weniger effizient verläuft, aber andererseits wegen fehlender Sauerstoffsensibilisierung auch weniger Tumorzellen abgetötet werden. Eine therapeutische Wirkung kann durch Bestrahlung nur dann erzielt werden, wenn die Strahlendosis im Tumor deutlich höher als im Normalgewebe ist.

Bei der sog. fraktionierten Strahlentherapie wird nicht die gesamte zur Tumorvernichtung erforderliche Strahlendosis auf einmal appliziert, vielmehr erfolgt die Strahlenbehandlung in Form von vielen kleinen Portionen, den sog. Fraktionen. Die Dosisangabe erfolgt hierbei in Gy (Gray) (1 Gy entspricht 100 rad). Üblichweise wird einmal täglich mit 1,8 - 2,0 Gy bestrahlt, an fünf Werktagen pro Woche. Die zur Bekämpfung einer Tumorerkrankung notwendige Gesamtdosis von 60-70 Gy führt somit in der Regel zu einer Gesamtbehandlung von 4-7 Wochen.

Nebenwirkungen der Strahlentherapie

Das optimale Schema dieser sogenannten fraktionierten perkutanen Strahlentherapie ergibt sich aus dem Verhältnis einer möglichst hohen Tumorvernichtungswahrscheinlichkeit im Vergleich zu den zu erwartenden Nebenwirkungen der Strahlentherapie. Diese können in Form von akuten Nebenwirkungen während der Strahlenbehandlung auftreten und sind dann meist reversibel. Monate bis Jahre nach der Strahlenbehandlung können jedoch chronische Strahlenfolgen auftreten, die in der Regel nur symptomatisch zu behandeln

ALOE MILDERT DIE TYPISCHEN NEBENWIRKUNGEN DER STRAHLEN- UND CHEMOTHERAPIE

sind. Allgemein gilt, daß in jedem Körpergewebe sowohl akute als auch chronische Nebenwirkungen der Strahlentherapie auftreten können, wobei je nach Gewebe die eine oder andere Reaktion überwiegt.

Das Auftreten dieser Nebenwirkungen wird jedoch ganz erheblich durch die Gesamtstrahlenmenge und die Ausdehnung des Strahlenfeldes bestimmt, da grundsätzlich nur in den direkt bestrahlten Organen und Körperregionen Nebenwirkungen auftreten. Eine Ausnahme hiervon bildet eine sich am Anfang einer Strahlenbehandlung ggf. ausbildende Müdigkeit und Übelkeit, die wahrscheinlich durch die Überschwemmung des Körpers mit Zellabbauprodukten aus dem Tumor bewirkt wird.

Akute Strahlennebenwirkungen bestehen in der Regel zunächst in einer Hyperämie (vermehrte Durchblutung) und einem Ödem (Schwellung) in dem betroffenen Organ bzw. der Körperregion. Da während der Strahlenbehandlung auch die Zellteilung in Normalgeweben behindert wird, kommt es durch den reduzierten Nachschub zu einem Mangel an funktionstüchtigen Zellen eines Organs. Dieses wird daraufhin in seiner Funktion, je nach individueller Strahlenempfindlichkeit und verabreichter Strahlenmenge, mehr oder weniger stark eingeschränkt. Typische akute Nebenwirkungen sind die feuchte Epitheliolyse (Ablösung des Epithels) der Haut, die akute Schleimhautentzündung (Mukositis), der meist temporäre Funktionsverlust von Speichel- und Schweißdrüsen, der Durchfall (Diarrhoe) durch Zellverlust in Dünn- und Dickdarm, Störungen der Blutbildung im Knochenmark mit Mangel an weißen Blutkörperchen (Leukopenie), akute Harnblasenentzündungen (Cystitis) sowie eine Hirnschwellung (Hirnödem).

Die späten, chronischen Nebenwirkungen treten mit einer Häufigkeit von 5 - 11 % in den jeweils bestrahlten Organen auf. Hier kommt es relativ einheitlich zu einer Bindegewebsvermehrung (Fibrose), zu einem dauerhaften Verlust von funktionsfähigen Organzellen (Atrophie), zu einer Verödung der versorgenden kapillären Blutgefäße mit Erweiterung der vorangehenden kleinen Arterien und Venen (Teleangiektasien), sowie zu damit verbundenen Funktionseinbußen des Organs. Typische chronische Nebenwirkungen sind in wenigen Fällen die Strahlenfibrose der Lunge, der strahleninduzierte Darmverschluß (Ileus), sowie Verhärtungen des Unterhautfettgewebes, des Bindegewebes und der Muskulatur.

Prof. Dr. Michael Molls, Spezialist für die Neutronentherapie am Forschungsreaktor in Garching berichtet, daß jede wirksame Therapie auch das Risiko von Nebenwirkungen birgt. Dies trifft auch für die Behandlung mit Neutronen zu. Nebenwirkungen hängen unter anderem auch mit der individuellen Biologie des Patienten zusammen. Im Falle der Neutronentherapie bei rezidivierten Mammakarzinomen bestanden die häufigsten Nebenwirkungen in Reizungen der bestrahlten Haut (Dermatitis (II) und aus feuchter Epitheliolyse), welche sich wie bei einem Sonnenbrand entzünden kann. Diese Effekte entwickeln sich relativ akut unter der Strahlenbehandlung und klingen nach Beendigung der Bestrahlung allmählich wieder ab. Ferner wurde eine Hyperpigmentierung beobachtet, in einigen wenigen Fällen Tumornekrose und Fibrose (II).

KAPILLAREN BESTIMMEN UNSER SCHICKSAL

Die Hauptschwierigkeit des Strahlentherapeuten liegt in der Vermeidung von späteren irreversiblen Nebenwirkungen bei gleichzeitiger maximaler Tumorvernichtung. Das Ausmaß der späten Nebenwirkungen wird insbesondere von der Höhe der Gesamtdosis, sowie von der Höhe der täglichen Einzeldosis bestimmt. Als Faustregel gilt, je höher die Gesamtdosis und je höher die tägliche Einzeldosis, um so stärker ist eine mögliche späte Nebenwirkung ausgeprägt.

Die Aloe sollte nie bei der Strahlentherapie fehlen

Bei der Milderung und der Beseitigung der unangenehmen Nebenwirkungen der Strahlenbehandlung leistet der Saft der naturbelassenen Aloe unschätzbare Dienste. In seinem reichen Erfahrungsschatz hat Pater Romano Zago OFM zahlreiche Berichte sammeln können von Patienten, die zusätzlich zur Strahlentherapie die Heilwirkungen der Aloe nutzten. Über 70 % der Strahlenpatienten berichteten übereinstimmend über eine sehr starke Reduktion der Nebenwirkungen. Häufig spüren sie überhaupt keine Nebenwirkungen. Erst kürzlich erhielt ich wieder einen Anruf von einem Herrn aus São Paulo, dessen Bruder sich vor zwei Jahren in den USA einer Strahlentherapie unterzog und damals unter stärksten Nebenwirkungen litt. Auf Grund meines Berichtes in der „Brasil-Post" im Jahre 1997 flog der Anrufer nach den USA und nahm Aloeblätter aus Brasilien mit, bereitete dort die Mischung entsprechend der brasilianischen Formel Aloe/Honig/Alkohol und innerhalb von einer Woche fühlte sich sein Bruder wieder wohl, dank der starken Milderung der Nebenwirkungen durch die Aloe, da die Aloe die durch die Strahlentherapie verengten Kapillaren wieder auf den natürlichen und gesunden Durchmesser erweitern kann. Sein Bruder bat daraufhin um eine neue Lieferung dieser Blätter.

Am 7. März 2002 teilte mir Frau Brigitte Verhoeven aus Deutschland folgendes mit: „Ich selbst habe die *Aloe vera* L. bei meiner Krebstherapie kennengelernt, angewendet und habe sowohl Chemotherapie als auch Strahlentherapie nebenwirkungsfrei durchgestanden. Ich habe nicht einmal meine Haare verloren. Mitpatienten, welche die gleichen Medikamente bekamen, verloren alle ihre Haare. Mir ging es während der gesamten Zeit der Behandlung bis heute immer super. Ich stecke voller Energie und fühle mich nie krank. Ich habe täglich 100 ml in mehreren Portionen reines Gel (Aloesaft) getrunken und unmittelbar nach der Chemotherapie auch 200 ml auf einmal. Heute bin ich putzmunter und fit und nicht einmal mehr krank geworden - nicht mal ein Schnupfen hat mich erwischt. Zwei Verwandte haben die gleiche Erfahrung machen können."

Herr Siegfried Lehfeld und Familie schrieben dazu am 5. August 2002: „Durch die Krankheit unserer Tocher (32 Jahre, Morbus Hotkin) sind wir auf die *Aloe vera* L. aufmerksam geworden. Mit dem Trinken des Aloe-Saftes und Vitaminzugaben während der Chemo- und Strahlentherapie haben wir die negativen Begleiterscheinungen dieser Behandlungen mildern können. Äußerlich wurde bei der Strahlenbehandlung die Gelly-Lotion aus Aloe mit sehr gutem Erfolg angewandt und die Haut wurde nur braun. Inzwischen ist die ganze Familie von der Aloe begeistert."

ALOE MILDERT DIE TYPISCHEN NEBENWIRKUNGEN DER STRAHLEN- UND CHEMOTHERAPIE

In diesem Buch sind immer wieder Hinweise auf die überragende Wirkungsweise der Aloe zu finden. Gerade diese in den vorangegangenen Kapiteln beschriebenen Eigenschaften sind hervorragend geeignet für die Milderung bzw. Beseitigung der typischen Nebenwirkungen der Strahlentherapie. Es beginnt mit dem Schutz der Haut. Vor und nach jeder Bestrahlung sollte die Haut stets großzügig mit Aloe-Gel behandelt werden. Dadurch läßt sich die Reizung der bestrahlten Haut, wie die feuchte Epitheliolyse (Ablösung) des Epithels, vermeiden, bzw. stark vermindern, und die Schweißdrüsen werden weniger zerstört. Diese Beobachtungen machten bereits die Ärzte (Vater und Sohn) Collins in den 30er Jahren bei Verbrennungen durch Röntgenstrahlen, und die Atombehörden der USA sammelten diesbezüglich ebenfalls wertvolle Erfahrungen in den 50er Jahren bei radioaktiven Hautver-brennungen.

Wie wir wissen, bewirkt die Aloe eine Erweiterung der durch die Strahlentherapie verengten Kapillaren auf den normalen und gesunden Durchmesser. Dadurch ver-bessert sich der Abtransport der Zellabbauprodukte des Tumors, wodurch die Möglichkeit besteht, Müdigkeit und Übelkeit zu mindern. Durch die Strahlen-behandlung werden zwar die vorangehenden kleinen Arterien und Venen erweitert, die äußerst wichtigen Kapillare jedoch im Gegensatz dazu verengt und sogar verö-det, so daß die Versorgung und Entsorgung durch die Kapillaren vermindert wird bzw. total ausfallen kann. Bei der Strahlenbehandlung von Kopf-Hals-Tumoren ver-öden unter anderen auch die Kapillaren, welche die Zähne mit Wasser, Vitaminen und Mineralstoffen versorgen. Durch den Ausfall dieser Versorgung können Zähne absterben und zerbröseln wie Sand. Hier könnte eine im Mundraum zusätzlich erfolgende Behandlung mit Aloe-Saft helfen, die jeweils über 2 Stunden pro Tag im Mundraum zum Umspülen des Zahnfleisches eingesetzt werden sollte, um die Kapillaren für die Ernährung der Zähne wieder öffnen zu können. Hierdurch besteht vielleicht auch die Möglichkeit den Speichelfluß wieder zu aktivieren. Die innerliche Gabe des Aloe/Honig/-Alkohol-Gemisches bewirkt das Offenhalten der Kapillaren, die sich durch eine Querschnittsverengung gegen die Strahlentherapie wehren, stärkt die Abwehrkräfte des Körpers, sorgt für Wohlbefinden und erleichtert auch in vielen Fällen den Stuhlgang. Besonders die Reaktion der Kapillaren auf die Strahlentherapie, die sich in einer Querschnittsverminderung derselben bemerkbar macht, ist die Ursache der nicht erwünschten Nebenwirkungen der sicherlich wert-vollen Strahlentherapie. Auf Grund aller dieser Beobachtungen sollte eine Strahlentherapie stets mit reichlich Aloe (innerlich und äußerlich angewendet) zum Wohlbefinden des Patienten begleitet werden. Wenn die 150.000 km Kapillaren des Organismus den gesunden und normalen Durchmesser dank der Aloe aufweisen, sind die gefürchteten Nebenwirkungen der Strahlentherapie in rund 70 % der Fälle unbedeutend.

Die Nebenwirkungen der Chemotherapie

Wer Krebs hat und „nur" eine Chemotherapie durchlaufen muß, hat aus der Sicht der Ärzte noch Glück gehabt. Doch schaut man sich dieses „Glück" einmal genau-er an, dann merkt man rasch, daß die Folgen der sogenannten Zytostatika-Therapie ausgesprochen übel sind. Für viele Patienten und auch ihre Ärzte ist die

KAPILLAREN BESTIMMEN UNSER SCHICKSAL

Durchführung einer Chemotherapie in ihrer Vorstellung automatisch mit einem entsprechenden stationären Aufenthalt verbunden. Daß eine solche Therapie aber aus sich heraus in den meisten Fällen (80-90 %) noch keine stationäre Durchführung erfordert, ist zwar eine gut abgesicherte, aber dennoch nicht ausreichend weit verbreitete Erkenntnis. Nur wenige Therapieformen so komplex, daß sie nur unter stationären Bedingungen erfolgreich angewendet werden können. Und auch nur wenige sind so nebenwirkungsreich, daß Therapie und Nachbeobachtung im Krankenhaus nötig sind. Eine stationäre Aufnahme ist also nur bei besonderen Krankheitsbildern notwendig. Damit eine Therapie erfolgreich durchgeführt werden kann, müssen die Nebenwirkungen, welche die Patienten am stärksten beeinträchtigen oder gefährden, zuverlässig behandelt werden. Ein zentraler Punkt, an dem die Verträglichkeit und Akzeptanz eines chemotherapeutischen Vorgehens gemessen wird, ist unter vielen anderen Nebenwirkungen das therapiebedingte Erbrechen. Gerade in einer Situation, in dem die Patienten Kraft und Lebensmut brauchen, fühlen sie sich schwach und ausgelaugt, klagen über Müdigkeit und darüber, daß ihre Psyche auf dem Tiefpunkt ist. Genau das Gegenteil brauchen diese Patienten. Deshalb sollte alles unternommen werden, um die unangenehmen Nebenwirkungen von Anfang an zu beseitigen. Dafür bietet sich die Aloe, die Kaiserin der Heilpflanzen, wie selbstverständlich an.

Jeder potentielle Chemotherapiepatient fürchtet neben dem Haarausfall die möglicherweise auftretende Übelkeit oder sogar Erbrechen. Dazu sollte man die Begriffe und Definitionen kennen, denn nicht jede Übelkeit ist gleich einzuordnen, sondern erfordert ein unterschiedliches Vorgehen durch den Arzt. Wichtig ist der Zeitpunkt des Auftretens der Beschwerden, denn es wird akute, verzögerte oder vorweggenommene (antizipatorische) Übelkeit unterschieden.

a) Akute Übelkeit/Erbrechen (acute nausea/emesis ANE): Auftreten ab ca. der 1. Stunde nach Beginn der Zytostatikainfusion, also Beginn der Beschwerden innerhalb der ersten 24 Stunden.

b) Verzögerte Übelkeit/Erbrechen (delay nausea/emesis DNE): Auftreten erst ab dem 2. Tag nach Beginn der Chemotherapie. Typischerweise nicht länger als bis zum 5. Tag anhaltend.

c) Antizipatorisches Erbrechen: Schon bei dem Gedanken an die Therapie oder beim Betreten der Therapiestation setzen Brechreiz und Erbrechen ein. Der Brechreiz wird noch verstärkt durch Gerüche.

Diese formale Trennung kann in der Praxis nicht immer festgestellt werden, denn fließende Übergänge sind möglich. So kann antizipatorisches Erbrechen den Weg zur akuten Nausea bereiten und nahtlos dorthin übergehen. Bestimmte Medikamente in der Tumorbehandlung zeichnen sich weiterhin durch eine sowohl kurzfristig nach Gabe eintretende und länger anhaltende Übelkeitsauslösung aus, so daß akutes und verzögertes Erbrechen nicht voneinander getrennt werden können. Der Brechreflex ist ein angeborener Schutzreflex, der vor Aufnahme von verdorbener oder giftiger Nahrung schützt. So kann durch lokal reizende Stoffe im Magen-

Darm-Trakt Erbrechen ausgelöst werden. Neben dem Erbrechen existiert aber auch ein zentral ausgelöstes, das sicher vielen vom Rummelplatz bekannt ist. Durch starke Reize auf den Lagesinn, verbunden mit widersprüchlichen Informationen vom Auge, wird ein nicht minder starker Brechreiz ausgelöst. Durch intensive Forschung konnte ein wesentlicher Mechanismus in der Entstehung des Erbrechens geklärt werden. Der Botenstoff Serotonin, der aus bestimmten (sog. Enterochromaffinen) Zellen des Magen-Darm-Traktes freigesetzt wird, besetzt entsprechende Rezeptoren am Vagus (ein wichtiger Nervenkomplex des vegetativen Nervensystems), die zum Brechzentrum im Gehirn führen und somit das Startsignal für ein Erbrechen geben. Daneben können bestimmte Regionen im Gehirn direkt durch Chemotherapeutika gereizt werden und (ebenfalls über Serotonin als Träger) Erbrechen auslösen. Dieser Serotinweg aber ist nur für das akute Erbrechen eine gültige Erklärung.

Medikamente der Chemotherapie

Nicht nur Erbrechen finden wir als Nebenwirkung, sondern noch eine ganze Bandbreite anderer Übel entsprechend den angewandten Medikamenten der Chemotherapie, die wie folgt aufgelistet werden:

Cisplatin (=Platinex): Verminderung der weißen Blutkörperchen, heftiges Erbrechen und Übelkeit, Beeinträchtigung der Hörfähigkeit und der Nierenfunktionen.

Cyclophosphamid (z.B. Endoxan): Verminderung von Leukozyten, Übelkeit und heftiges Erbrechen, Kribbeln im Mund während des Spritzens, seltener Entzündungen der Mundschleimhäute. Haarausfall, mögliche Entzündung der Blasenschleimhaut.

Doxorubizin (=Adriblastin): Bewirkt Verminderung der Leukozyten. Haarausfall, Übelkeit (im Verhältnis zu anderen Medikamenten nur mäßig), Entzündungen und Geschwüre der Mundschleimhaut, ungefährliche Rotfärbung des Urins. Nach häufiger Anwendung Schädigung des Herzmuskels möglich; EKG Kontrolle notwendig.

MTX Methotrexat: Eine Nebenwirkung von MTX betrifft die Schleimhäute, Entzündungen besonders des Mundes, aber auch der Speiseröhre und des Darmes. Notwendig ist eine sorgfältige Mundpflege. Verursacht kein oder nur selten Erbrechen. Verminderung der Leukozyten.

VCR-Vincristin: Nur selten Übelkeit. Haarausfall. Beeinträchtigung der peripheren Nerven, d. h. alle Nerven außer Gehirn und Rückenmarksnerven, meistens der Beine. Das kann sich als Schwäche oder als Taubheitsgefühl zeigen. Diese Symptome gehen meist einige Monate nach der Behandlung wieder zurück. Bauchschmerzen, Knochenschmerzen und häufig Verstopfungen können sich einstellen.

KAPILLAREN BESTIMMEN UNSER SCHICKSAL

Ferner leiden viele Patienten unter lästigen Hefepilzen, die als Nebenwirkungen der Chemotherapie häufig auftreten.

Aloe mildert die Nebenwirkungen der Chemotherapie

Zur Milderung der zahlreichen unangenehmen Nebenwirkungen bietet sich im Falle einer Chemotherapie wie selbstverständlich die Aloe an. Durch das Trinken der Mischung Aloe-Ganzblatt/Honig/Alkohol wurden beeindruckende Erfolge erzielt. Die Patienten, die zeitgleich zur Chemotherapie von dieser erprobten Aloe/Honig/Alkohol-Mischung Gebrauch machten, berichten mehrheitlich, daß die angekündigten Nebenwirkungen sehr milde ausfielen und sie sich in ihrem Wohlbefinden kaum beeinträchtigt gefühlt haben. Selbst der übliche Haarausfall konnte in vielen Fällen vermieden werden, da ca. 70 % der Patienten sehr gut auf die Aloe ansprechen. Hierbei wird zusätzlich die Kopfhaut im Haarbereich großzügig mit Aloe-Gel vor und während der Chemotherapie angefeuchtet. Da die Aloe sehr schnell und tief in die Haut bis zur Hautwurzel eindringt und dabei die Kapillaren wieder auf den normalen und gesunden Durchmesser erweitert, ist durch diese Eigenschaft der Aloe eine Milderung beim Haarausfall möglich und es kann in vielen Fällen ein Ausfallen der Haare vermieden werden. Also das Aloe-Gel auf die behaarte Kopfhaut einreiben, eintrocknen lassen und am nächsten Morgen die Haare kalt ausspülen und dann die Kopfhaut des Haarbereiches wieder mit frischem Aloe-Gel behandeln. Die Patienten, welche die Aloe zeitgleich mit der Chemotherapie lediglich oral einnahmen (3 x täglich einen Eßlöffel voll vor den Mahlzeiten), also keine äußerliche Aloe-Anwendung vornahmen, berichteten in verschiedenen Fällen über den üblichen Haarausfall, jedoch begeistert über die gleichzeitige Milderung der anderen zahlreichen angekündigten Nebenwirkungen, besonders beim Erbrechen. Sie fühlen sich nicht mehr schwach und müde und verspürten wieder vermehrt Lebensmut.

Wichtig ist zu wissen: Auf die bewährten Behandlungsformen der Strahlen- und der Chemotherapie reagiert unser Organismus durch eine Verminderung des Querschnittes der Kapillaren. Es kann sogar stellenweise zu einer Verödung der Kapillaren kommen. Diese Verengung bzw. Verödung ist die Ursache der zahlreichen Nebenwirkungen dieser Therapien. Da die Aloe die segensreiche Eigenschaft hat, verengte und verödete Kapillaren wieder auf den normalen und gesunden Durchmesser zu erweitern, lassen sich die gefürchteten Nebenwirkungen mit Hilfe der Aloe sehr gut in vielen Fällen vermeiden oder vermindern. Diese typischen Reaktionen der Kapillaren auf die Strahlen- und Chemotherapie bestätigen noch einmal zusätzlich und eindrucksvoll meine Kapillarenlehre.

Im Januar 2002 erhielt ich einen Anruf eines Lesers meines Buches „Krebs, wo ist dein Sieg?" Dieser Krebspatient, Erich Gärtner, unterzog sich der Strahlen- und Chemotherapie und hatte sich in Berlin die *Aloe arboscens* Miller besorgt und selbst den Saft entsprechend der Formel von Pater Romano Zago OFM, wie in meinem Buch beschrieben, gefertigt. Ganz begeistert berichtet er mir, daß er bis heute überhaupt nichts von Nebenwirkungen spüre, daß er sich jetzt jünger und dynamischer fühle und täglich sein Jogging macht, als ob er 100 % perfekt gesund wäre.

ALOE MILDERT DIE TYPISCHEN NEBENWIRKUNGEN DER STRAHLEN- UND CHEMOTHERAPIE

Im April 2002 erhielt ich einen weiteren Anruf von Herrn Erich Gärtner, in dem er mir freudig mitteilte, daß sein Arzt ihn krebsfrei erklärte.

Besonders in den USA ist das Trinken des Vitalgetränkes der Aloe sehr weit verbreitet. In einigen Bundesstaaten der USA ist die Mitbenutzung der *Aloe vera* L. bei der Chemo- und Strahlentherapie zur Milderung der unerwünschten Nebenwirkungen bereits eine Selbstverständlichkeit für die behandelnden Ärzte. Auf Grund der hervorragenden Ergebnisse wird die Mitbenutzung der Aloe bei der Chemo- und Strahlentherapie sicherlich in Kürze weltweit zum medizinischen Standard gehören.

In Deutschland, Österreich und der Schweiz ist die *Aloe vera* L. in ärztlichen Kreisen leider so gut wie unbekannt. Hierzu schrieb mir Dipl. Ing. Klaus Germersdorf am 13. Juni 2002: „Sehr geehrter Herr Peuser, zunächst möchte ich Ihnen meinen Dank dafür aussprechen, daß Sie Ihre Erkenntnisse über die Heilkräfte der Aloe durch Ihr Buch "Aloe, Kaiserin der Heilpflanzen" entsprechend interessierten Menschen mitteilen. Ich lese gerade das Buch und bin überwältigt von der Fülle der Daten und Ihrer Aussagen. Obwohl ich - 66 Jahre alt - seit vielen Jahren medizinisch sehr interessiert bin (Absolvent einer Heilpraktikerschule), ist mir Aloe lediglich als Abführmittel und als Abortiva bekannt geworden. Selbst das „Weiss - Lehrbuch der Phytotherapie" kennt ausschließlich die beiden genannten Wirkungen. Ein jämmerliches Trauerspiel!"

Wie man sieht, beruht das Wissen über die Aloe in Zentraleuropa hauptsächlich noch auf historischen und völlig überholten Schriften, also aus einer Zeit, als Aloe-Kristalle der Hauptrohstoff für Medikamente war. Das diese ehemals erhitzte und dadurch denaturisierte, also „tote" kristallisierte Aloe inzwischen durch die naturbelassene Aloe ersetzt worden ist, fand in der medizinischen Fachliteratur bisher leider keinen Eingang.

Wer sich mit der Kapillarenlehre beschäftigt und erkannt hat, daß die Kapillaren auf die Chemo- und Strahlentherapie durch eine Verengung ihres Durchmessers reagieren, wodurch das Unwohlsein und der Haarausfall verursacht werden und wer erkannt hat, daß die Aloe diese verengten Kapillaren in über 70 % der Fälle wieder auf den normalen und gesunden Durchmesser erweitern kann, wird auf die Mitbenutzung der Aloe in diesen Therapieformen nicht verzichten wollen.

KAPILLAREN BESTIMMEN UNSER SCHICKSAL

Aloe als Schmerzmittel

Mit Datum vom 2. 2. 2000, erhielt ich ein Schreiben, dessen Inhalt ein typischer Beweis ist für die vielfältige Funktion der Aloe als Schmerzmittel. Es lautet wie folgt:

„Sehr geehrter Herr Peuser!
Heute mit meinen 80 Jahren schreibe ich Ihnen diesen Brief. Ich bin ein ehemaliger Offizier der Luftwaffe und war Jagdflieger. Bin im Oktober 1939 eingezogen worden. Als Jagdflieger wurde ich dreimal abgeschossen und dabei schwer verwundet. Danach war ich fluguntauglich und kam zu den Fallschirmspringern. Bis heute habe ich einen Granatsplitter von 5 cm in der Niere sowie mehrere Verletzungen im Unterleib. In meiner Heimatstadt Dresden habe ich meine ganze Familie beim Großangriff 1945 verloren und bin dann 1955 nach Brasilien ausgewandert. Um als Bauingenieur in Brasilien arbeiten zu dürfen, mußte ich mich naturalisieren lassen. Aus diesem Grund bekomme ich keine ärztliche Unterstützung aus Deutschland und nur eine kleine deutsche monatliche Rente von DM 1,50 (eine Mark und fünfzig Pfennig) und eine brasilianische Rente von umgerechnet DM 625,00, so daß ich weder einen privaten Arzt, noch eine Krankenhausbehandlung bezahlen kann.

Seit 2 Jahren heile ich mich mit der Pflanze *Aloe vera* L., um die täglichen Schmerzen meiner Kriegsverwundungen zu ertragen. Der Erfolg ist ein wahres Wunder, denn ich habe immer 7 bis 8 Wochen lang keine Schmerzen. Wenn die Schmerzen wieder auftreten, nehme ich aufs neue meine *Aloe vera* L. ein.

Gott sei Dank hatte ich vor zwei Jahren in der Deutschen Zeitung von São Paulo Ihren Bericht von dem Heilmittel und der Wunderpflanze *Aloe vera* L. gelesen und mich seit dieser Zeit behandelt und damit von meinen täglichen Schmerzen befreit. Sehr geehrter Herr Peuser, ich schreibe Ihnen nicht, um Propaganda zu machen, sondern um allen anderen, denen es genau so geht wie mir, eine Hilfe zu sein.

Mit freundlichen Grüßen Ihr Dipl. Ing. Günther G. Krause. „

Einen gleichartigen typischen Bericht finden wir in BIO SPEZIAL 1/91 unter dem Titel "Die Alogen-Therapie (Injektionen mit biogen stimuliertem Aloe-Saft) kann die Rettung bringen". Der Vortragende Norbert Kuhn aus Waldbröl bei Bonn berichtete: „Krankheiten, die eigentlich Wochen und Monate zum Ausheilen benötigen, können in kurzer Zeit überwunden werden. Wunderbare Heilkräfte aus einem Aloe-Extrakt sind es, die Therapeuten neue Möglichkeiten in die Hand geben. Und mitunter gelingt es sogar, Schwerstkranken damit das Leben zu retten. ....Zu jener Zeit kam ein 56-jähriger leitender Angestellter zur Behandlung - weitgehend geschwächt, dabei unter starken Schmerzen leidend. Ein Nierentumor, trotz jahrelanger konventioneller Krebsbehandlung mit Bestrahlung und Chemotherapie, hatte aus diesem Manne in der eigentlichen Blütezeit seines Lebens ein Wrack gemacht. Das ärztliche Urteil: kaum noch lebensfähig. Die Blutuntersuchung bestätigte: nur noch 1800 Leukozyten - gegenüber 6000 bis 8000 eines normalgesunden Menschen. In dieser Situation, in der für den Todkranken nichts mehr zu verlieren war, wandte Norbert Kuhn die Alogen-Therapie an. Sein Patient erhielt fünf

KAPILLAREN BESTIMMEN UNSER SCHICKSAL

Spritzen mit dem aufbereiteten *Aloe capensis* - Extrakt." (Für diese Behandlungsart sind auch die Kap-Aloe, die *Aloe arborescens* Miller, *Socotra-*, *Natal-* und *Uganda-Aloe* zugelassen, da sie alle Aloiside enthalten, die als Bestandteil des Wirkungskomplexes der biogenen Stimulatoren unerläßlich sind.) „Innerhalb von zehn Tagen geschah ein kleines Wunder. Das Blutbild zeigte nun 3800 bis 4000 Leukozyten. Norbert Kuhn erhielt so einen wichtigen Hinweis und Beweis für die besondere Wirkkraft der Alogen-Therapie: Das Immunsystem wird angeregt, aktiviert und gestärkt. Was das für einen leidenden Menschen bedeutet, erfuhr der tumorkranke Mann am eigenen Leib: Zwar war die Zerstörungsarbeit des Krebses zu weit fortgeschritten, um noch eine Heilung zu erzielen, doch verbrachte der Patient dank der Alogen-Therapie die folgenden Monate schmerz- und weitgehend beschwerdefrei. Mehr noch: Er fühlte sich sogar soweit gestärkt, daß er wieder arbeiten konnte."

Einen anderen, wiederum erschütternden Fall erlebte Norbert Kuhn über die Alogen-Therapie nach Wolfgang Wirth: „Eine 37jährige Frau suchte ihn auf. Sie litt unter starken stichartigen Rückenschmerzen im rechten Schulterbereich. Jahrelange Behandlungen, Schmerzmittel, Psychopharmaka, Psychotherapie hatten keinen Erfolg, nicht einmal eine Linderung gebracht. Begleitet war das Leiden von nervöser Unruhe, Verdauungsbeschwerden und weiteren Störungen. Der Heilpraktiker kam einem schweren psychischen Trauma auf die Spur. Vier Jahre zuvor war die zehnjährige Tochter der Patientin ermordet worden, durch Stiche in den Rücken. Der grausame Anblick - die Frau war von den Polizeibeamten zur Identifizierung ihrer Tochter zum Tatort gebracht worden - hatte sich wie die tödlichen Stiche tief in ihre Seele gebohrt."

Norbert Kuhn behandelte auch diesen Fall mit Alogen-Injektionen. Schon vier Tage nach der ersten Anwendung berichtete die Frau über eine deutliche Linderung ihrer Schmerzen. Nach fünf Behandlungen waren die Schmerzen vollständig verschwunden. Das Allgemeinbefinden konnte jetzt als gut beurteilt werden. In der Folgezeit berichtete die Frau dem Heilpraktiker von einem weiteren, überraschenden Effekt. Von Jugend an hatte sie unter Kurzsichtigkeit gelitten und war Brillenträgerin. Seit der Injektionsbehandlung benötigt sie tagsüber die Brille nicht mehr.

Ein anderer Fall war der eines Familienangehörigen von mir. Robert war nach sieben Jahren Behandlung in der Endphase des Prostatakrebses, die Knochen wurden bereits angegriffen, und er wagte sich vor Schmerzen nicht mehr im Bett zu bewegen, so daß er sich wundlag. Nur mit Morphium konnten seine furchtbaren Schmerzen gemildert werden. Als der Arzt ihm nur noch wenige Tage zu leben gab, erhielt er täglich drei mal je einen Eßlöffel des Gemisches aus Aloe/Honig/Alkohol und war danach vollkommen schmerzfrei, so daß er kein Morphium mehr benötigte. Der Pfleger konnte sogar direkt neben den Wunden des Wundliegens drücken, ohne daß Robert einen Schmerz spürte. Vorher war der leichteste Kontakt an diesen Stellen mit riesigen Schmerzen verbunden. Robert erholte sich wieder sehr gut, sein Stuhlgang verlief normal, er konnte normal essen und nahm wieder aktiv am Familienleben teil.

ALOE ALS SCHMERZMITTEL

Am 6. August 2002 teilte mir Frau Claudia Ring mit: ..."ich habe Sie in der Sendung mit Jürgen Fliege gesehen und bin seitdem begeistert von der Heilkraft der *Aloe vera* L.. Seitdem ich sie trinke, hatte ich so gut wie keine Nierenschmerzen mehr, die Verdauung klappt hervorragend und das Hautbild wird insgesamt besser. Meine Tochter trinkt auch *Aloe vera* L.-Saft, sie hat seitdem keine allergischen Hautausschläge mehr, obwohl sie immer Reaktionen auf Pollen und Heu hatte."

Eine Frau Myra schrieb mir am 7.3.2002 : „Bei den karibischen Völkern und in Lateinamerika ist die Aloe eine der verehrtesten Heilpflanzen! Es gibt kaum Schmerzen oder Krankheiten, die nicht mit dieser Pflanze geheilt werden. In Mexiko, Kolumbien und Venezuela nennt man sie „Sabila Sagrada" (die Heilige Wissende) und glaubt, daß eine in der Pflanze wohnende Göttin die Menschen nach Opfer und Gebet mit Gesundheit, Reichtum und Frieden belohne. Die Guajiro-Indianer betrachten die Aloe als heiliges Wesen, weil sie immergrün ist, jede Trockenperiode überlebt und sogar ohne Wurzeln, auf dem Boden liegend oder in der Luft hängend, gedeihen kann. Diese Lebenskraft der Aloe überträgt sich auf einen Kranken und macht ihn gesund.

Die Aloe-Pflanze verringert Schadstoffe, gibt nachts Sauerstoff ab und nimmt Kohlendioxid auf. Sehr gut für das Schlafzimmer geeignet!"

Beim Dauergebrauch des *Aloe vera* L. - Saftes konnten Schwermetalle aus dem Körper ausgeleitet werden. Besonders bei Quecksilber konnten innerhalb eines Jahres durch das Trinken des Aloe-Vitalgetränkes beachtliche Erfolge erzielt werden.

KAPILLAREN BESTIMMEN UNSER SCHICKSAL

Fibromyalgie, ein Volksleiden, verursacht durch verengte Kapillaren und deren Poren

Rund 80 % der Menschen haben hin und wieder Schmerzen im Bereich der Muskeln, Gelenke oder Knochen. Meist lassen sich diese akut auftretenden Beschwerden mit Hilfe von gymnastischen oder medikamentösen Therapien heilen. Leider gibt es aber auch Erkrankungen des rheumatischen Formenkreises, die chronisch und sehr schmerzhaft verlaufen können. Eine dieser chronischen Formen ist die Fibromyalgie, auch Generalisierte Tendomyapathie oder als Weichteilrheuma bezeichnet. Zu diesem Krankheitsbild zählen auch Leiden wie Tennisellenbogen, Golferarm, Halswirbelsäulensyndrom, chronischer Rückenschmerz, und psychogenes Schmerzsyndrom.

Man geht inzwischen davon aus, daß in Deutschland mit 1,6 - 1,8 Millionen Fibromyalgie-Erkrankten zu rechnen ist, die unter diesen rätselhaften Ganzkörperschmerzen leiden. Obwohl so viele Menschen betroffen sind, ist das Krankheitsbild noch nicht sehr bekannt. Auch die Diagnose ist nicht so leicht wie bei anderen Erkrankungen. Hatten früher viele Ärzte den Eindruck, bei den Fibromyalgie-Patienten handle es sich nur um „nörgelige Psychos", wird dies durch neue Erkenntnisse klar wiederlegt. Verschiedene sensorische Schwellen (wie Schmerzenempfindlichkeit oder Hörschwelle) sind meßbar heruntergeregelt. Bei Fibromyalgie findet man häufig Konfliktsituationen folgender Art:

a) Überforderung mehr auf psychischem als auf körperlichem Gebiet.

b) Angst, Streß, Depression, Enttäuschungen, seelische Schockzustände, sexueller Mißbrauch in der Kindheit und schlechte Nachrichten.

c) Unzufriedenheit, Minderwertigkeitsgefühle und Ungerechtigkeiten

d) Gestörte Partnerbeziehungen, Verlustsituationen durch Tod eines nahen Angehörigen, Auszug und Heirat der Kinder, Geschäfts- und Berufsaufgabe.

e) Vertreibung, Flucht oder Entwurzelung aus der gewohnten Umgebung.

f) Ungesunde Ernährung und verkehrte Zusammenstellung der Nahrung, Eßstörungen, Nikotin- und Alkoholmißbrauch.

Als Hauptbeschwerden tauchen meist Schmerzen in zahlreichen Körperabschnitten auf, meist aber im Rückenbereich und an der Halswirbelsäule. Auch können die Bereiche um die Gelenke wie etwa Hände, Knie, Ellbogen oder Schultern schmerzhaft betroffen sein. Ebenso können sich Gesichtsschmerzen, Muskelverspannungen und Brustschmerzen hinzugesellen. Auch Wasserödeme sind nicht selten. Neben Schmerzen ist die Fibromyalgie aber auch mit zahlreichen anderen körperlichen und geistigen Beeinträchtigungen verbunden: Kribbeln an Händen und Füßen, Erschöpfungszustände, Schlafstörungen, Magen- und Darmprobleme, Leistungsabfall, Konzentrationsprobleme, Atemnot, Herzrasen und bei Frauen nicht selten auch Menstruationsbeschwerden.

KAPILLAREN BESTIMMEN UNSER SCHICKSAL

In zahlreichen Fällen treten mehrere der vorgenannten Schmerzzustände und Gesundheitsprobleme gemeinsam auf und beeinträchtigen die Lebensqualität. Auffällig ist, daß sieben- bis achtmal häufiger Frauen durch die Krankheit betroffen sind als Männer. Bis heute gibt es noch keine exakten Diagnosemöglichkeiten, die durch Laboruntersuchungen, Röntgenbilder o.ä. unterstützt sind. Um die Fibromyalgie zu erkennen, bedarf es einer möglichst genauen Befragung des Patienten durch den Arzt, der außerdem noch über einige Erfahrungen auf diesem Gebiet verfügen sollte. Die Hochschulmedizin hat 18 Schmerzpunkte am menschlichen Körper festgelegt. Wenn bei mindestens 11 dieser Punkte bei bestimmter Druckausübung Schmerzen verspürt werden, ist die Diagnose: Fibromyalgie.

Die Hochschulmedizin rätselt bisher noch über die exakten Ursachen der Schmerzen und verfügt bis heute auch über keine genauen Therapievorschläge. Alles, was derzeit unternommen wird, basiert auf den Erkenntnissen, die sich aus der Zusammenarbeit zwischen Ärzten, Wissenschaftlern, Krankengymnasten, Psychologen, Heilpraktikern und vor allem den Selbsthilfegruppen ergeben haben.

Eine große Aufgabe ist es, Betroffene vor falschen Therapien zu bewahren. Fibromyalgie-Patienten werden beispielsweise wesentlich häufiger als Gesunde oder Patienten mit chronisch entzündlichen Erkrankungen gynäkologisch operiert - klar, wenn"s überall weh tut, kann auch der Bauch schmerzen. Selbst bei bekannter Diagnose wird häufig überflüssig operiert: besonders Handgelenke (Karpaltunnel-Syndrom), Ellbogen, Knie und Bandscheiben. Auch medikamentös läuft einiges schief: Über 40 % der Betroffenen schlucken Antirheumatika (die wirken nicht, da schließlich keine Entzündung vorliegt). Nicht ratsam sind auch einfache sowie starke Schmerzmittel. Die einzig wirksame hochschulmedizinische-medikamentöse Therapie ist die Einnahme von Antidepressiva.

Eine größere Anzahl meiner Leser der in Brasilien verlegten Bücher („Krebs, wo ist dein Sieg?" und „Aloe, Kaiserin der Heilpflanzen"), die an Fibromyalgie litten, berichteten mir von überraschenden vollkommenen Heilungen von diesem Übel innerhalb von 3 Monaten, nachdem sie die *Aloe vera* L. mit Blatthaut als Vitalgetränk anwandten nach der Formel des brasilianischen Franziskanerpaters Romano Zago OFM, wie in diesen Büchern beschrieben. Diese Heilungsberichte verstärken zusätzlich meine Kapillarenlehre in Verbindung mit der Anwendung des Vitalgetränkes der Aloe, die ich folgendermaßen vertrete:

Im Falle der Fibromyalgie kann man sich die Ursachen und die Linderung dieses Leidens wie folgt erklären. Bei den Fibromyalgie-Patienten haben sich die 150.000 km (3 1/2 mal der Erdumfang) Kapillaren des Organismus in ihrem Innendurchmesser vermindert. Die Kapillaren haben innen Schwellkörper, die eine Querschnittsverminderung auslösen können. Diese Schwellköper reagieren auf verkehrte Ernährung, verkehrte Ernährungszusammenstellung, Nikotin, Alkoholmißbrauch, bestimmte Chemikalien und die Chemotherapie, bestimmte Strahlungen und die Strahlentherapie, bestimmte Viren, bestimmte Parasiten, schlechte Nachrichten und Stress, Hormonumstellung, sowie auf Bewegungsmangel. Beim Zusammenziehen verringern sich auch die Öffnungen der Kapillaren,

FIBROMYALGIE EIN NEUES VOLKSLEIDEN

so daß der Stoffwechselmüll nicht mehr durch diese Kapillarenöffnungen abtransportiert werden kann. So lagern sich der Stoffwechselmüll und die sich formenden Mikrokristalle in den Leerräumen zwischen den Muskelfasern an und verringern deren Elastizität, da die Zwischen- und Spielräume der Muskelfasern nunmehr mit Stoffwechselmüll gefüllt sind und dadurch Steifigkeit bzw. Schmerzen bei der Bewegung verursachen. Ähnliches kann man auch beim Stahl beobachten. Die Stahlstruktur besteht aus Kristallen. Zwischen diesen Kristallen befinden sich leere Räume, so daß sich diese Kristalle flexibel jeder Bewegung (wie bei einer Stahlfeder) anpassen können. Wenn z.B. das kleinste Atom, der Wasserstoff, beim Beizen in Salzsäure in diese leeren Räume zwischen die Kristalle eindringt, spricht man von einer Wasserstoffversprödung. Dann bricht der Federstahl beim Biegen spröde wie Glas. Dieser Vergleich demonstriert gut die Fibromyalgie-Ursache.

Wenn nun der Fibromyalgie-Patient von dem Vitalgetränk der Aloe Gebrauch macht, dann können sich seine Kapillaren wieder zum normalen und gesunden Durchmesser zurückentwickeln. Die Löcher der Kapillaren werden durch diese Erweiterung ebenfalls vergrößert, und der angesammelte Stoffwechselmüll kann dann wieder normal frei abfließen. Die Zellzwischenräume werden wieder geleert, wodurch die Muskeln wieder flexibel und schmerzfrei bei den Bewegungen werden.

Den Berichten zufolge könnten vermutlich Fibromyalgie-Patienten, deren Ursache eine Kapillarenquerschnittsverminderung ist und die positiv auf Aloe ansprechen (ca. 70 %), ganz hervorragend mit der *Aloe vera* L. Linderungen erfahren.

Sollte die Ursache der Erkrankung an Fibromyalgie eine verkehrte Ernährung sein, ist nach der Logik meiner Kapillarenlehre sogar eine Heilung möglich durch eine Umstellung auf eine gesunde Ernährung, wie diese in diesem Buch beschrieben ist. Eine gesunde Ernährung hilft ebenfalls mit, um die durch verkehrte Ernährung verengten Kapillaren wieder auf den normalen und gesunden Durchmesser zu erweitern und die Löcher der Kapillarenwände für den Abfluß des Stoffwechselmülls wieder zu erweitern und den Abtransport des Stoffwechselmülls über die Kapillaren zu gewährleisten .

Die zu Beginn dieses Kapitels aufgezählten zahlreichen psychischen und psychologischen Ursachen der Fibromyalgie führen ebenfalls zu einer Verengung der Kapillaren. Wenn dies die einzige Ursache ist, dann hilft sicherlich auch eine Änderung der Gemütshaltung oder eine Behandlung durch einen Psychotherapeuten. Auch dadurch lassen sich die verengten Kapillaren erweitern. Selbst im Alten Testament im Buch der Sprichwörter (17,22) finden wir einen wichtigen Hinweis dazu: „Ein fröhliches Herz tut dem Leib wohl, / ein bedrücktes Gemüt läßt die Glieder verdorren." Es war der französische Apotheker Emilie Coué, der im 19. Jahrhundert die heilsame Wirkung der Autosuggestion entdeckte. Coué stellte fest, daß sich das seelische und körperliche Befinden durch positive, aufbauende Gedanken erheblich steigern läßt. Seine berühmteste Suggestionsformel lautet: „Es geht mir in jeder Hinsicht von Tag zu Tag immer besser."

KAPILLAREN BESTIMMEN UNSER SCHICKSAL

Wichtig ist die Krankheitsursache zu finden, die ursächlich die Kapillaren verengt. Wenn man diese gefunden hat, dann kann man auf die Dauer diese weit verbreitete Fibromyalgiekrankheit in den Griff bekommen. Die *Aloe vera* L. sollte aber stets als Vitalgetränk von Anfang an mitverwendet werden, da diese in 70 % der Fälle am schnellsten die Kapillaren erweitern kann.

In der deutschen Zeitschrift „Der Spiegel" 6/2002, Seite 172-174 findet man einen großen Bericht über die Fibromyalgie unter dem Titel "Krieg im Sprechzimmer". Es wird berichtet, daß diese Krankheit die deutschen Krankenkassen schätzungsweise pro Jahr 2 Milliarden Euro kostet. „Den enormen Kosten stehen allenfalls minimale Behandlungserfolge gegenüber. Weil selbst die besten Mediziner vor der Fibromyalgie kapitulieren, ist sie in der Ärzteschaft als "Koryphäen-Killer-Syndrom" verschrien. Vor allem über die Ursachen der Beschwerden herrscht noch immer völlige Ratlosigkeit. Wilfried Jäckel, Fibromyalgie-Experte und Leiter des Hochrheininstitut für Rehabilitationsforschung Bad Säckingen der Universität Freiburg, glaubt sogar, daß die Bücher über Fibromyalgie in den nächsten Jahren neu geschrieben werden müssen".

Hierzu kann das Buch meiner Kapillarenlehre bereits einen wichtigen Beitrag leisten.

Diabetes schädigt die Kapillaren

Rund 5 % der Deutschen leiden an der Zuckerkrankheit, *Diabetes mellitus* genannt. Die Tendenz ist stark steigend. Im Jahre 2005 soll bereits jeder 12. Bundesbürger von dieser Volkskrankheit betroffen sein. In Brasilien sind 10 Millionen der 170 Millionen Einwohner vom Diabetes betroffen, wovon die Hälfte es nicht einmal weiß. Die Komplikationen, die sich aus der Diabetes ergeben, wenn sie nicht rechtzeitig erkannt und ärztlich behandelt wird, sind furchtbar. Die Zuckerkrankheit beeinträchtigt den kapillaren Blutfluß, schädigt die Kapillarenwände, sowie die durch die Kapillaren organisierte Sauerstoffversorgung. Dadurch ergeben sich starke Auswirkungen auf verschiedene Organe mit oft schweren Spätfolgen. Durch diese Spätfolgen werden nicht nur die großen Blutgefäße, sondern besonders der Hauptentscheidungsträger unserer Gesundheit, die Kapillaren, geschädigt. Auch die Kapillaren der Nieren werden angegriffen, wodurch es zum chronischem Nierenversagen kommen kann. Die feinen Kapillaren der Herzkranzgefäße verengen sich, die lebenswichtige Sauerstoffversorgung der Herzmuskeln wird vermindert und kann zusammenbrechen. Die Folge ist der Herzinfarkt. Ebenso können Nerven geschädigt werden, sowie die Netzhaut der Augen. Besonders tragisch ist die häufige Schädigung der Augen. Die Zuckerkrankheit ist heute die häufigste Erblindungsursache in den Industrieländern. In Deutschland erblinden jährlich 2000 Diabetiker. Gleichfalls tragisch ist das Absterben von Gliedern, da die Kapillaren in diesen ihre Arbeit einstellen, was häufig Amputationen erfordert. Bei der Bekämpfung des Diabetes muß daher ein ganz besonderes Augenmerk auf die Kapillaren gerichtet werden. Dort liegt der Schlüssel zur Heilung oder zur Minderung der zahlreichen Folgeschäden. Ein schlecht kontrollierter Diabetes kann zur Veränderung der 150.000 km Kapillaren unseres Organismus führen, wobei sich nicht nur der Durchmesser der Kapillaren vermindert, sondern erschwerend dazu auch noch, daß die verminderte Fließgeschwindigkeit des verzuckerten Blutfarbstoffes als Bremse der Sauerstoffversorgung wirkt. Deshalb benötigt der Diabetiker besondere und regelmäßige Aufmerksamkeit durch seinen Arzt.

Durch Diabetes geschädigte Kapillaren sind eine große Gefahr für die Augen

Die ständige Erhöhung des Blutzuckers bei unerkanntem oder schlecht eingestelltem Diabetes schädigt vorzugsweise Zellen, welche die Glucose ohne Insulin aufnehmen können. Dadurch und bei langjähriger Zuckerkrankheit tritt oft eine diabetische Netzhauterkrankung auf. Es handelt sich hierbei um eine Verengung der Kapillaren der Netzhaut. Durch eine Unterversorgung dieser Kapillaren werden dieselben geschwächt und geschädigt und verlieren dadurch ihre Dichtheit bei eventuellem höheren Blutdruck, so daß Blut und Fettstoffe in die Netzhaut gelangen und dort abgelagert werden können. Dies entsteht, weil die insulinunabhängigen Zellen, welche die Kapillaren in der Netzhaut des Auges wie eine Tapete auskleiden (Endothelzellen genannt), auf die Dauer geschädigt werden und absterben können. Gleichzeitig bricht die Versorgung der Netzhaut mit Sauerstoff und Nährstoffen

KAPILLAREN BESTIMMEN UNSER SCHICKSAL

durch die Kapillaren zusammen oder wird zumindest vermindert, so daß die Funktionstüchtigkeit der Netzhaut Schaden nimmt. Da die verengten Kapillaren die Stoffwechselmüllableitungsporen ebenfalls verengt haben, gelingt es nicht mehr, angesammelte Ablagerungen vom Stoffwechsel zu entsorgen.

Gleichzeitig veröden auch einige Kapillaren, und die Natur ist dadurch gezwungen, neue Kapillaren ersatzweise zu bilden. Diese neuen und anfangs sehr zarten Kapillaren (Neovaskularisationen) halten dem Blutdruck nicht stand, können leicht platzen und sind dann Ursache von größeren Blutungen. Ferner beobachtet man Ausstülpungen an den Kapillaren (Microaneurismen), wie auch gequollene Nervenfasern (Cotton wood - Herde). Wird also Diabetes diagnostiziert, muß eine augenärztliche Untersuchung folgen, und in vom Augenarzt festgesetzten Abständen wiederholt werden.

Treten die Veränderungen in der Netzhautmitte auf, entsteht eine diabetische Makulopathie mit hochgradiger Minderung der zentralen Sehschärfe. Dies führt häufig zum Erblinden. Der körpereigene Versuch, das Blut aus dem Glaskörper zu beseitigen, geht leider mit erheblicher Narbenbildung einher. Diese Narben haben eine starke Schrumpfungstendenz. Zieht eine solche Narbe an seiner Unterlage, der Netzhaut, kann die Netzhaut einreißen. Geht ein solcher Riß durch die Makula, ist der Patient unwiederbringlich erblindet. Bei der diabetischen Retinopathie sind die Kapillaren in der Netzhautperipherie betroffen. Von den Typ II-Diabetiker-Patienten, bei denen die Zuckerkrankheit erst im höheren Alter ausbricht, leiden nach 10 bis 15 Jahren etwa zwei Drittel unter Durchblutungsstörungen der Netzhaut, so daß die Netzhaut zugrunde geht. Wesentlich schneller verläuft die Entwicklung der diabetischen Retinopathie bei den bereits in jungen Jahren erkrankten Patienten, die Typ I-Diabetiker.

Es gibt zwei Hauptformen der diabetischen Retinopathie: die einfache oder Hintergrund-Retinopathie mit geringen Einblutungen in die Netzhaut und die fortschreitende oder proliferative Retinopathie, bei der neugebildete Kapillaren ins Augeninnere wuchern und zu schweren Blutungen führen. Eine Heilung der diabetischen Netzhauterkrankungen, von der in Deutschland rund eine Million Menschen betroffen sind, ist durch die Hochschulmedizin noch nicht möglich. Doch je früher die Krankheit erkannt wird, je eher die Behandlung der Diabetis beginnt, desto größer sind die Chancen, einen Stillstand oder auch eine Besserung zu erreichen. Durch die moderne Laser- oder Photokoagulation versucht die Hochschulmedizin stets zuerst krankhafte Wucherungen zu veröden, Kapillarneubildungen zu reduzieren und abgelöste Netzhautareale wieder an ihrer Unterlage zu befestigen. Bei der proliferativen Form muß oftmals sogar der Glaskörper des Auges ausgetauscht werden, um die abgelöste Netzhaut wieder befestigen zu können und den Patienten vor der völligen Erblindung zu bewahren.

Die Kapillaren bei der diabetischen Nierenerkrankung

Die Niere ist im wesentlichen verantwortlich für die Entgiftung des Körpers, d.h. für die Ausscheidung von Endprodukten des Stoffwechsels und auch die Kontrolle des Salz- und Wasserhaushaltes. Sie erfüllt diese Aufgaben durch ihren besonderen Aufbau: Die Filtration des Blutplasmas findet in den Nierenkörperchen (Glomeruli) statt, die aus einem Knäuel von Kapillaren bestehen. Der Blutfluß durch die Nierenkörperchen wird durch ein zuführendes und ein abführendes Gefäß gesteuert. Die Filterfunktion der Wand dieser Kapillaren sorgt dafür, daß die Eiweißbestandteile in der Blutbahn gehalten werden. Wasser, Salze und Stoffwechselendprodukte werden hingegen herausgefiltert. Zusätzlich müssen Funktionen hinzutreten, die eine Kontrolle über den Wasser- und Ionenhaushalt ausüben. Es stehen dabei die Stoffwechselprodukte stickstoffhaltiger Substanzen funktionell im Vordergrund. Die Entfernung überschüssiger Salze und der Endprodukte des Stickstoff-Stoffwechsels wäre ohne großen Energieaufwand möglich, wenn wir noch im Wasser leben würden und große Mengen von Wasser als Lösungsmittel zur Verfügung hätten. Wir leben aber nicht mehr im Wasser. Die Entfernung überschüssiger Salze und Stickstoff-Stoffwechselprodukte ist energetisch außerordentlich aufwendig.

Die Nieren reinigen das Blutplasma und bilden Harn. Ein großer Teil der im Harn ausgeschiedenen Stoffe sind nicht weiter verwertbare Endprodukte des Stoffwechsels wie Harnstoff, Harnsäure, etc.. Eine weitere Funktion der Niere ist die Regulation des Elektrolyt- und des Wasserhaushaltes, z.B. die Natrium-Ionenkonzentration. Nach einem salzigen Essen scheidet die Niere Natriumionen im Urin aus. Die Natrium-Konzentration im Urin ist höher als im Plasma. Trinken wir viel natriumarmes Wasser, so ist die Natriumkonzentration im Urin niedriger als im Plasma. Viele andere Stoffe werden von der Niere reguliert. Ungefähr 1100 l Blutplasma pro Tag durchströmen die Niere. Es werden ca. 180 l durch Ultrafiltration aus dem Blutplasma herausgeholt, wobei ca. 178,5 l wieder rückresorbiert werden. Es werden ca. 1,5 l Harn pro Tag ausgeschieden. Die Filtrierung und die Kontrolle des inneren Milieus werden in der Niere vorgenommen. Die funktionelle Einheit der Niere sind die Nephronen. Die Niere besteht aus 10 Millionen parallel geschalteten Nephronen. Der Reinigungs- und Regulationsprozeß beginnt im Glomerulus. Blut kommt zum Glomerulus in einer afferrenten Arteriole, die sich in der Bowman"schen Kapsel in ein Netzwerk von Kapillaren aufteilt. Die Wände der Kapillaren haben Löcher in Formfunktion eines Molekularsiebes. Sie sind durchlässig für Wasser und kleine Moleküle und bilden somit einen Filter. Dabei beträgt die totale Fläche dieses Filters in der Niere rund 4 - 5 m², wobei die Poren 5 - 10 % der Gesamtfläche ausmachen. Die Poren haben einen mittleren Radius von 3,5 - 4 nm und eine Porenlänge von 40 - 60 nm.

Beim Diabetes kann es zu einer Störung der Filterfunktion kommen, gleichzeitig kann der Druck in den Kapillaren stark steigen. Beide Faktoren führen dazu, daß die Nierenkörperchen schließlich versagen. Die diabetische Nierenschädigung ist heute leider in vielen Ländern die häufigste Ursache für eine Nieren-Ersatztherapie.

KAPILLAREN BESTIMMEN UNSER SCHICKSAL

Dies ist schwer zu verstehen, da die Entwicklung dieser Komplikationen von den ersten Symptomen bis zum Auftreten eines Nierenversagens Jahre dauert. Zudem gibt es heute vorzügliche Methoden zur Früherkennung und Behandlung. Die dramatische Zunahme der Diabetiker mit einer Nierenkrankheit liegt in erster Linie daran, daß die vorhandenen Möglichkeiten nicht richtig genutzt wurden.

Mehrere Studien haben in den letzten zehn Jahren ergeben: Je besser die Blutzuckereinstellung, desto geringer das Risiko, daß sich ein Nierenversagen überhaupt entwickelt. Bei Patienten mit Typ II-Diabetes besteht zudem häufig schon bei der Diagnose hoher Blutdruck. Eine große Studie (UKPDS) konnte beweisen, daß bei diesen Patienten auch die Qualität der Blutdruckeinstellung entscheidend für das Auftreten einer diabetischen Nierenschädigung ist: Je besser der Blutdruck eingestellt ist, um so geringer ist das Risiko der Krankheitsentwicklung. Als Kriterium einer guten Blutdruckeinstellung gelten heute die Werte unter 140/85 mmHg.

Ganz wesentlich zur Vermeidung fortgeschrittener Stadien der diabetischen Nierenerkrankung ist deren Früherkennung. Erstes Zeichen für eine Schädigung ist die Ausscheidung des Eiweißes Albumin in sehr niedriger Konzentration im Urin. Dies läßt sich heute durch spezielle Teststreifen oder andere Schnelltests unkompliziert nachweisen. Jeder Patient mit Diabetes sollte darauf achten, daß er jährlich daraufhin untersucht wird. Dies gilt gleichermaßen für Typ I- und Typ II-Diabetiker. Das Risiko, eine diabetische Nierenerkrankung zu bekommen, ist für beide gleich hoch.

Wird eine Nierenerkrankung festgestellt, kann durch eine normalisierte Stoffwechselführung und die Absenkung des Blutdrucks in sog. niedrig normale Werte (z.B. 120/80 mmHg) das weitere Fortschreiten vermieden oder die Erkrankung sogar zurückgebildet werden. Ist die diabetische Nierenerkrankung jedoch schon weiter fortgeschritten, muß das Ziel sein, durch die erwähnten Maßnahmen das weitere Voranschreiten zu verlangsamen und zu vermeiden. Eine vollständige Rückbildung der bestehenden Schädigung ist hier in der Regel mit der Hochschulmedizin nicht mehr möglich.

Der Blutdruckmessung kommt sehr hohe Bedeutung zu. Jeder Patient mit diabetischer Nierenerkrankung und Bluthochdruck sollte deshalb auch die Blutdruck-Selbstkontrolle erlernen und regelmäßig durchführen. Leider wird dabei eine Besonderheit der Blutdruck-Fehlregulation nicht erfaßt, denn nachts steigen die Blutdruckwerte bei dieser Krankheit häufig sehr hoch an. Um auch diese Blutdruckanstiege zu erfassen, sollte unbedingt eine 24-Stunden-Blutdruckmessung durchgeführt werden.

Im Stadium einer fortgeschrittenen Nierenerkrankung sollte auch darauf geachtet werden, daß die Eiweißzufuhr nicht zu hoch ist. Als eine ausreichende Eiweißaufnahme werden von den Ernährungsgesellschaften 0,8 - 1,0 g/Tag pro kg Körpergewicht angesehen. Da unsere oft verkehrte Ernährung durch die „gut bürgerliche Kost" heute in der Regel einen höheren Eiweißkonsum beinhaltet, kann diese

104

Umstellung schwierig sein, sollte aber zur Entlastung der Nieren angestrebt werden, wobei sich dadurch die Kapillaren gleichzeitig wieder zum normalen und gesunden Durchmesser erweitern können und somit mithelfen, die Leiden zu mindern.

Neuere Untersuchungen haben gezeigt, daß auch das Zigarettenrauchen den Krankheitsverlauf sehr ungünstig beeinflußt. Daher sollte der betroffene Patient alles versuchen, den Zigarettenkonsum zu reduzieren oder zu vermeiden. Nikotin vermindert den Durchmesser der Kapillaren und verhindert dadurch die Heilung bzw. Besserung des Krankheitszustandes. Diese Informationen zeigen, daß es heute schon verschiedene Behandlungsformen gibt, die das Auftreten von Nierenschäden verhindern bzw. das Fortschreiten verzögern. Je mehr jeder Betroffene selbst mitmacht und versucht, diese hier beschriebenen Erkenntnisse in die Praxis umzusetzen, desto geringer ist die Gefahr, an einer diabetischen Nephropathie zu erkranken.

Die Niere hat von allen Organen eine der umfangreichsten Gesamtdurchblutungen. Wenn z.B. die Niere übersäuert ist, dann wird die Elastizität der roten Blutkörperchen beeinträchtigt. Diese erstarren in ihrer normalen Körperform (flach und rund) und können sich nicht mehr länglich schlank in feine Stäbchen verformen, um sich in die feinsten Kapillaren hineinzwängen zu können. Man spricht dann von der Azidosestarre. Es gilt daher die Niere zu entsäuern. Hierzu bietet sich in vielen Fällen der reine und naturbelassene Saft der *Aloe vera* L. an, und viele Diabetiker reagieren sehr gut auf den Aloesaft. Wenn die roten Blutkörperchen nach der Entsäuerung der Niere wieder voll elastisch sind, kann die Niere wieder besser ihre Aufgaben verrichten und den Diabetiker entlasten. Deshalb sollte zur Gesunderhaltung darauf geachtet werden, den Körper nicht zu übersäuern.

Die Aloe im Einsatz bei Zuckerkranken

Max B. Skousen schreibt in seinem Handbuch "The Ancient Egyptian Medicine Plant Aloe Vera", daß bei innerlicher Einnahme von *Aloe vera* L. - Saft die Bauchspeicheldrüse angeregt wird zu vermehrter Insulin-Produktion. Daher sollten Zuckerkranke beim Einnehmen von Aloe verstärkt ihren Zuckerspiegel beobachten, da dieser absinken kann und dadurch eine etwaige beibehaltene zu hohe Insulingabe Probleme verursachen könnte.

Bereits im Jahre 1982 wurden im Fujita Health Institute in Japan Versuche mit Ratten angestellt, um die Wirkungsweise von Aloe auf den Glukose-Gehalt zu testen. Einer Gruppe von Ratten wurde Blut von Zuckerkranken eingespritzt, wodurch der Glukosewert sofort sprunghaft anstieg. Nach einer Gabe von Aloe sank der Glukosewert wieder auf normales Niveau. Dr. Robert Davis und seine Forschungsgruppe am Pennsylvania College of Podiatric Medicine haben unzählige Versuche mit Aloe-Gemischen gemacht und besonders die Krankheitssymptome, unter denen die Zuckerkranken häufig leiden, wie z. B. Entzündungen, nicht heilende Wunden und Ödeme, damit behandelt. Es wurden stets bessere Heilungsergebnisse erzielt als bei den traditionellen Behandlungsarten. Bill Coats

berichtet in seinem Buch „Aloe vera, the Inside Story", daß er einen Forschungs-
auftrag erteilte, um wissenschaftliche Beweise zu erhalten, wie die Aloe bei der
Zuckerkrankheit und ihren Nebeneffekten wirkt. Die Resultate sind noch nicht veröffentlicht, sollen jedoch sehr erfolgversprechend sein.

Gleichfalls finden wir einen Forschungsbericht im J. Ethnopharmacol 28:3 vom
Februar 1990, S. 215-220 unter dem Titel „Effect of Aloes on blood glucose levels
in normal and alloxan diabetic mice", vom Autor Ajabnoor MA. Hierbei wurden *Aloe
vera* L. -Saft und der bittere Teil der Blatthaut getestet, welchen Einfluß sie auf die
Veränderung des Glukosespiegels bei zuckerkranken Ratten (alloxan) ausüben.
Diesen Ratten wurden oral 500 mg/k *Aloe vera* L. -Saft verabreicht und in anderen
Versuchen intraperitonal 5 mg/k des bitteren Anteils der *Aloe vera* L. -Blätter. Der
Effekt der oralen Dosis war gering auf den Glukosespiegel, während der Test mit
dem bitteren Anteil des Aloe-Blattes bedeutend war und der Effekt vierundzwanzig
Stunden anhielt.

Diabetes beeinträchtig und verengt die Kapillaren der Herzkranzgefäße und kann den Herzinfarkt auslösen

Das Gefühl der Brustenge, auch Angina pectoris (Enge der Brust), tritt bei akuten
Durchblutungsstörungen des Herzmuskels auf. Die arterielle Blutversorgung des
Herzmuskels erfolgt normalerweise über die Kapillaren der Herzkranzgefäße, die
ihren Ursprung in der Hauptschlagader haben und sich an der Außenseite des
Herzens baumartig verästeln. Kommt es zu einem Mißverhältnis zwischen
Sauerstoffbedarf des Herzmuskels und dem Sauerstoffangebot über das System
der Herzkranzgefäße können am Herzmuskel Durchblutungsstörungen auftreten.
Der Austausch von Sauerstoff und Nährstoffen findet in der Muskulatur durch
Diffusion zwischen den feinen Kapillaren auf der einen Seite und der Muskelfaser
auf der anderen statt. Diffusion bedeutet die Bewegung eines Stoffes zum Ort seiner niedrigeren Konzentration. Sauerstoff und Nährstoffe werden ja im Herzmuskel
verbraucht und liegen demzufolge im Muskel in niedrigerer Konzentration vor als im
Blut der Kapillaren. Die weitaus häufigste Ursache der Durchblutungsstörungen ist
eine eingeschränkte Sauerstofftransportleistung der Kapillaren, wenn diese sich
verengen und im Falle der Diabetes die Fließgeschwindigkeit der roten Blutkörperchen noch zusätzlich vermindert wird. Die Unterversorgung des Herzmuskels mit
Sauerstoff durch die roten Blutkörperchen über die Kapillaren, äußert sich als
Angina pectoris.

Je nach dem, ob Angina pectoris bei körperlicher Belastung oder in Ruhephasen
auftritt, spricht man von Belastungsangina oder Ruheangina. Zur Belastungsangina
kommt es charakteristischerweise, wenn die Kapillaren der Herzkranzgefäße trotz
der beobachteten Einengungen unter Ruhebedingungen noch eine ausreichende
Durchblutung gewährleisten können, bei gesteigertem Sauerstoffbedarf jedoch,
zumeist bei körperlicher Belastung, der Durchblutungsmangel deutlich wird. Bei
Verengungen der Kapillaren der Herzkranzgefäße können häufig Durchblutungs-

DIABETES SCHÄDIGT DIE KAPILLAREN

störungen des Herzmuskels bereits unter Ruhebedingungen auftreten und damit zur Ruheangina führen. Geht eine belastungsabhängige Angina pectoris mit der Zeit in Ruheangina über, ist dies oftmals Zeichen für die Zunahme der Verengungen der Kapillaren der Herzkranzgefäße oder auch eine Erhöhung der Blutzuckerwerte. In beiden Fällen vermindert sich die Fließgeschwindigkeit der roten Blutkörperchen. Dadurch wird das Angebot an Sauerstoff für den Herzmuskel herabgesetzt. Eine Ruheangina ist ein wichtiges Alarm Symptom und der unmittelbare Vorläufer eines Herzinfarktes. Um sicher zwischen Ruheangina und Herzinfarktvorläufer unterscheiden zu können, ist es selbst für einen Arzt erforderlich, zusätzlich ein Elektrokardiogramm (EKG) zu erstellen und Laborwerte zu kontrollieren.

Bei Auftreten jeglicher Angina pectoris - Beschwerden sollte auf jeden Fall möglichst frühzeitig ein Arzt konsultiert werden!

Angina pectoris ist in den meisten Fällen Warnsymptom einer Erkrankung der Herzkranzgefäße. Die schwerwiegendste Komplikation kann ein Herzinfarkt sein, der unmittelbar zum Tode führen oder zumindest aufgrund von Folgeerscheinungen wie Herzrhythmusstörungen oder Herzmuskelschäden die Lebenserwartung deutlich herabsetzen kann. Allein aufgrund der Durchblutungsstörungen entsteht die Gefahr für Herzrhythmusstörungen und das Nachlassen der Herzmuskelkraft.

Unabhängig vom Stadium der Erkrankung ist eine Kontrolle der sogenannten Risikofaktoren für die Kapillarenverengung erforderlich. Dazu gehören eine Absenkung des Blutzuckerwertes (zuckerarme Kost), um die Geschwindigkeit des Blutflusses zu erhöhen, Änderung der Eßgewohnheiten (siehe die Ernährungslehre in diesem Buch), um gegen eine Verringerung der Kapillarendurchmesser vorzugehen. Ganz selbstverständlich gehört dazu auch der Verzicht auf Nikotin, da dieses Gift ganz besonders den Durchmesser der Kapillaren negativ beeinflußt und die Lebenserwartung im statistischem Durchschnitt der letzten 100 Jahre um ganze 15 Jahre vermindert.

Um die Herzmuskulatur besser oder wieder mit Sauerstoff zu versorgen, haben Kardiologen in Fulda versucht, wie die "Ärzte Zeitung" vom 6.12.2000 meldete, mit Hilfe von Wachstumsfaktoren die Gefäßneubildung anzuregen. Tatsächlich läßt sich mit einem solchen während einer Bypass-Chirurgie intramyokardial applizierten Peptid die Dichte der Kapillaren um das Dreifache erhöhen. Auch mit einer Monotherapie kann die dadurch verbesserte lokale Perfusion die klinische Symptomatik vermindern helfen.

Bei dem im Jahre 1984 stattgefundenen internationalen Herz-Kongreß in San Antonio in Texas überraschte Dr. Orn Prakash Agarwall aus Indien seine Fachkollegen mit seinen Forschungen an über fünftausend Patienten, die an Angina pectoris litten. In 95 % der Fälle konnte er die Angina pectoris-Krisen bei den Patienten mit Arteriosklerose durch die zusätzliche Gabe von Aloe beseitigen. Dabei sank auch gleichzeitig der Analysenwert vom schlechten Cholesterin LDL sowie der Triglyceridspiegel (Fett), wobei der gute Cholesterinwert HDL stark anstieg. Alle fünftausend Patienten im Alter zwischen fünfunddreißig und fünfund-

KAPILLAREN BESTIMMEN UNSER SCHICKSAL

fünfzig Jahren blieben am Leben, obwohl mehr als die Hälfte täglich zwischen zehn und fünfzehn Zigaretten rauchten. Die Patienten erhielten täglich eine Art Brot, das hauptsächlich aus 100 g Aloe-Saft und Mehl bestand sowie etwas Isabgol, eine indische Heilpflanze. Nach zwei Wochen fühlten sich 4652 Patienten wohler, und nach drei Monaten zeigte das Elektrokardiogramm bei ihnen völlig normale Werte.

Im Journal of Pharmaceutical Science wurde im Jahre 1982 von Dr. Agarwal eine Forschung über positive Behandlungsergebnisse bei Herzproblemen durch Anwendung von Aloe veröffentlicht. Aloe senkt den Blutdruck und schont das Herz. Dr. Agarwal analysierte in der Aloe Kalziumisocitrat, eine Substanz, die als ein Herztonikum bekannt ist.

Erhöhter Blutzucker reduziert den Sauerstofftransport

Das Drama der Diabetiker spielt sich hauptsächlich in den Kapillaren ab. Die lebenswichtige Durchblutung des Organismus und die Versorgung mit Sauerstoff jeder einzelnen Zelle erfolgt durch diese Kapillaren. In den gesunden Kapillaren mit Normaldurchmesser haben die roten Blutkörperchen (Erythrozyten) gerade mal genug Platz durchzuwandern. Ab 200 mg % Blutglucose ist soviel Zucker in den Kapillaren, daß der Durchfluß der roten Blutkörperchen, beziehungsweise die Fließgeschwindigkeit, schon erheblich abnimmt wie bei einem Stau auf der Autobahnabfahrt. Bei 300 mg % steht das Blut in den Kapillaren. Da werden dann zwangsweise Kurzschlußverbindungen geöffnet, und das Blut fließt an seinem Zielort vorbei, wie an einer gesperrten Abfahrt einer Autobahn. Aus diesem Grunde ist es absolut lebensnotwendig seine Blutzuckerwerte unter Kontrolle zu halten. Die Werte gliedern sich wie folgt auf:

a) Stoffwechselgesunder: HbA1c bis 5 % BZ-Wert im Schnitt ca. 80,5 mg/dl

b) Bei einem gut eingestellten Diabetiker:
HbA1c bis 6 % BZ-Wert im Schnitt ca. 114 mg/dl

c) Bei einem mittelmäßig eingestellten Diabetiker:
HbA1c bis 8 % BZ-Wert im Schnitt ca. 180 mg/l

d) Bei einem schlecht eingestellten Diabetiker:
HbA1c über 8 % BZ-Wert im Schnitt ca. 247 mg/dl

HbA1/HbA1c ist ein Eiweißkörper der roten Blutkörperchen, der sich in gewissem Ausmaß unlöslich mit Zucker (Glucose) verbindet, Die Bindung mit Zucker, auch gelegentlich "Verzuckerung" genannt, hängt von der durchschnittlichen Blutzuckerhöhe eines Menschen ab. Bei einem Stoffwechselgesunden, der einen mittleren BZ (Blutzucker)-Wert von 90 mg/dl hat, sind 5 % aller Hämoglobinmoleküle unzertrennlich mit Zucker verbunden (=glykolisiert). Auch bei gut eingestellten Diabetikern beträgt der Anteil des glykolisierten Hämoglobins etwa 5 % - 6 %, d.h. der

108

HbA1c beträgt 5 - 6. Wenn der mittlere BZ-Wert jedoch wesentlich höher liegt, werden sich auch mehr Hämoglobinmoleküle mit Zucker verbinden, der HbA1c-Wert erhöht sich. Da die verzuckerten Hämoglobine vom Körper nach bis zu 90 Tagen wieder abgebaut werden, spiegelt der Wert den durchschnittlichen BZ-Spiegel der letzten 90 Tage wieder.

Ursprünglich für qualitätssichernde Maßnahmen der klinischen Diabetes-Schulungszentren geplant, hat Dr. Alfons Ulrich Müller, Jena, ein Verfahren entwickelt, das die HbA1(c)-Werte von unterschiedlichen Meßmethoden direkt vergleichbar macht nach der Formel: aktuell gemessener HbA1(c) geteilt durch Mittelwert des Normbereichs.

Beispiel: aktuell gemessener HbA1(c) = 8,4, Normbereich = 4 - 6, Mittelwert des Normbereichs = 5. Ergebnis: 8,4 : 5 = 1,7

Also haben alle Menschen mit einem Wert von 1,7, unabhängig von der Meßmethode, (fast genau) den gleichen Grad der Glykierung. Damit wird es möglich, einen Normalwert für die Glykierung anzugeben. Wie beim Cholesterin, Blutdruck und Nüchtern-BZ kann dann jeder die Qualität der Behandlung seines Diabetes selbst einschätzen. Selbst wenn das Labor gewechselt wird, bleibt der Verlauf beurteilbar. Dieser neue Wert ist ein nützliches Instrument für Selbst-Hilfe-Gruppen, weil dadurch jedes Mitglied mit dieser Information mündiger wird in der Zusammenarbeit mit den medizinischen Beratern.

Als Zielwerte gelten: sehr gut < 1,4, gut < 1,5 und befriedigend < 1,6.

Diabetes und Kapillaren in Wechselwirkung

Wie aus dieser kurzen Zusammenfassung zu ersehen ist, gibt es eine Wechselwirkung zwischen den Kapillaren und der Diabetes. Heute wirken auf den Menschen so viele Störfaktoren ein, daß der Organismus zu stark belastet wird. Die Kapillaren reagieren und vermindern ihren gesunden und normalen Durchmesser. Eine Mangelversorgung der Zellen des Gefäß- und Nervensystems ist die Folge. Weil Sauerstoffaufnahme und -transport nicht optimal funktionieren, ist der Stoffwechsel erheblich gestört. Sauerstoffmangel führt zu Degenerationsprozessen in den Kapillaren. Diese verengen, verkalken und werden unelastisch. Das Bindegewebe wird schlaff, die Knochenstrukturen werden umgebaut und brüchig. Die Abwehrkräfte des Immunsystems sind nicht voll leistungsfähig. Organe wie Leber und Nieren, die den Körper von Abfallprodukten befreien, können nicht ausreichend arbeiten. Dadurch wird der Organismus mit Giftstoffen überladen, was wiederum Organveränderungen, Stoffwechselstörungen und andere Krankheiten wie auch den Diabetes hervorrufen kann.

Aloe, die Hilfe aus dem Füllhorn der Apotheke Gottes

Nun bietet auch die Natur ihre Heilkräfte an. Es wurde vielfach beobachtet, daß eine größere Zahl der Benutzer des Vitalgetränkes der *Aloe vera* L. ihre

KAPILLAREN BESTIMMEN UNSER SCHICKSAL

Blutzuckerwerte senken konnte. Deshalb wird auch allen Diabetikern empfohlen, bei der Benutzung der Aloe stets verstärkt die BZ-Werte zu kontrollieren, damit es nicht zu einer gefährlichen Überdosis von Insulin kommt, wenn die Aloe den BZ-Wert abgesenkt hat. Da die Aloe gleichzeitig die Kapillaren beeinflussen kann, damit diese wieder auf ihren normalen und gesunden Durchmesser gelangen, beginnt sich die Blutzirkulation der Diabetiker zu verbessern, wodurch in sehr vielen Fällen eine allgemeine Wohlbefindlichkeitsverbesserung erreicht werden kann. Gleichzeit werden die Kapillarenwände wieder ausreichend mit Nährstoffen versorgt, so daß diese sich wieder regenerieren können. Durch die Erweiterung der Kapillaren werden auch ihre Poren zum Abtransport des Stoffwechselmülls vergrößert, so daß auch hier eine wichtige Aufgabe durch die Kapillaren wieder aufgenommen werden kann. Lt. Literatur reagieren über 70 % der Menschen sehr gut auf das Vitalgetränk der Aloe mit einer Normalisierung der Kapillaren, so daß dieser Personengruppe im Falle des Diabetes eine wertvolle natürliche Hilfe aus dem Füllhorn der Apotheke Gottes zur Verfügung steht. Deshalb sollte ein jeder Arzt bei der Begleitung von Diabetikern neben der hochschulmäßigen Therapie diesen Patienten von Anfang ihrer Krankheit an das Vitalgetränk der Aloe empfehlen. Eine bessere Hilfe wie diese seitens der Natur ist nirgends zu finden. Sicherlich werden viele Ärzte, die diese Texte über diese Möglichkeiten, welche die Aloe bietet, skeptisch sein, aber jeder Arzt sollte mutig einen Versuch wagen. Ihre Patienten werden dankbar sein.

Es wäre schade, wenn eine Dogmatisierung der etablierten Hochschulmedizin sich zu einer Art Pseudoreligion - mit all ihren Ritualen und Traditionen - entwickeln würde. Dies könnte ein ernstes Hindernis sein auf dem Weg zu der zukünftigen Ganzheitsmedizin, die nicht nur dem Patienten hilft, sondern auch den finanziell kranken Krankenkassen. An erster Stelle sollte immer stehen: Was hilft am besten dem Patienten. Aus diesem Grunde möchte ich noch ein Dankschreiben von Frau Ulrike Senger vom 23.01.99 auszugsweise wiedergeben, die an Diabetes erkrankt war.

„......ich möchte mich auf diesem Wege bei Ihnen bedanken. Vor drei Jahren wurde mir aufgrund meines Diabetes nach längerer erfolgloser Behandlung die große Zehe des rechten Fußes amputiert. Vor etwa vier Monaten begann nun auch die zweite Zehe sich zu entzünden und schmerzhaft anzuschwellen. Mein Hausarzt hat mir alle möglichen Pillen und Salben verschrieben, die ich auch fleißig genommen habe. Doch keines dieser Medikamente brachte eine erkennbare Verbesserung, selbst die stärkste Dosis Penizillin brachte nichts. Mein Arzt sah nur noch die Möglichkeit einer erneuten Amputation.

Zu diesem Zeitpunkt habe ich die Aloe kennen und schätzen gelernt. Ich trinke täglich naturbelassenen Aloesaft. Der Erfolg gab mir Recht. Zur großen Verwunderung meines Arztes besitze ich meine Zehe (und den dazugehörigen Fuß) immer noch und befinde mich auf dem Weg der Besserung. Von Amputation also keine Rede mehr. Ich kann mit Recht behaupten: *Aloe vera* L. hat mir meinen Fuß gerettet."

DIABETES SCHÄDIGT DIE KAPILLAREN

Dieser Brief ist ein typisches Beispiel, wie die Aloe, die Kaiserin der Heilpflanzen, die Kapillaren, die sich durch den Diabetes krankhaft zusammengezogen hatten, wieder zum normalen und gesunden Durchmesser erweiterte und somit die Sauerstoffversorgung in der Zehe wieder verbesserte. Gleichzeitig senkt die Aloe den Blutzucker, wodurch die Fließgeschwindigkeit der roten Blutkörperchen erhöht wird. Diese beiden parallelen Aktionen in den Kapillaren führen zu der schnellen Hilfe, den rettenden Sauerstoff zu den schlecht- und unterversorgten Zellen des Organismus zu transportieren. Dadurch konnte die Zehe wieder gesunden und die Amputation überflüssig werden. Wie dieses Buch aufzeigt, sind zahlreiche Krankheiten mit Sauerstoffmangel verbunden und dieser Mangel meistens durch eine Verengung der Kapillaren verursacht. Daher ist diesen Kapillaren, die schließlich Hauptentscheidungsträger unserer Gesundheit sind, ganz besondere Aufmerksamkeit zu schenken. Im Falle einer Verengung der Kapillaren ist uns deshalb die *Aloe vera* L. die natürliche „Erste Hilfe".

Für die unterstützende Mitverwendung der *Aloe vera* L. beim Diabetes, findet das Vitalgetränk der Aloe, lediglich aus dem Gel des Blattes gewonnen, Verwendung. Bei einer eventuellen Mitverwendung der bitteren Blatthaut, verzichtet man in diesem Krankheitsbild auf die Mitverwendung des Honigs. Als Ersatz für den Honig verwendet man in gleicher Menge Agavendicksaft, der als natürliche Süßungsmittel für Diabetiker bekannt ist. Man kann sich auch aushelfen durch die Verwendung von Süßstoff um den äußerst bitteren Geschmack zu neutralisieren.

Sehr wichtig: Zuckerkranke, die von dem Vitalgetränk der Aloe Gebrauch machen, müssen in kürzeren Zeitabständen Ihren Zuckerspiegel kontrollieren. Dieser kann bei rund 70 % der Anwender sogar stark abfallen. Wenn durch das Trinken des Aloe-Saftes dann bei niedrigerem Zuckerspiegel die vorher bei höherem Zuckergehalt übliche Dosis von Insulin bzw. Medikamente angewandt wird, kann es zu schweren Gesundheitsschäden führen.

KAPILLAREN BESTIMMEN UNSER SCHICKSAL

Wichtiger Hinweis für Zuckerkranke

Zuckerkranke, die Aloe-Produkte trinken oder essen, müssen auf einen Umstand hingewiesen werden, der sehr wichtig ist. Aloe senkt bei ca. 70 % der Aloe-Anwendern den Blutzuckergehalt, so daß plötzlich andere Werte für die täglichen Insulingaben notwendig werden können. Deshalb sollte jeder Zuckerkranke während der Nahrungsergänzung durch Aloe-Produkte, ein besonderes Augenmerk auf die Blutzuckerwerte geben.

Seit den 80er Jahren ist bekannt, daß naturbelassener Aloe-Saft den Blutzuckerwert bei Diabetes senken kann. Eine Forschergruppe an der Mahidol-Universität in Thailand, die in der Zeitschrift "Phytomedicine" eine einfachblinde, plazebokontrollierte Studie an 72 Typ-II-Diabetikern veröffentlichte, stellte eine Blutzuckersenkung unter Aloe innerhalb von zwei Wochen fest, die sogar die Wirkung von Glibenclamid übertraf, und einen Triglycerid-Abfall innerhalb von vier Wochen. Unverändert blieben beispielsweise die Cholesterin- und Harnsäurewerte.

Zuckerkranke, welche die brasilianische Formel Aloe-Ganzblatt/Honig/Alkohol für schwere Krankheiten wie Krebs, AIDS und Fibromyalgie anwenden wollen, und wissen, daß dieser Honig-Anteil von ca. 3 x 1/2 Eßlöffel pro Tag unverträglich ist mit ihrer Krankheit, können auch Zubereitungen machen aus Aloe/Agaven-Dicksaft/Alkohol, bzw. Aloe/Gemüsesaft/ Alkohol. In anderen Berichten wurde sogar der Honig durch Süßstoff ersetzt. Die Zusammensetzung der brasilianischen Erfolgsformel ist in etwa: 65 % Honig, 30 % Aloeganzblatt und 1,2 % Alkohol.

Entsprechend den Berichten von Franziskanerpater Romano Zago OFM, werden ähnliche Ergebnisse bei der Behandlung schwerer Krankheiten wie Krebs und AIDS auch mit dieser für Zuckerkranke abgewandelten Formel erreicht. Wichtig ist, daß die Blatthaut in diesen schweren Krankheitsbildern immer Teil der Formel ist. Sprechen Sie mit Ihrem Arzt, damit er Sie in diesen Fällen fachkundig begleitet und die Insulingaben auf die veränderten Zuckerwerte stets abstimmt. Das gleiche gilt auch für die Anwendung der Aloe bei Zuckerkranken, die unter Fibromyalgie leiden.

Brasilianische Formel für Zuckerkranke bei Krebs, AIDS und Fibromyalgie:

300 g Ganzblatt ohne Stacheln der Aloe arborescens Miller
oder der Aloe vera L. (hierbei wird der Anteil des Gels vermindert)
500 g Agaven-Dicksaft von der blauen Agave
4 Eßlöffel Zuckerrohrschnaps oder Rum, Whisky, Wodka.

KAPILLAREN BESTIMMEN UNSER SCHICKSAL

Die Kapillarenlehre deutet darauf hin, daß AIDS möglicherweise AEDS ist.

Nicht erst seit dem AIDS-Weltkongreß in Südafrika im Jahre 2001 gibt es einen heftigen Streit darüber, ob das sog. Human Immunodeficiency Virus (HIV) die alleinige Ursache für AIDS sei. Der Streit geht sogar soweit, daß eine Gruppe innerhalb der AIDS-Theoretiker mit signifikanter öffentlicher Reputation weiterhin darauf besteht, daß HIV zwar existiere aber harmlos sei, andere AIDS-Forscher und Aktivisten kamen sogar zum Schluß, daß das Virus nicht existiere. In diesen Streit möchte ich mich nicht einmischen.

Dagegen kommen jedoch immer mehr Forscher zur Erkenntnis, daß AIDS wahrscheinlich nichts mit einer Immunschwäche zu tun habe und daß diese Krankheit eigentlich Acquired Energy Deficiency Syndrome - AEDS - (Erworbenes Energiemangel-Syndrom) genannt werden müßte, weil dessen hauptsächliche Ursache ein Zusammenbruch der Sauerstoffzufuhr zum Blut und/oder zu den Körpergeweben sei, also ein Energiemangel. Das Messen der Stärke des Immunsystems war die Hauptbasis zur Bestimmung vom AIDS und auch des gesamten Denkens über AIDS. Man sagte, wenn die Immunfunktionen eines Patienten schwach sind, dann könnte diese Person viele viralen Formen opportunistischer Infektionen entwickeln und mehrere Krebsformen. Dies ist jedoch im Zusammenhang mit AIDS bis heute so gut wie nie passiert und regt zum Nachdenken an. Bei AIDS hat man normalerweise keine opportunistischen Infektionen beobachtet. Ebenso hat man so gut wie keine viralen Formen von Krebs gesehen, lediglich eine Krebsform, nämlich das Kaposi-Sarkom (KS).

Eine opportunistische Infektion ist eine bakterielle Infektion, die sich ausbreitet, wenn die Immunfunktionen am Boden sind, wenn man einen Immundefekt oder ein Immundefizit hat. Man spricht davon, wenn bakterielle Infektionen sich im Körper ausbreiten, also bei allgemeinen bakteriellen Infektionen. Das ist der Fall z.B. bei jenen Kindern, die mit einem Immundefekt geboren wurden, die unter einem Plastikzelt leben müssen, oder jene Leute in Intensivstationen, die häufig sterben, weil sie ein Immundefizit haben nach einer Operation, einem Unfall, einer Transfusion oder Transplantation, wo die Immunfunktionen künstlich unterdrückt werden. Bakterielle Infektionen breiten sich meist im ganzen Körper aus. Aber all diese innerlichen bakteriellen Infektionen waren bisher normalerweise nicht Teil der AIDS-Definition.

Wenn es sich im AIDS-Fall z.B. um einen Zusammenbruch des Immunsystems handeln sollte, warum bekommt man dann nicht ständig Erkältungen? Warum bekommt man dann nicht ständig Grippe? Warum bekommt man dann nicht ständig diese allgemeinen infektiösen Krankheiten? Warum sind es nur diese Dinge wie PCP (Pneumocystis Carinii Pneumonie), POP (Pneumocystis Qarinil Pneumonie), KS (Kaposi-Sarkom), CMV und MAI und was immer? Zu dem AIDS-Bereich zählen maximal 29 AIDS-typische Krankheiten. Im Falle der Pilze (PCP), auf die sich die Spezialisten für Tropenkrankheiten spezialisiert haben, handelt es sich um einzellige Organismen, die in evolutionären Zeiten entstanden, als es nicht so viel

KAPILLAREN BESTIMMEN UNSER SCHICKSAL

Sauerstoff in der Atmosphäre gab wie heute. Diese Pilze können nur in Menschen wachsen, die sauerstoffentleert sind, d.h. bei Patienten, bei denen z.B. die Kapillaren verengt sind, und/oder die Aufnahmefähigkeit von Sauerstoff durch die roten Blutkörperchen z.B. durch eine Nitritvergiftung beeinträchtigt ist. Gleichfalls führt ein saurer Bereich im Organismus zur Azidosestarre der roten Blutkörperchen, wodurch diese ihre Elastizität einbüßen, um sich von ihrer runden flachen Form in längliche Stäbchen verformen zu können und somit behindert sind, sich in die letzten und feinsten Kapillaren hineinzuzwängen zu können. Gleichzeitig findet man häufig Lungenbläschen die durch Stickoxide verätzt und abgetötet wurden. Und das ist der Grund, weshalb sie dort auftauchen, selbst wenn die Immunfunktionen absolut perfekt sind.

Nitrite können den Weg für den Pilzbefall ebnen

Speziell im Falle der Pilze (PCP) ist ihre Immunologie, ihre Immunität nicht bekannt. Man glaubt, sie hätten dieselbe Immunität wie bakterielle Zellen. Aber die Evolutionsbiologie beantwortet auch diese Fragen. Pilze entstanden nach den Tieren. Sie ernähren sich von abgestorbenem organischen Material, das sie mit Hilfe von Enzymen aufschließen. Das ist ihre Aufgabe in der Evolution, in der Biologie: wiederzuverwerten!

PCP ist ein Pilzbefall der Lunge und ist eine der wichtigsten AIDS-definierten Krankheiten. Man findet unter den PCP-Erkrankten z.B. eine Personengruppe (besonders in den USA) mit hochfrequenter Promiskuität und überwiegend rezeptivem Analverkehr mit Gebrauch von sexuellen Dopingmitteln, vor allem der Gebrauch von gasförmigen Inhalationsstoffen wie Amyl- bzw. Isobutylnitrit, die allgemein als Poppers (Amsterdam Poppers, Sex-Droge, Rush, Rave oder „Hardware") bekannt sind. Was sind Poppers? Eine synthetische, flüssige Droge, deren Wirkung meist nur weniger als eine Minute andauert. Öffnet man das Fläschchen strömt einem ätzender Geruch in die Nase. Der Mensch vergiftet sich mit Nitrit! Eine Nitritinhalationen entspannt die glatte Anusmuskulatur, erhöht die Blutzufuhr im Penis, setzt die Schmerzschwelle herauf, steigert das Orgasmusgefühl und löst einen milden Rauschzustand im Gehirn aus. Poppers verursachen beim gesunden Menschen einen Blutdruckabfall mit vorübergehender Herzfrequenzerhöhung. Dieser Effekt werde von Konsumenten als euphorischer Rausch von rund einer Minute wahrgenommen. Das Inhalieren von Poppers kann Schädigung der Nasenschleimhäute und des Gehirns verursachen, auch kann es zum Atemstillstand kommen. Mediziner warnen besonders vor dem Gebrauch von Poppers gemeinsam mit Alkohol. Der Name Poppers soll übrigens von dem poppenden Geräusch kommen, welches entsteht, wenn man das Fläschchen öffnet. Der Verkauf von Poppers ist in Deutschland streng verboten und kann mit Gefängnis bis zu einem Jahr geahndet werden.

Nitrite sind aber schwere Blutgifte. Erinnern Sie sich an den Nitritskandal in Deutschland, als Ende der 50er Jahre die Wurstfabrikanten Nitrite benutzten, um die Wurst länger frisch aussehen zu lassen? Nitrite oxidieren das Blut. Das heißt, das Blut vermindert seine Transportfähigkeit für den lebensnotwendigen

Die Kapillarenlehre deutet darauf hin, dass AIDS möglicherweise AEDS ist

Sauerstoff. Und die ersten Zellen, die dabei Schaden nehmen, sind die Zellen der Lunge. Diese Poppers sind seit der Mitte der 70er Jahre des vergangenen Jahrhunderts in Mode gekommen, und der Benutzungsbeginn fällt genau zusammen mit dem Auftreten der ersten AIDS-Fälle.

Hochfrequente Promiskuität und überwiegender ungeschützter Analverkehr bedeuten oft gleichzeitig erhöhte Multiinfektiösität und dadurch die Notwendigkeit der Anwendung von antimikrobiellen Chemotherapeutika, Antibiotika, Antiparastika, Antimykotika, Virustatika und Corticosteroide. Die Literatur berichtet, daß bei Nitritgebrauchern die Gabe von Trimethoprim (TMP) und Sulfamethoxazole (SMX) als doppelter chemotherapeutischer Folsäurehemmer den labilen Gesundheitszustand des AIDS-Patienten sogar verschlechtern konnte. Nitrite und Sulfamethoxazole sind gleichzeitig genommen sehr stark elektrophile oxidierende Substanzen. Beide Substanzen zusammen oxidieren das 2-wertige Eisen im roten Blutfarbstoff zum 3-wertigen Eisen und vermindern dadurch die Sauerstoffbindung an die roten Blutkörperchen. Es entsteht eine Methämogiobinämie, ein graduell lebensgefährlicher Mangeltransport des Sauerstoffs in die Atmungskette in den Mitochondrien. Ein exzessiver Antibiotikakonsum (mit und meistens sehr häufig auch ohne ärztliche Verschreibung) wurde bei den AIDS-Patienten festgestellt. Sie respektierten nicht die in den Beipackzetteln für die Einnahme angegeben Zeitbegrenzungen und benutzten diese im Dauergebrauch. So konnten Spitzenprodukte der pharmazeutischen Industrie sich bei diesen Patienten ins Gegenteil verwandeln. 40 % der homosexuellen Männer gaben bei einer Studie in den USA an, präventiv antimikrobielle Medikamente einzunehmen in Kombination mit Nitrit-Gebrauch. Ein Wahnsinn, der möglicherweise Zehntausenden das Leben kostete!

Nitrite werden sofort transformiert in Stickoxide in den Kapillaren des Körpers. Stickoxid wird vom Körper in sehr geringer Konzentration selbst erzeugt als eines der Hilfsmittel, um den Blutdruck zu steuern. Diese minimale Menge muß vom Körper sofort entgiftet werden, weil es in höheren Konzentrationen sehr aggressiv wirkt und alles auf seiner Bahn verätzt oder zerstört. Deshalb geben die Freßzellen des Immunsystems, die Makrophagen, Stickoxid in großen Mengen bei Entzündungsreaktionen ab mit dem Ziel, die bakteriellen Zellen zu zerstören und zu verdauen. Wer z.B. in der Industrie mit nitrosen Gasen zu tun hat, weiß von der hohen Aggressivität und Giftigkeit dieses braunroten Gases. Selbst bei leichtem Hautkontakt mit diesem Gas verfärbt sich die Haut dunkelgelb, wird zerstört und nach einigen Tagen abgestoßen. Beim Einatmen wird das Lungengewebe, besonders die Lungenbläschen verätzt und dadurch zerstört. Die Sauerstoffaufnahme der Lunge wird stark beeinträchtigt, so daß häufig nach einigen Stunden der Tod wegen Sauerstoffmangel eintritt. Die Lungenbläschen, die den Austausch der Gase mit der eingeatmeten Luft organisieren, haben eine Kontaktoberfläche, die der Größe eines Fußballfeldes entspricht. Wenn sich diese lebensnotwendige unvorstellbare große Kontaktoberfläche durch eine Verätzung teilweise zerstört, ist die Katastrophe vorprogrammiert. Ähnlich könnte man sich auch die Zerstörung im Makrobereich der Lungenbläschen und in den Kapillaren vorstellen, bei gleichzeitiger Verwendung von Poppers und Sulfamethoxazole, oder auch beim Dauergebrauch bzw. Mißbrauch nitrithaltiger Medikamente.

KAPILLAREN BESTIMMEN UNSER SCHICKSAL

Wenn man nun nitrithaltige Produkte regelmäßig und dauerhaft mißbräuchlich einnimmt - was bedeutet, daß riesige, exzessive Mengen von Stickoxid im Organismus produziert werden -, dann bedeutet das, daß man ohne es zu wissen, den Selbstzerstörungsprozeß im eigenen Körper, besonders in der Lunge und in den Kapillaren, startet. Man zerstört sein Lungengewebe, und Pilzinfektionen wachsen auf diesem abgestorbenen organischen Material. Dennoch sind die Immunfunktionen weiterhin tadellos, denn diese Patienten unterdrücken bakterielle Infektionen. All die sechzig verschiedenen Arten von Lungenkrankheiten, die wir heute kennen, die alle von bakteriellen Infektionen verursacht werden, treten so gut wie nie im AIDS-Fall auf, da die Immunfunktionen immer noch gut sind.

Wir haben also einen direkten toxischen Effekt, welcher sogar auftreten kann, wenn das Entgiftungssystem nicht auf zellulärer Ebene arbeitet, weil man an Unterernährung leidet. PCP kann auch Menschen befallen, die extrem unterernährt sind, wie wir es z. Zt. in Afrika in einigen Ländern haben. Wir finden es bei den Kindern in Afrika, die an Hunger leiden, weil das Entgiftungssystem der Zellen bei Kindern sehr schwach ist und diese Kinder häufig verunreinigtes (nitrithaltiges) Brunnenwasser trinken. In Deutschland kannte man dieses Problem auch im Mittelalter und im Dreißigjährigen Krieg. Die Brunnen waren häufig mit Fäkalien oder Kadavern aus den Bürgerkriegen und sonstigen Kriegen verseucht. Die Kinder, die davon tranken, erkrankten und liefen blau an. Das nannte man die „Krankheit der Blauen", wenn verseuchtes Wasser getrunken wurde. In dem „Trinkwasser „ befanden sich viele Nitrite und Nitrate, die von nitrifizierenden Bakterien produziert wurden, wenn die Brunnen durch Fäkalien und Kadaver vergiftet waren. Diese Kinder im Mittelalter wurden krank, weil ihre Entgiftungssysteme noch sehr schwach waren. Deshalb bekommen Kinder, die schweren Hunger leiden, wie z.B. in einigen Ländern in Afrika, schon immer PCP.

Durch die Nitritvergiftung kommt es zusätzlich zur lokalen Versäuerung in den Kapillaren auf Grund der Bildung von nitrosen Gasen. Die roten Blutkörperchen reagieren darauf mit der Azidosestarre (Dr. Worlitschek - Praxis des Säuren-Basen-Haushaltes). Das bedeutet, daß die flachen runden Blutkörperchen ihre Elastizität einbüßen und sich nicht mehr länglich stabförmig verformen können um sich in die feinsten Kapillaren hineinzuzwängen. Durch diese Azidosestarre wird die Sauerstoffsorgung der Zellen zusätzlich weiter vermindert.

Das Kaposi-Sarkom (KS)

Entlang der Transportstrecke des Sauerstoffes auf dem Blutwege sind die Bedingungen in den Kapillaren mit einem Durchmesser unter 100 Nanometern wegen veränderten Sauerstoffpartialdrucks besonders günstig für die Oxidation des roten Blutfarbstoffes, der lediglich in reduzierter Form den molekularen Sauerstoff binden und mittels Diffusion durch die Transitstrecke des Grundgewebes an die Organzellen abliefern kann. Wenn sich also das Blut selbst oxidiert hat und die Auskleidungen der Kapillaren durch Stickoxid verätzt sind, dann können Krebszellen entstehen. Es herrscht ein Sauerstoffmangel, und die ersten Zellen, die unter diesem Sauerstoffmangel leiden, sind die Auskleidung des

DIE KAPILLARENLEHRE DEUTET DARAUF HIN, DASS AIDS MÖGLICHERWEISE AEDS IST

Epithelium der Kapillaren, wo die Nitrite in Stickoxid umgewandelt werden. Und das ist tatsächlich die Definition des Kaposi-Sarkoms (KS). Es kann sogar entstehen, wenn man keine nitrithaltigen Produkte nimmt, aber das zelluläre Entgiftungssystem nicht mehr arbeitet, wie z. B. im hohen Alter. Im 15-Jahreszeitraum (1.1.1982 - 1.1.1997) wurden in Deutschland vom "AIDS-Zentrum" insgesamt 2736 Kaposi-Sarkom-Fälle erfaßt. Davon entfielen 2505 KS-Fälle auf die Kategorie "Homosexuelle".

Deutsche AIDS-Statistik

In Deutschland beispielsweise sind nach amtlichen Angaben im gleichen 15-Jahreszeitraum in einer Wohnbevölkerung von 82 Millionen Einwohnern 60.000 Bürger als "HIV-positiv" registriert worden, also mehr als 99,9 % der allgemeinen Bevölkerung sind von "HIV" und AIDS persönlich nicht betroffen. Die offiziellen, bis heute unwidersprochenen Prognosen der Bundesregierung sagten jedoch voraus, daß bis Ende 1996 mehr Einwohner der Bundesrepublik Deutschland an AIDS erkrankt sein würden, als die Bundesrepublik Einwohner hat. Mindestens jeder zweite Einwohner sollte bis Ende 1996 an AIDS verstorben sein, wenn vorher keine Impfstoffe oder Heilmittel gegen die "absolut" tödliche Seuche verfügbar seien. Im vergangenen Jahrzehnt sind in Gesamtdeutschland jährlich sehr konstant maximal 2 - 3000 Probanden als "HIV-positiv" diagnostiziert worden. 96 % dieser Probanden wurden den "Hochrisikogruppen" der "Homosexuellen Männer" und "Intravenös Drogenabhängigen" zugeordnet.

Maximal 2000 "HIV-Positive" erkranken derzeit jährlich neu an AIDS in Deutschland, und jährlich versterben etwa 600 Patienten an AIDS. Von den angeblich bisher 60.000 "HIV-POSITIVEN" (die Zahlen sind sehr unsicher, wegen der kaum kontrollierbaren Mehrfachmeldungen) sind amtlicherseits bis zum 1.1.1997 etwa 50.000 noch als lebend gemeldet. Offensichtlich ist die Erkrankungsrate, wenn sie auf die deutsche Gesamtbevölkerung bezogen wird, ein seltenes medizinisches Ereignis und nicht von einem ubiquitär übertragenen Massenvirus (wie z. B. Grippevirus) abhängig. Unter den Erkrankten sind am schwierigsten diejenigen zu behandeln, mit psychischen Belastungen, oftmals im Zusammenhang mit der Arbeitssituation und finanziellen Problemen oder mit Belastungen durch Beziehungskrisen. Da sich hierbei ebenfalls die Kapillaren verengen, ist die Behandlung zur dauerhaften Erweiterung der Kapillaren zum gesunden und normalen Durchmesser sehr schwierig, so daß der gefürchtete Sauerstoffmangel zum Dauerproblem werden kann. Abhängig ist vielleicht diese Erkrankung auch in einem Teil der Fälle vom Lebensstil in einer weitgehend kommerzialisierten Subkultur und/oder der kritiklosen medizinischen Intervention in der westlichen Überflußgesellschaft, oder pathologisch gesprochen: Die "AIDS-Patienten" erkranken an dem Mangel an Reduktionskraft infolge Superoxidation und/oder Hypoxämie inmitten einer medizinischen Überversorgung.

KAPILLAREN BESTIMMEN UNSER SCHICKSAL

Falsch „HIV-positiv" getestet kann zu AIDS führen

Ungefähr 5 % der "HIV-positiv" getesteten Probanden gelten bedauerlicherweise als falsch positiv getestet. Was das für einen Betroffenen bedeutet, kann man sich gar nicht grausam genug ausmalen. Es konnte eine saubere Folter mit Todesfolge werden. Durch den Schreck der Nachricht "AIDS" besteht zunächst einmal die Möglichkeit, daß sich die Kapillaren zusammenziehen, wodurch ein Sauerstoffmangel im Organismus erzeugt wird. Dieser Sauerstoffmangel ist der Ausgangspunkt vieler Krankheiten, die auch tödlich enden können. Oft wurde dann dieser Krankheitsbeginn als Bestätigung der Richtigkeit des "falschen HIV-Befundes" herangezogen. Da man die Zusammenhänge von AIDS mit dem Sauerstoffmangel nicht richtig erkannte, wurden häufig auch noch Medikamente verschrieben, welche Nitrite oder deren Derivate enthielten, die dann ebenso wie die Poppers die Sauerstoffversorgung stark negativ beeinflußten. Der Zustand des Patienten verschlechterte sich dadurch weiter, und es konnten sich die typischen Symptome im Rahmen der 29 AIDS-spezifischen Krankheitsbilder bilden. Viele dieser "HIV-Falsch-Befund-Opfer", sind ganz normale Hetero-Frauen und Männer, die auch nie etwas mit Drogen zu tun hatten. Wieviele von ihnen haben den Freitod gewählt, da sie es einfach nicht fassen konnten, zu den Homosexuellen oder Drogenabhängigen gezählt zu werden?

Ursachenerkenntnis öffnet den Weg zur richtigen Therapie

AIDS ist also unter anderem hauptsächlich ein Energiemangel-Problem. Der Begriff "AIDS" ist sicherlich irreführend, weil er nichts zu tun hat mit einem Immundefekt oder Immunschwäche. Es ist heute klar ersichtlich, daß wir es mit Energiemangel zu tun haben. Also könnte die Abkürzung "AIDS" ersetzt werden durch "AEDS", "Acquired Energy Deficiency Syndrome" (Erworbenes Energiemangel-Syndrom). AEDS hat eine rationale Basis im Rahmen meiner Kapillarenlehre und ist daher behandelbar. Es gibt sehr wirkungsvolle Behandlungsmöglichkeiten, wenn man die wahren Ursachen dieser Krankheit kennt, um die Schäden zu beseitigen, die durch Vergiftung, Verätzung oder den Sauerstoffmangel verursacht wurden, auf unterschiedlichsten Ebenen.

AIDS-Kranke sind vierfach Sauerstoffentleert

Aus diesem Kapitel kann jeder recht klar entnehmen, daß die AIDS-Kranken in Wirklichkeit vierfach sauerstoffentleert sind.

1. Die roten Blutkörperchen haben durch die Nitritvergiftung eine verminderte Kapazität für den notwendigen Sauerstofftransport.

2. Die Kapillaren reagieren auf AIDS, haben sich verengt und somit die Geschwindigkeit der roten Blutkörperchen stark vermindert, so daß weniger Sauerstoff ans Ziel kommt. Durch Übersäuerung tritt die Azidosestarre der

120

roten Blutkörperchen auf, so daß diese ihre Elastizität einbüßen und sich nicht mehr in die feinsten Kapillaren hineinzwängen können.

3. Die Innenwände der Kapillaren sind durch nitrose Gase verätzt und dadurch wie plastifiziert und lassen weniger Sauerstoff durch.

4. Die Lungenkontaktfläche ist teilweise durch nitrose Gase verätzt und zerstört. Auf diesem toten organischen Material bildet sich ein Pilzbefall, der dadurch die Sauerstoffaufnahme durch die Lunge noch zusätzlich stark vermindert.

Die Aloe vitalisiert den kranken Organismus

Menschen und Tiere können bestimmte essentielle Moleküle nicht selbst herstellen, weil diese Substanzen zur Verfügung standen, als die Tiere im Wasser entstanden sind. Das ist ein Aspekt der Evolution, weil sie aufgewachsen sind bzw. sich entwickelt haben in einem konstanten Milieu, wo all die essentiellen Moleküle verfügbar waren. Die Tiere und die Vorläufer der Menschen kümmerten sich nicht darum, diese wichtigen Molekülgruppen selber herzustellen, und so haben sie den Vorteil, ihre Energie anderweitig zu nutzen, um sich noch weiter oder schneller zu entwickeln.

Unter diesen Substanzen, die Menschen und Tiere nicht selber herstellen können, sind die Polyphenole, die Vitamine sind. Wir kennen 5000 verschiedene Arten von Polyphenolen, die in Pflanzen produziert werden. Je höher sie sich entwickeln, desto mehr Polyphenole produzieren sie. Man kann Pflanzen finden, wie z. B. die *Aloe vera* L. und *Aloe arborescens* Miller, die am reichsten an Polyphenolen sind. Diese Polyphenole sind übrigens die Proteaseinhibitoren der Natur. Menschen und Tiere können ebenfalls diese langkettigen Zuckermoleküle nicht herstellen, aus denen die Grundgewebe bestehen. Diese Gewebe erzeugen das konstante Milieu für die Zellen im Körper - und wenn man sie nicht besitzt, dann wird man automatisch krank. Auch hier ist die Aloe der reichste Lieferant der langkettigen Zuckermoleküle in der Natur und daher ein Vitalgetränk der absoluten Spitzenklasse und daher allen anderen Obst- und Gemüsesorten überlegen.

Jede Zelle ist umgeben von diesem Grundgewebe der langkettigen Zuckermoleküle mit angehängten Proteinen. Alle Nervenzellen enden dort, aktivieren und deaktivieren. Alle immunologischen Reaktionen werden dort ausgeführt. Diese Grundgewebe haben eine quasi-kristalline Struktur, und sie arbeiten, indem sie oszillieren, sehr schnell, x 1000 mal pro Sekunde, mit der Geschwindigkeit, mit der alle biochemischen Reaktionen ausgelöst werden. Wenn man nicht weiß, wie das Leben auf zellulärer Ebene funktioniert, dann kann man weder AIDS noch Krebs verstehen. Wenn man nicht weiß, wie das Leben organisiert ist auf der Ebene der Gewebe, kann man das Leben, die Gesundheit und die Krankheiten nicht begreifen.

Wenn also der Zelle diese Substanzen fehlen, kann sie ihr Milieu nicht aufrechterhalten. Die Oberflächen der Zellen brauchen vor allem diese langkettigen

KAPILLAREN BESTIMMEN UNSER SCHICKSAL

Zuckermoleküle, um Kalzium davon abzuhalten, in die Zelle zu gelangen. Wenn diese Produkte nicht da sind, wird Kalzium innerhalb der Zellen gebildet und tötet diese Zellen. Dieser Prozeß endet im kontrollierten Zellsterben. Normalerweise bekommt man diese lebenswichtigen Substanzen von Pflanzen, frischem Gemüse, besonders aber hochkonzentriert von der *Aloe arborescens* Miller und der *Aloe vera* L.

In einem Entzündungsfall oder bei einer katabolischen Situation - wenn man mehr Zellen verliert als der Körper herstellen kann - nimmt man das naturbelassene Vitalgetränk aus dem Gel der Aloe, aber auch Rinderknorpel oder Agar Agar. Die hochschulmedizinisch verordneten künstlichen Proteaseinhibitoren dagegen helfen nur für eine kurze Zeit. Dann vergiften sie die Zellen, weil die künstlichen Proteaseinhibitoren nicht verdaut werden können. Der Körper kann sie nicht mehr abbauen. Sie bilden Kristalle, und mit der Zeit vergiften sie die ganze Zelle und den gesamten Organismus auf allen Ebenen, weil sie die Verdauung aller Proteine verhindern. Deshalb ist für die Unterstützung der Genesung von AIDS-Kranken stets den naturbelassenen frischen Wirkstoffen der Vorrang einzuräumen, wie es z.B. das Vitalgetränk der Aloe darstellt oder in seiner ganz besonderen Mischung die brasilianische Formel aus dem Aloe-Ganzblatt (ohne Stacheln), Honig und etwas Alkohol.

Wissenschaftliche Berichte über die Anwendung der Aloe im AIDS-Fall

1989 führte der Arzt Dr. Terry Pulse aus Grand Prairie in Texas, der sich auf die Behandlung von AIDS spezialisiert hatte, einen Versuch mit 30 AIDS-Kranken durch. Sie erhielten hohe Dosierungen von Omega-Fettsäuren, d.h. Nachtkerzenöl (in Brasilien z.B.: Óleo de Oenothera) und EPA und 250 - 400 g/Tag Gel aus Blättern der *Aloe vera* L.. Alle Patienten hielten die übliche Einnahme von AZT bei. Die amerikanische Aufsichtsbehörde FDA gestattete diesen Versuch, da dieser nicht als Medikation, sondern richtig, als Nahrungsergänzung verstanden wurde.

Die Schwere der AIDS-Erkrankung wird in einer Skala bemessen, die im amerikanischen Hospital Walter Reed entwickelt wurde. Sie geht von 1 - 15. 1 - 7 bezeichnet die AIDS-Kranken, bei denen noch keine physischen Symptome zu erkennen sind und die unter keiner der typischen Krankheiten leiden, welche die AIDS-Krankheit begleiten. Die Skala von 8 - l5 bezeichnet den Grad der Krankheit, bei denen sich das Syndrom schon in seiner vollen Schärfe zeigt und eine Krankheit nach der anderen das Leben des Patienten in Gefahr bringt.

Dr. Pulse teilte die 30 Patienten in 3 Gruppen auf. Die Gruppe I war aus Patienten zusammengesetzt, die in der modifizierten Skala von Walter Reed die Werte zwischen 0+ bis 1,9 aufwiesen (Krankheitsbeginn). Die Gruppe II enthielt die Patienten, die zwischen 2 und 5,9 eingestuft waren (Mittelwert), und die Gruppe III setzte sich aus AIDS-Kranken zusammen, die Werte zwischen 6 und 14 aufwiesen und bei denen sich die Krankheit in ihrer vollen Schärfe manifestierte.

122

DIE KAPILLARENLEHRE DEUTET DARAUF HIN, DASS AIDS MÖGLICHERWEISE AEDS IST

Nach 90 Tagen wurden die Patienten rigorosen Untersuchungen unterzogen, und es ergab sich folgendes veränderte Bild:

5 Patienten, die vorher der Gruppe III angehörten, verbesserten sich zur Gruppe I.
10 Patienten der Gruppe III wurden in die Gruppe II eingestuft.
10 Patienten der Gruppe II kamen in die Gruppe I, und
1 Patient der Gruppe I besserte sich und erhielt die Bewertung -0.

Innerhalb des 90 Tage-Versuches konnten sich bei den Patienten die T-Zellen verdoppeln, in einigen Fällen sogar verdreifachen, und viele dieser Kranken begannen wieder normal zu leben. Die ersten Veröffentlichungen über diese Erfolge wurden von medizinischer Seite total verrissen, denn es durfte nicht wahr sein was wahr ist, schon gar nicht, daß einfache Naturprodukte bei einer komplizierten Krankheit wie AIDS Wirkung zeigen.

Ende 1990 führte Dr. Pulse einen anderen Versuch durch, bei dem lediglich der Saft der *Aloe vera* L. -Blätter benutzt wurde. Auch bei diesem Test behielten alle AIDS-Kranken ihre medikamentöse Versorgung mit AZT bei. Die dreißig Patienten erhielten nunmehr täglich lediglich 350 - 450 g Saft der *Aloe vera* L.- Blätter. Drei Patienten schieden aus dem Test aus, zwei davon aus persönlichen Gründen und ein Patient, der sich nicht an die Testordnung hielt. Nach einem Jahr Test wiesen sechs Patienten die Bewertung +0 und einer -0 (keine Spuren mehr der Krankheit) auf. Ein weiterer Patient, der auch unter Krebs in der Endphase litt, kam nach fünf Monaten zur Bewertung -0. Alle Teilnehmer zeigten eine starke Vermehrung der T-Zellen und eine Verminderung der verschiedenen Krankheiten, unter denen die AIDS-Patienten ständig leicht erkranken. Dieser Test wurde über achtzehn Monate ausgedehnt, jedoch medizinisch nicht anerkannt, da es keine Doppelblindstudie war. Dr. Pulse weigerte sich AIDS-Kranken ein Placebo zu geben, da es hier um Leben oder Tod ging. Leider verstarb Dr. Pulse unerwartet 1993 während einer Europareise, so daß einer der Pioniere dieser neuen Behandlungsrichtung für AIDS seine segensreiche Arbeit nicht vollenden konnte.

Die ältesten Aloe-Berichte bei AIDS gehen sogar bis auf 1985 zurück. Dr. Bill McAnalley von den Carrington-Laboratorien konnte aus dem Saft der *Aloe vera* L. ein Molekül extrahieren, welches Acemannan genannt wurde und zu den wichtigsten Bestandteilen dieser Heilpflanze heute zählt. Dr. Bill McAnalley erhielt von verschiedenen AIDS-Kranken, die sich nicht untereinander kannten, Zuschriften, daß sie bestimmte Verbesserungen in ihrem Gesundheitszustand beobachteten, nachdem sie die Säfte aus den Blättern der *Aloe vera* L. zu sich genommen hatten. Die meisten berichteten, daß ihr Fieber zurückging, sie sich nicht mehr matt fühlten, und daß die begleitenden ständig ausbrechenden Krankheiten weniger auftraten. Nach 3 Monaten Einnahme des *Aloe vera* L. - Gemüsesaftes waren die meisten dieser Kranken wieder soweit hergestellt, daß sie wieder arbeiten konnten. Dr. MacAnalley sammelte diese Daten und legte sie dem berühmten Arzt Dr. Reginald McDaniel zur Begutachtung vor.

KAPILLAREN BESTIMMEN UNSER SCHICKSAL

Dr. Reginald McDaniel betrachtete diese Berichte als nicht fundamentiert und ohne Beweiskraft. Er sagte sinngemäß: „Ich habe mit viel Mißtrauen die von McAnalley gesammelten Berichte untersucht und weigerte mich diese für wahr anzunehmen. Nur nach mehreren Monaten, nachdem ich die überraschende Übereinstimmung der Daten und der Analysen erkannte, stellte ich mein eigenes Ich für die Logik beiseite und begann, mich mit dieser erregenden Forschung zu beschäftigen."

Kurz darauf begann Dr. McDaniel mit seinen eigenen Forschungen unter strikter Aufsicht der FDA mit vierzehn AIDS-Kranken, denen er tägliche Dosierungen von Carrisyn (Acemannan), aus dem Gel der *Aloe vera* L. gewonnen, verabreichte. In seinem ersten vorläufigen Forschungsbericht, der 1987 in der Zeitschrift Clinical Research veröffentlicht wurde, schreibt er: „Nach 90 Tagen der Therapie betrug die erfolgte Verbesserung im Krankheitsbild 71%." An seiner 2. Forschungsarbeit nahm auch Dr. Terry Pulse teil, der damals bekannt wurde als der angesehenste Arzt bei der Suche nach einem Heilmittel gegen das AIDS. Auch bei dieser Versuchsreihe wurde eine Verbesserung von 69 % festgestellt und 75 % konnten wieder ihre gewöhnte Arbeit aufnehmen.

Bei der dritten Versuchsreihe von Dr. McDaniel nahm diesmal Dr. Terry Eatson teil. Dabei wurde an sechsundzwanzig AIDS-Kranken der Test durchgeführt. Die Ergebnisse waren wieder die gleichen. Kurz darauf ordnete die FDA an, diese Versuche einzustellen, eine Anordnung, die sehr häufig gegeben wird ohne Gründe zu nennen. Durch dieses Verbot, mit Menschen die Versuche weiterzuführen, ging man daher zu in vitro - Tests über, bei denen die überraschend vielseitige Heilwirkung von Acemannan bewiesen wurde, unter anderem auch bei Herpes simplex, Masern, dem Newcastle-Virus, Krebs, Tumoren, Geschwüren, Hautkrankheiten und Dickdarmentzündungen.

Durch die Forschungsergebnisse von MacAnaley und McDaniel beeindruckt, begannen die Wissenschaftler Dr. Debra Womble und Dr. Harold Heldermann der Universität von Texas ebenfalls mit Acemannan zu experimentieren, eine Versuchsserie mit dem AIDS-Virus. Alle Ergebnisse stimmten mit den Resultaten von Dr. McDaniel überein und führten zu folgendem Schluß: „Die aktive Substanz Acemannan, die aus der *Aloe vera* L. gewonnen wird, bewies sich als äußerst wirksames immunpotenz-verstärkendes Mittel in vitro. Daraus kann gefolgert werden, daß dies Produkt ein hohes Potential als Antiviral hat."

Die darauf folgenden Versuche, die in der Universität von Texas unter der Leitung von Dr. Kemp mit AIDS-Patienten vorgenommen wurden, liefen unter folgender Anordnung. Die Patienten erhielten ihre tägliche Gabe von 500 mg AZT vermindert auf nur 50 mg, bei gleichzeitiger Verabreichung von 500 ml *Aloe vera* L.-Saft mit Acemannan. Hierbei zeigte sich, daß selbst bei dieser geringen Dosis von AZT die gleichen Resultate erreicht wurden wie bei den hohen. Der Vorteil war jedoch, daß die unerwünschten Nebenwirkungen wegfielen und die Kosten sich drastisch senkten.

DIE KAPILLARENLEHRE DEUTET DARAUF HIN, DASS AIDS MÖGLICHERWEISE AEDS IST

1991 führte Dr. McDaniel seine Versuche fort und verringerte den Anteil von AZT auf ein Hundertstel von Acemannan, ebenfalls mit gleichem Erfolg. Inzwischen hat sich die forschende Medizin mit der *Aloe vera* L. vertraut gemacht und ihr früher gehegtes Mißtrauen abgebaut. Der erste größere Versuch außerhalb der USA wurde in Belgien im Jahre 1990 durchgeführt unter der Leitung von Dr. Weerts und seinen Kollegen. Daran nahmen siebenundvierzig AIDS-Kranke teil, davon siebenunddreißig Männer und zehn Frauen im Altersbereich zwischen dreiundzwanzig und siebenundsechzig Jahren. Drei Gruppen wurden gebildet. Eine Gruppe erhielt täglich 800 mg Acemannan und ein Placebo. Eine andere Gruppe erhielt Acemannan und AZT, während die dritte Gruppe AZT und Placebo erhielt. Die Gruppe, die nur AZT erhielt, zeigte die typischen Nebenwirkungen. Die Gruppe, die nur Acemannan erhielt, hatte keine Nebenwirkungen. Die Gruppe, die AZT und Acemannan erhielt, zeigte dagegen eine große Zunahme der CD4+ Zellen, die sogar noch sechs Monate nach Versuchsende bestand. Die AZT-Gruppe zeigte auch eine Zunahme von CD4+ Zellen, die sich jedoch nicht stabil hielt und nach Versuchsende wieder abfiel. Mit Abschluß der Versuche wurde festgestellt, daß Patienten, die mit Acemannan behandelt wurden, eine Überlebensrate aufweisen, die neunmal höher liegt als in den anderen Gruppen.

1991 erfolgten in Vancouver und Calgary in Kanada ebenfalls Doppelblindstudien, die ähnlich denen der in Belgien waren, unter der Aufsicht des "Canadian HIV Clinical Trials Network". Dabei zeigte es sich, daß zwischen der 16. und der 48. Woche die Anzahl der CD4+ Zellen bei den Patienten, die Acemannan erhielten, hochschnellten. Es zeigte sich, daß Acemannan ein wirksames Heilmittel ist ohne Giftigkeit und Nebenwirkungen.

Bereits 1989 erfolgte eine Veröffentlichung von Dr. R.N. Chopia und Dr. N.N. Hermans unter dem Titel: "Antiviral drugs other than zidovudine and immunimodulatins therapies in human immunodeficiency virus infection" in der Zeitschrift "The American Journal of Medicine", Band 85 (Supl. 2 A), 1988, Seiten 165 - 172. Es wurde über die Behandlung von acht AIDS-Patienten berichtet, denen täglich viermal jeweils 250 mg Acemannan (Carrysin), welches aus der *Aloe vera* L. gewonnen wird, verabreicht wurde. Bei diesen Patienten ging der Durchfall zurück, die nächtlichen Schweißausbrüche verminderten sich wie auch die Werte auf der Walter-Reed-Skala.

Die Zeitschrift „Natur & Heilen", Heft 12/97 berichtet: „Acemannan hat darüber hinaus eine direkte Auswirkung auf die Zellen des Immunsystems, es aktiviert und stimuliert Makrophagen, Monozyten, Antikörper und T-Killerzellen, die allesamt für die Vernichtung und Abwehr von Fremdkörpern zuständig sind. Laborversuche zeigten, daß Acemannan als Brücke fungiert zwischen Fremdprotein und Makrophagen (Freßzellen), wodurch die Aufnahme der Fremdproteine durch die Freßzellen wesentlich erleichtert wird. Diese Brückenfunktion gilt als Schlüsselkomponente bei der Immunstärkung des Zellkerns, denn z.B. bei HIV-Infektionen sind ungenügend Abwehrkräfte im Zellinneren vorhanden. An Aidskranken vorgenommene klinische Versuche zeigten, daß die Behandlung mit *Aloe vera* L.- Saft positive Folgen für die Patienten hatte: das Fieber sank, nächtliche Schweißaus-

125

brüche konnten gestoppt werden, Infektionen klangen ab, die Kurzatmigkeit ging zurück, Durchfall hörte auf, sogar die Lymphknoten verkleinerten sich. Im Gegensatz zu anderen Methoden wurden bei dieser Behandlung meist keinerlei negative Begleiterscheinungen festgestellt außer ganz seltenen allergischen Reaktionen gegen Aloe.

Acemannan der wichtigste Inhaltsstoff der Aloe

Ihre besondere Wirkung verdankt die *Aloe vera* L. einem hohen Anteil an aktiven Wirkstoffen, in erster Linie das Mucopolysacharid Acemannan, eine langkettige Zuckerform. Bis zur Pubertät wird Acemannan im Körper selbst gebildet, danach muß es mit der Nahrung zugeführt werden. Acemannan wird in alle Zellmembranen des gesamten Körpers eingelagert und bewirkt dort die Immunstärkung des gesamten Organismus gegen krankmachende Parasiten, Pilze, Viren und Bakterien. Es ist die Basis für alle verbindungsschaffenden Zellen, einschließlich der Haut, der Gefäßwände und besonders der Kapillaren. Ebenso die Sehnen, die Gelenke, der Knorpel und die Bänder wie auch das Grundgerüst der Knochen benötigen Acemannan. Acemannan sorgt für ausreichende Gelenkschmiere, kann Arthritis vorbeugen, oder - wenn sie schon akut ist - lindern. Durch seine antiviralen, antibakteriellen und antimykotischen Eigenschaften kann Acemannan helfen, Candidaüberwucherungen zu kontrollieren und die natürliche Bakterienflora der Verdauungsorgane wieder herstellen. Dies ist besonders wichtig, denn der Darm als ein überaus wichtiges Organ ist in seiner Funktion bei sehr vielen Menschen gestört. Verdauungsstörungen und Pilzerkrankungen lassen viele zu chemischen Mitteln greifen, die meist verkehrt angewandt schwere Schäden verursachen können. Oft werden durch die chemischen Mittel, die in den Darmnischen überlebende Pilze zu noch aggressiveren Mykoseformen mutiert. Acemannan stimuliert die Beweglichkeit der Verdauungsorgane und hilft allergieauslösendes Fremdprotein in den Dickdarm abzuführen. Acemannan schützt auch das Knochenmark vor Schädigung durch chemische Gifte und belastende Drogen.

Aloe im praktischen Einsatz gegen AIDS

Aus Rio de Janeiro erhielt ich zahlreiche Informationen von einem deutschen Entwicklungshelfer. Dieser hatte mein Buch "Aloe, Kaiserin der Heilpflanzen" erworben und war begeistert von den Möglichkeiten, welche die Aloe für die Gesundheit bieten kann. Er berichtete mir von einem Tierarzt in Rio de Janeiro, der vor 17 Jahren an AIDS erkrankte und vom staatlichen Gesundheitsdienst gratis versorgt wird mit allen notwendigen Medikamenten, wie auch mit der täglichen Dosis von AZT. Der Tierarzt war ein an einen Rollstuhl gefesseltes menschliches Wrack. Durch die Literatur meines Buches angeregt, bereitete der Entwicklungshelfer die berühmte brasilianische Mischung aus Aloe-Ganzblatt/Honig/Alkohol und gab sie diesem AIDS-Kranken zusätzlich. Er erlebte ein wahres Wunder. Der Kranke blühte auf, konnte den Rollstuhl verlassen und seine Viruslast sank innerhalb von 3 Monaten zum ersten Male seit seiner Erkrankungen auf Null. Er berichtete mir, daß er seit diesem Erlebnis täglich mit meinem Buch, wie eine Bibel, unter dem Arm herumläuft. Auch nach weiteren 3 Monaten ergab die Untersuchung wieder

DIE KAPILLARENLEHRE DEUTET DARAUF HIN, DASS AIDS MÖGLICHERWEISE AEDS IST

Viruslast Null. Der Entwicklungshelfer teilte mir am 6.8.2002 mit, daß sich die CD4+ Werte verbesserten von 72 (9.6.00), über 141 (3l.10.01), dann 151 (6.2.02) auf 328 (16.3.02). „Der Tierarzt sprüht jetzt vor Vitalität, hat den Rollstuhl total vergessen und springt herum wie ein junges Reh".

Die Mitverwendung der Aloe im Krankheitsfall AIDS ist der logische Weg, um schneller und sicherer zur Gesundung zu kommen. Wie wir wissen ist AIDS wahrscheinlich keine Immunschwäche, sondern AEDS, eine Energieschwäche. Es gilt also diese Energieschwäche zu beseitigen, d.h. das Sauerstoffangebot drastisch zu erhöhen. Auf das "AIDS-Virus" reagieren die 150.000 km Kapillaren unseres Organismus durch eine Verengung der Kapillarendurchmesser, so daß die roten Blutkörperchen nicht ausreichend den Sauerstoff zu den Zellen transportieren können. Es entstehen dadurch die bekannten Krankheitsbilder wie Fieber, Schweißausbrüche, Kurzatmigkeit, Durchfall, Lungenentzündung, Kaposi-Sarkom usw..

70 % der AIDS-Kranken reagieren sehr gut auf die Aloe

Wer zu den durchschnittlich 70 % der Menschen gehört, die sehr gut auf die Aloe reagieren, hat eine reelle Chance dadurch eine ungeahnte Therapieverbesserung zu erfahren. Dabei trinkt der AIDS-Patient von dem Vitalgetränk der Aloe, entsprechend dem in diesem Buche vorgestellten Cocktail, der in einem Küchenmixgerät vorzugsweise aus 300 g *Aloe arborescens* Miller -Ganzblatt mit Blatthaut (jedoch ohne Stacheln), 500 g echtem Bienenhonig und vier Eßlöffeln Zuckerrohrschnaps (oder Rum, Whisky, Wodka usw.) hergestellt wird. Ersatzweise kann auch die *Aloe vera* L. verwendet werden, wobei man den Anteil des Gels vermindert zu Gunsten des Anteils an Blatthaut. Entsprechend der Literatur und in der Praxis hat sich das Trinken dieses Cocktails bewährt im Rhythmus von jeweils **einem Eßlöffel voll, 15 Minuten vor den 3 Mahlzeiten; 10 Tage lang, 10 Tage Pause, 10 Tage lang, 10 Tage Pause**, usw. bis zur Gesundung. Dadurch erweitern sich wieder rasch die verengten Kapillaren auf den gesunden und normalen Durchmesser. Gleichzeitig sollte der Arzt jedoch darauf achten, daß keine nitrithaltigen Medikamente oder deren Derivate verschrieben werden. Die Sauerstoffversorgung (Energie) wird sofort verbessert, die Zellen, welche die Auskleidung des Epithelium der Kapillaren stellen, gesunden, stellen ihre Wucherungen (Hyperplasie) ein, und können dadurch erneut voll am zellulärem Entgiftungssystem mitarbeiten. Das Kaposi-Sarkom (KS) bildet sich zurück und kann völlig verschwinden. Die Zellen des Gesamtorganismus werden dann wieder besser mit Sauerstoff versorgt. Das teilweise zerstörte Lungengewebe erhält durch den Cocktail der Aloe, welches über 300 pharmazeutische Wirkstoffe enthält, neue Vitalität, Der Cocktailbestandteil Acemanan bekämpft den Pilzbefall, die Lunge regeneriert sich, vergrößert wieder die Summe der Kontaktoberflächen der Lungenbläschen, gesundet und liefert dadurch wieder vermehrt Sauerstoff für den Blutkreislauf. Durch das nunmehr vergrößerte Angebot des Sauerstoffes entfällt das absterbende organische Material der Lunge und den Pilzen (PCP), welche die Lunge belagern, ist damit der Lebensraum genommen. Da der Saft der Aloe wie bekannt das beste Mittel ist, um zerstörte Hautoberflächen

KAPILLAREN BESTIMMEN UNSER SCHICKSAL

wieder herzustellen, kann dies auch bei den Innenwänden der Kapillaren erreicht werden. Durch den Wegfall von Nitriten entfällt auch die Übersäuerung, die roten Blutkörperchen werden wieder elastischer und können sich wieder in die feinsten und engsten Kapillaren hineinzwängen.

Wer begreift, daß AIDS wahrscheinlich AEDS, d.h. eine Energieschwäche ist, und die AIDS-Patienten hauptsächlich sauerstoffentleert sind, der wird auch die dazu passende Therapie finden. Wer sich mit der Aloe beschäftigt hat und die in diesem Buch vorgestellte Kapillarenlehre ernst nimmt, wird im AIDS-Fall wie selbstverständlich stets die Aloe in das Therapieprogramm mit aufnehmen. Die Kapillaren sind nach meiner Erkenntnis der Hauptentscheidungsträger für unsere Gesundheit und sie bestimmen unser Schicksal. Deshalb sollte in jedem Krankheitsbild zuerst für gesunde Kapillaren mit dem normalen und vitalem Durchmesser gesorgt werden. Die Aloe wird sich in der modernen AIDS-Behandlung nach und nach zur Heilungsunterstützung als Vitalgetränk durchsetzen und weltweit auch auf diesem Sektor den Titel als "Kaiserin der Heilpflanzen" behaupten.

Die Wichtigkeit gesunder Kapillaren der Niere

Wenn man bedenkt, daß die Prognosen bisher sowohl in der Hochschulmedizin wie auch in der Naturheilkunde für schwere Nierenerkrankungen in Bezug auf eine Heilung recht düster sind, so kann mit der Einführung der Aloe-Therapie in die ärztliche Praxis von einer Wende zum Guten mit einer gewissen Berechtigung gesprochen werden. Ein so kompliziertes System wie das der Nieren ist für viele Belastungen und verschiedenartige Krankheitsbilder anfällig. Die Therapie muß hier vom behandelnden Arzt sorgfältig differenziert werden.

Hierzu schrieb Frau Manuela König, die Mutter eines dialysepflichtigen Sohnes am 31. 7. 2002 folgenden Bericht: „Mein Sohn Michael hatte kurz nach seiner Geburt vor sieben Jahren eine Nierenvenenthrombose, wie wir heute wissen, aufgrund einer von seinem Vater ererbten Gerinnungsstörung. Es war ein sehr dramatischer Verlauf in dessen Folge er innerhalb weniger Tage dialysepflichtig wurde. Trotz über siebenjähriger Bauchfelldialyse geht es ihm heute noch gut. Er fühlt sich wohl und hat keine Entwicklungsrückstände. Dies ist in erster Linie Gott zu verdanken und den vielen Gebeten lieber mitfühlender Menschen weltweit.

Michael hatte aufgrund der Thrombose am 8. Lebenstag einen Nierenriß unter Lysetherapie, so daß man ihn nicht einmal sofort operieren konnte. Die Ärzte haben nicht mehr geglaubt, daß er überlebt, wie mir der Pfarrer der Nottaufe ein Jahr später bekannte. Er hat an einem ganz dünnen Faden überlebt, der aus Gebeten und Hoffnung bestand, und dieser Faden ist unglaublich stark. In all dem Schock fühlte ich, daß Jesus mich nicht im Stich lassen und mir mein Kind nicht nehmen wird. Er hatte mich schließlich noch nie im Stich gelassen. Rückblickend muß ich sagen, daß er in diesen sieben Jahren wiederholt zu unserem Besten eingegriffen und seine schützende Hand über uns und unseren Sohn gehalten hat. Leider denken wir alle in guten Zeiten viel zu wenig an die starke Kraft des Gebetes und der guten Gedanken. Manchmal denke ich, es wäre vielleicht effektiver für unsere Anliegen zu beten statt zu rennen und uns abzuhetzen. Das Gebet erweitert unseren Wirkungskreis, wirkt schneller und gezielter. Unser Geist ist gegenüber unserer Seele doch sehr beschränkt.

Neben dem Gebet war die zweitwichtigste Säule für Michaels Wohlbefinden eine gute Ernährung. Das ist bei Nierenkranken nicht einfach, denn angeblich gehören Erbrechen, Magenschleimhaut- und Speiseröhrenentzündung zum Krankheitsbild. Wie ich heute weiß, stimmt das nicht. Die meisten Nierenkranken oder Dialysepatienten sind einfach übersäuert mit all den negativen Folgen für den gesamten Stoffwechsel. Ich bin sicher, auch ein Gesunder würde mit der Zeit krank, wenn er konsequent die für Nierenkranke erforderliche Diät einhält.

Aloe vera L. - Saft zum Trinken ist für die Niere in mehrfacher Hinsicht ein Segen und ein Ausweg aus dem Ernährungsdilemma. Zunächst ist die Niere ein Organ, das aufgrund seiner Filtrationsaufgabe ganz stark von Kapillaren durchzogen ist. Es besteht ein dichtes Kapillarnetz in der Nierenrinde und auch noch in der äußeren Markzone mit Kapillarschlingen in den einzelnen Nierenkörperchen (Glomeruli) von

KAPILLAREN BESTIMMEN UNSER SCHICKSAL

denen es etwa 1 Million pro Niere gibt. (Schmidt/Thews-Physiologie des Menschen, S. 668f).

Die Niere hat daher eine erhebliche Gesamtdurchblutung von 1.100 ml pro Minute im Vergleich zu 750 ml beim Gehirn oder 250 ml beim Herzmuskel (Schmidt: Physiologie kompakt S. 177).

Ich nehme an, daß das der Grund ist, warum sich der Saft der *Aloe vera* L. so gut auf das Säure-Basen-Gleichgewicht meines Sohnes ausgewirkt hat. Natürlich gibt es keinen wissenschaftlichen Beweis, aber in dem ersten halben Jahr in dem er den *Aloe vera* L. - Saft erhielt, konnte das Natriumhydrogencarbonat, das er sonst zur Säureneutralisierung erhielt, stark reduziert werden. Der Saft der *Aloe vera* L. scheint über den Darm zu entsäuern, aber auch dafür gibt es natürlich keinen wissenschaftlichen Beleg. Als Mutter braucht man den aber auch nicht, da reicht es, wenn es dem Kind gut geht.

Die Säurebelastung ist das zentrale und von den Fachleuten stark unterschätzte Hauptproblem der Nierenkranken. Es entwickelt sich ein Teufelskreis. Die schwächer werdende Niere kann nicht mehr genug Säuren ausscheiden und unter der Säurebelastung kann sie immer schlechter arbeiten. Im übersäuerten Organismus wird die Durchblutung schlechter, da die roten Blutkörperchen, die sonst rund sind, sich nicht mehr länglich verformen können, um in die engen Kapillaren zu kommen. Diese Azidosestarre tritt ein, wenn die roten Blutkörperchen in den Kapillaren durch übersäuerte Gewebe fließen (Dr. Worlitschek - Praxis des Säure-Basen-Haushaltes, S. 55).

Der Saft der *Aloe vera* L. scheint hier normalisierend einzugreifen. Nachdem mein Sohn mit etwa vier Jahren den Aloesaft etwa drei Wochen lang bekam, sprachen mich zunächst die Erzieherinnen im Kindergarten darauf an, daß man ihn bei Wanderungen nicht mehr hinterherziehen muß und er völlig in ungewohnter Weise vorneweg springt. Diesen Energiezuwachs beschreiben ja viele Konsumenten des Aloesaftes, und ich führe dies auf die Entsäuerung und verbesserte Kapillardurchblutung zurück. Die Niere meines Sohnes hat sich jedenfalls in diesen sieben Jahren nicht wesentlich verschlechtert, obwohl nach dieser langen Zeit die meisten anderen Dialysekinder keinen Tropfen Urin mehr haben, hat Michael noch ca. 700-800 ml pro Tag. Auch das führe ich auf die strenge Entsäuerung und die Aloe vera L. zurück. Ich frage mich, wie viel länger man manche Niere erhalten könnte, wenn rechtzeitig etwas für die Durchblutung der Kapillaren und gegen die Übersäuerung getan würde.

Übersäuerung ist heutzutage oft in Form von Sodbrennen anzutreffen, was meines Erachtens fast nie ein Magenproblem, sondern oft ein Problem des übersäuerten Gesamtorganismus ist. Die Körper nierenkranker Kinder zum Beispiel tun eigentlich etwas sehr intelligentes: Sie schieben die Säure, die in der Blutbahn den Sauerstofftransport stört und im Gewebe keinen Platz mehr hat, in den Magen und von dort nach draußen, leider zusammen mit der notwendigen Nahrung. Der Körper hat da seine eigenen Prioritäten und seine eigene Intelligenz. Daher sind Versuche,

Die Wichtigkeit gesunder Kapillaren der Niere

ihn auszutricksen, durch pharmazeutische Produkte meist nicht von langfristigem Erfolg gekrönt. Säureblocker zum Beispiel können heute fast in jedem Fall die Produktion von Magensäure unterbinden. Eine gute Symptombehandlung für die ich auch froh war, denn mein Sohn spuckte im Abstand von etwa 20 Minuten, bis zum Teil sogar Blut aus dem Magen kam. Fatalerweise wird damit aber die Ursache gestärkt. Wie man schon seit den 50er Jahren weiß, produzieren die Belegzellen des Magens nämlich Salzsäure im Magen und gleichzeitig Natriumhydrogen-carbonat auf der Blutseite. Das geht chemisch auch gar nicht anders im Kochsalz-kreislauf (Sander: Der Säuren-Basen-Haushalt des menschlichen Organismus S. 24, 31). Stoppt man nun die Säure im Magen, blockiert man auch das für die Verdauungsorgane so wichtige Natriumhydrogencarbonat. Man bekämpft also das Symptom bei gleichzeitiger Verstärkung der Ursache. Der Körper wird noch schnel-ler sauer. Die Durchblutung wird schlechter insbesondere in den Kapillaren und die Krebsgefahr steigt durch Sauerstoffmangel (Worlitschek S. 51).

Der Saft der *Aloe vera* L. hilft bei solchen "Magenproblemen" viel durchgreifen-der und kann zudem den Körper mit wertvollen Nährstoffen versorgen. Die für Nierenkranke gefährlichen Stoffe wie Kalium, Phosphat und Calcium sind in den täglich von Kindern zu trinkenden 20 ml Aloesaft nur in geringem Maß enthalten. Trotzdem sollte das Trinken des Saftes in diesem Krankheitsbild aus grundsätzli-cher Erwägung in jedem Fall mit dem behandelnden Nephrologen besprochen wer-den. Ein zuviel, wie beim Basenpulver oder Bullrich-Salz, ist kaum möglich und auch nicht notwendig. Vor allem hat man hier ein von der Natur selbst zusammen-gesetztes Vitalgetränk und das ist allen von Menschen zusammengesetzten Nahrungsmitteln weit überlegen."

KAPILLAREN BESTIMMEN UNSER SCHICKSAL

Kapillaren entscheiden über unsere Haut, Aloe ein Balsam für deren Pflege und gegen den Juckreiz

Eines der großen Übel, die das Wohlbefinden des Menschen stören, ist der Juckreiz. Das kann von Insektenstichen und -bissen kommen, vom Trichophyton rubrum (Fußpilz), unter dem 16 Millionen Paar Füße in Deutschland leiden, von Schuppenflechte (Psoriasis), Seborrheia der Kopfhaut, Akne, bestimmten Allergien und Sonnenbrand. Wer sich davon befreien kann, fühlt sich danach wie neugeboren. Hier leistet die Aloe vera L. die wahrscheinlich besten Dienste und beweist ein weiteres Mal, daß sie die Kaiserin der Heilpflanzen ist.

Kürzlich konnten meine Frau und ich wieder einmal persönliche Erfahrungen sammeln. Meine Frau erlitt bei einem Halt im Stau auf der Autobahn, in der noch unberührten Natur im Gebirge vor Santos, einen Stich von einer Kriebelmücke, (Bras.: Borrachudo), ein stecknadelgroßes Insekt, welches für Wochen und Monate einen Juckreiz hinterläßt. Die sofort beginnende juckende Mikrowunde wurde von meiner Frau Mechtild mit dem Saft der *Aloe vera* L. benetzt, und der Juckreiz hörte auf und ist bis heute nicht wieder erschienen.

Ich selbst hatte unter der rechten Fußsohle einen kräftig roten ca. 3 mm großen Punkt und unter der linken Fußsohle fünf Stück davon. Diese juckten schon seit Monaten. Ich hatte gleiches schon einmal gehabt vor ca. fünf Jahren, und der Juckreiz konnte damals mit ärztlicher Behandlung durch Fußbäder mit Kaliumpermanganat und verschiedenen Salben und Pudern innerhalb von drei Wochen beseitigt werden. Nun wollte ich diesmal einen Versuch mit *Aloe vera* L. machen. Ich schnitt ein Stück *Aloe vera* L.-Blatt ab und bestrich mit dem Blattinneren diese juckenden Stellen unter der Fußsohle. Fast unglaublich, in der gleichen Sekunde war der Juckreiz weg, obwohl diese juckenden Punkte sehr tief unter der Haut lagen. Ich habe diese Punkte in den folgenden Tagen noch verschiedene Male mit dem Blattinneren der *Aloe vera* L. bestrichen und sogar an einigen Tagen nicht, da es nicht mehr juckte und ich mich nicht mehr daran erinnerte. Die rechte Fußsohle zeigt nichts mehr von dem tiefsitzenden Punkt, und auf der linken Fußsohle ist nur noch ein schwacher hellbräunlicher Schimmer zu sehen, wo vorher die markanten roten Punkte waren. Es war eine wahre Wohltat, von diesem Juckreiz befreit zu werden, und ich fühlte mich danach wirklich wie neu geboren.

Prof. Dr. med. Marthinus C. Botha, Emeritus am Groote-Schur-Hospital in Kapstadt in Südafrika schreibt: „Noch gibt es nicht viele streng wissenschaftliche Studien zu den Heilwirkungen der *Aloe vera* L. Doch ist in der Zeitschrift "Tropical Medicine and International Health" 1996 eine größere, doppelblinde, placebokontrollierte Studie publiziert worden, in der mehrere Autoren aus Schweden, den USA und Pakistan den therapeutischen Effekt von *Aloe vera* L. in einer hydrophilen Creme bei Psoriasis-Kranken untersuchten und auch nachwiesen. Im gleichen Jahr erschien eine tierexperimentelle Arbeit im "Journal of alternative and complementary Medicine", in der auf den positiven Effekt von *Aloe vera* L. -Extrakten auf die Wundheilung hingewiesen wurde.

KAPILLAREN BESTIMMEN UNSER SCHICKSAL

Japanische Forscher bemühten sich in mehreren grundlegenden Arbeiten um die Analyse der Inhaltstoffe der *Aloe vera* L.-Pflanze. Zu den mehr als 300 bekannten Inhaltsstoffen der *Aloe vera* L. gehören das Mucopolysaccharid Acemannan, das in allen Zellmembranen des Menschen vorkommt, Anthraquinone, lektinartige Substanzen, Peptide mit wachstumsfaktorähnlichen Wirkungen, Saponine, Antimutagene, Glykane und zahlreiche Enzyme, Vitamine und Mineralien. Auch hier besteht noch ein großer Forschungsbedarf bezüglich der Struktur vieler Inhaltstoffe und deren Beitrag an den kaum bezweifelbaren Wirkungen von *Aloe vera* L. - Extrakten.

Im Gegensatz zur *Aloe vera* L. als Forschungsgegenstand für medizinische Zwecke hat die *Aloe vera* L. als "Schönheitsmittel" in Form von Gels, Cremes und Lotionen schon lange Eingang in die kosmetische Hautpflege gefunden. Hier hat die *Aloe vera* L. sogar eine sehr lange Geschichte. Die ägyptischen Königinnen Nofretete und Kleopatra haben, so lautet zumindest die Überlieferung, das gallertartige Innere der Blätter täglich direkt auf den gereinigten Körper gestrichen und zusammen mit Ölen als feuchtigkeitsspendende Emulsion verwendet. Heute gibt es Kosmetikfirmen, die *Aloe vera* L. -Extrakte und *Aloe vera* L. -Gels in kompletten Kosmetikserien vertreiben. Man weiß inzwischen auch, daß frischer *Aloe vera* L. - Saft bis zur Keimschicht der Haut rasch vordringt."

Bob Hayward schreibt in seinem Bericht "The Wonder Drug Challenge", daß auf die Haut aufgetragener *Aloe vera* L. -Saft die Kapillaren um 35% erweitert, die Blutversorgung der Hautschäden verbessert und dadurch die Heilung enorm beschleunigt. Eine Forschung von Dr. Faith Strickland berichtet, daß die äußerliche Anwendung von *Aloe vera* L. -Saft nicht nur den Sonnenbrand heilt, sondern auch das vom Sonnenbrand zerstörte Immunsystem der Haut restauriert.

1981 startete die Universität von Chicago eine Versuchsreihe mit Patienten mit Frostbeulen dritten Grades. Alle 44 Patienten, bis auf eine Ausnahme, wurden rasch geheilt durch Auftragen von *Aloe vera* L. -Saft alle sechs Stunden und Aspirin-Gabe alle vier Stunden. Es verblieben keine Spuren der Frostbeulen auf der Haut. Dr. Martin Robson zeigte sich sehr begeistert von den Ergebnissen und wollte diese Versuchsreihen sofort weiter ausbauen, fand aber wie er sagte, unglücklicherweise (unglücklicherweise ?) keine Patienten mehr mit Frostbeulen, da die folgenden Winter zu milde waren.

1990, machte J. E. Fulton, Jr. vom Akne Research Institute Vergleichsversuche bei frischen Post-Dermabrasions-Wunden. Die eine Hälfte jeder Wunde wurde nur mit dem üblichem Polyäthylenoxid-Gel behandelt und die andere Hälfte mit einer Mischung aus Polyäthylenoxid-Gel und *Aloe vera* L. -Saft. Die Wundheilung auf der Seite der *Aloe vera* L. -Mischung, war 72 Stunden schneller erfolgt.

Aloe als Hautschutz bei der Strahlentherapie

Steven R. Schechter, N.D., berichtet in einem Forschungsbericht über die Heilung der verletzten Haut bei 260 Patienten, die der Strahlentherapie unterzogen wurden. Alle, die anschließend die Haut mit *Aloe vera* L.-Saft behandelt bekamen, erbrachten eine weit bessere Heilung, als diejenigen, bei denen die traditionellen synthetischen Präparate angewandt wurden. *Aloe vera* L. beschleunigte die Wiederherstellung der zerstörten Zellen und unterband andere dermathologische Probleme.

H. R. McDaniel, M.D., Pathologist und Forscher am Dallas-Fort Worth Medical Center schreibt: „Wir sind gewöhnt, in diesem Land (USA) die jeweiligen Medikamente nur für einen spezifischen Zweck zu gebrauchen. Auf diese Weise nehmen wir Aspirin oder eine der geklonten Nachahmungen für Kopfschmerzen, aber nicht für Herzklopfen oder Verstopfungen. Im Gegensatz dazu hat die *Aloe vera* L. ein überbreites Spektrum von Heilsubstanzen, die ungewöhnlich auf derartig viele verschiedene Krankheitsbilder zugleich einwirken."

Aloe in der Wundbehandlung

Wir denken bei *Aloe vera* L. zuerst an ihre hervorragende Heilkraft bei Wunden. Aber dies ist nicht ihr Hauptzweck. *Aloe vera* L. wirkt auch als Betäubungsmittel, so daß zuerst einmal der Schmerz gemildert werden kann. Dann tötet *Aloe vera* L. die Bakterien an der wunden Stelle und dringt gleich sehr schnell tief in die Haut ein und stimuliert die Blutzirkulation in der verletzten Umgebung, vermindert dabei Entzündungsgefahr, regt die Bildung neuer Gewebe an, löst die toten Gewebepartikelchen auf und absorbiert sie, so daß die Wunde ungehindert und schnellstens heilen kann (ich weiß, daß dies fast unvorstellbar ist). Und das ist nur eine der Eigenschaften, über welche die *Aloe vera* L. verfügt.

Während wir diese verschiedenen Heilkräfte dieser Pflanze auflisten und langsam beginnen zu verstehen, was sie alles bewerkstelligen kann, sollten wir uns auch in Erinnerung rufen, daß die *Aloe vera* L. bei einem Krankheitsfall sehr große Wirkungskräfte einbringen kann durch ihre breitgefächerten Fähigkeiten. Sie ist im Gegensatz zu Medikamenten, die jeweils ein isoliertes Symptom solo behandeln sollen, ein wahres Orchester.

Zusammenfassend kann gesagt werden, daß die *Aloe vera* L. gut für die Wundschließung ist, für die Geweberegenerierung und gegen die Geschwürbildung. *Aloe vera* L. beugt Hautischämie vor, heilt Dermatitis verursacht durch Brandwunden aller Art (Sonnenbrand, chemische Brandwunden, Brandwunden durch Bestrahlung, Extremkälte, Elektrizität usw.) und Nekrose. *Aloe vera* L. beschleunigt auch die Heilprozesse, indem sie die Tätigkeit der Bakterien verringert. Sie hat auch eine Anti-Aging-Wirkung, denn durch die Erhöhung der Kollagen- und Elastinfasersynthese stellt die *Aloe vera* L. das Regenerierungs-Degenerierungs-Gleichgewicht der Haut wieder her. Aloe vera L. verringert die Schmerzen und den Juckreiz und hemmt die Melaninbildung, so daß sie die Erscheinung von Hautflecken dank ihres Tyrosinasengehaltes vermeidet. Zugleich beschleunigt sie die Regenerierung des Zellgewebes und dies alles, weil frisches *Aloe vera* L. -Gel schnell bis zur Keimschicht der Haut vordringt und so die fast unglaublich erscheinenden Heilwirkungen ausüben kann.

KAPILLAREN BESTIMMEN UNSER SCHICKSAL

Ein besseres und kompletteres Hautpflege- und Heilmittel findet man nirgends auf dieser Erde als im *Aloe vera* L. -Gel, das uns die Kaiserin der Heilpflanzen, die *Aloe vera* L., natürlich spendet. Seit den 60er Jahren des vorigen Jahrhunderts erobert die Aloe als Hauptwirkstoff die kosmetischen Hautpflegeprodukte für Schönheit und Wohlbefinden.

Aloe vera L. hat stets bewiesen, daß sie sehr effektiv in der Heilung von Sonnenbrand, der chemischen- und radioaktiven sowie Röntgenstrahlen-Verbrennungen ist und ebenso bei Hautverletzungen durch scharfen Wind, Entzündungen der Haut und Schnittverletzungen beim Rasieren typische Einsatzgebiete hat. Dazu gehören auch noch Abschürfungen, das Wundliegen, Blasen auf der Hautoberfläche, auch die durch Fieber verursachten, Quetschungen, Schnittwunden, ausgetrocknete Haut, Ekzeme, Hitzeausschlag, Herpes, Insektenstiche, kleine Narben, Entzündungen durch giftiges Efeu und Eiche, Brennesseln und Wunden insgesamt.

Aloe vera L. ist auch in die Literatur eingegangen als Antipruritikum. Ein vornehmes Wort, welches bedeutet: „Hört auf zu jucken und man braucht nicht mehr zu kratzen". Die Forscher vermuten, daß die *Aloe vera* L. das Jucken kontrolliert, indem sie die histaminen Reaktionen bei Insektenstichen und -bissen, sowie die körperliche Reaktion gegen giftiges Efeu und Brennesseln inibiert.

1994 führte Kathleen Shupe-Ricksecker, eine Assistentin von einem Professor für Biologie an der Universität von Dallas, verschiedene Serien von in-vitro-Versuchen durch, um die Wirkungsweise von *Aloe vera* L. gegen die vier wichtigsten Krankheitsbakterien festzustellen.

Streptococcus pyogenes - eine parasitäre Bakterie, die viele ernste Krankheiten verursacht.

Staphylococcus aureus - eine runde Bakterie, die Eiter erzeugt bei Verbrennungen, Abszessen usw.

Pseudomonas aeruginosa - aus der Familie von short rod-shaped pathogenic Bakterien.

Escherichia coli - eine sehr kräftige Bakterie, die sich hauptsächlich am Darmausgang von allen Säugetieren befindet.

Frau Dr. Shupe beobachtete, daß alle diese Mikroorganismen innerhalb von 24 Stunden abgetötet werden konnten mit hohem Einsatz von *Aloe vera* L.. 1970 entdeckten Simms und Zimmermann, daß die *Aloe vera* L. hervorragend gegen Fußpilze wirkt, die für die sogenannten "Athleten-Füße" verantwortlich sind und für die sogenannten Ringwürmer in den Fußnägeln. Im gleichen Jahr erzielten sie auch hervorragende Ergebnisse mit der *Aloe vera* L. bei der Behandlung von Herpes simplex und Herpes zoster. In weiteren späteren Versuchen bewiesen sie die weitgestreute Abwehrkraft der *Aloe vera* L. unter anderem auch gegen Salmonellen, Candida albicans, Measles, AIDS-Virus sowie Trichomonas vaginalis, die eine der gefürchtesten vaginalen Infektionen verursacht.

Aloe heilt Fußpilz und kann diese Seuche eindämmen

Der oben erwähnte Fußpilz scheint in eine Seuche überzugehen. In der Zeitschrift DER SPIEGEL, Ausgabe 1/2000 S.142-144 lesen wir unter der Überschrift "Das verpilzte Volk" des Autors Marco Evers: „Unter den Deutschen breitet sich eine aggressive Form von Fußpilz aus. Bei jedem Fünften jucken und bluten bisweilen die Sohlen. Kaum einer weiß, wie man sich schützen kann. Viele Ärzte tun sich noch immer schwer mit der Behandlung des Leidens". Weiter schreibt DER SPIEGEL: „Wer fest entschlossen ist, sein Leben ohne Fußpilz zu fristen, der muß sich Folgendes einbläuen: Zu meiden sind Sprungbretter, Saunen und Moscheen. Gefahr droht von Soldaten, Bergleuten und Skifahrern. Und das Wichtigste ist: Finger und Füße weg von Fußdesinfektionsanlagen.

Generationen von Deutschen haben diese einfachen Regeln mißachtet. Die Folge: Das Volk ist verpilzt. Jeder fünfte Bürger muß sich seine Füße mit „*Trichophyton rubrum*" teilen, ein fieses Kleinstlebewesen, das so zählebig und hartnäckig ist wie ein Kampfhund. Allein in Deutschland sind etwa 16 Millionen Paar Füße zwischen den Zehen oder gar auf ganzer Sohle gerötet. Sie stinken, jucken, schuppen, bilden Bläschen und bluten bisweilen. Bei zehn Millionen Pilz-Trägern hat der hochinfektiöse Mikroorganismus mehr angerichtet als nur ein peinliches Hygieneproblem: Er ist unter die Fußnägel gekrochen, hat sie verfärbt und ver-krümmt - so sehr, daß manche Nagelpilz-Opfer nicht mehr in ihre Schuhe passen und kaum noch ohne Schmerz laufen können. Der Fußpilz verbreitet sich rasant in Deutschland. Das gelingt ihm, weil trotz verbreiteter Fußpilz-Furcht kaum ein Mensch wirklich weiß, wie er sich zu schützen vermag. „In Sachen Fußpilz", sagt der Mediziner und Fußpilz-Forscher Hans-Jürgen Tietz von der Berliner Charité, „herrscht Bildungsnotstand".

Seit Jahrzehnten glauben die meisten Deutschen an die modernen installierten Fußdesinfektionsanlagen. Ob im Schwimmbad oder in der Sauna: Ein Paar Spritzer aus einem kühlen Chemiecocktail sollen den Pilz in Sekundenschnelle vernichten. Frohgemut laufen infizierte und nicht infizierte Badegäste barfuß zur Desinfektionsanlage - ein Verhängnis, wie sich gezeigt hat. Diese Anlagen sind in Wahrheit ein Produkt gut gemeinten Irrsinns. Fußdesinfektionssprays haben wahr-scheinlich noch niemals auch nur einen Menschen vor Fußpilz bewahrt. „Es gibt nicht einen einzigen Beleg für ihre Wirksamkeit", erklärt der Freiburger Hygieniker Franz Daschner.

Dafür haben diese Anlagen sehr viel getan für die Verbreitung der Erreger. Ihre Benutzer wähnen sich sicher, obwohl „die Desinfektionsanlage eine der gefährlich-sten Orte überhaupt ist", wie der Mediziner Tietz mahnt. Pro Schritt verlieren Verpilzte ca. 50 Hautschuppen, von denen jede einzelne infektiös ist. Fußdesinfektionsmittel können ihnen wenig anhaben. Um ihre Wirkung zu entfalten, benötigen die Chemikalien eine Einwirkzeit von mindestens fünf Minuten. Die Badegäste halten ihre Füße aber noch nicht einmal fünf Sekunden unter das Spray.

KAPILLAREN BESTIMMEN UNSER SCHICKSAL

Gegen den Feind zu ihren Füßen führte die Bundeswehr erbittert Krieg. Sie errang einige Siege, etwa mit der Aufhebung der früheren Stiefel-Tauschpflicht. Als jeder Rekrut bei Aufnahme in die Armee fabrikneues Schuhwerk bekam, ging auch „Tinea pedis" massiv zurück. Wie japanische Forscher berichten, steigt der Schweregrad der Erkrankung mit dem Dienstgrad und den Dienstjahren: Den Rekruten wächst der Pilz nur zwischen den Zehen, den Generälen zieht er schon die Fußnägel hoch.

Auch alle Bergleute haben Fußpilz. Er ist die zwangsläufige Folge des jahrelangen Arbeitens in schwitzigen Stiefeln. Opfer finden Fuß- und Nagelpilze vor allem unter Sportlern. Berufsskifahrer stecken stundenlang in undurchlüfteten feuchten Plastikschuhen. Marathonläufer weichen ihre Fußsohlen förmlich auf im eigenen Schweiß und bereiten dem Pilz so ein gemütliches weiches Bett. Besonders betroffen sind auch Fußballspieler. Sie ziehen sich oft kleine Wunden am Fuß zu, durch die der Pilz dann von der Sohle bis unter den Nagel kriecht. Pilze haben sogar Einfluß darauf, wer Champion wird: Mit dicken, verpilzten Fußnägeln können Spieler weder gut laufen noch siegen. Der Kampf gegen den Pilz ist daher ebenso wichtig wie das Training selbst.

Gläubige Muslime zum Beispiel können dem Pilz kaum entgehen. Vor dem Betreten der Moschee waschen sie sich mit den übrigen Gläubigen die Füße. Barfuß laufen sie dann in das Gotteshaus und hocken sich auf einen viel benutzten Gebetsteppich. Seine Fasern strotzen im Laufe der Zeit vor infektiösen Hautschuppen und Pilzsporen. Einer neueren südafrikanischen Studie zufolge, sind 85 Prozent aller Moschee-Besucher in Durban infiziert.

Manche Ärzte tun sich zudem schwer in der Diagnose des eigentlichen alltäglichen Fußpilzes, weil sie zu sehr ihrem routinierten Ärzteblick vertrauen, sich aber scheuen, infizierte Haut unter dem Mikroskop zu betrachten. So hat sich ein 45-jähriger Berliner 15 Jahre lang gegen die Schuppenflechte behandeln lassen, die große Teile seiner Haut befallen hatte. Alle Therapien schlugen fehl. Das war nicht weiter verblüffend. Der Mann hat niemals Schuppenflechte gehabt. Er litt an „Tinea corporis generalisata"- Fußpilz am ganzen Leibe." (Soweit DER SPIEGEL-Berichterstatter Marco Evers).

Beim Fußpilz ist die Aloe vera L. eine wahre Wohltat. Man kann mit blattfrischem Gel direkt seine Füße behandeln oder aber auch die hochwertigen Aloe vera L.-Gels (mit überwiegendem Anteil von Aloe vera L. aus dem Blattinnerem) benutzen wie z.B. das Veraloe Gelatum (Cassiopéia) in Brasilien oder das Aloe Vera Gelly (Forever Living Products), Aloe Vera Gel puro 100% (M.aloe"S GbR), Aloelixir Gel (Aloelixir), Revitalisierungs-Gel (Pharmos und Veravita), Aloe Pura, Aloe Gel (99%) (Euro-Konzept), Aloe Vera Pflegegel (Santaverde) in Deutschland, Revitalisierungs-Gel (Elisabeth Lugbauer/Österreich), Aloe Vera Gelly 99% (Naturkraftwerke/Schweiz). Diese Produkte sind ähnlich dem Blattinhalt der Aloe, jedoch noch praktischer verpackt als in der Blatthaut, in einer Tube mit Verschluß.

Aloe in homöopathischer Kommandogeber-Funktion

Viele Menschen verstehen die Wirksamkeit der homöopathischen Produkte nicht. Oft sind nur Spuren der Wirkstoffe vorhanden. Aber viele dieser Elemente in "homöopathischen" Mengen sind Kommandogeber, die im Körper Kommandofunktionen ausüben. Es gibt viele Dinge zwischen Himmel und Erde, die uns der Logik nach kaum verständlich sind. So schreibt z.B. Dr. Hans Nieper in seinem Buch "Revolution in Medizin und Gesundheit" zum Thema Homöopathie: „Schüttet man vor Hawaii oder vor Ostaustralien einige Becher Blut in den Ozean, so schießen die Haifische aus meilenweiter Distanz darauf zu. Oder: Sondert ein Waldschädling, beispielsweise die Nonne, einen geschlechtsspezifischen Geruchsstoff ab, so fliegen die Geschlechtspartner dorthin, gleicherweise über eine Distanz von einem Kilometer.

Es ist ziemlich unwahrscheinlich, daß der Haifisch und die Nonne innerhalb von Sekundenschnelle chemisch-stofflichen Kontakt mit dem Blut oder dem Geruchsstoff haben. Und wenn dies entgegen aller Wahrscheinlichkeit der Fall gewesen wäre: Woher wüßten sie die Richtung, in welche sie streben sollten?

Die Medien im Raum, am ehesten vielleicht die Wasser-Dipole, müssen also ein Signal vermitteln, welches zwar durch einen definierten Stoff erzeugt wird, im weiteren Verlauf jedoch unabhängig davon wirkt.

Einige orthodoxe Mediziner, welche die Homöopathie und deren Phänomene nicht anerkennen können oder wollen, werden diese Richtung als hoffnungslosen naturwissenschaftlichen Dilettantismus bezeichnen."

Aloe in der Schönheitspflege

Die Verjüngung der Haut ist ein Teil des Traumes für "ewige Jugend". Leider gibt es sie nicht, die ewige Jugend. Aber was es gibt ist die *Aloe vera* L.. Es gibt auf dieser Erde bisher kein Produkt, welches so erfolgreich zur Verjüngung der Haut beiträgt, wie sie. Wie wir bereits wissen, dringt der Gel der *Aloe vera* L. bis zur Hautwurzel durch und bewirkt eine Erweiterung der verengten Kapillaren um 35%. Somit wird die Haut besser durchblutet und vermehrt mit Nährstoffen versorgt, wobei gleichzeitig auch der Stoffwechselmüll und die Giftstoffe leichter entsorgt werden können.

Diese großartige Möglichkeit, das Gewebe zu durchdringen und die wichtigen Wirkstoffe und Heilmittel an die richtigen Stellen zu transportieren, in Verbindung mit der einmaligen Eigenschaft das Wachsen neuer Zellen um das achtfache zu beschleunigen, bescheinigt der *Aloe vera* L. ein wahres Wundermittel für die Verjüngung der Haut zu sein. Wiederum beweist die Kaiserin der Heilpflanzen, daß sie über allen anderen Heilpflanzen steht.

In einer Studie, die von Bill Coats alleine gesponsert wurde, bewertete Dr. Peter Pugliese, ein Dermatologe aus Pennsylvania, ein stabilisiertes *Aloe vera* L. -Gel mit

KAPILLAREN BESTIMMEN UNSER SCHICKSAL

einem Zusatz von 10 % Glykolsäure exfoliant (alphahydroxy) bei einer Versuchsreihe an fünf freiwilligen Frauen zwischen 50 und 55 Jahren. Hierbei kam er zu folgenden Ergebnissen:

1. Die Haut wurde heller.

2. Die allgemeine Hauttönung zeigte eine Verbesserung innerhalb von vier Wochen. Die Hautfarbe wurde gleichmäßiger. Stellen, an denen Entfärbungen bestanden, verschwanden langsam oder wurden schwächer sichtbar.

3. Die Haut wurde bemerkenswert weicher, was schon nach einer Woche zu spüren war.

4. Die Haut schien für längere Zeit feuchter zu sein.

5. Die Elastizität der Haut verbesserte sich um 20 %.

6. Um 28 % verbesserten sich die trockenen Hautlinien.

7. Die Ölschichtbildung auf der Haut nahm ab.

Gute Erfahrungen werden mit Aloe-Fußbädern gemacht haben. Besonders die Fußsohle ist oft verhornt, und es fehlt die richtige Blutversorgung bis in die äußersten Hautschichten. Dadurch verhornen diese Hautschichten und sterben sogar teilweise ab, wodurch es oft zu Juckreiz kommt, welcher sogar zu unangenehmen schlaflosen Nächten führen kann.

In diesen Fällen nimmt man ein Blatt einer *Aloe vera* L. oder *Aloe arborescens* Miller, schneidet die Dornen an den Blattkanten ab, zerteilt dieses Blatt dann in Stücke und gibt diese in ein Küchenmixgerät, zusammen mit Wasser (doppelte bis zehnfache Wassermenge). Einige Anwender ziehen das Fußbad aus dem Aloeblatt ohne Blatthaut vor. Die dabei gewonnene Flüssigkeit ist hell und klar und enthält dann keine festen, eventuell störenden Partikelchen der Blatthaut, was einige Anwender angenehmer empfanden. Man kann auch das fertige Vitalgetränk der Aloe benutzen, welches die zahlreichen Aloe-Firmen zum Trinken anbieten. Jedoch sollte nur der Aloesaft genommen werden, der lediglich aus frischem Aloe-Gel gewonnen wurde.

Regelmäßige Aloe-Fußbäder sind wie ein Jungbrunnen, der Juckreiz verschwindet und die Haut wird wie neu. Viel erzählt wird auch die Geschichte eines texanischen Millionärs, der regelmäßig in purem Aloesaft badete und sein körperliches Wohlbefinden darauf zurückführte. Das ist natürlich ein unnötiger Luxus. Es genügt bereits ein kleiner Zusatz Aloesaft zum Badewasser.

Wer noch etwas ganz besonderes für seine Hautpflege tun möchte, kann z.B. 50 g „Kaiser-Natron" (wird in 50 g Tüten verkauft) oder 50 g Natriumhydrogencarbonat auch Natriumbicarbonat genannt, ins Badewasser geben. Der pH-Wert des

KAPILLAREN ENTSCHEIDEN ÜBER UNSERE HAUT

Badewassers wird dadurch leicht alkalisch. Wenn die Haut alkalisch durchdrungen wird, können sich die roten Blutkörperchen viel besser und elastischer in die feinsten Kapillaren der Haut hineinzwängen und somit die Haut wieder viel besser versorgen.

Kapillaren bestimmen unser Schicksal

Kleinkinder leiden unter verengten Kapillaren

Vor Monaten berichtete mir ein Arbeiter, der mit Aloe bei der Behandlung einer schweren Schwefelsäureverletzung seines Gesichtes sehr gute Erfahrungen gesammelt hatte und keine Spuren zurückgeblieben waren, folgendes: Sein Sohn war häufig krank, litt ständig unter Erkältungen, Ohrenschmerzen, laufender Nase, Husten usw., und er mußte ihn oft zur Erste-Hilfe-Station bringen, um Inhalationen vorzunehmen. Durch die erlebte Heilung seiner Verätzung durch die Aloe kam ihm die Idee, seinem Sohn die Aloe als Vitalgetränk bzw. Ernährungsergänzung zu geben. Er entnahm dazu den saftigen Blättern der *Aloe vera* L., das glibberige Gel, und machte daraus, mit etwas Honig gemischt, im Küchenmixgerät ein wohl-schmeckendes Getränk. Bei Anflug von Grippe oder Erkältung gab er seinem Sohn davon jeweils einen Eßlöffel voll, morgens, mittags und abends, und der Sohn blieb gesund. Jetzt, wenn sein 4-jähriger Sohn nur spürt, daß eine Erkältung kommt, ver-langt er schon von sich aus dieses Vitalgetränk.

Der Arbeiter berichtete mir, daß er in seiner Siedlung die Informationen über die Erfolge der Aloe verbreitet hat und alle Eltern dort zufrieden und dankbar die glei-chen Beobachtungen machten.

Diese Information wurde auch in der deutschsprachigen brasilianischen Zeitung „Brasil-Post" veröffentlicht. Inzwischen erfahre ich von sehr vielen Seiten, wie er-folgreich sich dieses wohlschmeckende Vitalgetränk für die Kinder zur Gesunder-haltung durchgesetzt hat.

Mit Honig versüßter Aloe-Saft für Kleinkinder

Die Mischung wird verschieden zubereitet, mal mit mehr, mal mit weniger Honig. Die meisten Eltern wandten jedoch die Mischung Aloe : Honig 10:1 an. Dort wo keine Aloe wächst, jedoch der reine Aloesaft aus dem Gel der Blätter angeboten wird, kann man diese Aloe-Honig-Mischung auch damit herstellen, um zu ähnlichen Ergebnissen zu kommen.

Vor der Anwendung des Aloesaftes bei Kindern muß auch stets zuerst der Allergietest gemacht werden. Man gibt einen Tropfen dieses Saftes auf die Kopfhaut hinter dem Ohr. Sollte sich diese Stelle innerhalb von 2 Minuten rötlich färben, darf dieses Kind von dem Vitalgetränk der Aloe keinen Gebrauch machen.

Diese sichtbaren Erfolge bei der Vorbeugung und Behandlung der typischen Kinder-Erkältungskrankheiten mit dem Aloe-Honig-Gemisch stehen im Gegensatz zu den Gegenanzeigen, daß Kinder unter 12 Jahren nicht von der Aloe Gebrauch machen sollten. Scheinbar beziehen sich jedoch auch diese Gegenanzeigen auf die Anwendung kristallisierter bzw. denaturierter Aloe. Die frische und naturbelassene Aloe wird jedoch wie ein Gemüse betrachtet und ist in weiten Gegenden Lateinamerikas und im Pazifik in vielen Familien seit Jahrhunderten im täglichen Gebrauch.

KAPILLAREN BESTIMMEN UNSER SCHICKSAL

Auch aus Rußland kommt eine Empfehlung bei Husten- und Schnupfensymptomen: Man bereitet einen Trank aus *Aloe vera* L.- Gel, Milch und Honig mit einem kleinen Schuß Wodka. Damit dieser Saft seine Wirkung entfalten kann, muß er noch eine Nacht im Dunklen stehen bleiben. Am nächsten Morgen wird das Gebräu gegen Husten getrunken oder beim Schnupfen tropfenweise in die Nase geträufelt.

Streß bei Kleinkinder bewirkt Kapillarenenge

Um diese fast unglaublichen Wirkungen des Aloe-Gemüsesaftes mit Honig versüßt bei Kleinkindern sich vorstellen zu können, kann wieder auf meine Kapillarenlehre zurückgegriffen werden.

Auch kleine Kinder leiden unter Stress. Sie fürchten sich vor der Dunkelheit, vor einem Gewitter usw.. Sie haben Angst, alleine zu sein, sie haben Angst, daß die Mutter nicht wiederkommt, sie haben Angst vor größeren Geschwister, die sie eventuell bedrohen, genau wie vor anderen Spielkameraden. Sie haben Angst, daß sie nichts zu essen bekommen oder an Durst leiden, sie haben Stress, weil ihnen Spielsachen weggenommen wurden. Also gibt es auch bei Kleinkindern Dutzende Ursachen für ein Unbehagen. All diese Ursachen schlagen auf die Kapillaren. Die Kapillaren reagieren und verengen sich und schon ist die Basis für Unwohlsein und Krankheit gegeben. Wenn nun diese Kinder den Aloe-Saft mit Honig versüßt trinken, dann können sich die Kapillaren wieder auf den gesunden und normalen Durchmesser verbreitern. Die durch die typischen Kapillarenverengungen entstandenen Störungen des Wohlbefindens, bzw. die dadurch ausgelösten Krankheiten verschwinden in rund 70 % der Fälle wieder.

Übrigens lassen sich engere Kapillaren auch vererben. Dadurch erklärt sich vielleicht, daß in einigen Familien bestimmte Krankheiten, die auf verengte Kapillaren beruhen, erblich sein können.

Hormone und die Kapillaren

Auf die Hormonumstellung der Pubertät reagiert der Organismus häufig mit Akne, da sich dabei die Kapillaren im Gesichtsbereich verengen. Ebenso deuten die Hitzewellen im Laufe der Wechseljahre auf eine Überreaktion der Kapillaren hin, die sich bei der Hormonumstellung schubweise verengen oder erweitern können. Diese Reaktion verspürt man als Hitzewallungen.

Mit Hormonen wollte man diese Begleiterscheinungen mildern und dabei gleichzeitig Herzinfarkt, Schlaganfall und Krebs vorbeugen. Doch die erhofften Ergebnisse traten nicht ein. Wie im Jahre 2002 die "Woman's Health Initiative"(WHI) informierte, haben die Gaben von Östrogen und Gestagen enttäuschende Ergebnisse gebracht. Die Hochrechnungen ergaben, daß die Hormonanwender in den Wechseljahren höhere Raten aufwiesen bei Herzinfarkt (+29 %), Schlaganfall (+ 41 %), Lungenembolie (+100 %), und das Risiko an Brustkrebs zu erkranken lag um 26 % höher.

4,6 Millionen Frauen in Deutschland ab 45 Jahren nehmen derzeitig Hormonpräparate gegen die Beschwerden in den Wechseljahren. Sie erhoffen sich dadurch wenigstens eine Hilfe gegen Knochenerweichung, Depressionen, Verlust des Geschmackssinns sowie eine Verminderung des Risikos an Dickdarmkrebs zu erkranken. Gleichzeitig soll die Hormonbehandlung die Erschlaffung der Brust und der Haut und deren Faltenbildung vermindern helfen und der Trockenheit der Schleimhäute vorbeugen.

Die Forschungen über die Vor- und Nachteile der Hormonbehandlung hat im Jahre 2002 zu einer großen Verunsicherung der Ärzte und Patienten geführt, nach dem die Resultate der WHI vorlagen. Wichtig ist jedoch die Erkenntnis daraus, daß man alles nur menschenmögliche tun sollte, um die Kapillaren, die sich in den Wechseljahren verengen können, wieder auf ihren gesunden und normalen Durchmesser zurückzubringen.

Hierzu kann das Vitalgetränk der *Aloe vera* L. eines der wirksamsten Hilfsmittel sein, denn rund 70 % der Menschen sprechen sehr gut darauf an. Durch das regelmäßige Trinken des frischen oder des naturbelassenen Aloesaftes können sich die Kapillaren wieder auf den gesunden Durchmesser normalisieren und dadurch mithelfen den Anwendern die Beschwerden der Wechseljahre besser zu überbrücken. Hilfreich sind auch einige Empfehlungen wie man die sich verengenden Kapillaren in den Wechseljahren besser offen halten kann. Dazu gehören ganz besonders: Nicht rauchen, die Ernährungsregeln dieses Buches beachten, leichten Sport betreiben sowie eine positive Lebenseinstellung.

KAPILLAREN BESTIMMEN UNSER SCHICKSAL

Die großen Seuchen kommen wieder

Die Seuchen hielten wir seit Jahrzehnten für besiegt, zumindest in der westlichen Welt, die auch 1. Welt genannt wird. Seuchen sind gefürchtete Infektionskrankheiten, die infolge ihrer großen Verbreitung eine Gefahr für die Allgemeinheit darstellen. Ihre Verhütung und Bekämpfung ist eine wichtige Aufgabe des öffentlichen Gesundheitsdienstes. Zu den traditionellen Seuchen zählen Pest, Pocken, Tuberkulose, Kinderlähmung, bestimmte Geschlechtskrankheiten, Cholera, Fleckfieber, Typhus, Diphtherie, Gelbfieber und Rückfallfieber.

Die internationale Zusammenarbeit der Staaten bei der gezielten Seuchenbekämpfung hatte seit Anfang des 20. Jahrhunderts rechtliche Grundlagen in einer Anzahl von Verträgen gefunden (Internationales Sanitätsabkommen vom 21.6.1926 u.a.). Diese führten in den Gesundheitsorganisationen des Völkerbundes zu einer eigenen internationalen Verwaltung von beträchtlicher Wirksamkeit. Sie ist inzwischen Teil der 1946 gegründeten Weltgesundheitsorganisation (WHO), eine Spezialorganisation der Vereinten Nationen. Die von der Weltgesundheitsorganisation (WHO) beschlossene Internationale Gesundheitsordnung vom 25.5.1951 enthält die wichtigsten Bestimmungen für die internationale Seuchenbekämpfung, besonders über die Meldungen und Auskünfte über Epidemien, die Gesundheitsorganisation, die gesundheitspolizeilichen Verfahren und Maßnahmen, vor allem bei den quarantänepflichtigen Seuchen (Pest, Cholera, Gelbfieber, Pocken, Fleckfieber, Rückfallfieber), Gesundheitsdokumente, sowie aller Art von Impfbescheinigungen und ähnliches.

AIDS, BSE (die Rinderseuche mit der neuen Form der Creutzfeld-Jakob-Krankheit) und Ebola haben uns in der derzeitigen Epoche, wo wir uns dank der seit Jahrzehnten beliebten Antibiotika sicher fühlten, einen ersten Schrecken eingejagt. Und nun kommt noch nach dem 11. September 2001 der Milzbrand per Post. Man wird wieder wachgerüttelt. Im Jahre 2001 starben bereits 2 Millionen Menschen an der Seuche Tuberkulose; **Tendenz stark ansteigend!** Diese Seuche wird uns alle in einigen Jahren überrollen. Die Viren und Bakterien sind inzwischen globalisiert, werden immer resistenter, und unsere Palette hochwertiger Abwehrstoffe wird immer wirkungsloser.

„Ich kann dem Thema Bioterrorismus durchaus Positives abgewinnen: es führt uns die reale Bedrohung durch Infektionskrankheiten vor Augen." So begann der Moderator Justin Westhoff den 20. "Treffpunkt Tagesspiegel Medizin und Fitneß" im Berliner Kongreßzentrum ICC. Das Thema "Alte Seuchen und neue Bedrohung - Die Wiederkehr der Infektionen" hatte etwa 500, teils lebhaft mitdiskutierende, Bürger angezogen.

Angesicht der diffusen Bedrohung durch Biowaffen empfahl Reinhard Kurth, Leiter des Robert-Koch-Instituts, Gelassenheit - nicht zu verwechseln mit Nachlässigkeit. Es gebe gefährlicheres als Anthrax, etwa die extrem ansteckenden Pocken. Man hielt diese Krankheit für ausgerottet, impfte nicht mehr und sieht sich jetzt nun gezwungen, diesen Pockenimpfstoff wieder herzustellen.

KAPILLAREN BESTIMMEN UNSER SCHICKSAL

Bedrohlicher als Pocken und Milzbrand sind Masern im Kinderzimmer und die Salmonellen in der Küche. Allein in Deutschland werden jährlich 200.000 durch Lebensmittel verursachte akute Darmentzündungen gemeldet, die Dunkelziffer sei wahrscheinlich zehnmal so hoch, meinte Ekkehard Weise, Lebensmittel-Experte im "Bundesinstitut für gesundheitlichen Verbraucherschutz und Veterinärmedizin".

„Besonders den Impfmüden soll man ins Gewissen reden", ermunterte der Moderator, Justin Westhoff, den Direktor des Institutes für Infektionskrankheiten am Benjamin-Franklin-Klinikum. Helmut Hahn, ein Mikrobiologe, zitierte den "Schutz-heiligen" dieses Institutes, der da sagte:„Eine Unze Prävention ist mehr wert als ein paar Pfund Therapie".

Ulrich Bienzle, Leiter des Institutes für Tropenkrankheiten, warnte alle Urlauber vor gefährlichen Mitbringseln: „Es muß nicht immer Ebola sein oder sonst etwas Exotisches; viel leichter als eine Tropenkrankheit fange man sich heute HIV ein, oder auch den unendlich viel infektiöseren Erreger der Hepatitis B, sofern man nicht dagegen geimpft ist."

Antibiotika verlieren ihre Wirkung, Bakterien werden resistent

In den letzten Jahren verminderten die Antibiotika derartig stark ihre Wirksamkeit, daß die durch Jahrzehnte sich sicherfühlende Bevölkerung stark verunsichert ist. Man hatte stets mit Kanonen auf Spatzen geschossen. Bei jeder Kleinigkeit wurden diese wertvollen Antibiotika verordnet, und Fachleute sprechen sogar von 80 - 90 Prozent unnötigem Einsatz bei Viruskrankheiten - wo sie gar nicht wirken können. Hinzu kommt noch die Anwendung im Futter bei der Massentierhaltung und der ungezügelte Einsatz bei der Tiergesundheitsvorsorge. So erhielt unser Organismus bewußt oder unbewußt ständig Antibiotika, und die Bakterien sind jetzt oft resistent. Inzwischen findet man sogar bereits die Antibiotika im Trinkwasser und in Berlinern Gewässern beobachte man, daß 80 % der Fische weiblich sind. Die synthetischen Antibiotika gehen über das Abwasser in das Grundwasser und danach in die Flüsse und gelangen dadurch wieder in das Trinkwasser.

Wußten Sie, daß das vom Schotten Alexander Fleming im Jahre 1928 entdeckte Penizillin damals 100 %ige Wirkung hatte? In den 50er Jahren sank die Heilungsrate auf 90 %, und heute ist das Penizillin nur noch in 10 % der Fälle wirksam.

Das vor 35 Jahren entwickelte Lincomycin war bei 90 - 100 % der Infektionen bei Hals-, Nasen- und Ohrenentzündungen erfolgreich. Heute liegt die Rate bei 40 %.

Das in den 60er Jahren entwickelte Erfolgsprodukt Ampicillin, welches gegen *Enterococcus* und *Pneumococcus* wirkte, besonders bei Entzündungen der Harn-wege und des Atemsystems, wird heute nur noch selten verschrieben, weil es kaum noch wirkt.

DIE GROSSEN SEUCHEN KOMMEN WIEDER

Das in den 70er Jahren entwickelte Antibiotikum Cefalexin war 100 % erfolgreich bei Blasen- und Lungenentzündungen. Heute ist die Erfolgsrate nur noch bei 30 %.

Wenn wir diese Entwicklungen einmal weiterverfolgen, müssen wir leider erkennen, daß in wenigen Jahren unser so wertvoll geglaubter Schutz wie Eis in der Sonne dahinschmilzt. Es wurde gesündigt! Hinzu kommt noch, daß die Mehrheit gerne Fleisch ißt und dieses Schlachtvieh mit allen nur möglichen Antibiotika gespritzt wurde. Es ist nicht nur die Verfütterung des Kadaverpulvers vom Abdecker Schuld an der augenblicklichen BSE-Krise, daß uns die Lust aufs Fleisch vergeht. Wir sollten schon viel früher reagiert haben gegen die Durchseuchung des Fleisches mit allerlei Arzneimitteln. Aber keiner wollte die Warnungen hören. Rudolf Steiner warnte bereits 1923 in seinem Aufsatz „Santé e Maladie" vor der Verfütterung von Fleisch an die Rinder, die immer Vegetarier waren, wodurch wie er damals wörtlich schrieb: „die Kuh verrückt wird." Die *Aloe vera* L. gibt uns jedoch wieder Hoffnung. Wo die hervorragendsten Heilmittel versagen, entdecken nunmehr die Ärzte, besonders in den USA, immer häufiger die *Aloe vera* L. Speziell bei der Tuberkuloseseuche, die jetzt auf uns zukommt, kann die *Aloe vera* L. die Rettung sein. Derzeit sterben 2 Millionen Menschen pro Jahr daran, und 2 Milliarden Menschen, also jeder dritte Erdenbürger, hat den Erreger bereits in sich.

Die Aussage von Dr. McDaniel, Pathologe und Forscher an dem Dallas-Fort Worth Medical Center: **„Die Anwendung der Aloe vera L. wird der wichtigste Schritt in der Behandlung von Krankheiten in der Geschichte der Menschheit sein"**, öffnet einen neuen Horizont und gibt uns wieder Hoffnung. Meine Empfehlung, daß sich jeder Bürger wieder eine *Aloe vera* L. - Pflanze zulegen soll, kann angesichts der auf uns zukommenden Seuchen, die Schicksalswende sein.

KAPILLAREN BESTIMMEN UNSER SCHICKSAL

Die Aloe im erfolgreichen Einsatz bei weiteren Krankheitsbildern.

Das in Jahrtausenden angesammelte Wissen um die besonderen Vitalkräfte der Aloe wurde in den letzten Jahrzehnten bereits häufig wissenschaftlich untersucht und bestätig, z.T. auch mit Doppelblindstudien. Hierzu liegt uns bereits eine umfangreiche internationale Splitter-Literatur, besonders aus medizinischen Fachzeitschriften vor, wie auch Texte der Volksheilkunde aus Ländern, wo die Aloe heimisch ist. Alle diese Berichte wurden in diesem Buch ausgewertet und zusammengefaßt. Diese fast unglaubliche und unvorstellbare Vielseitigkeit des erfolgreichen Einsatzes der Aloe war für mich Basis, um mir die Wirkungsweise der Aloe zunächst einmal als Hypothese erahnen zu lassen und danach zu forschen, wo der gemeinsame Nenner ist, der die Aloe so wertvoll macht. So entwickelte sich mit der Zeit meine Kapillarenlehre.

Bei den folgenden Krankheitsbildern zeigt die Aloe ihre ganz spezifischen und von vielen Ärzten geschätzten Verbesserungen und Beschleunigungen der Therapien. Diese vielseitigen Unterstützungen der Behandlungen durch eine einzige Pflanze lassen sich dank meiner Kapillarenlehre nunmehr erklären. Auf Grund dieser neuen Lehre bahnt sich die Aloe als Kaiserin der Heilpflanzen den Weg, um für immer als unverzichtbare Hilfe in diesem breiten Fächer der Anwendungsbeispiele die bewährte Hochschulmedizin zu ergänzen, um als Ganzheitsmedizin dem Patienten die bestmögliche Therapie zu bieten. Denjenigen Kranken (ca. 70 %), die gut auf die Aloe ansprechen, kann damit eine erfolgreichere Therapie angeboten werden in Form der Ganzheitsmedizin. Weltweit wird derzeit die Aloe wiederentdeckt und im Gegensatz zu früher, nunmehr ausschließlich in der naturbelassenen Form angewendet.

Abszesse

Eitergeschwülste, Furunkel und Eiterbeulen an der Hautoberfläche lassen sich gut öffnen und danach wieder sehr gut schließen durch das Auflegen eines in der Mitte aufgeschnittenen Blattstückes mit der saftigen Gelseite auf den Abszeß. Dies kann mehrfach wiederholt werden. Andere Berichte sprechen von warmen Umschlägen getränkt mit leicht erwärmtem Aloe-Saft, andere mischen dafür auch Aloe-Saft 1:1 mit echtem Honig für die Kompresse.

Afterentzündung

Beim Radfahren und Reiten kann die Gesäß- oder Leistengegend sich leicht entzünden mit unangenehmem Brennen und Rötung der Haut. Ähnliche Reaktionen gibt es auch beim ungewohnten langen Wandern, wenn sich die Oberschenkel wund reiben, also man sich einen „Wolf" holt. Infolge Zersetzung der Absonderungen an den schwitzenden Hautstellen, manchmal auch durch hinzutretende Ansiedlung von Erregern, kommt es zu schmierigen, schlecht riechenden Auflagerungen. Hier hat sich die Hautcreme (z. B. Veraloe) bewährt. Ebenfalls mehrmalige Waschungen der betroffenen Hautpartien mit verdünntem reinen Aloesaft. Die entzündete Haut nimmt begierig den Aloesaft auf, die Kapillaren reagieren, die Versorgung der betroffenen Hautflächen wird verbessert, so daß sie sich auf dieser Weise sehr häufig rasch wieder regenerieren. Die Inhaltsstoffe der Aloe hemmen gleichzeitig die Keimbesiedelung der wunden Haut. Vor dem Schlafengehen ist die Aloe-Anwendung zu erneuern und besonders empfehlenswert.

Akne

Die Acne vulgaris, gemeine oder jugendliche Pockfinne, ist eine in den Entwicklungsjahren häufige, von den Talgdrüsen ausgehende, eitrige Hautkrankheit, verursacht durch eine örtliche Verengung der Kapillaren, die auf die Hormonumstellung reagieren. Durch Verstopfung der Talgdrüsen und Eindickung des Talges in den Ausführungsgängen entstehen die Komedonen (Mitesser), hirsekorn- bis erbsengroße, grauweißliche Knötchen, häufig mit schwarzem Punkt in der Mitte. Diese entzünden sich und bilden gerötete, eitrige Pusteln (Pickel). Wenn sie reif sind, entleeren sie ihren Eiterinhalt und heilen narbenlos ab. Manchmal vergrößern sie sich, bilden in die Tiefe reichende, derbe, schmerzhafte Knoten, die geschwürig zerfallen und nach Abheilung Narben hinterlassen. Meist treten die Pusteln zahlreich und schubweise auf, insbesondere an den talgdrüsenreichen Stellen im Gesicht, auf Rücken oder Brust.

Zur Heilung von Akne empfiehlt Max B. Skousen in seinem „Aloe Vera Handbook“: Gute Reinigung: Morgens und abends das Gesicht gut reinigen mit einer guten milden Seife. Einfache Seife kann Reaktionen verursachen. Auch keinen Reinigungscreme benutzen, der Öl enthält, da Öl-Überschuß gerade oft die Ursache der Akne selbst ist. *Aloe vera* L. auftragen. Hier kann das Gel direkt aus dem frischen *Aloe vera* L. -Blatt benutzt werden oder *Aloe vera* L. -Saft oder -Gel. Der Aloesaft wird begierig von der Haut aufgenommen, dringt bis zur Hautwurzel durch und erweitert die verengten Kapillaren zum normalen und gesunden Durchmesser. Die Dauer der Behandlung kann bis zu sechs Monaten betragen und gibt dem Gesicht wieder eine gesunde und schöne Haut. Aloe ist durch die Geschichte bekannt als das beste Schönheitsmittel.

Lt. Dr. A. Abou El-Enein, Chairman of the Nile Co. For Pharmaceuticals and Chemical Industries, ist die Aloe vera vorzüglich geeignet in Fällen von Seborrheia alopecia, Acne vulgaris und Alopecia areata.

Zur Unterstützung der Heilung und zur Vermeidung der Narbenbildung empfiehlt sich auch begleitend, das tägliche Trinken eines kleinen Glases (ca. 50 ml) Aloesaftes aus dem Gel der Aloeblätter gewonnen.

Allergien (Heuschnupfen)

Allergien sind Erscheinungen, die verursacht werden durch falsche oder überschießende Reaktionen des Immunsystems auf verschiedene Substanzen

DIE ALOE IM ERFOLGREICHEN EINSATZ BEI WEITEREN KRANKHEITSBILDERN

(Allergene). Viele verbreitete Krankheiten wie Bronchialasthma und Heuschnupfen sind allergische Reaktionen auf Allergene.

Jede achte Person reagiert allergisch, wenn Haut oder Atemwege mit bestimmten chemischen Stoffen, Staubpartikeln oder Pollen in Kontakt kommen oder wenn sie bestimmte Lebensmittel zu sich nehmen. Symptome treten jedoch immer erst beim zweiten Kontakt mit der entsprechenden Substanz auf. Bei den meisten Allergien bildet sich in den Mastzellen die chemische Substanz Histamin. Histamin ist mitverantwortlich für das Entstehen von Schwellungen und Rötungen bei Entzündungen und verursacht auch Juckreiz.

Es liegen weltweit sehr viele Berichte vor, daß auf Allergien anfällige Personen oft nach Jahrzehnten erfolglos angewandter Medikation, darunter auch Kortison, sich von dieser Krankheit befreien konnten, lediglich durch Trinken des Saftes der Aloe vera L. und/oder durch die Hautpflege der betroffenen Stellen mit Aloecreme. Sollte Kortison im Einsatz gewesen sein, muß das Absetzen unbedingt mit dem Arzt abgesprochen werden. Unter Heuschnupfen Leidenden empfiehlt es sich, bereits schon 4 Wochen vor dem Beginn des Pollenfluges, mit dem vorbeugenden Trinken des Aloesaftes zu beginnen.

Da es auch eine Allergie gegen die Aloe gibt (unter 1 % der Bevölkerung) sollte jeder Anwender von Aloe-Produkten erst einmal einen Allergietest machen. Man gibt dazu einen Tropfen des Aloeproduktes ohne Druck auf die Kopfhaut hinter der Ohrmuschel. Wenn diese Stelle sich innerhalb von 2 Minuten rot färbt, darf diese Person von Aloeprodukten keinen Gebrauch machen.

Alterserscheinungen

Besonders ältere Menschen leiden unter einer Verengung der Kapillaren, wodurch zahlreiche Krankheitsbilder entstehen. Ein deutliches Zeichen ist der verlangsamte Stoffumsatz durch die stetige Abnahme der Oxydationen im Alter. Das tägliche Trinken des Vitalgetränkes der Aloe (ca. 50 ml) ist die richtige Quelle, um die Sauerstoffversorgung des Körpers zu verbessern durch die Wiederherstellung des normalen und gesunden Durchmessers der Kapillaren. Mehr Sauerstoff bedeutet mehr Energieangebot. Der Allgemeinzustand verbessert sich. Viele berichten, daß sie sich nach der Entdeckung der Aloe für ihr Leben viel jünger und vitaler fühlen. Häufig wird berichtet, daß sich z. B. Achtzigjährige plötzlich zehn, zwanzig oder dreißig Jahre jünger fühlen. Die Aloe hat eine sehr positive Wirkung auf das Herz-Kreislauf-System, der Herzmuskel wird besser und mit mehr Sauerstoff versorgt und dadurch gestärkt. Schwindelgefühle verschwinden häufig, und die geistige Leistungsfähigkeit kann wieder aktiviert werden. Der Stoffwechsel verbessert sich, und die Darmträgheit wird günstig beeinflußt. Tränensäcke können verschwinden. Altersdiabetes wird häufig gemildert, und die Blutwerte verbessern sich überraschend. Die Nachtruhe wird weniger gestört.

Aus der Hauptstadt Brasiliens, Brasilia, liegt die Zuschrift vom 16.2.2001 von einem 80-jährigen Leser meines Buches vor. Er hatte 2 Flaschen von je 500 ml des

KAPILLAREN BESTIMMEN UNSER SCHICKSAL

Aloe-Saftes nach der Formel von Pater Romano Zago OFM gekauft und kurgemäß getrunken. In seinem Brief schrieb er: „ 1.) Mein Sodbrennen ist weg. 2.) Meine Krampfadern in den Beinen sind alle weg. 3.) Mein Kopfweh ist weg. 3.) Das wichtigste, mein Leberkrebs ist weg und mein Cholesterinspiegel ist von 375 auf 163 gesunken. Somit hat sich bei mir als 81-jähriger Witwer, durch die *Aloe vera* L. -Kur das ersehnte Wunder gezeigt." Vom 7. 3. 2001 liegt ein weiteres Schreiben dieses Herrn aus Brasilia vor. Er teilte folgende weitere Besserungen mit: „Ich stinke nicht mehr aus dem Mund, und ich kann wieder gehen ohne zu schwanken und ohnmächtig zu werden. Werde am 8. 4. 2001, 81 Jahre alt und kann wieder laufen, schwimmen. springen und Autofahren wie ein 50 - Jähriger".

Ein Lehrer aus dem Schwabenland schrieb am 20. 9. 2000: „Ich stehe ja jeden Morgen um 5.15 Uhr auf und jogge eine Dreiviertelstunde. Schon seit längerer Zeit habe ich so meine Probleme, die Runde zu schaffen (schwerer Atem, bleierne Beine, stechendes Knie). In den letzten 14 Tagen, als ich die Aloe-Kur wie in Ihrem Buch beschrieben durchführte, lief ich ohne Anstrengung und nach etwa 7 Tagen Einnahme völlig ohne Beschwerden! Das muß der Saft bewirkt haben"... In einem anderen Schreiben schrieb dieser Lehrer: „Jetzt kenne ich endlich das Geheimnis der brasilianischen Fußballspieler. Die scheinen wohl Aloe-Saft zu trinken. Das ist ja ein natürliches Dopingmittel !"

Das wichtigste im hohen Alter ist, über Kapillaren zu verfügen mit einem normalen und gesunden Durchmesser. Nicht nur die Aloe hilft dies zu erreichen, sondern auch die innerliche Einstellung zum Alter. Laut einem Reuter-Bericht vom 29. Juli 2002 haben Wissenschaftler der Yale Universität festgestellt, daß bei richtiger, d. h. positiver Einstellung zum Alter das Leben um durchschnittlich 7,6 Jahre verlängert werden kann. Negative Einstellung zum Alter führt zum früheren Tod. Nicht umsonst gibt es den Ausdruck, daß man an Gram sterben kann. Diese Wissenschaftler stellten abschließend fest, daß die positive Einstellung zum Alter viel wichtiger ist, um ein hohes Lebensalter mit Gesundheit zu erwerben, als der eventuelle hohe Blutdruck oder verkehrte Cholesterinwerte. Diese Wissenschaftler haben bei ihren Forschungen die Ursache übersehen, daß, wenn die Kapillaren den normalen und gesunden Durchmesser aufweisen, sich der Blutdruck normalisiert und schlechte Cholesterinwerte besser werden.

Anämie (Blutarmut)

Der an Blutarmut Leidende sieht blaß aus. Schleimhäute, Lippen und die Bindehaut der Augen ebenso. Es besteht Müdigkeit, Arbeitsunlust, in schweren Fällen auch Neigung zu Schwindel, Ohnmacht, Ohrensausen und Herzklopfen. Der Organismus produziert zuwenige rote Blutkörperchen und den Blutfarbstoff Hämoglobin. Die Sauerstoffversorgung des Organismus ist unzureichend. Die Ursachen können z. B. Ernährungsschäden, Infektionen, Geschwülste, gewerbliche Vergiftung, Darmparasiten Hämorrhoidalblutungen und die zu geringe Aufnahme von Eisen sein. Als Hauptbestandteil der Diät werden Obst, Gemüse und Salate empfohlen. Von allen Obst- und Gemüsesorten hat die Aloe die meisten und die wirksamsten Inhaltsstoffe, so daß die Aloe sich von selbst anbietet bei Blutarmut

154

DIE ALOE IM ERFOLGREICHEN EINSATZ BEI WEITEREN KRANKHEITSBILDERN

zu helfen, zumal sie den Blutbildungsprozeß entscheidend fördert. Das Trinken des Aloesaftes (ca. 50 ml/Tag) hat sich vielfach zur Heilungsunterstützung bewährt.

Angina

Das entzündliche Anschwellen der Mandeln führt normalerweise zu Schluck-beschwerden und Schmerzen. Durch täglich mehrmaliges Gurgeln mit 1:10 ver-dünntem Aloesaft läßt sich die Angina im harmlosen Stadium behandeln.

Arterienverkalkung (Arteriosklerose)

Die Arterienverkalkung ist ein besonders nach dem vierzigsten Lebensjahr auf-tretendes Blutgefäßleiden, das Männer häufiger befällt als Frauen. Es handelt sich dabei zunächst um eine Verfettung der Wandschichten der Arterien, in denen sich Atheromherde bilden, die sich häufig verhärten. Bei Bildung schwielenartigem Bindegewebe, wird Kalk eingelagert. Dadurch verlieren die Blutgefäße ihre Elastizität. Diese Krankheit ist nach neuen Erkenntnissen zivilisatorisch bedingt, besonders durch falsche Ernährung und Stoffwechselstörungen. In der chinesi-schen Medizin ist die Aloe eines der wichtigsten Heilmittel der Arterienverkalkung. Das Trinken des Aloesaftes senkt bekanntermaßen den Cholesterinspiegel und nor-malisiert den gesamten Blutdruck. Das Blutbild ändert sich überraschend, so daß der Arzt häufig darüber staunt.

Arthritis (Gelenkentzündung)

Die Entzündung wird durch Bakterien und ihrer Gifte ausgelöst. Tausende Patienten (lt. Aloe Vera Handbook von Max B. Skousen) haben sich von ihrer Arthritis befreien können durch das Trinken von *Aloe vera* L. -Saft, der aus dem inneren Gel der Blätter extrahiert war. Im Durchschnitt werden 2 - 4 Eßlöffel *Aloe vera* L. -Saft pro Tag eingenommen, jeweils vor den Mahlzeiten. Am besten gekühlt oder zusammen mit Fruchtsaft oder verdünnt in Wasser. Eine merkliche Besserung im Krankheitsbefund findet jedoch erst nach mindestens zwei Monaten Einnahme der täglichen Menge statt. Wenn die Schmerzen verschwunden oder stark gemil-dert sind, kann man die tägliche Gabe von *Aloe vera* L. auf einen Eßlöffel morgens und einen Eßlöffel voll am Abend reduzieren. Gleichzeitig können auch die entzün-deten Stellen äußerlich behandelt werden durch leichtes Einmassieren von *Aloe vera* L.-Saft oder -Gel.

Asthma

Eine Störung des Ausatmens, bei dem mehr Luft in den Lungen zurückbleibt als normal, so daß beim darauffolgendem Atemzug zu wenig frische Luft eingeatmet wird, so daß es zu Sauerstoffmangel kommt. Durch Inhalationen von *Aloe vera* L. -Dämpfen wird Asthma gelindert und geheilt. Dazu begannen die Forschungen 1950 unter der Leitung von Dr. Gottshall, die dann in Japan unter der Leitung von Dr. Shida Takao weitergeführt wurden. Bei einer Versuchsreihe mit 33 Patienten, denen

KAPILLAREN BESTIMMEN UNSER SCHICKSAL

der Saft von Aloe-Blättern (Gel und Blatthaut) verabreicht wurde, konnten Heilungsergebnisse erzielt werden, die 24 Wochen nach Kurbeginn mit „sehr gut" bis „spektakulär" bewertet wurden. (Siehe "Effect of Aloe Vera Extract on Peripherical Phagocitosis in Adult Bronchial Asthma." Veröffentlicht in "Planta Medica", Februar 1985, S. 273-275).

In den USA wurde im September 1993 ein Vortrag von Dr. James Thompson vor der Jahresversammlung der Amerikanischen Akademie der Hals- Nasen - und Ohrenärzte gehalten und auch veröffentlicht unter dem Thema: "Upper Respiratory Tract Immunomodulator-Acetyl Mannan". Dr. Thompson berichtete über die Behandlung von 350 Patienten mit einem Aloe-Nasenspray und durch Aloe-Injektionen. In der vierjährigen Beobachtungsphase waren die Ergebnisse völlig zufriedenstellend.

In Japan wurde 1987 eine Forschungsarbeit von Dr. Akira Yagi im "Japan Journal of Allergiology" veröffentlicht, die über die Heilung von Asthma-Kranken berichtet, die sechs Monate lang Aloe-Saft verabreicht bekamen.

Da eine Aloesaftkur die Kapillaren zum normalen und gesunden Durchmesser erweitert, kann der im Krankheitsfall Asthma der Lunge vermindert zur Verfügung stehende Sauerstoff besser aufgenommen und verwertet werden. Alleine schon durch diese Umstellung ist ein Heilungsbeginn möglich.

Augenkrankheiten

Die Ägyptische Augenkrankheit (Trachom) oder auch Conjunctivitis granulosa, die Entzündung der Aderhaut des Auges, die Augenlidrandentzündung, die Bindehautentzündung, der Fuchs'sche Fleck, der graue Star, der grüne Star, die Hornhautentzündung des Auges, die Kurzsichtigkeit (Myopie), die Netzhautentzündung und die Sehnerven-Atrophie sind allesamt Krankheitsbilder, die sich lt. Dr. Wolfgang Wirth sehr gut mit Aloe-Extrakt-Injektionen behandeln und oft erfolgreich heilen lassen.

Die Injektion hat die Bezeichnung „ALOE D 2 - biostimuliert" bzw. „ALOGEN nach Wolfgang Wirth MDH". Ausführlich beschrieben in "Mit Aloe heilen" von Wolfgang Wirth, ein Buch, das heutzutage in keiner Bibliothek fehlen dürfte. Jeder sollte wissen, daß die Aloe, die "Kaiserin der Heilpflanzen", eine außerordentliche Augenschutzkraft auswirkt, wie keine andere. Man spricht von der Aloe sogar als die "flüssige Sonnenbrille".

Die Behandlung von Augenkrankheiten mit dem Saft der frischen Aloe (oft vorher mit Wasser verdünnt und filtriert) ist viele Jahrtausende alt. Übrigens soll der Apostel Thomas, bevor er seine Indien-Mission unternahm, auf der jemenitischen Insel Sokotra eine Methode der arabischen Medizin übernommen haben und durch Einsatz der dort gedeihenden Sokotra-Aloe, eine der wertvollen Pflanzen der großen Aloe-Familie, den Star mit Hilfe einer Frischsaftzubereitung geheilt haben. Er gab vielen Alten das Augenlicht wieder, auch später bei seiner Mission in Indien.

DIE ALOE IM ERFOLGREICHEN EINSATZ BEI WEITEREN KRANKHEITSBILDERN

Für die vielen Augenkrankheiten gibt es nun erstmals im Westen zugängliche Therapien, die sich an der Augenklinik in Odessa, die heute den Namen des Augenarztes Prof. Filatow führt, mit überzeugenden, konstanten Heilungserfolgen durch den Einsatz der Aloe bewährten und harte klinische Tests bestanden haben. Im Hinterland von São Paulo litt Ana Rosa Guedes, 48 Jahre alt, jahrelang an einer Entzündung im linken Auge, wodurch ein sogenanntes "Heuschreckenauge" entstand. Kein Arzt konnte ihr helfen. Da sie gehört hatte, daß Aloe-Saft bei Augenkrankheiten hilft, nahm sie fünf Monate hindurch 1/2 l Aloe-Saft pro Woche ein. Im 5. Monat war die Entzündung völlig verschwunden, und ihr Auge normalisierte sich.

Auch der Augendruck, der sich durch eine Verengung bzw. teilweise Verstopfung der Kapillaren im Augenbereich bildet, konnte in vielen Fällen durch das Trinken von Aloesaft reguliert werden. Dadurch normalisierte sich der erhöhte Druck in der Arterie der Netzhaut innerhalb weniger Tage.

Die Bindehautentzündung ist meistens harmlos aber unangenehm. Sie entsteht durch Zugluft oder Aufenthalt in staubiger oder verräucherter Luft. Sie führt zu Entzündungen. Sebastian Kneipp schrieb in seinem Gesundheitsbuch "So sollt ihr leben": „Die Augen werden täglich ausgewaschen mit Wasser, in welchem etwas Aloe aufgelöst wird." Damals benutzte man noch die kristallisierte Aloe, heute nimmt man den reinen naturbelassenen Saft ca. 1:10 verdünnt. Man kann diesen verdünnten Aloesaft auch vorher noch zusätzlich durch einen sauberen Papierfilter filtrieren, der üblich ist für die Kaffeezubereitung.

Bakterientötende Eigenschaft der Aloe

Im Journal of Pharmaceutical Science, Vol. 53, S. 1287 vom Oktober 1964 berichtet Dr. Lorna J. Lorenzetti et al. vom College of Pharmacy der Ohio State University, unter dem Titel "Bacteriostatic property of Aloe vera", über die bakterientötenden Eigenschaften der *Aloe vera* L. bei *Streptococcus pyogenes, Staphylococcus aureus 209, E. coli, Coryenbacterium xerose, Shigella paradysenteriae, Salmonella typhosa, Salmonella schotimuelleri* und *Salmonella paratyphi*. Im Journal of the American Medical Technologists, Vol. 41 N° 5, September - Oktober 1979, S. 293-294 berichteten Dr. John P. Heggers, Ph.D., MT (AMT) Associate Professor of Surgery, The University of Chicago Burn Center, et al. über die bakterientötende Wirkung von *Aloe vera* bei *Staphylococcus aureus, Streptococcus pyogenes, Streptococcus agalactiae, Escherichia coli, Serratia marcescens, Klebsiella sp., Enterobacter sp., Citrobacter sp., Bacillus subtilus* und *Candida albicans*.

Bartflechte (Bartfinne, Bartgrind)

Die gewöhnliche Bartflechte ist eine schmerzhafte Entzündung der Haarbälge und Haarbalgdrüsen. Die Erreger sind Eiterbakterien, namentlich *Staphylokokken*. Die Haut ist im Bartbereich gerötet und geschwollen, häufig mit dicht stehenden Eiterbläschen, manchmal mit eitrigen Krusten bedeckt. Seltener entstehen auch tiefe, knotenförmige, furunkelähnliche Entzündungsherde mit eitriger Ein-

KAPILLAREN BESTIMMEN UNSER SCHICKSAL

schmelzung. Das Rasieren ist dabei wegen des starken Brennens nahezu unmöglich. Bei Nichtbehandlung der Bartflechte kann es zu starker Narbenbildung kommen.

Der Saft der Aloe hat sich bei der Behandlung der Bartflechte bewährt. Man massiert die betroffenen Flächen mit dem Saft ein, oder beim Befall größerer Hautflächen macht man mehrmals am Tage mit warmem Aloesaft getränkte Umschläge. Übrigens gibt es heute schon sogenannte Aftershave/Skin Conditioner und After Shave Balm für die Hautpflege nach der Rasur aus Aloesaft gefertigt, die für die Barthautpflege unübertroffen sind..

Bettnässer

Besonders bei vier- bis zehnjährigen Kindern findet man häufig, mehr bei Knaben als bei Mädchen, Bettnässer. Dieses Symptom kann bis zum Erwachsenalter anhalten. Oft leiden diese Kinder auch an Anämie, Appetitlosigkeit und haben ein blasses Aussehen. Der russische Arzt Dr. Vmoin in Novosibirsk behandelte Bettnässer mit 25 Injektionen eines Aloe-Extraktes im zweitägigen Rhythmus. In den meisten Fällen verschwand das Symptom bereits nach der 7. Injektion und bei den restlichen Fällen ging das Bettnässen stark zurück. Beschrieben in der russischen Zeitschrift Medexport. Gleiche Ergebnisse lassen sich sicherlich auch bei innerlicher Gabe von *Aloe vera* L.-Saft erreichen.

Blähungen (Flatulenz)

Blähungen haben vielseitige Ursachen. Schon im Altertum zur Zeit von Plinius wurde der Saft der Aloe als Mittel gegen Blähungen verwandt, da die Aloe verdauungsfördernd ist. Viele berühmte Verdauungsschnäpse und Magenbitter enthalten traditionsgemäß einen Anteil von Aloesaft.

Blasenkatarrh (Blasenentzündung, Zystitis)

Eine häufige Erkrankung der Harnblase. Sie wird durch Erkältung oder Bakterien, meist durch Kolibakterien hervorgerufen. Diese wandern durch die Harnröhre in die Blase. Da bei der Kürze der weiblichen Harnröhre dies naturgemäß sehr viel leichter möglich ist, ist die Blasenentzündung bei Frauen wesentlich häufiger.

Die Entzündung äußert sich im starken Harndrang. Sie kann auch von akutem Fieber begleitet sein. Das Warmhalten des Unterleibes und das Trinken von je einem Eßlöffel Aloe-Saft zu den Mahlzeiten hat sich bewährt. Die Krankheit sollte im Normalfall innerhalb von 2 Wochen abklingen.

Bluthochdruck

Die Höhe des Blutdruckes ist von der Leistungsfähigkeit des Herzens, von der Weite und Elastizität (Tonus) der Blutgefäße und von der inneren Reibung

DIE ALOE IM ERFOLGREICHEN EINSATZ BEI WEITEREN KRANKHEITSBILDERN

(Viskosität) des Blutes abhängig. Zum Funktionieren des Blutkreislaufes ist die Aufrechterhaltung eines genügenden Blutdruckes in allen Teilen des Körpers notwendig, da das Blut nur dann strömt, wenn ein Druckgefälle vorhanden ist. Ein hoher Blutdruck hat häufig seine Ursache in einer Verengung der Kapillaren. Hier kann die Aloe segensreich eingreifen bei Personen, die gut auf die Aloe reagieren. Durch das Trinken von Aloe-Saft (1 Eßlöffel pro Tag) können die verengten Kapillaren bei vielen Menschen auf den gesunden und normalen Durchmesser erweitert werden, wodurch sich der erhöhte Blutdruck normalisiert. Es liegen auch Berichte vor, daß sich niedriger Blutdruck durch das Trinken von Aloesaft auf normale Werte stabilisiert hat.

Bluterguß (Hämatom)

Entstehen bei jeder Gefäßzerreißung, besonders der Kapillaren, durch äußere Gewalteinwirkung (Stoß, Schlag, Fall). Dabei tritt Blut ins Bindegewebe, die Muskeln oder Gelenke. Die Haut über dem Bluterguß ist zunächst bläulich verfärbt (blauer Fleck, blaues Auge) und nimmt in den folgenden Tagen durch den Abbau des Blutfarbstoffs in Gallenfarbstoff eine grünlich-gelbliche Färbung an. Hier hat sich der Saft der Aloe ganz besonders bewährt. Der Saft kann direkt aufgetragen werden oder in Form von warmen Umschlägen. Der Saft dringt tief in die Haut ein, heilt und erweitert die Kapillaren, so daß das aus den Blutgefäßen heraus getretene Blut schnell wieder abtransportiert werden kann. Die Wirkung des Aloe-Saftes ruft immer wieder Erstaunen hervor und ist allen anderen bekannten Heilmitteln überlegen.

Blutreinigung

Die Blutreinigungskuren mit Frischpflanzen und Frischpflanzensäften (Frühjahrskuren) dienen neben der ausleerenden und entschlackenden Wirkung, der Auffrischung des Blutes durch Zufuhr von verknappten Vitaminen, während des Winters. Hier erobert sich der Aloe-Saft eine führende Rolle. Nicht nur von seinen reichhaltigen Inhaltsstoffen her, sondern auch von seiner Fähigkeit die Kapillaren wieder zum normalen und gesunden Durchmesser zu erweitern, ist die Aloe weltweit das beste Vitalgetränk. Man trinkt den Saft der Aloe 10 Tage lang kurgemäß 50 ml pro Tag.

Blutstillung

Die Aloe heilt sich nicht nur selber, sondern ihr Saft ist seit dem Altertum bekannt als erfolgreichstes Mittel zur Stillung von Wunden. Heute wird der Saft der frischen Aloe allgemein für kleine Wunden benutzt, wie z. B. Schnitt- und Brandwunden. Man findet heute bereits Aloe-Zusätze in After Shaves und ersetzt damit die aluminiumhaltigen Alaunprodukte, die im Verdacht stehen als Ursache der Alzheimerkrankheit.

159

Brustdrüsenentzündungen

Ganz selten werden Entzündungen außerhalb der Stillzeit beobachtet. Sie entstehen durch das Eindringen von Bakterien in kleine Wunden. Meist tritt die Brustdrüsenentzündungen nur auf einer Brustspitze auf und äußert sich schnell durch ein Anschwellen der Lymphknoten in der Achselhöhle derselben Seite. Vermieden werden kann diese Entzündung durch vorbeugende Pflege mit Aloe. Nach dem Stillen empfiehlt es sich die Brustwarze mit *Aloe vera* L.-Saft zu bestreichen. Nach einer gewissen Einwirkungszeit dann mit warmem Wasser abspülen und trocknen.

Cholesterinabbau

Allgemein gesichert ist, lt. Dr. Wolfgang Wirth, daß Aloe-Injektionskuren zu einer spürbaren Senkung des erhöhten Cholesterinspiegels im Blut führen kann. Bei einer Patientin aus Berlin des Jahrgangs 1911 ergab sich nach der dritten Kur mit Aloe-Extrakt eine völlige Normalisierung der Cholesterinwerte, die vor der Behandlung erheblich erhöht waren. Bemerkenswert ist hierbei, daß die Patientin keineswegs die Lebensweise umgestellt hat und weiterhin nicht auf Butter und andere Fette verzichtete. Dauerhafter ist natürlicherweise eine positive Einwirkung der Aloe-Therapie, wenn zusätzlich Diätvorschriften beachtet werden. Im Fall der erwähnten Patientin ist auch der Blutzuckerwert normalisiert worden. Dies ist auf den aktivierenden Einfluß der biogenen Stimulationen auf die Funktion der Bauchspeicheldrüse zurückzuführen. Es erscheint an dieser Stelle empfehlenswert, wie Dr. Wirth schreibt, bei Blutbildern auf die Veränderung der Blutzuckerwerte nach der Aloe-Therapie zu achten. Der Arzt hätte bei positiven Veränderungen somit eine natürliche Möglichkeit, die Therapie bei Diabetes mellitus (Zuckerkrankheit) einzusetzen. Ähnliche Ergebnisse zur Senkung der sogenannten schlechten Cholesterinwerte LDL und VLDL (im Gegensatz zum HDL), die das Risiko von Herzkranzgefäßstenosen oder -verengungen und Schlaganfall erhöhen, werden sehr häufig erzielt durch regelmäßiges Trinken von 1 Eßlöffel *Aloe vera* L. - Saft vor den Mahlzeiten. Ärzte, die die Aloe noch nicht kennen, sind häufig erstaunt über die Verbesserungen der Ergebnisse der Blutprobenanalysen ihrer Patienten, die begonnen hatten, Aloesäfte zu trinken, und dann meinen, daß sicherlich das Analysenergebnis mit dem des Ehepartners vertauscht wurde.

Chronische Nesselsucht (Urticaria)

Die Urticaria tritt auf durch verdrängte Aggressionen sowie bei masochistischen und exhibitionistischen Neigungen. Es handelt sich oft um neurotische Spannungstendenzen mit demonstrativem Protest gegen die Umwelt und zwar meist gegen Liebesentzug und Defiziten an Zuneigung. Der Patient stimuliert eine Art Selbstbestrafung. Die Haut spielt als Kontakt- und Ausdrucksorgan hierbei eine zentrale Rolle. Lt. Dr. Wolfgang Wirth wird man die Ursache durch psychologische Behandlung wegräumen müssen. Daneben ist eine Kur mit Aloe-Extrakt zu empfehlen, die hier besonders auf psychologische Weise dem Patienten zu erklären ist: die Wirkung erfolgt über das Zentralnervensystem, so daß eine Normalisierung des

DIE ALOE IM ERFOLGREICHEN EINSATZ BEI WEITEREN KRANKHEITSBILDERN

von hier ausgehenden Informationsprozesses eingeleitet wird. Die Nesselsucht kann auch entstehen durch medikamentöse Gifte, Allergien gegen bestimmte Pflanzen (z.B. gegen Erdbeeren) und Tiere sowie durch Insektenstiche. Ein vorheriger Allergie-Test ist immer zu empfehlen. Sowohl bei der psychischen wie auch der organischen Ursache - Aloe-Extrakt wird besonders nachdrücklich bei Intoxikationen (Vergiftungen) angewendet - ist eine Injektionskur lt. Dr. Wirth zu empfehlen (ausführlich beschrieben in "Mit Aloe heilen"). Salzarme Ernährung sowie viel Obst (außer Erdbeeren) und Gemüse sind bei dieser Behandlung wichtig!

Dickdarmentzündung (Colitis)

Eine meist mit Durchfällen einhergehende Erkrankung. Man unterscheidet den einfachen Dickdarmkatarrh und die geschwürige Form (Colitis ulcerosa). Die Durchfälle bei der Geschwürbildung enthalten oft Blut und Eiter. Das Laboratorium Carrington kam aufgrund seiner Forschungen zur Überzeugung, daß *Aloe vera* L.-Saft und auch Acemannan (in *Aloe vera* L. enthalten) die besten Ergebnisse heutzutage bei der Heilung der Colitis ulcerosa und der Chron-Krankheit bringen. Es erhielt jetzt von der FDA in den USA die Genehmigung, seine Forschungen offiziell weiterzuführen.

Eiternde Wunden

Offene Wunden eitern oft, weil das darunterliegende Gewebe sich immer wieder mit Bakterien infiziert. Seit Jahrtausenden wird der Saft der Aloe für die Wundversorgung erfolgreich angewandt. Traditionell wird die Wunde mit warmen verdünnten Saft aus dem Gel der *Aloe vera* L. ausgewaschen und danach mit einem mit purem Saft getränktem Umschlag abgedeckt, der 2 x pro Tag gewechselt wird. Auch gut, ein der Wunde entsprechendes großes Stück Aloe-Gel in die Wunde legen und abdecken.

Ekzeme

Ekzeme sind juckende Hautentzündungen, die sich manchmal mit Schuppen oder Blasen zeigen. Einige Ekzeme heißen auch Dermatitis, z. B. seborrhöische, Kontakt- und Photodermatitis. Gelegentlich werden Ekzeme auch durch eine Allergie ausgelöst, oft aber ist kein Grund feststellbar. Die Ekzeme sind nicht ansteckend wie die Flechte, aber sehr unangenehm. In diesem Krankheitsfall hat sich durch die Erfahrungsmedizin das Auftragen des puren oder verdünnten Aloesaftes auf die betroffenen Hautflächen bewährt. Da die Ursache häufig eine Störung des Stoffwechsels sein kann, wird das Trinken von reinem Aloesaft zusätzlich empfohlen: 3 x pro Tag einen Teelöffel voll.

Endokrine Drüsen

Dabei handelt es sich um Drüsen ohne Ausführungsgangsystem, die ihr Sekret (Hormon) an den Kreislauf durch die sie durchziehenden Kapillaren abgibt. Wenn

KAPILLAREN BESTIMMEN UNSER SCHICKSAL

die Kapillaren sich durch Alkoholmißbrauch oder verkehrte oder zu üppige Ernährung verengen, kommt es zu Übelkeit, Brechreiz und heftigen Bauchschmerzen am nächsten Tage. Das beste ist auf Genußmittel zu verzichten, die Nahrungsaufnahme mindern und auf nüchternem Magen und vor den Mahlzeiten einen Eßlöffel puren Aloesaft zu trinken. Dadurch können sich die verengten Kapillaren erweitern und die Bauchspeicheldrüse, die Schilddrüse und die Nebennierenrinde wieder stimuliert werden.

Enzyme

Enzyme sind Eiweißkörper (Proteine), die als Beschleuniger chemischer Vorgänge im Körper (Biokatalysatoren) wirken. Es gibt Tausende von Enzymen mit jeweils unterschiedlicher chemischer Struktur. Seine Struktur legt fest, welche Reaktion von dem Enzym gesteuert wird. Eine Störung der Arbeit der Enzyme führt zu Krankheiten. Der Saft der Aloe unterstützt die Arbeit der Enzyme und gleicht Enzymdefekte aus. Man trinkt 1 Eßlöffel puren Aloesaft vor den Mahlzeiten. Die Bauchspeicheldrüse produziert z. B. die Verdauungsenzyme Lipase, Protease und Amylase und, unter den zahlreichen Leberenzymen sind z. B. einige, die Medikamente verstoffwechseln oder abbauen.

Erdbeer-Allergie

Eine häufig auftretende Allergie nach Genuß von Erdbeeren macht sich durch juckende Pusteln und Bläschen im Gesicht und am Hals bemerkbar. Man behandelt die betroffenen Hautflächen mit Aloecreme oder mit purem Aloesaft, der auch verdünnt sein kann.

Erythrasma

Erythrasma ist eine bakterielle Hautentzündung in Form von roten unregelmäßigen Hauterhabenheiten, im Bereich der Lenden, Achselhöhlen und der Haut zwischen den Zehen, die vom *Corynebacterium* verursacht wird und besonders bei Männern und Zuckerkranken auftritt. Da es sich um eine oberflächliche Infektion handelt, hat sich hierbei die äußerliche Anwendung des puren oder verdünnten Aloesaftes bewährt.

Faltenbildung

Die Faltenbildung ist eine natürliche Begleiterscheinung des Alterungsprozesses bedingt durch den Elastizitätsverlust der Haut. Die Aloe ist das natürliche Mittel um Faltenbildung zu mildern, da sie adstringierend, d. h. zusammenziehend wirkt. Die Durchblutung und Versorgung der Haut wird verbessert durch die Erweiterung der verengten Kapillaren zum normalen und gesunden Durchmesser. Die kosmetische Industrie hat diese Eigenschaft der Aloe entdeckt und heutzutage ist in fast allen guten Schönheitsmitteln bereits die Aloe mitenthalten. Man kann seine Haut pflegen zur Milderung der Faltenbildung durch das Auftragen von purem oder ver-

DIE ALOE IM ERFOLGREICHEN EINSATZ BEI WEITEREN KRANKHEITSBILDERN

dünntem Aloesaft. Auch der Zusatz von Aloesaft zum Badewasser ist für die Haut eine Wohltat.

Faulecken

Häufig findet man bei älteren Menschen in den Mundwinkeln entzündete Stellen. Es bilden sich Risse mit Schorf, die schlecht heilen, da sie Bakterien beherbergen. Hier hat sich der reine Aloesaft bewährt, wenn man diese Stellen damit befeuchtet.

Fallsucht

Mit der Aloe-Injektionstherapie wird dem Neurologen ein biologisches Therapiemittel gegeben, das den Krankheitsverlauf günstig beeinflußt. Ein Nervenarzt mit Erfahrung wird stets darauf achten, daß auch die psychologische Behandlung des Patienten dessen Hoffnung bis zur Gewißheit aufbaut, daß sich sein Leiden wesentlich bessern kann und die periodischen Anfälle mehr und mehr zeitlich auseinander liegen. Prof. Meljanko aus Kiew berichtet über ausgesprochene Heilerfolge bei Epilepsie.

Prof. Rosenzweig hebt hervor, daß die Aloe-Extrakt-Kur eine stimulierende Wirkung auf den ganzen Organismus ausübt und dessen Widerstandskraft stärkt. Damit werden auch die anderen, spezifisch gerichteten Behandlungsmethoden potenziert.

Nach Prof. Rosenzweigs Auffassung spielt die Aloe-Therapie durch ihre auflösende Wirkung bei einer posttraumatischen Epilepsie (also nach Verletzungen) die Hauptrolle. Die Krampfanfälle traten seltener auf und hörten nach mehreren Kuren völlig auf! Andere Ärzte bestätigten diese Erfahrungen auch bei geschlossenen Schädel-Hirn-Traumata! Ebenso bei Hirndurchblutungsstörungen hat z. B. Dr. Ulit unterstrichen, daß sich nach Aloe-Extrakt-Injektionen die motorischen Funktionen gebessert haben und die Sprache wiederhergestellt werden konnte.

Fisteln

Fisteln sind unnatürliche rohrartige Gänge von tiefer im Gewebe liegenden Eiterherden zur Hautoberfläche. Durch die antibakterielle Wirkung kann man durch Einsatz von reinem Aloesaft gegen Fisteln vorgehen. Man benutzt dazu ein mit Aloesaft getränktes Pflaster und tauscht es mehrere Male am Tag aus.

Frauenkrankheiten

Zu den Quälgeistern des weiblichen Geschlechts gehören Menstruationsbeschwerden wie ausbleibende, verzögerte oder übermäßige Menstruation. Unterleibsentzündungen treten aus vielen Ursachen und in vielen Erscheinungsformen auf. Am langwierigsten sind die Behandlungen eitriger Unterleibserkrankungen. Es gibt für sie alle nunmehr eine gründliche, unschädliche und von Neben-

KAPILLAREN BESTIMMEN UNSER SCHICKSAL

und Wechselwirkungen freie Therapie (abgesehen von den seltenen Fällen der Allergie gegen Aloe). Das ist bei Frauenkrankheiten besonders wichtig, da hier die Neigung zu Rückfällen häufig ist. Die Stärkung der körpereigenen Abwehrkräfte ist auch hier oberster Grundsatz. Eine Therapie mit Aloe-Extrakt behebt bei Beachtung naturgemäßer Lebensweise die Krankheitsursachen zuverlässig und auf biologische Weise (lt. dem Bericht von Dr. Wolfgang Wirth in seinem hervorragenden Fachbuch "Mit Aloe heilen"). Gute Resultate werden auch mit dem Trinken von *Aloe vera* L.- Saft erzielt.

Frostbeulen

Juckende, lilarote Beule meist an Zehen oder Fingern, verursacht durch starke Kontraktion der Kapillaren unterhalb der Hautoberfläche bei großer Kälte. Hier hat sich eine sanfte Massage mit Aloesaft bewährt. Der Aloesaft dringt in die Haut ein, erweitert die Kapillaren, so daß oft eine schnelle Heilung möglich ist. Die Aloe ist das beste Mittel bei Frostbeulen.

Furunkel (Eiterbeule)

Dabei handelt es sich um entzündete eitergefüllte Hautstellen, meistens ein infiziertes Haarfollikel (die kleinste Hautöffnung), aus der ein Haar wächst. Häufig befallene Stellen sind der Nacken und schweißige Bereiche wie Achselhöhlen und Leistengegend. Eine schwere und größere Form eines Furunkels ist ein Karbunkel. Die häufigste Ursache eines Furunkels ist eine Infektion mit dem Bakterium *Staphylokokkus aures*. Manchmal siedeln diese Bakterien in der Nase oder an anderen Körperstellen, doch oft läßt sich der Infektionsort nicht ermitteln.

Da die *Aloe vera* L. erfolgreich gegen dieses Bakterium wirkt, sollte beim Auftreten von kleinen Pusteln bereits die Aloe zum Einsatz kommen, um das Entstehen von Furunkeln zu vermeiden. Man betupft diese Stellen mit dem Aloesaft. Bei Furunkulose ist es ratsam auch noch zusätzlich 3 x täglich einen Eßlöffel voll vom Aloesaft zu trinken.

Fußblasen

Blasen, die sich häufig beim Laufen mit neuen Schuhen bilden, werden angestochen, damit das Wasser auslaufen kann. Auf die Blasenhaut und die wunde Stelle wird ein mit purem Aloesaft getränktes Pflaster gegeben, welches 2 x pro Tag ausgetauscht wird. Eine neue Haut bildet sich dadurch sehr schnell.

Fußpilz

Eine sehr verbreitete Erkrankung, bei der die Haut zwischen den Zehen zu jucken beginnt, aufreißt, sich abschält und manchmal auch Bläschen bildet. Die Haut zwischen dem vierten und fünften Zeh ist am häufigsten betroffen. Es empfiehlt sich zunächst ein Fußbad mit einem Zusatz von Aloesaft. Nach dem sorgfältigen

DIE ALOE IM ERFOLGREICHEN EINSATZ BEI WEITEREN KRANKHEITSBILDERN

Abtrocknen benutzt man puren Saft um die betroffenen Stellen zu benetzen. Auch ein Tauchen der gewaschenen Strümpfe in verdünntem Aloesaft vor dem Trocknen nach dem Auswringen, hilft mit, Fußpilz zu bekämpfen. Gleichzeitig vermindert man auch das Problem der übelriechenden Schweißfüße und -socken.

Gastritis

Die Magenschleimhautentzündung ist eine weitgehend zunehmende Zivilisationskrankheit und kann zu Magengeschwüren führen. Sie entsteht durch eine falsche Ernährung und Bakterien vom Typ *Helicobacter pylori*, die unbehelligt von der scharfen Magensäure überleben. Durch eine passende Menge von basischem Alkali bieten diese Bakterien dem ätzenden Milieu Paroli. Ein kalifornisches Team unter der Leitung des Physiologen George Sachs entdeckte einen säureregulierten Kanal in der *Helicobacter pylori*-Membran, der genau kontrolliert, wieviel Alkali produziert werden muß, um die umgebende Säure abzupuffern. Durch den biologisch phantastischen Selbstschutz dieser Bakterie konnte sie auch in jahrzehntelangen Behandlungen jeden pH-Wert-Wechsel überstehen, so daß die Gabe von säureregulierenden Mitteln zwar eine Milderung brachte, aber keine Heilung. Bei diesen Krankheitsbildern ist die Anwendung von Aloe besonders erfolgreich durch orale Gabe von *Aloe vera* L. -Saft (zwei- bis dreimal täglich vor oder nach den Mahlzeiten ein Teelöffel voll über 3 Wochen bis 2 Monate lang). Siehe auch den Bericht von Jeffrey Bland "Effect of Orally consumed Aloe vera Juice on Gastrointestinal Function in Normal Humans", publiziert in Preventive Medicine, März / April 1985, Seiten 135 - 139.

Am 22. März 2002 ging eine Meldung in die Weltpresse: „*Aloe vera* L. - Gel senkt Magengeschwür-Risiko. Ein Gel, hergestellt aus der Heilpflanze *Aloe vera* L., könnte sich in der Behandlung und der Prävention von Magengeschwüren als nützlich erweisen. *Aloe vera* L. beeinflußt die Produktion von Substanzen positiv, die die Heilung von Geschwüren im Bauchraum fördern. Dies haben Forscher der Barts and London School of Medicine and Dentistry festgestellt, wie die BBC berichtet. Getestet wurde das Gel an Magenzell-Kulturen, berichten die Forscher auf dem Treffen der British Society of Gastroenterology. Die Forscher sind zuversichtlich, daß *Aloe vera* L. auch in der Behandlung von Geschwüren, die als Nebenwirkung von entzündungshemmenden Medikamenten auftreten, von Nutzen ist. Forscher des Morriston Hospitals planen nun Versuche, bei denen das Behandlungspotenzial von *Aloe vera* L. gegen das sogenannte 'irritable bowel syndrome' (IBS), den Reizdarm, ausgelotet wird.

Gehörnervenentzündung (Schwerhörigkeit)

Die sogenannte Neuritis acustica ist eine entzündliche Erscheinung am Nervus acusticus. Die Erkrankung zeigt sich als Schwerhörigkeit auf beiden Ohren, Ohrensausen, Druckgefühl in beiden Ohren, verschiedene Ohrgeräusche und Gleichgewichtsstörungen. Entstehungsursachen können Schädigungen durch chemische Arzneimittel sein wie z.B. Chinin, Salizylsäure wie auch Vergiftungen durch Alkohol, Blei und Bakterien. Weitere Ursachen sind häufig nicht auskurierte Typhus-,

Scharlach- und Diphterieerkrankungen. Lt. Dr. Wolfgang Wirth (Quelle: "Mit Aloe heilen") hilft hier eine Kur mit Injektionen von Aloe-Extrakt. Während der Behandlung wird die Kost gleichzeitig auf vegetarisch umgestellt und der Verzicht auf Genußmittel aller Art verordnet.

Gerstenkorn

Dabei handelt es sich um einen kleinen eitergefüllten Abszeß am Augenlid oder um eine bakterielle Infektion der Liddrüsen. Bewährt hat sich das Auflegen von mit Aloesaft getränkten Kompressen, die mehrmals stündlich getauscht werden. Es kann dazu auch verdünnter Aloesaft genommen werden. Nach der Entleerung des Gerstenkorns vom Eiter mit den Kompressen fortfahren, bis die Schwellung zurückgegangen ist.

Gesichtskrebs

Der Gesichtskrebs ist ein ernstes medizinisches Problem. Es sollen laut dem "Aloe Vera Handbuch von Max B. Skousen" bereits sehr viele Berichte vorliegen über Heilungen desselben durch monatelange Behandlung mit zwei bis vier täglichen Verabreichungen von *Aloe vera* L. - Saft bzw. -Gel.

Gicht (Arthritis urica, Zipperlein)

Eine Allgemeinerkrankung, die auf eine Störung des Harnsäurestoffwechsels beruht, wobei der Harnsäuregehalt im Blut erhöht ist. Die Ursache ist häufig der erhöhte Fleischkonsum, besonders der drüsigen Organe wie Leber, Bries und Nieren sowie Gehirn. Auch Alkoholmißbrauch kann die Ursache sein. Bei dieser Krankheit werden in den Gelenkknorpeln, in den Gelenkkapseln, in den Schleimbeuteln und in den benachbarten Knochen und Weichteilen, bei längerem Verlauf auch in den Gelenken selbst Harnsäure sowie harnsaure Salze abgelagert. Häufig in Form von Knoten, die aus einer weißen Masse bestehen aus zierlichen Harnsäurekristalle in Nadelform. In der Umgebung dieser Knoten kann es zu Entzündungen kommen. Das Gelenk, meist am großen Zeh, wird dabei stark rot, es schwillt an und ist empfindlich gegen Druck. Das Aloe Vera Research Institut in den USA empfiehlt in diesen Fällen, den Aloesaft zu trinken und die betroffenen Stellen mit Aloesaft einzumassieren. Die Schmerzen lassen oft rasch nach. In chronischen Fällen bedarf die Behandlung jedoch ein bis zwei Monate.

Grauer Star

Es handelt sich dabei um eine Trübung der durchsichtigen, kristallinen Linse des Auges, verursacht durch eine Veränderung in den feinen Proteinfasern innerhalb der Augenlinse, ähnlich den Veränderungen, die bei Erhitzung von Eiweiß entstehen. Zur Vorbeugung empfiehlt sich das regelmäßige Trinken von einem Eßlöffel reinen Aloesaft pro Tag.

DIE ALOE IM ERFOLGREICHEN EINSATZ BEI WEITEREN KRANKHEITSBILDERN

Grüner Star

Der „Grüne Star" ist ein Zustand, bei dem der Flüssigkeitsdruck im Auge so weit erhöht ist, daß er Symptome verursacht. Ein Mindestdruck ist erforderlich, um die Form des Augapfels zu wahren; ab einem bestimmten Überdruck jedoch können die Kapillaren abgedrückt werden, welche die Fasern der Sehnervs ernähren. Die Folgen sind Nervenfaserzerstörung und allmähliche Einschränkung des Sehvermögens. Aloesaft kann den Augendruck senken. Man trinkt 3 x pro Tag einen Eßlöffel voll mit Aloesaft. Während dieser Zeit Nikotin, Alkohol und Koffein vermeiden. Bei jeder Augenkrankheit stets den Augenarzt konsultieren.

Gürtelrose

Die Gürtelrose ist eine Viruserkrankung der Nerven, die mit einem schmerzhaften, verkrusteten Ausschlag einhergeht. Zu Heilungszwecken werden oft eigenartige Wege eingeschlagen, wie z. B. das „Besprechen". Mit dem Aloesaft steht jedoch ein wirksames Mittel zur Verfügung, welches die äußeren Zeichen der Gürtelrose rasch lindern und die Nervenempfindlichkeit nach und nach mildern kann. Man trägt den puren Aloesaft auf den geröteten Ausschlag auf.

Am 7.3.2002 erhielt ich eine Zuschrift aus Deutschland von Dietmar Theuer: „Sehr geehrter Herr Peuser, im Sommer 1997 bekam ich Schmerzen links in der Taille. Es brannte wie Feuer, und es traten Bläschen auf. Da es am Wochenende war behandelte meine Frau mich mit purem Aloesaft. Wir haben schon lange Aloe–Pflanzen in ausreichender Menge zu Hause. Der Schmerz ließ auch nach. Trotzdem bin ich am Montag zu meiner Hausärztin gegangen, die eine Gürtelrose diagnostizierte. Sie war aber erstaunt, daß ich keine Schmerzen mehr hatte. Als ich ihr die Behandlung mit Aloe erklärte, sagte sie mir, daß sie davon auch schon gehört hat, aber als Schulmedizinerin darf sie das nicht empfehlen. Meine Frau machte die Behandlung bei mir mit *Aloe vera* L. weiter. Nach ca. einer Woche waren alle Bläschen abgeheilt, und auch bei Berührung der entzündeten Zone traten keinerlei Schmerzen auf."

Haar- und Kopfhautprobleme

Die Indianer und Indianerinnen von Mexiko, die für ihre herrliche Haarpracht bekannt sind, befeuchten ihr Haar abends mit *Aloe vera* L. - Saft. Dieser Saft trocknet sehr schnell ein und bleibt über Nacht auf der Kopfhaut und am Haar. Morgens wird dann dieser getrocknete *Aloe vera* L. - Saft mit klarem Wasser abgespült. Mit dieser Behandlung werden die Haare gestärkt und die Kopfhaut gesund erhalten. Im Juli 1978 berichtete Esperanza Aguilar in der Zeitschrift „LET'S LIVE", daß sie in ihrem Schönheitssalon seit 1930 *Aloe vera* L. benutzt und ihren ganzen Erfolg und Reichtum dieser wunderbaren Pflanze verdankt.

Kürzlich erschien ein ausführlicher Bericht im INTERNATIONAL JOURNAL OF DERMATOLOGY, worin die hautpflegenden Eigenschaften der Aloe vera ausführlich gewürdigt wurden. Die Einwohner von Hawaii z. B. berichten, daß das Einreiben

KAPILLAREN BESTIMMEN UNSER SCHICKSAL

der Kopfhaut mit Aloe-Saft den Haarausfall stoppen soll. Um es eindeutig klarzulegen: Bisher gibt es noch kein Haarwuchsmittel, und so ist auch der Aloe-Saft oder -Extrakt kein Haarwuchsmittel. Es kann aber bei psychischer Ursache der Alopezie (Haarausfall) eine Behandlung mit Aloe-Saft den Haarausfall zum Stillstand bringen. Es ist schon ein gutes Ergebnis, wenigstens die Erhaltung des noch zur Verfügung stehenden Haares zu erreichen. Berühmt ist auch eine Mischung von Aloesaft mit Alkohol. Dabei kann der Alkohol den Fettgehalt der Kopfhaut verdünnen, so daß der Aloesaft besser in die Kopfhaut bis zur Hautwurzel durchdringen kann. Die Behandlung der Haare mit Aloesaft bringt auch Erfolge beim Problem der Haarspaltung.

Theophrast Bombast von Hohenheim, besser bekannt unter dem Namen Paracelsus, schrieb schon 1541 in seinen über 200 Schriften auch über die haarerhaltende Wirkung der Aloe. Er mischte Aloe mit Essig.

Hämorrhoiden

Hämorrhoiden sind als Erweiterung und Ausbuchtungen der Venen außerhalb bzw. innerhalb des Afters zu definieren. Eine häufige Ursache sind Stuhlverstopfungen, Bewegungsmangel, vornehmlich bei sitzender Lebensweise, Entzündungen der Unterleibsorgane, sowie Lebererkrankungen und Herzleiden. Wenn die Hämorrhoidalknoten gereizt sind, verursachen sie heftiges Jucken, Stechen, der After wird undicht, es treten Schleim und dünnflüssiger Darminhalt aus. Hierdurch verändert sich die Haut durch Fissuren. Harter Stuhl reißt die Hämorrhoiden auf, so daß sie zu bluten beginnen. Die Folgen sind Beschädigungen der Darmschleimhaut sowie Bildung von Geschwüren und Afterfisteln. Zur Vorbeugung trinkt man Aloesaft um seinen Stuhl weicher zu gestalten.

In Brasilien berichtet die Volksmedizin von einer Praxis, bei der man aus einem abgeschälten Aloeblattstück aus dem enthäuteten Gel ein Stück in Form eines Zäpfchens schneidet, dies in das Gefrierfach des Kühlschrankes zum Härten legt und danach in den After einführt. Nach mehreren Tagen des wiederholten Einsatzes dieser Zäpfchen sollen die Hämorrhoiden völlig auskuriert sein. Ein schneller wirkendes Heilmittel gegen Hämorrhoiden soll es angeblich auf der Erde noch nicht geben.

Hautflecken

Die Behandlung der Haut durch die *Aloe vera* L. ist schon seit Jahrtausenden bekannt. *Aloe vera* L. hellt die Haut auf und beseitigt besonders die dunklen matten Altersflecken. Die ersten Wissenschaftler, die darüber berichteten, waren die beiden Ärzte, Collins, Vater und Sohn, im Jahre 1935. In den asiatischen Ländern, in Südafrika und in den USA ist bereits mit großem Erfolg ein Produkt unter dem Namen „Aloesina" auf Basis von *Aloe vera* L. für diesen Anwendungszweck im Verkauf.

DIE ALOE IM ERFOLGREICHEN EINSATZ BEI WEITEREN KRANKHEITSBILDERN

Max B. Skousen berichtet in seinem Aloe Vera Handbook, daß sehr viele Menschen mit braunen Gesichtsflecken diese durch regelmäßige Behandlung mit *Aloe vera* L. -Saft oder -Gel beseitigen oder zumindest vermindern konnten. Der Prozeß dauert lange und führt zum Erfolg.

Hautgrieß

Ist eine andere Bezeichnung für unreine Haut. Es sind kleine, harte, weiße Knötchen, die meist bei Jugendlichen an den oberen Wangen und um die Augen herum auftreten. Die Ursachen sind in der Regel unbekannt, obwohl sie manchmal nach Verletzungen oder Blasenbildung auftreten. Sie sind weder schmerzhaft noch gefährlich. Massage mit purem Aloesaft soll die Drüsenporen öffnen können und die Drüsenfunktion wieder anregen.

Hautpflege von Schwangeren und im allgemeinen

Immer wieder wird berichtet, daß Frauen während ihrer Schwangerschaft die gespannte Bauchhaut mit *Aloe vera* L. -Saft oder -Gel einmassieren und auch nach der Niederkunft damit fortfahren. Es wird einstimmig berichtet, daß diese Hautpflege gute Resultate bringt zur Verbesserung der Hautelastizität.

Die Aloe ist schon seit dem Altertum bekannt als bestes Hautpflegemittel. Die Aloe reinigt, erfrischt und regeneriert die Haut und versorgt sie mit Vitaminen und Nährstoffen und fördert die Durchblutung durch die Wiederherstellung des gesunden und normalen Durchmessers der Hautkapillaren. Berühmt ist die *Aloe vera* L. als Badewasserzusatz.

Hautschäden bei der Strahlenbehandlung

In "Extract of Aloe, Supplement to Clinical Data" Medexport, UdSSR, Moskau, berichten Dr. N. Nordvinov und Dr. B. Rostotsky vom Radiological Department of the State Research Roentgeno-Radiological Institute of the RSFSR Ministry of Health and the Chemical Department of the All-Union Research Institute of Medicinal and Aromatic Plants, über die hervorragende Wirkungsweise von *Aloe arborescens* Miller bei der Prophylaxe von Hautschäden, die bei der Anwendung der Strahlentherapie normalerweise entstehen. Bei der Behandlung von Hautschäden konnte die Heilung mit *Aloe arborescens* Miller in fünfzehn bis sechzehn Tagen erreicht werden, anstatt in der üblichen Zeit von dreißig bis fünfundvierzig Tagen.

Auch Dr. E.E. Collins, D.D.S., M.D., und Dr. Creston Collins, M.S. berichteten über dies Thema bereits im März 1935 in dem American Journal of Roentgenology unter dem Titel: "Fresh Aloe vera used for X-Ray Dermatitis". Mit ihren hervorragenden Heilergebnissen führten sie die *Aloe vera* L. in die moderne Medizin ein, wo sie bis heute als Kaiserin der Heilpflanzen unangefochten die Spitzenposition innehält.

KAPILLAREN BESTIMMEN UNSER SCHICKSAL

Einen weiteren wichtigen Bericht finden wir von Dr. James Barrett Brown., F.A.C.S. von der Washington University School of Medicine und Barnes Hospital, St. Louis, Mo., der 1963 in A Cancer Journal for Clinicians, Vol. 14, Seiten 14-15, unter dem Titel "Use of Aloe vera on Radiation Burns" veröffentlicht wurde. Er berichtet, daß er *Aloe vera* L. bereits viele Jahre äußerlich anwendet und besonders die Schmerzen bei den Verbrennungen beseitigt wurden und die Wunden keine Narben hinterließen. Das gleiche gilt auch bei normalen Verbrennungen.

Dr. Wolfgang Wirth schreibt in seinem Buch: "Mit Aloe heilen": „Der Segen der modernen Behandlungsmechanismen mit Strahlen hat leider oft einen hohen Preis: Schwere Schädigungen und Verbrennungen der Haut, bösartige Abszesse, Hautgeschwüre und Gewebeentzündungen. Nicht selten ist auch das Entstehen von Geschwulststellen. Die Therapie mit Aloe-Präparaten hat in allen bekannten Fällen dauernde Heilerfolge erbracht. Es mutet wie ein Omen an, daß in unserer Epoche der Menschheitsgeschichte, die gerade durch wachsende Angst vor den verheerenden Folgen von Strahlenschäden gekennzeichnet ist, in der Aloe, der Pflanze aus biblischer Zeit, ein Wirkstoffsystem nachgewiesen werden kann, das Abwehr und Heilung von Strahlenschäden bewirkt. Weil diese Entdeckung medizingeschichtlich von größter Bedeutung ist, soll an dieser Stelle zum Programm 'Aloe gegen Strahlenschäden' die Forschung überzeugend zu Worte kommen: Im Labor wurde der Einfluß einer Emulsion aus biostimuliertem Saft der Aloe auf den zeitlichen Verlauf einer Strahlenaffektion der Haut von Kaninchen untersucht. Die durch die Strahlung hervorgerufene Hautbeschädigung wird erreicht, indem man auf eine abrasierte Stelle radioaktives Phosphor in Form eines flachen Applikators klebt. Die betreffende Dosis betrug 6000 r. Nach der Entfernung des Verabreichers wurde zweimal täglich die Aloe-Emulsion im Laufe von zwölf Tagen aufgetragen. Ein Teil der zu untersuchenden Hautstellen wurde mit einer Salbe behandelt, die keinen Aloe-Extrakt enthielt, ein anderer wurde gar keiner Behandlung unterzogen. An den mit Aloe-Emulsion behandelten Hautstellen konnte man eine kurz andauernde Rötung feststellen. Nach drei Tagen trat eine Schuppung der Haut ein, die acht Tage dauerte. In dieser Zeit wurde die Haut bereits elastisch und rosa verfärbt. Ebenso kam es zur erneuten Fellbildung. Bei der Versuchsreihe ohne Behandlung mit Aloe-Extrakt hat man in den ersten Tagen nach der Entfernung des Applikators ein Anschwellen der Haut beobachtet. Nach vier Tagen trat ebenfalls eine Schuppung ein, nach sechs Tagen bildete sich eine feuchte Oberhaut, die in eine gelbrote Kruste überging, die nach fünfzehn Tagen erst abfiel. Die Haut nahm zwar ein normales Aussehen an, bildete jedoch kein Fell mehr.

Die Heilung der Haut bei den Versuchskaninchen mit Aloe dauerte also zwölf Tage, bei den Kontrollkaninchen ohne Aloe-Behandlung einundzwanzig Tage. Im Röntgen- und Radiologie-Institut wurde daraufhin die Aloe-Emulsion zahlreichen Tests unterworfen. Es handelte sich hier um klinische Beobachtungen an Patienten, die eine Strahlentherapie absolviert hatten und bei denen sich bösartige Nebenerscheinungen an der Haut ergaben. Zur Anwendung kamen Außenbestrahlungsmethoden. Je nach Geschwulststellen wurde das Gesicht, der Brustkorb oder die Leistengegend untersucht. Die erste Gruppe von neunzig Versuchspatienten erhielt vor der Bestrahlung eine Aloe-Emulsion. Diese wurde auf die betreffenden

Stellen dünn aufgetragen. In den Fällen, bei denen nach der Bestrahlung vor Anwendung von Aloe eine Hautreaktion aufgetreten war, wurde die Aloe-Emulsion bis zum Ende der Behandlung jeden zweiten Tag aufgetragen. Die zweite Gruppe mit neunzig Kontrollpatienten erhielt keine Aloe-Emulsion. Anstelle dessen wurden andere Salben verwandt. Diese Patienten mit analogen Krankheitsbildern wurden beobachtet, und man führte eine möglichst gleichgerichtete lokale Bestrahlung durch. Von den neunzig Versuchspatienten, die mit Aloe behandelt worden waren, trat bei achtunddreißig keine Hautreaktion auf. Bei dreißig Versuchspatienten entstand eine kurz andauernde Rötung. Die verwendete Bestrahlungsdosis konnte bei den Versuchspatienten um 1000r höher liegen als bei den Kontrollpatienten. Bei nur 22 Versuchspatienten trat die feuchte Oberhaut (Epidermis) auf bei einer Bestrahlungsdosis von 4500 bis 6000 r. Dagegen kam es bei allen Patienten der Kontrollgruppe zu dieser Erscheinung schon bei 3500 r." Daraus folgert z. B. Dr. Wolfgang Wirth: „Nach diesen Ergebnissen gehören die Aloe-Präparate in die Hand eines jeden Röntgenarztes und Klinikers, die sich mit Strahlenbehandlung und Strahlenschäden befassen. Nach den vorliegenden Erfahrungen sind folgende Therapiehinweise zu geben: Bei Strahlenschäden im Beta-UV-Bereich, bei Verbrennungen, bei Sonnenbrand und zur Beseitigung bösartiger Abszesse wird zweimal täglich Aloe-Emulsion im Laufe von zwölf Tagen an den betroffenen Stellen aufgetragen. In komplizierteren Fällen wird zusätzlich Aloe-Saft eingenommen und zwar zehn Tage lang je einen Teelöffel zwei- bis dreimal täglich zu den Mahlzeiten."

Hepatitis und Zirrhose

Dr. Oh aus China berichtet über die Behandlung von 7 Patienten mit einem Durchschnittsalter von siebenundvierzig Jahren, die unter Hepatitis und Zirrhose litten und auf keine der traditionellen Behandlungsarten ansprachen, die bei ihnen während einer zweijährigen Behandlungsphase angewandt wurden. Sie erhielten daraufhin täglich *Aloe vera* L. -Saft zu trinken, wurden jede Woche ärztlich untersucht und jeden Monat gründlichen Analysen unterzogen. Nach dreimonatiger Behandlung verbesserten sich die Symptome, und die Analysen brachten stark verbesserte Resultate.

Herpes

Eine Hauterkrankung, die sich als Ausschlag in Form von meist sehr schmerzhaften Bläschen äußert. Herpes ist eine Infektion mit dem Herpes - simplex - Virus. Bestimmte Viren sind verantwortlich für Lippenherpes bzw. für eine sexuell übertragbare Infektion, die schmerzhafte Bläschen an den Geschlechtsorganen hervorrufen. Der Virus kann auch zahlreiche Irritationen an Haut, Mund, Augen, Gehirn oder - selten - am ganzen Körper auslösen. Durch die antivirale und zusammenziehende Wirkung des *Aloe vera* L. - Saftes hilft die Aloe meist am schnellsten. Man trägt den reinen Saft mehrmals täglich auf die betroffenen Körperstellen.

KAPILLAREN BESTIMMEN UNSER SCHICKSAL

Herzkrankheiten

Bei dem im Jahre 1984 stattgefundenen Internationalen Herz-Kongreß in San Antonio in Texas, überraschte Dr. Om Prakash Agarwall aus Indien seine Fachkollegen mit seinen Forschungen an über fünftausend Patienten, die an Angina pectoris litten. In 95% der Fälle konnte er die Angina pectoris-Krisen bei Patienten mit Arteriosklerose durch die zusätzliche Gabe von Aloe beseitigen. Häufig sank auch gleichzeitig der Analysenwert vom schlechten Cholesterin LDL sowie der Triglyceridspiegel (Fett). Der gute Cholesterinwert HDL stieg stark an. Alle 5000 Patienten im Alter zwischen fünfunddreißig bis fünfundfünfzig Jahren blieben am Leben, worunter 2/3 Männer waren, von denen mehr als die Hälfte täglich zwischen zehn und fünfzehn Zigaretten rauchten. Die Patienten erhielten täglich eine Art Brot, das aus 100 g Aloe-Saft, einer zusätzlichen Heilpflanze (Isabgol) und Mehl bestand. Nach zwei Wochen fühlten sich alle Patienten (außer 348 von 5000) wohler, und nach drei Monaten zeigte das Elektrokardiogramm bei ihnen völlig normale Werte.

Im Journal of Pharmaceutical Science wurde im Jahre 1982 eine Forschung von Dr. Agarwal veröffentlicht über positive Ergebnisse bei der Behandlung von Herzproblemen durch Anwendung von Aloe. Aloe senkt den Blutdruck und schont das Herz. Dr. Agarwal analysierte in der Aloe Kalziumisocitrat, eine Substanz, die als ein kräftiges Herztonikum bekannt ist.

Herzrhythmusstörung

„Der Herzrhythmus normalisiert sich durch Aloe", schreibt Dr. Wolfgang Wirth in seinem Buch "Mit Aloe heilen". Er berichtet, „daß die Therapie mit Aloe-Extrakt einen günstigen Einfluß auf das Herz-Kreislaufsystem bei Menschen im vorgeschrittenen Alter hat. Diese Therapieergebnisse sind aber auch auf Patienten aller anderen Altersgruppen umzusetzen. Bei allen Aloe-Behandlungen wurde ein günstiger Einfluß auf den Herzrhythmus festgestellt, der sich in allen Fällen des zur Verfügung stehenden Krankenguts normalisiert hat. Die klinischen Beobachtungen haben in Zusammenhang mit der Einwirkung von Aloe-Extrakt auf die Aktivität der Enzyme auch eine Verstärkung der Aktivität der Enzymsysteme des Herzgewebes ergeben. Die Gewebeatmung verstärkt sich! Eine Reihe von Herzkrankheiten sind Herzmuskelentzündung oder auch Herzmuskelentartung. Der Einfluß von Aloe-Injektionen auf die Funktionsfähigkeit des Herzmuskels wird nach vorliegenden klinischen Berichten als ausgesprochen günstig angesehen, so daß damit ein stabilisierender Wirkungseffekt auf die Herzkraft eingeleitet wird.

Aus klinischen Feststellungen geht hervor, daß bei den Patienten nach ein bis zwei Kuren mit der Injektion von Aloe-Extrakt die elektrische Aktivität des Herzens stieg. Auch die Nierenfunktion wird gleichzeitig positiv beeinflußt. Die Nierenfunktion steht in engem Zusammenhang mit der Tätigkeit des Herzens und der Gefäße. Deswegen sollte bei einer ärztlichen Entscheidung über die Herz-Kreislaufbehandlung eines Patienten der Einsatz einer Therapie mit Aloe-Extrakt im Hinblick darauf geprüft werden, daß diese praktisch auf alle Systeme des Organismus aufgrund des breiten Wirkungsspektrums Einfluß ausüben kann."

DIE ALOE IM ERFOLGREICHEN EINSATZ BEI WEITEREN KRANKHEITSBILDERN

Zu gleichen Erkenntnissen kommt Dr. Agarwal mit seiner Veröffentlichung "Prevention of Artherimatous Heart Disease" in der Zeitschrift „Angiology", 36, 1985, Seiten 485-492.

Eine Herzrhythmusstörung kann beim Patienten auch eine unwillkürliche Angst vor einem Stillstand des Herzens auslösen, wodurch solche Unregelmäßigkeiten noch verstärkt werden. Wichtig ist es deshalb, die innere Ruhe wieder herzustellen.

Hirnhautentzündung, Arachnoiditis

Noch weithin ungeklärt sind die genauen Ursachen der Erkrankung der Spinnwebenhaut, die zusammen mit der Gefäßhaut die weiche Hirnhaut bildet. Die wissenschaftliche Bezeichnung ist Arachnoiditis. Es handelt sich um eine gefährliche Form der Hirnhautentzündung, die häufig eine Folgeerkrankung nach Nasenrachenraumentzündung - "Nasopharyngitis" - oder der gefürchteten Meningitis ist. Anzeichen sind Bläschenausschlag am Mund, gesteigerte Reflexe, Zittern der Augen, die verschieden große Pupillen zeigen, Erbrechen mit starkem Schwindelgefühl, unerträgliche Kopfschmerzen, Schüttelfrost, Schmerzen der gesamten Körpermuskulatur. Diese Hirnhautentzündung ist ansteckend. Es besteht zudem Lebensgefahr. Auch bei Ausheilung bleibt oft die Disposition zu Kopfschmerzen, ja, sogar zu Taubheit, und häufig bleiben Lähmungen zurück. Der Arzt wird häufig zu Antibiotika greifen. Das ist auch unerläßlich, wenn Lebensgefahr besteht. Bei leichterem Verlauf und nach Überwindung der Lebensgefahr empfiehlt Dr. Wirth eine nachträgliche Aloe-Kur, die dazu führt, die Heilung konstant zu machen und das geschwächte Immunsystem wieder aufzubauen. Ausführlich beschrieben in "Mit Aloe heilen".

Hornhautentzündung des Auges

Die Hornhaut des Auges ist ein lebendiges Gebilde vergleichbar mit hochspezialisiertem Hautgewebe und empfindlich gegen das Licht der Höhensonne in Solarien, gegen Chemikaliendämpfe, Staub, Viren und Bakterien.

Als Erste Hilfe bietet sich ein 1 : 10 verdünnter Saft der *Aloe vera* L. an, um Augenspülungen vorzunehmen. Der Saft kann zur besseren Verträglichkeit vorher auf Körpertemperatur angewärmt werden. Es empfiehlt sich den verdünnten Saft vor der Anwendung mit einem Kaffeepapierfilter zu filtrieren um Feststoffpartikel und Blattfasern zu entfernen.

Impotenz und Potenz des Mannes

Wer sich mit der Wirkung der Aloe befaßt, wird nicht überrascht sein, auch gegen die Impotenz in der Literatur eine Aloe-Kur vorzufinden. Es ist bekannt, daß sich der Wirkmechanismus der Behandlung mit Aloe über das Zentralnervensystem vollzieht, wobei hervorgehoben wird, daß sich der Lebenstonus, die gesamte Motivation des Patienten, die Belebung seines Interesses und seiner Aktivität selbst

KAPILLAREN BESTIMMEN UNSER SCHICKSAL

im vorgeschrittenen Alter durch die biogenen Stimulatoren in der Aloe positiv entwickeln. Der russische Arzt Dr. Batrak wandte erstmals 1972 die Gewebetherapie-Methode nach Prof. Filatow an. Aufgabenstellung der Therapie war die Behandlung von Patienten im Anfangsstadium von Cerebral-Durchblutungsstörungen, der Neurasthenie, der vegetativen Dystonie, die bei allen Patienten mit einer ausgesprochenen Sexualschwäche verbunden war. Bei dem Krankengut handelte es sich um Männer vom 55. bis zum 72. Lebensjahr. Es wurde in allen Fällen ein Behandlungseffekt festgestellt und zwar eine Besserung des Allgemeinbefindens, Wiederherstellung des Schlafes, sowie Zunahme der intellektuellen und körperlichen Leistungsfähigkeit - und damit die Arbeitsfähigkeit -, Abnahme des Unruhegefühls, der Reizbarkeit und Schwäche. Bei einigen Männern nahm die Geschlechtspotenz zu, bei anderen wurde sie wiederhergestellt. Ähnliche Erfolge berichtet Dr. Weinstein, der die Filatow-Methode seit 1961 anwendet (Quelle: "Mit Aloe heilen" von Wolfgang Wirth).

Insekten- und Ungezieferstiche bzw. -bisse

Stiche und Bisse von Bienen, Wespen, Tausendfüßlern, Mücken, Kriebelmücken (in Brasilien: Borrachudos), yellow jacket und anderen Insekten können sehr schmerzhaft sein, und eine schnelle Behandlung ist wichtig. Ist eine Aloe vera L. - Pflanze in greifbarer Nähe, dann sofort ein Blatt abschneiden, aufschneiden und dann das Gel aus dem Blatt auf die Wunde auftragen. Auch Aloe vera L. -Saft, -Gel oder -Spray hilft sofort. Man vermindert sofort den Schmerz, die Schwellungen werden nicht so groß oder entstehen überhaupt nicht. Da jeder Mensch unterschiedlich auf Insekten- und Ungezieferstiche und -bisse reagiert, sollte immer ein Arzt konsultiert werden. Wer sich in Gebiete begibt, in denen mit Insektenstichen zu rechnen ist, sollte bereits vorher seine Haut mit Aloe vera L. -Saft einreiben und auch Aloe vera L. -Saft, -Gel oder -Spray mitnehmen und griffbereit halten.

In der deutschen Illustrierten "Bunte Illustrierte" 38/98 vom 10.9.98 lesen wir unter der Überschrift: „Wunderkur mit Stacheln: Aloe vera. Die dickfleischigen Blätter sind ein Geheimtip unter Mallorca-Kennern: Plagen Mückenstiche oder Sonnenbrand, bricht man ein Aloe vera L.-Blatt vom Wegrand und lindert mit dessen kühlendem gelartigen Saft Juckreiz und Entzündung. Die Erste-Hilfe-Pflanze spielt eine große Rolle in der traditionellen Medizin - jedenfalls dort, wo sie wächst. Hierzulande steckt der Extrakt der kaktusartigen Pflanze in Gels, Cremes und Lotionen. Neuerdings heilt, vitalisiert und pflegt Aloe vera L. auch von innen. Der Saft enthält mehr als 160 Wirkstoffe, darunter Vitamine, Aminosäuren, Mineralien, Enzyme usw.. Studien zeigen: Aloe vera L.-Saft senkt den Cholesterinspiegel, beugt Herz-Kreislauf-Erkrankungen vor, reduziert Blutzucker, heilt Hautkrankheiten, stimuliert das Immunsystem, hilft bei Allergien, wirkt positiv bei Arthritis, Stoffwechselstörungen sowie auf Magen und Darm - ohne Nebenwirkungen." (Soweit die Bunte Illustrierte).

Ischias, Lumbago und Hexenschuß

Bei dieser recht schmerzhaften Erkrankung handelt es sich häufig um eine Neuralgie des Nervus ischiadicus, bzw. um eine Neuritis ischiatica. Dr. Wolfgang

DIE ALOE IM ERFOLGREICHEN EINSATZ BEI WEITEREN KRANKHEITSBILDERN

Wirth empfiehlt Aloe-Extrakt-Injektionen bei allen Ischiasformen, die nicht durch Infekte entstanden sind. Wenn kein Bandscheibenschaden vorliegt, kann die Ursache auch eine Stoffwechselstörung sein, die durch den Mangel an Vitaminen bedingt ist. In diesen Fällen trinkt man den Aloesaft 3 x am Tag jeweils 1 Eßlöffel voll.

Kehlkopftuberkulose

Diese Krankheit ist heute seltener anzutreffen. Der berühmteste an diesem Leiden Erkrankte war Kaiser Friedrich III, vom Deutschen Reich und König von Preußen, der im Dreikaiserjahr 1888 nur neunundneunzig Tage regierte und dessen Leitspruch war: Lerne Leiden ohne zu klagen! Der Kaiser verständigte sich mit seiner Umgebung durch Zettelnotizen. Die Krankheit des Herrschers war damals tatsächlich unheilbar, er mußte daran sterben. Die Ursache der Krankheit ist meist eine Lungentuberkulose. Erstes Anzeichen ist eine belegte Stimme, Heiserkeit. Später treten Schluckbeschwerden, Hustenreiz und Atemnot auf. Die Untersuchung ergibt stets Kehlkopfschwellungen und große Knoten an einer Kehlkopfhälfte. Dr. Wolfgang Wirth empfiehlt auch hier Injektionen mit Aloe-Extrakt, Sonnenbestrahlung des Kehlkopfes und Wickel um den Hals mit warmem Olivenöl.

Knochenbrüche, Verbrennungen, Wunden, Abszesse

Bei Knochenbrüchen mit offenen, eitrigen Ausgangsstellen, bei Verbrennungen jeder Art, bei trophisch entzündeten Wunden (trophisch = durch Ernährungsstörungen bedingt), infizierten Verletzungen, Abszessen verschiedener Herkunft und Schnittwunden jeder Art hilft die Anwendung des Saftes aus den *Aloe vera* L. -Blättern. Dr. Wirth empfiehlt einen Succus Aloe: „Auf 80 ml wäßrige Lösung aus dem biostimulierten Preß-Saft frisch geernteter Aloe-Blätter (das Blatt wird nach dem Abschneiden 10 Tage im Dunkeln bei 3°C gelagert, um die Überlebenskräfte der Aloe zu aktivieren) kommen 20 ml 95 %iger Äthanol. Hier kann die biologische Medizin der Volksmedizin Recht geben. Schon in Großmutters Hausapotheke, ja noch einfacher, auf Omas Blumenbrett stand eine Aloe, die „Erste Hilfe-Pflanze". Hatte sich jemand beim Rasieren geschnitten oder beim Kartoffelschälen eine Wunde beigebracht, so wurde aus einem Aloe-Blatt der dickflüssige Saft ausgepreßt und sofort auf die Wunde aufgetragen. Jedermann, der es bezweifelt, mag es ausprobieren. Die Pflanze gibt tatsächlich hochwirksame erste Hilfe. Die Wunde schließt sich unverzüglich und heilt rasch zu. Ja, sogar sich selbst heilt die Pflanze: wenn das Blatt vom Stamm getrennt wird (bevorzugt auf untere Blätter zurückgreifen!), schließt sich die Narbe am Stamm und der Fluß des Saftes versiegt. Die Volksmedizin führt das lediglich auf die zusammenziehende Wirkung des Adstringens zurück. Aber wie wir nun wissen, ist es mehr. Die Heilkraft kommt aus den biogenen Stimulatoren, einem geschlossenen Wirkstoffsystem. Bei der vorstehend aufgeführten Indikation ist wie folgt zu verfahren: Auf die verletzten Stellen wird der Aloe-Saft aufgetragen. Häufig genügt bei Verletzungen und Schnittwunden die einmalige Behandlung. Bei komplizierten Prozessen ist eine Behandlungsdauer von vierzehn Tagen bis drei Wochen durchaus angemessen. Heileffekte treten bereits sehr schnell auf".

KAPILLAREN BESTIMMEN UNSER SCHICKSAL

Knötchenflechte

Im Streßzustand kann es zu einer Knötchenflechte kommen, die sich an den Innenseiten der Unterarme und der Unterschenkel bildet. Es handelt sich dabei um stark juckende kleine Gruppen bläulich-roter Knötchen. Da keine organischen Ursachen vorliegen, kann die Knötchenflechte sehr gut mit der *Aloe vera* L. mittels Saft oder Creme behandelt werden.

Krampfadern (Varizen)

Krampfadern sind krankhaft erweiterte, verlängerte und geschlängelte, oberflächliche Blutadern (Venen) im Bereiche der Unterschenkel, seltener der Oberschenkel. Sie sind deutlich als bleistiftdicke oder noch dickere, mehr oder weniger stark gewundene, stellenweise sackartig ausgebuchtete, bläulich gefärbte Stränge unter der Haut zu erkennen.

Viele Wissenschaftler stellten fest, daß *Aloe vera* L. -Gel bei äußerlicher Anwendung bei gleichzeitiger Massage im Bereich der Krampfadern wie ein biogenetischer Stimulator wirkt, sowie auch in der Form eines Wundhormons. Für viele Menschen brachte die *Aloe vera* L. eine Linderung, für andere sogar ein Verschwinden der Krampfadern. Heute gibt es bereits Strümpfe zu kaufen, die mit Aloesaft getränkt sind. Man kann sich diese Strümpfe selbst zubereiten, in dem man Strümpfe nach dem Waschen in 1:1 - 1:10 verdünnten Aloesaft taucht, auswringt und trocknen läßt.

Leishmaniose (Orientbeule)

Diese Krankheit hat ihren Namen nach dem schottischen Militärarzt Sir William Leishman (1885-1926). Im Volksmund heißt diese Krankheit Orientbeule. Es gibt verschiedene Krankheitsformen. Während früher die Leishmaniosen als orientalische Krankheiten in Europa nicht allzu sehr gefürchtet wurden, lediglich in Rußland und auf dem Balkan, tritt sie als Folge des Massentourismus in ferne Länder auch in Europa stärker auf. Erreger ist der Stich einer bestimmten Mückenart. Es treten aber auch Infektionen durch verunreinigte Lebensmittel oder durch Berührung von der Mücke mit Hunden und Ratten auf, die ihrerseits Überträger dieser Krankheit sind. Durch die Krankheit treten nicht nur die knotenförmigen Ausschläge und furunkelähnlichen Gebilde auf, sondern auch Schädigungen an Milz, Leber und Knochenmark. Prof. Dr. V.P. Filatow veröffentlichte in der „American Review of Soviet Medicine" im August 1945 unter dem Titel "Tissue Therapy in Cutaneous Leishmaniasis" die Heilung dieser Krankheit durch den Einsatz von Aloe.

Lepra

Acht bis zehn Millionen Menschen leiden heute noch an Lepra. Der Aussatz ist eine chronische Infektionskrankheit mit einer Entwicklungszeit von zwei bis dreißig Jahren. Den Tuberkelbazillen vergleichbare Stäbchen dringen in großer Zahl vor-

DIE ALOE IM ERFOLGREICHEN EINSATZ BEI WEITEREN KRANKHEITSBILDERN

zugsweise durch die Nasenschleimhaut in den menschlichen Organismus ein. Der Lepra-Erreger wurde als *Mycobacterium leprae* bezeichnet, 1873 vom norwegischen Arzt Dr. C.A. Hansen (1841-1912) entdeckt. Nach ihm wird die Lepra oft auch als "Hansen-Krankheit" bezeichnet.

Weltweit betreut besonders die katholische Kirche diese Kranken in speziellen Stationen. Auch das Kolpinghaus in São Paulo unterstützte früher eine Leprastation und nun seit 30 Jahren eine Siedlung von Ex-Leprosen im Jardim Primavera in Piraquara bei Curitiba. Die als "geheilt" entlassenen Ex-Leprosen der Station hatten oft keine Nasen mehr, oder es fehlten Glieder an den Händen oder Füßen, so daß die eigene Familie aus Furcht vor der Lepra selbst ihre vom Aussatz geheilten Familienmitglieder nicht mehr aufnehmen wollten. In die Leprastation durften sie nicht mehr zurück, da sie geheilt waren. So vegetierten diese armen Geschöpfe in Erdlöchern im Walde in der Nähe der Leprastation, in einem zum Himmel schreienden, erbärmlichen Zustand, bis der Präses des Kolpinghauses São Paulo, Pater Hubert Röbig CSSp aus Köln/Rhein, sie dort durch Zufall entdeckte. Hunderte Kinder, die von den Ex-Leprosen gezeugt wurden, lebten dort ebenfalls total verwahrlost. Pater Röbig rief eine Hilfsaktion über Kolping und St. Bonifatius in São Paulo, sowie einen Freundeskreis in Deutschland ins Leben und konnte für diese Ex-Leprosen eine weltweit einmalige vorbildliche Siedlung schaffen mit kompletter Infrastruktur. Alle Kinder kamen in eigene Kindergärten oder in die Schule dieser Kolonie, und seit 30 Jahren freut man sich, diese wieder integrierten Menschen froh zu sehen. Vier dieser geretteten Kinder studierten Theologie und wurden zu Priestern geweiht. Für die Erwachsenen wurden Werkstätten geschaffen bzw. landwirtschaftliche Beschäftigung. Heute steht diese Siedlung unter den schützenden Händen von Botschafter Dr. Wolfgang Sauer, dem ehemaligen Präsidenten von Volkswagen do Brasil. Jedes Jahr schickt das Kolpinghaus São Paulo neben der monatlichen finanziellen Unterstützung ein Vorstandsmitglied im Advent als Hl. Nikolaus, um die Kinder (manchmal waren es bis zu 700) individuell zu bescheren. Bei der Betreuung selbst dieser Ex-Leprosen ist die wichtigste Aufgabe die Kontrolle darüber, daß diese ihre Medikamente regelmäßig einnehmen.

Dr. Wolfgang Wirth empfiehlt die Behandlung der Lepra zusätzlich mit Injektionen biostimulierter Aloe, zunächst jeden zweiten Tag 0,5 ml subkutan (Oberschenkel). Nach zwei Monaten wird eine Pause von 30 Tagen eingelegt, danach einen Monat lang täglich 0,5 ml wie vorstehend verabreicht. Nach einem Jahr wird unter der Voraussetzung einer günstigen Beeinflussung des Krankheitsverlaufs der 1. Kur täglich eine Ampulle zu 1ml injiziert über 30 weitere Tage, 30 Tage Pause und wiederum 30 Injektionen. Gleichzeitig wird äußerlich eine Aloe-Emulsion angewendet, täglich zweimal gegeben während 30 Tagen, danach 30 Tage Pause. Die Behandlung mit Emulsion ist jeden zweiten Monat zu wiederholen.

Da die Lepra hauptsächlich in den Ländern anzutreffen ist, in der auch die Aloe wächst, sollte in keiner Leprakolonie Aloe fehlen für die innerliche Anwendung als Saft und äußerlich als Gel.

Anfang der 70er Jahre besuchte ich zum ersten Male eine Leprastation und auch

KAPILLAREN BESTIMMEN UNSER SCHICKSAL

das Gefängnis der Leprosen. Nach dem Rundgang und Besuch aller Kranken, denen ich als damaliger Vizepräsident des Kolpinghauses in São Paulo Geschenke überbrachte, wurde ich von den dortigen Santa Catarinen-Schwestern aus Ostpreußen zum Mittagessen eingeladen. Beim Gespräch erfuhr ich, daß der Lepra-Erreger durch die Nasenschleimhaut in den Körper Eingang findet. Meine Rückfahrt nach São Paulo über eine Strecke von 400 km war für mich fast wie ein Martyrium. Während der ganzen Rückreise juckte mir die Nase, und ich wagte nicht, sie zu berühren. Das zeigt, wie man auch unter einer psychologischen Reaktion leiden kann.

Magengeschwüre

Bei einer im Jahre 1963 durchgeführten Versuchsreihe, die von Dr. Blitz, Dr. Smith und Dr. Gerard an zwölf Patienten mit Magengeschwüren vorgenommen wurde, konnten alle mit der Einnahme von Aloe-Saft geheilt werden, viermal täglich einen Eßlöffel voll.

Bei einem Studium, 1992 von Dr. Keisuke Fujita vom Fujita Health Institute in Japan durchgeführt, wurden an zwölf Ratten Magengeschwüre erzeugt, die dann wieder total verschwanden bei der oralen Gabe von Aloe-Saft.

Aloe-Saft beseitigt den bereits 1984 von australischen Ärzten erkannten Verursacher der Magen- und Zwölffingerdarmgeschwüre: Die Bakterie *Heliocobacter pylori*. Nach neuesten Erkenntnissen italienischer Forscher soll diese Bakterie auch den Schlaganfall mit verursachen.

Magensäuremangel

Bei einem Magensäuremangel kann die aufgenommene Nahrung nicht in der normalen Zeit aufgeschlossen werden. In der linken Magenseite spürt man ein Drücken, das oft mit Herzbeschwerden verwechselt wird. Magensäuremangel kann zu Magenkrebs führen. Der Saft der *Aloe vera* L. hat sich auch bei Magensäuremangel bewährt, da die Aloe wie ein natürliches Verdauungsferment wirkt. Man trinkt nach den Mahlzeiten gewöhnlich einen Eßlöffel *Aloe vera* L. - Saft.

Mandelentzündungen (Angina)

Das Anschwellen der Mandeln und deren Entzündung führt zu Schmerzen und Schluckbeschwerden. Aloe-Anwender berichten, daß durch mehrmaliges tägliches Gurgeln mit 1 : 10 verdünntem warmen Aloe-Saft die Mandelentzündungen im Anfangsstadium schnell beseitigt werden konnten.

Menstruationsbeschwerden

Menstruationsstörungen gehören zu den häufigsten Beschwerden der Frauen. Seit dem Altertum wird der Saft der *Aloe vera* L. zur Linderung der Menstruationsbeschwerden erfolgreich angewendet. Besonders die Ayuveda - Lehre in Indien sorgte für die vermehrte Anwendung der Aloe. Eine regelmäßige Menstruation hängt von einer gesund entwickelten Gebärmutterschleimhaut und regelmäßiger zyklischer Produktion von Östrogenen und Progesteron ab. Dieses sensible Gleichgewicht wird leicht gestört und kann mit dem Trinken von 1 Eßlöffel Aloesaft ausgeglichen werden, wodurch die verzögerte monatliche Regelblutung eingeleitet werden kann.

Metallkontaktekzeme

Viele Menschen reagieren auf Hautkontakte mit Metallen durch eine Bildung von Ekzemen. Besonders im Bereich der Armbanduhr und der Ohrringe kommt das häufig vor, besonders wenn Messing und Kupfer ungenügend vergoldet wurden oder wenn Nickel (Nickelkrätze) verwendet wurde. Der Körperschweiß wirkt aggressiv und ätzt die Kupfer- und Nickelbestandteile an, wodurch sich Kupfer- bzw. Nickelsalze bilden, auf welche die Haut allergisch reagieren kann. Eine Anwendung von Aloesaft oder Aloecreme läßt diese Ekzeme schnell verschwinden. Es empfiehlt sich, in diesen Fällen die Metalle auszutauschen, auf welche die Haut reagiert hatte.

Morbus Bechterew

Ein häufiges Leiden, das meist erstmals im dritten Lebensjahrzehnt auftritt. Benannt wurde die Krankheit nach dem russischen Arzt und Psychologen Wladimir Bechterew, der auch bei Wilhelm Wundt in Leipzig und bei Charcot in Paris arbeitete. Die Bechterew-Krankheit beginnt insofern heimtückisch, als sie in ihrem Anfangsstadium, in dem auch die Hochschulmedizin gute Behandlungserfolge anbieten könnte, gar nicht erkannt wird. Die Schmerzen werden meist als rheumatische Entzündungen diagnostiziert. Also sollte bei rheumatisch anmutenden Beschwerden unverzüglich eine röntgenologische Untersuchung vorgenommen werden und zwar vor allem in der Kreuzbeinpartie. Dies Leiden hat auch eine immense soziale Bedeutung, da es zu Arbeitsunfähigkeit und Dauer-Invalidität führt. Neben einer Diätumstellung, heißen Sand- und Sonnenbädern, Heilgymnastik, vor allem Schwimmen, sowie täglicher Massage empfiehlt Dr. Wolfgang Wirth eine Injektions-Kur mit Aloe-Extrakt zur Heilung.

Morbus Chron

Ein Leser meines Buches schrieb mir aus Heilbronn von einer Patientin, 26 Jahre alt, die seit 10 Jahren an Morbus Chron leiden mußte. Sie wurde Ostern 2002 nach einem starken Schub ins Krankenhaus eingeliefert. Sie wog nur noch 47 kg und war durch die dauernden Durchfällen und Blutungen des Darmes restlos entmineralisiert und geschwächt. Sie hatte Angst, daß sie stirbt. Sie begann auf Empfehlung, Aloe-Saft zu trinken. 2 Liter in 2-3 Wochen. Jedesmal, wenn der Stuhl dünner wurde, trank sie wieder einen Schluck. Sofort festigte sich alles. Sie nahm in diesen 2-3 Wochen 5 kg zu und fühlte sich so gut wie nie zuvor in den letzten 10 Jahren.

KAPILLAREN BESTIMMEN UNSER SCHICKSAL

Multiple Sklerose

Symptomatisch für MS sind krampfartige Lähmungen in den Beinen, Gehstörungen, Zittern der Hände, der Augäpfel, Reflexausfälle, Blasen- und Mastdarmverschluß sowie schwere Depressionen. Die Betroffenen wechseln auffallend zwischen zwanghaftem Weinen und zwanghaftem Lachen. Zwischen den Schüben kommt es sogar bei den MS-Patienten zu ausgesprochen sanguinisch-heiterer Stimmung. Gerade diese "sonnigen, leichtbeschwingten Gemütslagen" sind charakteristisch für MS und zeigen den ernsten Zusammenhang mit dem Zentralnervensystem geradezu zwingend auf. Der MS-Erkrankte verhält sich in mancher Beziehung wie ein Hysteriker. In einem Bericht aus dem Jahre 1958 von Dr. Meljankow und Dr. Rjabinina aus Minsk, beide Anhänger der Lehre von Dr. Filatow, wird beschrieben, wieviele Fälle von MS durch Anwendung von biostimulierter Aloe nach der Methode von Dr. Filatow komplett geheilt werden konnten. Diese Behandlung führt auch Wolfgang Wirth MDH durch, die aus jeweils einer Serie von täglich 1 Injektion von je 1 ml Aloe biostimuliert (ALOE D 2 biostimuliert bzw. ALOGEN) 30 Tage lang erfolgt mit einer Pause von 30 Tagen und nochmaliger Serie von 30 Injektionen, bei gleichzeitiger Beachtung einer Diätvorschrift. (Quelle: "Mit Aloe heilen")

Mund- und Zahnheilkunde

Im Mai 1984 berichteten Dr. Steven Hayes und Dr. Peter G. Sturn in "The Journal of the Bergen Country Dental Society", daß *Aloe vera* L. die Schmerzen mildert, blutstillend und endzündungshemmend ist und gleichzeitig auch als Bakterizid, Antiviral und Fungizid wirkt. Im Verhältnis zu den traditionellen Behandlungsarten erbringt die Anwendung von *Aloe vera* L. ein viermal so schnelles Heilergebnis. Bei ihren Forschungen wurden keine anderen Produkte als Aloe-Saft angewandt, ein Produkt, welches ungiftig und ohne Nebenwirkung ist (abgesehen von den seltenen Fällen der Allergie gegen Aloe). Die Autoren berichteten auch über Forschungen im amerikanischen Walter-Reed-Hospital, bei denen der Zahnstein mit Aloe-Saft bekämpft wurde, da beobachtet wurde, daß Aloe nicht nur das Wachstum der *Streptococcus mutans* behindert, sondern diese sogar beseitigen hilft.

In den 60er Jahren erschien ein Bericht von Dr. Ellis G. Bovik in dem Texas Dental Journal, der zu einem Klassiker wurde, unter dem Titel:"Aloe, Panacea or Old Wives Tale". Auf Grund dieses Berichtes begannen immer mehr Zahnärzte bei ihren Behandlungen frische Aloe-Blätter bzw. Produkte, die stabilisiertes Aloe-Gel enthielten, zu benutzen. Dr. Thomas Bell aus Dallas berichtete 1977 über seine Erfahrungen, die er neun Jahre lang mit Aloe sammeln konnte. Bei Behandlungen von Zahnfleischentzündungen, Tumoren, Blasen und Herpes simplex im Mundbereich, erreichte er stets erheblich bessere Heilergebnisse unter Anwendung von Aloe, als mit den herkömmlichen Heilmitteln. Zu gleichen Ergebnissen kam auch Zahnarzt Dr. Stuart Wallace aus Dallas, bei 100 Fällen von Gingivitis, 23 Stomatitis, 50 Mundhöhlengeschwüren und Periodontitis, sowie 200 Fällen von Herpes simplex. Diese Berichte können ausführlich nachgelesen werden in dem

180

DIE ALOE IM ERFOLGREICHEN EINSATZ BEI WEITEREN KRANKHEITSBILDERN

Buch "The Silent Healer" von Bill Coats. Ein anderer Zahnarzt aus Dallas, Dr. Paul Carrington, berichtet über 2600 erfolgreiche Behandlungen mit Aloe, davon jährlich ca. 200 Fälle von Periodontitis. 1993 berichtete Dr. F. Mandeville, von der Medizinischen Fakultät von Virginia, über die Behandlung eines 54-Jährigen, der an einem schweren Tumor im Mundraum litt. Nach einer Strahlenbehandlung entstand zusätzlich eine Zahnfleischentzündung, wodurch alle Zähne verlorengingen. Nach dreimonatiger Strahlenbehandlung zeigte die rechte Seite seiner Zunge und der Mundraum ein 5 cm großes Geschwür, wodurch ein Knochen bloßgelegt wurde, so daß furchtbare Schmerzen entstanden. Der Arzt wandte frischen *Aloe vera* L.-Saft an. Der Patient mußte den Saft zwei Monate lang täglich für drei Stunden im Mundraum halten mit anschließender Spülung mit einer Salzlösung. Mit sofortiger Wirkung ab Behandlungsbeginn verschwanden die Schmerzen, der Tumor wurde täglich kleiner und in der zehnten Woche war keine Spur mehr von diesem zu sehen.

Auch in Rußland findet man wissenschaftliche Berichte zu diesem Gebiet. Unter dem Titel: "Periodontosis (Disease of the Bone Holding Teeth) Treated with Aloe Extract" schreiben Dr. S. Levenson und Dr. K. Somova vom Irkutak Medical Institut in Rußland über biogen stimulierte Aloe, die in Form von 1ml Aloe-Spritzen zur Anwendung kommt und Periodontosis des 1., 2. und 3. Grades heilt. Dieser Bericht wurde veröffentlicht in "Extract of Aloe, Supplement to Clinical Data" durch die Medexport, UdSSR, Moskau.

Zur Pflege des Mund- und Zahnbereiches empfiehlt es sich Zahnpasta mit Aloe-Zusatz zu benutzen, die schon zu haben ist. Für die Zähne ist dieser Zusatz sicherlich gesünder als der Zusatz des nur in einer sehr schmalen Bandbreite wirkenden Fluorzusatzes. Zuwenig Fluor bringt nichts für die Zähne und ein Exzeß richtet Schaden an. Es ist traurig, mit ansehen zu müssen, wenn Kleinkinder 60% der benutzten fluorhaltigen Zahnpaste beim Zähneputzen herunterschlucken und in der Folge dann fleckige Zähne bekommen. Wie müssen erst dann die Knochen und inneren Organe aussehen! Es gibt Wissenschaftler, nach deren Meinung die Verwendung von Fluoriden zur Vergreisung führt!

Vielleicht wird man in einigen Jahren oder Jahrzehnten den Kopf schütteln über unsere Generation, die Fluoride benutzte. Dr. Dean Burke, der ehemalige Chefbiochemiker am Nationalen Krebsinstitut der USA warnte bereits am 18. Juni 1985 vor der US Umweltbehörde "Environmental Protection Agency" vor der Benutzung von Fluoriden, die seines Erachtens die Hauptursache für Mißgeburten darstellt und den Tod von jährlich 50.000 Amerikanern durch fluoridiertes Trinkwasser, hauptsächlich durch Krebs, verursacht.

Um dies einmal zu überprüfen, habe ich einen kleinen Test gemacht. Auf zwei Glasscheiben gab ich je 5 g Natriumfluorid. Die eine Natriumfluoridmenge wurde mit 5ml Wasser angefeuchtet, um eine Paste zu bilden, die andere dagegen mit 5ml konz. Salzsäure. Wie wir wissen, greift Salzsäure kein Glas an und wird in Glasflaschen verwahrt. Nach fünf Tagen wurden beide Glasscheiben abgewaschen und getrocknet. Die Glasscheibe, auf der die Natriumfluorid-Wassermischung war, blieb

181

KAPILLAREN BESTIMMEN UNSER SCHICKSAL

unverändert. Die Glasscheibe mit der Natriumfluorid-Salzsäuremischung zeigte eine sehr starke Verätzung. Aus diesem Test dürfen wir die Erkenntnis gewinnen, daß, wenn irgendwelche Spuren von fluoridhaltiger Zahnpaste in unseren Magen kommen und sich mit der Magen-Salzsäure mischen, es dort zur Bildung einer der gräßlichsten Ätzflüssigkeit kommt, deren Moleküle auf ihrer Wanderung durch unseren Körper in Wirklichkeit verheerende mikroskopische Zerstörungsarbeit leisten und dem Krebs somit einen weiteren Weg ebnen. Jeder Chemiker oder Chemiefacharbeiter fürchtet die Arbeit mit Flußsäure und deren sauren Salzen und benutzt dabei einen speziellen Gesichtsschutz, Schutzhandschuhe, Gummischürze und Gummistiefel. Unsere Kinder, die jedoch 60% der fluorhaltigen Zahnpasta herunterschlucken, sind völlig schutzlos dieser sich im Magen bildenden Ätzflüssigkeit ausgesetzt, und die Folgen können katastrophal sein. Das gilt auch für Erwachsene, bei denen nur Spuren der Zahnpasta oder fluoriertes Trinkwasser in den Magen gelangen.

Das 20 bändige Chemielexikon Ullman schreibt im Band 10 (1958) auf den Seiten 713-714: „Die Zahnbürste soll in ihrem mechanischen Reinigungseffekt unterstützt werden, damit die Ansammlung von Belägen, die aus abgestoßenen Epithelzellen und anhaftenden Speiseresten entstehen, soweit als möglich verhindert wird. Jede weitergehende Forderung an ein Mundpflegemittel erscheint fragwürdig. ....Dabei hat man nicht genügend berücksichtigt, daß die ständige Wiederholung desinfizierender Maßnahmen zu allmählicher Degeneration und Schwächung der noch gesunden physiologischen Anteile der Mundflora führt (H. Kliewe, Th. Lammers, Mittlgsbl. Ärzteschaft Rhld. Pfalz 1951)...

Während die Behandlung mit Fluorsalzen in der Kariesprophylaxe unbestreitbare Erfolge aufzuweisen hat, brachte der Zusatz zu Zahnpasten und Mundwässern nicht die erhofften Ergebnisse. Die Wirkung fluoridhaltiger Zahnpflegemittel ist im Vergleich zur direkten Applikation durch Touchieren der Zähne mit Fluoridlösungen oder durch perorale und parenterale Zufuhr so gering, daß sie praktisch vernachlässigt werden kann. ...Trotz gewisser Teilerfolge sind die Mund- und Zahnpflegemittel nicht imstande, Zahnkrankheiten zu verhindern, können sie aber dadurch bekämpfen helfen, daß sie die allg. Mundhygiene unterstützen." Nun enthalten viele Zahnpasten auch Aluminiumoxyd, Aluminiumlactat und werden in Aluminiumtuben angeboten. Jetzt vermuten viele Forscher, daß Aluminium die Hauptursache für die Alzheimersche Krankheit ist, die immer mehr um sich greift und heute bereits einer Million Deutschen das Gedächtnis auslöschte. Diese derzeitigen kostspieligen Dauerpflegefälle sind eine große Belastung in jeder dreißigsten Familie. Aluminium ist noch sehr neu im Gebrauch des Menschen und wurde 1855 zum erstenmal auf der Weltausstellung in Paris als „Silber aus Lehm" ausgestellt. Damals kostete noch ein Kilo 2000 Mark. Die Krankheit Alzheimer entwickelte sich parallel zur immer mehr verbreiteten Aluminiumbenutzung. Ein Zufall?

Einen Hoffnungsschimmer brachte die Meldung in „DER SPIEGEL" 9/2000 auf Seite 205: „Im Kampf gegen Karies könnten bald Kleinstlebewesen die Drecksarbeit zwischen den Zähnen erledigen. Heerscharen des Bakteriums *Streptococcus mutans* machen sich dort normalerweise über die Essensreste her.

DIE ALOE IM ERFOLGREICHEN EINSATZ BEI WEITEREN KRANKHEITSBILDERN

Sie fressen Zucker und scheiden ätzende Milchsäure aus, die den Zahnschmelz zerstört. An der Universität von Florida wurde jetzt ein Stamm der bakteriellen Übeltäter gentechnisch umgepolt - nun sollen sie in einer neuartigen Mundspülung als lebende Zahnschutzpolizei dienen. Statt Säuren produzieren die mutierten Streptokokken neutralisierendes Acetoin und Alkohol und killen ihre Karies bringenden Verwandten. Eine einzige Spülung mit 'guten' Streptokokken würde nach Angaben der Forscher reichen, um die Putzgehilfen ein Leben lang im Mund anzusiedeln."

Das wichtigste für die Zahnerhaltung ist jedoch die richtige Ernährung, die nicht die vielen Kapillaren verstopft, durch die jeder Zahn mit Wasser, Nährstoffen, Mineralien und Vitaminen versorgt wird. Wenn diese Kapillaren verstopft sind, werden die Zähne geschwächt und dadurch besonders anfällig gegen Karies (siehe Kapitel über gesunde Ernährung).

Ende März 2000 mußte meine Zahnärztin Dra. Meire Maman Fracher eine kleine Chirurgie bei mir vornehmen, um an eine tiefliegende kleine Karies heranzukommen. Dazu wurden das Zahnfleisch und der Knochen etwas aufgetrennt. Die Zahnärztin sagte mir, daß sich nach sieben Tagen eine zarte Haut bilden würde und nach weiteren sieben Tagen sei alles verheilt. Ich erbat ihre Erlaubnis, um einen Test mit *Aloe vera* L. zu machen, und sie stimmte zu. Jeden Tag schnitt ich mir aus dem Gel eines *Aloe vera* L.-Blattes einen etwa 50 x 30 x 5 mm großen Lappen, den ich in den Mund nahm und mit der Zunge etwa 15 Minuten um die Wunde bewegte. Ab und zu biß ich etwas auf den *Aloe vera* L. -Lappen, damit frischer Saft austreten konnte. Nach 15 Minuten war dann der *Aloe vera* L. -Lappen total verbraucht. Dieser Lappen fühlte sich an wie eine feine Scheibe fetter Speck. Sechs Tage nach der Chirurgie besuchte ich meine Zahnärztin, und sie war sehr erstaunt, daß die Wunde total verheilt war, mit einem Resultat, welches sonst erst nach vierzehn Tagen üblich ist. Da sie selbst in ihrem Mundraum eine Wunde hatte, die seit langer Zeit nicht heilen wollte, machte sie auch einen Test mit *Aloe vera* L., der zur Heilung führte.

Mundgeruch, Halitosis

Schlechter Mundgeruch ist nur in seltenen Fällen ein Zeichen von Krankheit. Normalerweise sind die Ursachen aber Rauchen, Alkoholgenuß, Zwiebeln, bzw. Knoblauch oder ungenügende Mund- und Zahnhygiene, Entzündungen im Zahnfleisch und die Mundfäule. Hartnäckiger Mundgeruch ohne erkennbaren Grund ist manchmal ein Symptom einer Mund- bzw. Nasennebenhöhleninfektion oder bestimmter Lungenkrankheiten, wie z. B. Bronchiektasie. Mundgeruch läßt sich häufig sehr leicht beseitigen durch mehrminütiges Durchspülen des Mundraumes mit 1:5 verdünntem Aloesaft und/oder Gurgeln mit 1:10 verdünntem Aloesaft und durch Putzen der Zähne mit Aloezahnpasta. Man beläßt dabei den Zahnpastaschaum nach Beendigung des Putzens noch einige Minuten im Mundraum, damit die Aloebestandteile Zeit haben, ihre Wirkung voll zu entfalten.

KAPILLAREN BESTIMMEN UNSER SCHICKSAL

Mundhöhlenkatarrh

Schmerzen und Schwellungen im Mund, verbunden mit Schluckbeschwerden, belegter Zunge und rauher Stimme, deuten oft auf einen Mundhöhlenkatarrh hin. Um die bakteriellen Erreger der Mundschleimhaut bekämpfen zu können, hat sich ein Spülen des Mundraumes und Gurgeln mit Aloesaft, der auch verdünnt und erwärmt sein kann, bewährt.

Nachtblindheit

Nachtblindheit ist eine Unfähigkeit, bei schwachem Licht gut zu sehen. Bei vielen nachtblinden Menschen ist keine Augenkrankheit festzustellen. Mögliche Ursachen der Nachtblindheit sind eine angeborene Störung der Netzhautfunktion, eine Retinitis pigmentosa oder eine Vitamin-A - Mangelerscheinung Es liegen Berichte vor, daß durch Mangel an Vitamin A auf Grund einer Störung des Magen-Darmsystems der Aufbau des Sehpurpurs gehemmt wird. In diesem Fall kann die Aloe segensreich eingreifen durch ihren Vitamin-A-Anteil und durch die Regulierung der Magen-Darm-Störungen, die das Angebot an Vitamin A vermindern. Getrunken wird dabei 3 x täglich ein Eßlöffel reiner Aloesaft.

Nagelbettentzündungen

Nagelbettentzündungen an den Händen und Füßen können störend und sehr schmerzhaft sein. Hier hat sich die Aloe seit Jahrtausenden bewährt durch das Auflegen eines Verbandes mit *Aloe vera* L. -Saft. Selbst vereiterte Nagelbetten gehen normalerweise schnell zurück.

Nasenentzündung

Die gesamte in die Nase gelangende Luft streicht über die Blutgefäße und schleimabsondernden Zellen an der Oberfläche der Nasenmuscheln. Der Schleim auf den Nasenmuscheln, der schädliche Mikroorganismen und andere ausgefilterte Fremdkörper enthält, fließt nach hinten in den Nasenrachenraum ab, so daß diese geschluckt und von der Magensäure im Magen zerstört werden können. Bei zu trockener Luft kann es bei Erkältungen zu einem Festsetzen des Schleimes in den Nasenwänden führen und den Bakterien dadurch einen idealen Nährboden geben und somit Entzündungen hervorrufen. Man reibt dagegen die entzündeten Bereiche mit reinem *Aloe vera* L. - Saft mehrere Mal am Tag ein.

Nervenentzündungen

Weit verbreitet ist eine bestimmte Erscheinungsform der Nervenentzündungen: die Polyneuritis. Sie ist eine gemeine Entzündung zahlreicher Nerven und löst eine Störung der motorischen oder der sensiblen Leitung des Nervensystems, manchmal beides aus. Es gibt auch eine degenerative Form dieser Krankheit. Oftmals wird die Polyneuritis mit multipler Sklerose verwechselt. Wie bei dieser entarten dabei nach fortgeschrittenem Prozeß die Muskeln, die Sehnenreflexe lassen nach und kommen schließlich vollständig zum Erliegen. Typisch sind Gehstörungen, die Lähmung in Beinen und Armen, Herzklopfen, Schweißausbrüche und schmerzhafte Nervenstränge und Muskeln.

Eine Therapie, die fünf verschiedene Parallelmaßnahmen umfaßt, darunter auch eine Injektionskur mit Aloe-Extrakt, ist ausführlich in "Mit Aloe heilen" von Dr. Wolfgang Wirth beschrieben worden: „Ursache der Polyneuritis kann der Mißbrauch von Alkohol, Nikotin und chemischen Medikamenten sein. Manchmal ist die Erkrankung auch eine Folge von Diphtherie. Ferner treten als Ursachen die Kohlenoxyd- und auch Arsenikvergiftung auf. Auch Blei- und Schwefelwasserstoffvergiftungen können Nervenentzündungen dieser Art auslösen. Die Zuckerkrankheit, Pocken, Malaria und sogar Grippe vermögen ebenfalls Nervenentzündungen zur Folge zu haben. Da Aloe-Extrakt gerade gegen Vergiftungen wirkt, wird die Kur konstante Heilerfolge erbringen."

Nesselsucht, Urtikaria, Nesselfieber

Hierbei handelt es sich um eine Hautkrankheit, die durch juckende Quaddeln, erhabene Rötungen, manchmal weiß-gelblich im Zentrum, gekennzeichnet ist. Die Quaddeln unterscheiden sich stark in ihrer Größe und können unregelmäßige ausgedehnte Flächen bilden. Der Ausschlag tritt hauptsächlich an den Gliedmaßen und am Rumpf auf und kann sich aber auch an anderen Stellen des Körpers ausbreiten. Auch durch Brennesseln oder durch Quallen im Meer gibt es auf den betroffenen Hautflächen toxische Reaktionen. Die Aloe als Saft oder Creme eignet sich vorzüglich zur Behandlung der betroffenen Hautflächen. Gleichzeitig kann man noch zusätzlich die Heilung unterstützen durch Trinken von 3 x 1Eßlöffel voll des *Aloe vera* L. - Saftes pro Tag.

Neurodermitis

Im engeren Sinne die Bezeichnung für stark juckende, ekzemartige Hautveränderungen. Durch nicht unterdrückbares, wiederholtes Kratzen wird diese Erscheinung verstärkt, so daß ein Teufelskreis entsteht. Besonders an den Armbeugen, den Kniekehlen, am Hals und am Rücken bilden sich rote, juckende und schuppende Ekzeme. Die Aloe hat sich bei diesem Krankheitsbild sehr bewährt, und die äußerliche Behandlung der betroffenen Hautflächen mit *Aloe vera* L. - Saft oder -Creme ist sehr erfolgreich.

Nierenfunktionsstärkung

Die Funktionstüchtigkeit der Niere ist abhängig vom Zustand ihrer Kapillaren. Der Saft der Aloe hat einen überaus positiven Einfluß auf die Niere, verbessert die Durchblutung und den pH-Wert, so daß die Säure besser ausgeschieden werden kann. Dadurch sind die roten Blutkörperchen flexionsfähiger und gelangen besser in die engen Kapillaren, wodurch die Nierenfunktionsfähigkeit und deren

KAPILLAREN BESTIMMEN UNSER SCHICKSAL

Ausscheidungsfunktion stark verbessert werden kann. Lt. Dr. Wolfgang Wirth haben die Wirkstoffe der Aloe einen günstigen Einfluß auf das Nierenkapselgewebe. Man trinkt dazu täglich einen Eßlöffel voll vom reinen *Aloe vera* L. -Saft.

Ohrfluß

Hierbei handelt es sich um zeitweilige oder fortwährende Flüssigkeitsabsonderung aus dem Ohr. Das Sekret kann wäßrig oder dickflüssig sein, klar oder trübe, geruchlos oder übelriechend. Ursache des Ohrflusses ist entweder eine Infektion des äußeren Ohres, oder in der Regel eine durch Mittelohrentzündung hervorgerufene Trommelfellperforation. Zur Säuberung und raschen Heilung hat sich eine Spülung des Gehörganges mit einer 10 %igen warmen reinen *Aloe vera* L. -Saftlösung bewährt.

Ohrfurunkel

Ein Furunkel im Ohr kann viele Ursachen haben und geht mit einem Taubheitsgefühl, Schmerzen und dem Gefühl eines Fremdkörpers im Ohr einher. Zur Ersten Hilfe ist ein Spülen mit reinem *Aloe vera* L. - Saft empfohlen. Die Behandlung eines Ohrfurunkels gehört in die Hände eines Arztes.

Offene Beine

Offene Beine werden fast immer durch Stauungen des Blut- und Lymphkreislaufes im Bereich der Unterschenkel infolge von Krampfadern oder deren Folgeerkrankungen (Venenentzündungen) hervorgerufen. Die Erscheinungen äußern sich in Form von hartnäckigen nässenden Hautentzündungen unter dem Bilde eines Stauungsekzems oder in Form von langwierigen Beingeschwüren (Krampfadergeschwüre) mit wäßriger oder eitriger Absonderung. Hierzu berichtet Dr. M. El Zawahry, M.D. Professor of Dermatology, Faculty of Medicine, Cairo University, Kairo, Ägypten, et al. unter dem Titel "Use of Aloe in Treating Leg Ulcers and Dermatoses" in der Jan /Feb- Ausgabe, S. 68-74 im International Journal of Dermatology. Nachdem bereits im arabischen Raum durch viele Jahrhunderte hindurch die Aloe Anwendung in der Wundheilung fand, in China schon seit Jahrtausenden, hat man leider erst jetzt diese Wundheilwirkungen wiederentdeckt. Besonders mit folgenden Aloe-Arten: *Aloe perryi* Baker, *Aloe vera* L. (Syn. *Aloe barbadensis* Miller), *Aloe spicata* Baker, *Aloe ferox* Lamarck und *Aloe africana* Miller. Dr. Zawahry berichtet ausführlich über drei Fälle von „Offenen Beinen".

1.) 1.400 mm² große Wunde, Fünfzigjähriger, der bereits 15 Jahre darunter litt.

2.) 5.000 mm² große Wunde, Einundfünfzigjähriger mit Pseudoelephantitis.

3.) 440 mm² große Wunde, Zweiundzwanzigjähriger, der bereits 5 Jahre darunter litt.

Alle drei Fälle wurden mit einem Gel aus *Aloe vera* L. behandelt und geheilt.

DIE ALOE IM ERFOLGREICHEN EINSATZ BEI WEITEREN KRANKHEITSBILDERN

Zu gleichen Ergebnissen kam Dr. J. E. Crewe, M.D. aus Rochester in Minnesota bei der Behandlung von "Offenen Beinen" bei einem Patienten mit Beinstümpfen. Auf dem linken Stumpf war eine Wunde von 5 x 13 cm und eine von 3 cm Durchmesser, auf dem rechten Stumpf eine Wunde von 3 cm Durchmesser. Bereits 24 Stunden nach der Erstanwendung von *Aloe vera* L. bei der Wundversorgung waren die Schmerzen weg und die Wunden begannen kleiner zu werden. Die beiden kleineren Wunden schlossen sich nach zwei Wochen und die große Wunde nach zwei Monaten. Dieser Bericht erschien im Oktober 1937, S. 670-673 unter dem Titel: "Aloe Treatment for Aplmar Eczema, Pruritus Vulva, External Ulcers, Poison Ivy and Burns" in Minnesota Medicine.

Mit Poststempel vom 8. April 2000 erhielt ich ein ausführliches Schreiben von Dr. Marcelino Pedrini Ruas vom Gesundheitsamt in São Tiago im Bundesstaat Minas Gerais. Eine junge Dame, F.S., 24 Jahre alt, litt seit fünf Jahren an offenen Beinen (Poliatrite nodosa). Die Wunde am rechten Unterschenkel war 9600 mm² groß und ließ sich mit allen der Hochschulmedizin zur Verfügung stehenden Heilmitteln nicht schließen. Daraufhin wurde die Patientin nach São Paulo gesandt, in der Hoffnung, dort bessere Heilmethoden anzutreffen. In siebenmonatiger Unterbringung in São Paulo, obwohl die besten Ärzte bemüht wurden, konnte keine Heilung erzielt werden, so daß die Patientin wieder nach Minas Gerais entlassen wurde. Durch Zufall traf Dr. Marcelino Pedrini Ruas meinen Freund und Aloepflanzer Malte Weltzien in der Sauna eines Spa in Jarinu, SP. Dabei kam die Rede auf die *Aloe vera* L. und mein Freund Malte konnte den Arzt für die *Aloe vera* L. begeistern, der daraufhin Aloe-Gel in Tuben der Marke Veraloe Gelatum der Firma Cassiopeia kaufte. Dieses Aloe-Gel wandte Dr. Marcelino Pedrini Ruas bei seiner Patientin an und nach vierzig Tagen hatte sich die Wunde auf 350 mm² vermindert. Der Arzt sandte mir von diesem Zustand ein Farbphoto. Gleichzeitig sandte er mir drei Farbphotos von einer anderen Patientin, M.J.S., 52 Jahre alt, die bereits dreißig Jahre furchtbare, großflächige offene Wunden ringsherum an beiden Unterschenkeln aufweist. Diese Photos wurden am 20. 3. 2000 aufgenommen vor Beginn der Behandlung mit Veraloe Gelatum. Beide Patienten konnten geheilt werden.

Radioaktive Verbrennungen

Über die Versuche an Tieren, die radioaktiver Strahlung ausgesetzt wurden, berichten die Ärzte Dr. C.C. Lushbaugh, M.D. und Dr. D.B. Hale, B.S. von der Health Division, Los Alamos, Scientific Laboratory der University of California, Los Alamos, New Mexiko, under the auspices of the United States Atomic Energy Commission unter dem Titel: "Animal Research on Acute Radiation Damage". Dieser Bericht wurde veröffentlicht im Juli 1953 in Cancer, Band 6, S. 690-698. Er erbrachte, daß mit Hilfe von *Aloe vera* L., die von 28.000r beta-Strahlung (Strontium 90) verursachten Hautschäden innerhalb von zwei Monaten völlig geheilt waren, während das zweitbeste Heilmittel bei diesem Versuch selbst nach vier Monaten keine vollständige Heilung brachte.

KAPILLAREN BESTIMMEN UNSER SCHICKSAL

Pilzerkrankungen der Haut

Nicht nur der Fußpilz, sondern auch die Pilzerkrankungen der Haut können sehr unangenehm sein. Besonders betroffen sind die Füße, die Kopfhaut und die Nägel. Die Krankheitsherde sind gerötet und abgegrenzt und jucken. Durch das Kratzen kann es zu Entzündungen kommen mit Schorfbildung und Eiteraustritt. Die Behandlung der betroffenen Stellen mit dem Saft der *Aloe vera* L. hat sich durch Jahrtausende bewährt.

Rheumatismus

Wenn man bedenkt, daß Rheumatismus oftmals eine das ganze Leben begleitende Erkrankung mit Ausfall der Arbeitsfähigkeit und vorzeitigem Siechtum ist, so fordert gerade diese imminent soziale Bedeutung sämtliche therapeutischen und hygienischen Leistungen heraus, zu denen die Gesellschaft fähig ist. In seinem Buch "Mit Aloe heilen" empfiehlt Dr. Wolfgang Wirth ein Teegemisch, das zu je einem Drittel aus getrockneten biostimulierten Aloe-Blättern, Tinnevelly Sennesfrüchten und Blättern von Orthosiphones besteht. Das Teegemisch darf nicht während Schwangerschaft und Menstruation verabreicht werden.

Um die Wirkung der Tee-Therapie zu erhöhen, ist geraten, eine unterstützende Behandlung mit der Applikation von Aloe-Extrakt aus biostimulierten Aloe-Blättern (wäßriger Extrakt) durchzuführen. Es wird zweimal pro Woche einen Monat lang eine Injektion von 1 ml subkutan eines Oberschenkels verabreicht. Danach tritt eine injektionsfreie Phase von vier Wochen ein, während der aber die Tee-Therapie weitergeführt wird. Nach diesen vier Wochen wird die Kur wiederholt. Eine erneute Injektionskur ist erst nach einem Jahr angezeigt, dagegen sollte die Tee-Behandlung während des ganzen Krankheitsverlaufes bis zur Heilung beibehalten werden. Der Tee ist nach den Gebrauchsinformationen der Packung täglich bis zu zweimal je eine Tasse zu reichen. Injizierter Aloe-Extrakt baut Harnsäure ab. Das ist eine der wichtigsten Grundlagen für die Rheuma-Bekämpfung. Ausführliche Beschreibung und Diätvorschriften siehe "Mit Aloe heilen" von Dr. Wirth.

Röntgenstrahlen-Verbrennungen

Der Segen der Röntgenstrahlung hat leider oft einen hohen Preis. Immer wieder kommt es vor, daß Patienten durch eine zu lange oder zu starke Exposition von Röntgenstrahlen schwere Hautschäden erleiden.

Zur Wiederherstellung der beschädigten Hautpartien wurde als weltweit bestes Mittel der Saft der *Aloe vera* L. identifiziert. Aus Südafrika berichtet Gilbert Westacott Reynolds, D.Sc., E.L.S., in seinem weltberühmten Buch "The Aloes of Tropical Africa and Madagascar", welches im September 1966 herausgegeben wurde: „Die Aloe ist viel im Gebrauch bei der Behandlung von "X-ray burns" (Verbrennungen mit Röntgenstrahlen), genauso wie früher die Aloe über Jahrhunderte hinweg in China bei den normalen Verbrennungen benutzt wurde". Der führende Dermatologe aus Johannesburg berichtet, daß bei Fehlen von *Aloe* vera L. auch *Aloe arborescens* Miller mit gleichem Ergebnis benutzt wurde durch einfache äußerliche Anwendung des Saftes ihrer Blätter auf den verbrannten Körperteilen.

Der älteste wissenschaftliche Bericht stammt von den beiden Ärzten (Vater und Sohn) C.E. Collins und C. Collins aus dem Jahre 1935. Unter dem Titel "Roentgen dermatites treated with fresh whole leaf of *Aloe vera* L." und im "American Journal on Roentgenology", 33:339, 1935, publiziert, berichteten sie über eine zweiund-dreißigjährige Frau, die sich im Mai 1932 einer Röntgenbehandlung unterzog und eine 4 x 8 cm große, stark juckende Hautentzündung an der linken Stirn aufwies, die bis 2 cm unter die Haargrenze ging. Die Oberfläche dieser Entzündung war rauh und schuppig. Die von ihr konsultierten drei Ärzte verschrieben jeweils Borsäure, Phenol in Olivenöl, Ichthyol und eine Lösung aus einem Antiseptikum mit Zinkoxid. Ihr Zustand verschlimmerte sich, und um sich nachts vor Schmerzen und Verletzungen zu schützen, hüllte sie ihre Wunde mit Watte ein. Als Therapie wurde eine Hautverpflanzung vorgeschlagen.

Daraufhin wurden ihr auf die entzündete Hautfläche frisch aufgeschnittene *Aloe vera* L. -Blätter aufgelegt. Vierundzwanzig Stunden später teilte die Patientin mit, daß der Juckreiz und die Schmerzen total verschwunden waren. Daraufhin wurde die Behandlung mit *Aloe vera* L. -Blättern fortgesetzt. Innerhalb von fünf Wochen wurde eine ständige Verbesserung beobachtet und im April 1934 war die Heilung vollständig. Sogar die Haare wuchsen wieder und es verblieben keine Narben. Die nach der Heilung anfangs noch etwas hellere Haut nahm im Sommer die Tönung der übrigen Kopfhaut an, so daß kein Unterschied mehr festzustellen war. Nach diesen Ergebnissen gehören die Aloe-Präparate in die Hand eines jeden Röntgenarztes.

Rosazea

Es handelt sich um eine chronische Erkrankung der Haut, bei der die Wangen und die Nase eine unnatürliche Rötung aufweisen. Oft ist die Ursache die Anwendung von Kortikosteroid - Salben zur Behandlung einer anderen Hauterkrankung. Ungefähr eine von 500 Personen ist von Rosazea betroffen, am häufigsten Frauen im mittleren Alter. Bei älteren Männern kann Rosazea zu knol-lenförmiger Schwellung der Nase kommen. Diese Hautrötung ließ sich durch regel-mäßiges Trinken (dreimal 1 Eßlöffel voll pro Tag) von reinem *Aloe vera* L. - Saft innerhalb von 2 Monaten beseitigen.

Rückenmarkentzündung, einschließlich „Polio"

Da Aloe fortan zu den Heilpflanzen gezählt werden kann, die in hervorragender Weise die Zellumwandlung beeinflussen, ist die Therapie mit Aloe-Extrakt bei allen Krankheiten angezeigt, bei denen die Zellgewebe und Nervenzellen betroffen sind. Dazu gehören alle jene schmerzhaften Leiden, die unter Myelitis wissenschaftlich einzuordnen sind. Am bekanntesten ist ja die verhängnisvolle Poliomyelitis, ab-gekürzt Polio, die Bezeichnung für Kinderlähmung. Sie ist eine akute Entzündung

KAPILLAREN BESTIMMEN UNSER SCHICKSAL

der grauen Vorderhörner im Rückenmark. Die Symptome der Rückenmarkent-zündungen haben Ähnlichkeit mit den Anzeichen der multiplen Sklerose. Hierzu empfiehlt Dr. Wirth (Quelle: "Mit Aloe heilen") die Injektion von Aloe-Extrakt und Fasten solange Fieber besteht. Ernährung erfolgt nur mit reinem Kirschsaft. Ist der Patient fieberfrei, wird auf Obst und Gemüserohkost umgestellt. Kreuz und Rücken sind häufig (viermal am Tag) mit Olivenöl einzureiben. Prof. Barsegjan stellte bei sei-nen Versuchen am Rückenmark nach der Aloe-Injektions-Kur fest, daß sich eine Verstärkung der regenerativen Prozesse zeigt, u.a. die Wiederherstellung der Impulsüberleitung im durchgetrennten Rückenmarkabschnitt. Dank der Polio-schluckimpfung von Dr. Sabin ist diese Erkrankung heute selten.

Schälblasen bei Babys

Babys leiden öfters unter erbsengroßen Blasen, die mit einer milchigen Flüssig-keit gefüllt sind. Diese Blasen platzen auf und Eitererreger können die umlie-genden Hautpartien infizieren. Diese Blasen sollten mehrmals pro Tag mit purem *Aloe vera* L. - Saft betupft werden um eine schnelle Abheilung zu erreichen. (Alice Beringer "Aloe vera")

Schizophrenie

Diese oftmals unauffällige, schwere Erkrankung ist eine endogene, also eine nicht von außen, sondern im Organismus selbst entstandene Psychose, von der das klassische medizinische Wörterbuch PSCHYREMBEL sagt, die Entstehungs-ursache, die Genese, sei unbekannt.

Man vermutet genetische oder virale Ursachen. In den Pavlovschen Kliniken war für die Heilung die Schlaftherapie besonders beliebt. Ferner wurde im Moskauer Forschungsinstitut für Psychiatry die Gewebetherapie (Implantation von biogen sti-mulierten Milz-, Hoden- und Schilddrüsenstücken) auf breiter Grundlage ange-wandt, die ohne Nebenwirkungen den Krankheitsverlauf günstig beeinflussen kann und sich als eine Methode mit unspezifischer Heilwirkung bewährte. Nachdem die Schule Filatow von der Implantationsmethode der Gewebetherapie zur Aloe-Therapie stärker übergegangen ist, wird bei Schizophrenie wie auch bei Epilepsie die Injektionsmethode mit Aloe-Extrakt angewendet. (siehe: "Mit Aloe heilen") Gerade in letzter Zeit sind zuverlässige Erfolgsberichte in Berlin über die günstige Beeinflussung durch Aloe beim Verlauf dieser schweren, tückischen Erkrankung durch Dr. Wirth bekannt geworden.

Schlaganfall

Einen Tag nach dem 5. Weltmeistersieg der brasilianischen Fußballmanschaft im Jahre 2002, erhielt ich in Deutschland einen Anruf einer Dame, deren Mann vor 8 Jahren einen Schlaganfall erlitt und seitdem an den Rollstuhl gefesselt und sprachgestört ist. Diese Dame hatte im ARD die beliebte Sendung von Pastor Fliege mit meinem Auftritt zum Thema Aloe gesehen. Sie fertigte die brasilianische

DIE ALOE IM ERFOLGREICHEN EINSATZ BEI WEITEREN KRANKHEITSBILDERN

Aloe/Honig/Alkohol-Mischung, wie im Programm vorgeführt und gab diese ihrem Mann zu trinken. Nach mehreren Wochen dieser Aloe-Kur, konnte ihr Mann den Rollstuhl verlassen und begann wieder zu sprechen. Bisher für mich ein Einzelfall, der jedoch Mut gibt, die Aloe auch in diesem Krankheitsbild anzuwenden.

Interessanterweise haben jetzt italienische Forscher eine Entdeckung gemacht: Ein Bakterium, das bisher für Magengeschwüre verantwortlich gemacht wurde, kann möglicherweise auch Schlaganfälle auslösen. Stämme des Bakteriums *Helicobacter pylori* sollen auch bei bestimmten Schlaganfällen eine zentrale Rolle spielen. Forscher von der Tor Vergata Università haben entdeckt, daß sich ein bestimmter *H.-pylori*-Stamm in Arterien, die das Hirn versorgen, festsetzt und dort ein Cytotoxin ausscheidet. Das Gift greift die Arterienwände an und führt in der Folge zu einer Entzündung bzw. zum Anschwellen der Gefäßwände. Dadurch wird der Blutfluß in das Gehirn blockiert, was das Schlaganfall-Risiko erhöht.

Bei Patienten, die infolge einer Verstopfung kleinster Gefäßabschnitte des Gehirns einen artheriosklerotischen Schlaganfall erlitten haben, ist der Anteil dieses bestimmten *H.-pylori*-Stammes im Blut erhöht, erklärte Studienleiter Antonio Pietroiusti von der Tor Vergata Università. Es scheint, als mache das Cytotoxin-assoziierte-Gen-A (CagA) den Cytotoxin produzierenden Stamm besonders virulent und arterienschädigend. Bei Patienten mit CagA-positiven Stämmen war auch das so genannte C-reaktive Protein (CRP) erhöht. Der CRP-Wert ist eine Maßzahl für systemische Entzündungen. Je höher dieser Wert ist, umso schwerer die Entzündung.

Die italienischen Forscher vermuten, daß die virulenten Stämme systemweite Infektionen fördern. Es ist bekannt, daß diese Infektionen wiederum eine Arterienverkalkung beschleunigen. Eine erhöhte Infektionsrate kann aber auch zu einer Plaque-Instabilität führen. Werden Plaques instabil, neigen diese zu reißen. Infolge wandert ein Blutgerinnsel ins Gehirn, das durch einen Gefäßverschluß einen ischämischen Schlaganfall auslöst.

Sollten diese neuen Forschungsergebnisse zutreffen, würde der Saft der Aloe ein wirksames Mittel sein, dieses Bakterium der *Helicobacter pylori* zu bekämpfen, um somit nicht nur die Magenschleimhautentzündung vorzubeugen, sondern auch viele Fälle des Schlaganfalles. Der Saft der Aloe beseitigt diese Bakterie *Helicobacter pylori*.

Schmetterlingsflechte, Zehrrose, (Lupus erythematodes)

Durch ein Buch ("Lupus, die Aloe vera und ich") von Rita Thompson ist die Heilung dieser furchtbaren und schmerzhaften Krankheit durch *Aloe vera* L. sehr bekannt geworden, und die Autorin wurde danach zu einer der erfolgreichsten Verkäuferinnen von Aloe-Produkten in einer multinationalen Firma. Ihre Geschichte liest sich wie ein Roman. 1975 wurde bei Rita die Diagnose gestellt, daß sie an

KAPILLAREN BESTIMMEN UNSER SCHICKSAL

rheumatischer Arthritis erkrankt sei. Fünf Jahre lang litt sie unter schweren Schmerzen, besonders an den Gelenken, die manchmal schwächer wurden, aber immer wiederkamen. Immer wurde die gleiche Diagnose gestellt. 1980 begann die Krankheit sich an der Haut zu zeigen. Zuerst kleine Geschwüre, die einige Wochen blieben und dann scheinbar wieder etwas abheilten, aber jedes Mal in größerem Ausmaße wieder kamen. Anderthalb Jahre ging das so. Die Schmerzen wurden immer unerträglicher, auch emotionell war die Belastung immer größer. Rita wurde behandelt mit allem, was die moderne Medizin anzubieten hatte. Verschiedene Male wurde sie ins Krankenhaus eingeliefert, aber ihr Zustand verschlimmerte sich immer mehr. Sie konnte keine Kleidung mehr tragen, war nur noch in Plastik eingehüllt und ihr Körper mit einem Gleitmittel befeuchtet. Sie verlor alle ihre Haare und wurde informiert, daß sie nie wieder Haare haben werde. Ihre Krankheit war die Schmetterlingsflechte, eine besonders unangenehme Form, ähnlich der Hauttuberkulose (Haut - TBC), auch bekannt als Zehrrose,

Ab Mai 1983 trank sie täglich ein Glas *Aloe vera* L.-Saft. Nach 30 Tagen war ihr Zustand sichtlich besser. Die Geschwüre wurden heller, und ihr Haar begann wieder zu wachsen, die Schmerzen verschwanden und nach und nach wurde ihre Haut völlig gesund. In dieser Phase vergaß sie an zwei Tagen ihr Glas *Aloe vera* L. -Saft zu trinken. Die Krankheit brach wieder aus. Nachdem sie dann zwei Tage wieder *Aloe vera* L.-Saft zu sich nahm, klang die Krankheit ab und nach 48 Stunden war nichts mehr zu sehen. Seit dieser Zeit trinkt sie täglich ein Glas *Aloe vera* L.-Saft und lebt bis heute ansonsten völlig gesund und hält ihre Krankheit unter Kontrolle. Sie arbeitet weiterhin als erfolgreiche Verkäuferin von Aloe-Produkten. Ihr Buch, reich mit Photos illustriert, bringt einen erdrückenden Beweis über die Heilwirkungen der als "Kaiserin der Heilpflanzen" bezeichneten *Aloe vera* L.

Schürfwunden

Schürfwunden können schwere Schmerzen, Entzündungen und länger andauernde Bewegungsbehinderungen verursachen. Anwender von *Aloe vera* L. -Saft, -Gel oder -Spray sind beeindruckt und berichten über die schnelle Heilung von Schürfwunden, die sofortige Befreiung von den üblichen Schmerzen und von der hervorragenden Wundschließung. Besonders in den ersten 24 Stunden benutzt man mehrmals äußerlich *Aloe vera* L.-Spray, bzw. -Gel oder -Saft.

Schuppenflechte (Psoriasis)

Die Schuppenflechte hat sehr unspezifische psychische Veränderungen zur Grundlage. Typisch sind Angstzustände, besonders Lebensangst, Angst vor Strafe, sogenanntes "schlechtes Gewissen" und vor allem Minderwertigkeitsgefühle. Auch eine Autoimmunität kann diese Krankheit verursachen. Die Psoriasis führt oft zu Haarausfall und völliger Glatzenbildung. Die normalerweise verordneten Salben und Bestrahlungsbehandlung können nur zu einer Abheilung und zum zeitweisen Verschwinden der Schuppen führen. Dr. William Engel aus Santa Fé in New Mexiko berichtet, daß er diese Patienten mit einem Aloe-Gel behandelt, bei gleichzeitiger

DIE ALOE IM ERFOLGREICHEN EINSATZ BEI WEITEREN KRANKHEITSBILDERN

Gabe von größeren Mengen Aloe-Saft während der Dauer eines Jahres. Dabei soll gleichzeitig eine Diät beachtet werden, die keine industrialisierten Produkte enthält, keinen Zucker sowie keine tierischen Fette, bei gleichzeitiger Gabe eines Multivitaminpräparates und eines Antioxidanten.

Mitte 1996 führten Dr. Syed und seine Kollegen in Saudi Arabien eine Doppelblindstudie an sechzig Patienten mit Schuppenflechte durch. Diese Patienten litten bereits seit fünf bis sechzehn Jahren an dieser Krankheit. 16 Wochen erhielten dreißig Patienten einen Aloe-Gel und die anderen dreißig Patienten ein Plazebo. Von den dreißig Patienten, die mit Aloe-Gel behandelt wurden, konnten fünfundzwanzig total geheilt werden, Ausführlich beschrieben unter dem Titel "Management of psoriasis with Aloe vera extracted in a hydrophilic cream: a placebo controlled, double-blind study" und veröffentlicht in "Trop. Med. International Health", August 1996, 1-4, Seiten 505 - 509.

Schutz gegen UV-Strahlen

Die UV-Strahlen blockieren total das Hautimmunsystem. Seit 50 Jahren wissen wir, daß Gel der *Aloe vera* L. einen Schutz gegen UV-Strahlen bildet, Sonnenbrand verhindert und auch heilt. Der Augenarzt Dr. Neville Baron aus Secaucus in New Jersey hat unzählige Versuche gemacht und die *Aloe vera* L. als Wundermittel für die Bindehautentzündung bezeichnet, bzw. sogar als flüssige Sonnenbrille. *Aloe vera* L. schützt die Augen, absorbiert die UV-Strahlen, welche sehr schädlich für die Augen sind. Man vermutet, daß bestimmte UV-Strahlen sogar für den Star verantwortlich sind durch die Degenerierung der Netzhaut und Veränderung der kristallinen Augapfelflüssigkeit.

Eine sehr umfangreiche wissenschaftliche Arbeit unter dem Titel: "Prevention of ultraviolet radiation-induced suppression of contact delayed hypersensitivity by Aloe vera gel extract", wurde Im "Journal Invest. Dermatologycal" im Februar 1994, 102:2, Seiten 197 - 204 veröffentlicht.

Die Autoren Dr. F.M. Strickland, Dr. R.P. Pelley und Dr. M.L. Kriple führten Versuche mit Ratten durch, die starke UV-Strahlungen durch äußerliche Anwendung von *Aloe vera* L. -Gel immunbiologisch unterdrücken konnten, ohne das DNA zu schädigen oder zu verändern.

Schweißdrüsenabszeß

Die winzigen Drüsen tief in der Haut, die Schweiß produzieren, können beim Tragen von enger und ungeeigneter Kleidung, z. B. aus Kunstfasern in der Achselhöhle schmerzhafte Eiterknoten bilden. Dieser Abszeß läßt sich hervorragend im Anfangsstadium unter zu Hilfenahme von Kompressen, getränkt mit dem Saftes der *Aloe vera* L. behandeln.

KAPILLAREN BESTIMMEN UNSER SCHICKSAL

Seborrhoische Dermatitis

Diese Form äußert sich in rotem, juckenden Ausschlag im Gesicht, auf der Kopfhaut, Brust und Rücken. Auf dem Kopf sind Schuppen, die häufigste Ursache für diese Dermatitis. Der Ausschlag entwickelt sich oft in Zeiten großer Belastung durch Streß und Ärger. Die Kapillaren verengen sich in einigen Hautbereichen, und die dadurch unterversorgte Haut ist empfindlich und bildet dieses Ekzem. Als weltweit bestes Mittel dagegen hat sich das Waschen der befallenen Hautpartien mit einer Lösung von warmem 1:5 verdünnten *Aloe vera* L.-Saft bewährt. Für die Kopfhaut haben sich Waschungen mit dem modernen Aloeshampoo bewährt, welches mindestens 80 % reines *Aloe vera* L.- Gel enthalten sollte.

Sinusitis

Die Entzündung einer oder mehrerer Nebenhöhlen der Nase läßt sich lt. Max B. Skousen gut mit *Aloe vera* L. -Saft mittels eines Inhalationsgerätes behandeln. Personen, die häufig unter Sinusitis leiden, benutzen dies Verfahren regelmäßig, um dadurch erfolgreich auch Sinusitis vorzubeugen.

Sklerodermie (Hautverhärtung)

Die Krankheit ist im Volksmund als Darrsucht bekannt. Die progressive Erscheinungsform gilt als schwere, oft tödliche System-Erkrankung (nach PSCHYREMBEL). Es handelt sich bei diesem Leiden um ein typisch defizitäres Erscheinungsbild: Mangel an Mineralien, mangelhafte Drüsentätigkeit, Störung im Gefäßsystem bis zur Gefäßschrumpfung. Diese Mangelzustände gehen einher mit Wucherungen von Bindegeweben und Hautschwund. Es treten Versteifungen auf, sowie Abschürfungen von Fingern und Zehen. Typisch sind die sogenannten Madonnenfinger und das "Maskengesicht". Symptomatisch für diese Krankheit sind weiterhin schwer heilende Wunden. Oft sind innere Organe befallen: Speiseröhre (Schluckbeschwerden), Nieren (Nierensklerose), Herz (Myokardsklerose). Die Hochschulmedizin bietet keine ausreichende Therapie. Die Naturmedizin (Dr. Brauchle) bietet Luftbäder, Besonnung, viel Rohkosternährung sowie Bewegungsübungen in heißem Wasser an. Das ist lt. Dr. Wolfgang Wirth alles goldrichtig und bringt auch den Prozeß zum Stagnieren. Dr. Wirth bietet erstmals eine Heilungsaussicht, die vielfach klinisch in harten Tests erprobt wurde: Aloe-Extrakt-Therapie. Sie wird wie folgt angewendet: An 30 Tagen wird täglich 1 x in den Morgenstunden 1 Ampulle Aloe-Extrakt 1ml subkutan injiziert. Danach tritt eine Ruhepause von weiteren 30 Tagen ein. Dann folgt die zweite Therapiestufe mit wiederum 30 Injektionen, d.h. jeden Tag 1ml Spritze unter die Haut (Oberschenkel). Nach einem Jahr wird die Kur wiederholt. Die biogenen Stimulatoren in der Aloe beheben die Mangelzustände und festigen das Immunsystem.

DIE ALOE IM ERFOLGREICHEN EINSATZ BEI WEITEREN KRANKHEITSBILDERN

Sonnenbrand

Dr. Ellis G. Bovik, D.D.S., M.S.D. (Mast. of Surgical Dentistry) publizierte im Texas Dental Journal im Januar 1966 unter dem Titel: "Aloe vera, Panacea or 'Old Wives' Tales?" unter anderem eine eigene Erfahrung mit Sonnenbrand. Im Sommer 1961 fuhr er mit seiner Frau acht Stunden zum Fischen auf Padre Island. Beide hatten sich wie immer gegen Sonnenbrand geschützt, jedoch vergessen ihre Beine einzucremen. Am nächsten Morgen kamen er und seine Frau nicht aus dem Bett, derartig schmerzten die Beine vom Sonnenbrand. Als ihre mexikanische Hausangestellte dies sah, ging sie sofort aus dem Haus und kam danach mit einem Blatt *Aloe vera* L. zurück, das sie dem Arzt und seiner Frau gab, damit diese ihre Beine mit dem Gel aus dem Blattinnerem behandeln sollten. Nach einer halben Stunde waren beide völlig kuriert, konnten aufstehen und waren schmerzfrei. Durch diese Begebenheit lernte Dr. Bovik die Aloe kennen und begann, sie besonders in der Zahnmedizin anzuwenden.

Stinknase

Eine übelriechende Erkrankung der Nase. Der Name Stinknase besteht zu Recht. Ein wahrhaft übler Geruch geht von der befallenen Nase aus. Das ist die Folge bakterieller Zersetzung der Borken, die sich durch Entzündungen in der Nase bilden. Dr. Wolfgang Wirth empfiehlt folgende Behandlung: 15 Injektionen in der Applikation täglich 1 x 1ml subkutan, hierauf ein Intervall von zwölf Tagen, anschließend 15 weitere Injektionen.

Stirnhöhlenbeschwerden

In ihrem Buch "Aloe vera" schreibt die Autorin Alice Beringer: „Es gibt in der Ayuveda-Medizin mehrere Rezepte, die Aloe zur Behandlung von Beschwerden der Stirn- und Kieferhöhle heranziehen. Es ist bisher wissenschaftlich ungeklärt, warum hier die äußerliche Anwendung hilft, aber sie hilft in vielen Fällen tatsächlich. Tragen Sie pure *Aloe vera* L. auf die Stirn- und Nasenpartie auf, und lassen Sie die Feuchtigkeit in ruhendem Zustand, am besten liegend, ca. 30 Minuten lang einwirken. Wiederholen Sie die Einreibung vor dem Schlafengehen."

Strahlenpilzerkrankung

„Vor allem kleine Kinder nehmen gerne Gräser in den Mund. Das kann leider sehr gefährlich sein, denn auf Grashalmen und an Ähren sitzt häufig der Strahlenpilz, der trotz seines Namens nicht eigentlich ein Pilz ist, sondern zur Familie der Fadenbakterien gehört. Findet er im Mund eine kleine Schleimhautverletzung, setzt er sich fest, und es kommt zu einer eitrigen Entzündung. Es kann auch sein, daß beim Kauen auf einem Grashalm der Strahlenpilz in ein Zahnloch, an eine kleine kariöse Stelle oder in eine Wunde des Zahnfleischs gelangt und auf diese Weise eine schwere und langwierige Infektion des Kiefers verursacht. Nur im Frühstadium einer Schleimhautentzündung ist noch eine Behandlung mit *Aloe vera* L. angebracht und sinnvoll. Empfohlen wird eine Mundspülung mit 3 Teelöffeln Aloe auf 1 Tasse warmes Wasser mehrmals täglich. Falls die Entzündung der Mundschleimhaut nicht bald zurückgeht, muß der Arzt konsultiert werden. (Aus "Aloe vera" von Alice Beringer)

Tuberkulose

1950 publizierten Dr. Gottshall und seine Kollegen in der Amercian Review of Tuberculosis ihre Forschungsergebnisse über die erfolgreiche Behandlung von Tuberkulose mit *Aloe vera* L. .1979 wurden die russischen Forschungen bekannt von Dr. T. Zarimora und Dr. W. Rodionov, die sogar für den Nobelpreis der Medizin vorgeschlagen wurden. 167 Patienten mit Tuberkulose, davon 113 mit Lungen- und Bronchialtuberkulose, erhielten eine tägliche Gabe von Aloe in 37%iger Verdünnung. 60 Tage nach Behandlungsbeginn zeigten alle Teilnehmer (4 Patienten fielen aus, da sie allergisch gegen Aloe waren) dieser Doppelblindstudie im Verhältnis zu der Kontrollgruppe eine beachtliche Besserung. Daraufhin erhielt auch die Kontrollgruppe Aloe gereicht und nach acht Monaten waren alle total und endgültig von der Tuberkulose geheilt. Da z.Zt. die Tuberkulose, die als ausgerottet galt, wieder mit voller Macht zurückkommt, sollte man auf diesen Forschungen aufbauen. Am 24.3.2000 meldete die Zeitung "O Estado do São Paulo", daß zwei Milliarden Menschen derzeitig den Tuberkelbazillus in sich tragen, acht Millionen Menschen an Tuberkulose erkrankt sind und zwei Millionen Tuberkulose jährlich daran sterben, darunter 250.000 Kinder. Obwohl die Tuberkulose in Deutschland noch zahlenmäßig gering ist, stieg die Zahl der Tuberkulosen im Jahr 1999 um 50%. Tendenz stark steigend, da der Bazillus *Mycobacterium tuberculosis* gegen die meisten Heilmittel bereits resistent ist.

Umlauf, Fingerumlauf

Ist ein Abszeß an der Fingerkuppe oder an den Zehenkuppen. Am häufigsten ist die akute Paronychie. Beim Fingerumlauf schwillt der Finger an und wird äußerst druckempfindlich. Ursache kann eine Verletzung bei der Maniküre oder Pediküre sein, bei der Bakterien in die Wunde eindrangen. Die Haut ist gespannt und gerötet. Eine mehrfache Behandlung mit purem *Aloe vera* L.- Saft bringt häufig die beste Hilfe.

Verbrennungen

Eines der wichtigsten Anwendungsgebiete für die *Aloe vera* L. ist die Behandlung von Brandwunden. Berühmt wurden die Berichte von Dr. J.E. Crewe, die 1937 unter dem Titel "The External Use of Aloes" im Band 20, Seiten 538-539 und auch 1939 im "Minnesota Journal of Medicine" veröffentlicht wurden. Ein Mann fiel mit seinem Bein bis zum Knie in einen gerade geöffneten großen Industrie-Dampfkochtopf mit kochendem Wasser, und die Verbrennungen waren derartig, daß sich die Haut beim Entfernen der Hose ablöste. Sofort wurde ein Aloe-Gel angewandt. Die Schmerzen ließen nach und es bildeten sich keine Entzündungen. Neunzehn Tage danach war

DIE ALOE IM ERFOLGREICHEN EINSATZ BEI WEITEREN KRANKHEITSBILDERN

der Patient total geheilt und konnte wieder arbeiten. Dr. J.E. Crewe entwickelte eine Creme aus gleichen Teilen von Aloe-Gel und Mineralöl unter einem kleinen Zusatz von Vaseline.

Ein wichtiger Ort, wo ständig die Heilung von Verbrennungen durch die Anwendung von Aloe beobachtet wird, ist das Zentrum für Verbrennungen an der Universität von Chicago. Die Forscher Dr. Martin C. Robson und Dr. John P. Heggers benutzen eine Aloe-Creme, die unter dem Namen Dermaide Aloe von der Firma Dermaide Research Corporation hergestellt wird. In einem Forschungsbericht aus dem Jahre 1980 wird berichtet, daß die *Aloe vera* L. bessere Heilergebnisse erbrachte als Penizillin bei der Behandlung von Erythemen, Prurides und Hautverformungen durch Narben. Die Forscher berichteten, daß die hervorragende Wirkung der *Aloe vera* L. bei Brandwunden an ihrer entzündungshemmenden Eigenschaft liegt. Je kürzere Zeit die Haut entzündet ist, desto weniger Hautveränderungen formen sich. Gleichzeitig tötet die *Aloe vera* L. die Mikroben ab, verhindert die störende Blutgerinnung in der Wundoberfläche, wodurch die Blutzirkulation in dem verletzten Bereich gefördert wird, neutralisiert die Aktion der Prostaglandine und Tromboxane, die die Verengung der Blutbahnen bewirken.

Ein weiterer Forschungsbericht unter dem Titel "Aloe Vera Ointment Tested On Third Degree Burns" wurde im Industrial Medicine and Surgery im August 1959 S. 364-368 von Dr. R. Rovatti, M.D. und Dr. R.J. Brennan, M.D. veröffentlicht. Weiter finden wir einen Bericht in der Los Angeles Times vom 22. Juni 1979 unter dem Titel "Aloe Vera probably prevents the progressive death of tissues." Der Autor ist Dr. Martin Robson, Direktor des Burn Center von der University of Chicago.

Ein anderer Forschungsbericht vergleicht die Ergebnisse der Heilungen von siebenundzwanzig Brandwunden bei der Anwendung von *Aloe vera* L. -Gel mit den Ergebnissen bei der Anwendung von Vaseline. Mit *Aloe vera* L. -Gel erfolgte die Heilung innerhalb von 11,89 Tagen im Gegensatz zu Vaseline mit 18,19 Tagen. Veröffentlicht unter dem Titel "Effect of Aloe vera gel to healing of burn wound. A clinical and histologic study" im "Journal Med. Assoc. Thai." im August 1995, 75:8, Seiten 403-409 von Dr. V. Visuthikosol und seinen Kollegen.

Verrenkungen und Sehnenzerrungen

Eine viel erzählte Geschichte in der Aloe-Literatur ist die Behandlung der Olympiateilnehmer von 1976 durch den berühmten texanischen Trainer Frank Medina. Er benutzte eine Mischung von *Aloe vera* L. und Aspirin für die Behandlung der US-Olympiamanschaft. Seine Erfolge bei Verrenkungen und Sehnenzerrungen sprachen sich während der Olympiade herum, und vier sowjetische Athleten, die aufgeben mußten, hörten von dem Wundermittel des US-Trainers und ließen sich von ihm behandeln. Ein wahres Wunder geschah. Alle vier konnten wieder teilnehmen und zwei von ihnen gewannen sogar kurz darauf Goldmedaillen. Aus Dankbarkeit lud das olympische Komitee der damaligen UdSSR den US-Trainer Frank Medina nach Rußland ein.

KAPILLAREN BESTIMMEN UNSER SCHICKSAL

Seit damals gilt diese *Aloe vera* L. - Creme als Geheimtip bei den Spitzensportlern. In einem Bericht in der "Bibel" der Athleten, "Runner's World", wurde ausführlich darüber berichtet. Man vermutet, daß durch die Aloe das Aspirin leichter in den Körper eindringt und in die Blutbahnen kommt. Aloe und Aspirin vereinigen die schmerzstillende mit der entzündungshemmenden Wirkung und bilden somit ein Spitzenprodukt für die Sportmedizin.

Wundliegen

Durchliegen oder Druckgeschwüre findet man auf der Haut von bettlägerigen Patienten, die bewußtlos oder bewegungsunfähig sind, oder schwere Schmerzen beim bewegen haben. Das Wundliegen beginnt mit roten schmerzhaften Flecken, besonders am Kreuzbein, die sich dunkelrot verfärben, ehe die Haut aufspringt und sich offene Geschwüre entwickeln. Diese Stellen müssen sofort von Anfang an versorgt werden, damit es nicht zu einer Blutvergiftung kommt. Bewährt hat sich eine Waschung mit einer warmen 10-20 %iger Mischung aus *Aloe vera* L. -Saft und Wasser, am besten morgens und abends.

Wundrose

Die Wundrose ist eine Infektion und wird meist durch Streptokokken verursacht. Besonders das Gesicht wird befallen. Es wird angenommen, daß die Bakterien durch eine kleine Verletzung oder wunde Stelle in die Haut eindringen. Betroffen sind vor allem kleine Kinder und ältere Menschen. Die Erkrankung setzt plötzlich mit Unpäßlichkeit, Fieber, Kopfschmerzen und Erbrechen ein. Auf der Gesichtshaut erscheinen juckende rote Flecken, die sich über Wangen und Nasenrücken ausbreiten und einen entzündeten Bereich mit erhabenen Rändern bilden. Innerhalb dieses Bereichs entwickeln sich Pusteln, die erst blasig werden, dann aufbrechen und verkrusten. Durch ein Einreiben mit reinem *Aloe vera* L. -Saft läßt sich diese Infektion leicht unter Kontrolle bringen.

Wundstarrkrampf (Tetanus)

Eine meldepflichtige Infektionskrankheit, deren wichtigstes Krankheitszeichen eine krampfhafte Starre der Körpermuskulatur ist. Der Erreger des Wundstarrkrampfes, der Tetanusbazillus, ist ein anaërobes, längliches, geißeltragendes Stäbchen mit sehr wiederstandsfähigen Sporen. Der Bazillus findet sich als Darmbakterium vor allem bei Pferden und Rindern und gelangt mit dem Kot (Dünger) in die Acker- und Gartenerde, findet sich im Staub, Gras, Heu und Holz. Als Eintrittspforte kommen vor allem Wunden, Verbrennungen der äußeren Haut, gelegentlich auch Schleimhautwunden in Betracht, die mit Erde, Staub, usw. verunreinigt und der Einwirkung des Luftsauerstoffes vollkommen entzogen sind. Besonders gefährlich sind Wunden an den peripheren schlecht durchbluteten Teilen des Körpers (Füße, Hände). So kann Wundstarrkrampf von einer einfachen Verletzung durch einen kleinen Holzsplitter, der zufällig infiziert war, an Hand oder Fuß entstehen.

DIE ALOE IM ERFOLGREICHEN EINSATZ BEI WEITEREN KRANKHEITSBILDERN

Zu diesem Thema schrieb mir mit Datum vom 25.3.2000 Frau Elsa Olga Simon aus Itá in Santa Catarina (Südbrasilien): „Lieber Herr Michael Peuser! Ich lese immer mit Interesse die Brasil Post und auch Ihre Artikel über *Aloe vera* L. Das Rezept von Pater Romano haben wir auch schon erfolgreich angewandt. Ich mit meinen 79 Jahren habe schon viele Erfahrungen mit *Aloe vera* L. gesammelt. Schon vor 50 Jahren kannten wir die *Aloe vera* L. nur als "Tetanus". Dieser "Tetanus" wirkte Wunder! War jemand auf einen Nagel getreten, legte man die Blätter von "Tetanus" auf die Wunden, man schälte das Blatt, legte es auf die heiße Herdplatte und dann ganz heiß auf die Wunde. In zehn Minuten war das Blatt ganz trocken. Dies wurde so oft wiederholt, bis alles gut war. Wir haben damit Wundstarrkrampf behandelt. Ich bin mit sieben Jahren mit meinen Eltern aus Deutschland in Brasilien eingewandert. In den ersten zwei Jahren starb mein einziger Bruder Bertoldt Stegmann an Wundstarrkrampf. Damals hatten wir Kolonisten noch keinen Arzt und kannten auch noch nicht die *Aloe vera* L., die wir später "Tetanus" nannten und konnten daher meinen Bruder leider nicht retten." Heutzutage ist die Behandlung jedoch praktischer mit der Tetanus-Spritze.

Zahnfleischbluten und Zahnschmerzen

Zahnfleischbluten und Schmerzen von Zähnen ohne Karies lassen sich häufig leicht beseitigen durch ein Spülen des Mundes mit *Aloe vera* L-Saft, der auch verdünnt sein kann. Dies trifft jedoch nur zu, wenn keine größeren Zahnprobleme vorliegen, die nur der Zahnarzt behandeln kann. Auch die Benutzung einer Zahnpaste mit überwiegendem Anteil von *Aloe vera* L. beugt Zahnfleischbluten vor, hilft Zahnfleischbluten zu stoppen und Zahnschmerzen zu lindern.

Zwölffingerdarmgeschwüre

Die sogenannten Duodenalulcera können dem Erkrankten außerordentlich schwer zu schaffen machen, umsomehr als der Patient, sofern er zu spät den Arzt aufsucht, glaubt, Magengeschwüre zu haben und sich falsch verhält. Hinzu kommt, daß sowohl bei Magen- wie auch bei Zwölffingerdarmgeschwüren, die übrigens häufiger beim männlichen Geschlecht als beim weiblichen vorkommen, Blut im Stuhl sichtbar wird und der Magensaft übersäuert ist. Nur die Röntgenuntersuchung und die Endoskopie können genau den Sitz des Geschwürs feststellen (vor der Röntgenuntersuchung Aloe-Gel oder Aloe-Emulsion als Schutz vor Röntgenstrahlungen auftragen, um Strahlenschäden zu vermeiden!)

Gegen Zwölffingerdarmgeschwüre gibt es lt. Dr. Wolfgang Wirth eine wirksame biologische Therapie: „Es wird dreimal täglich ein Teelöffel biostimulierter Aloe-Saft nach den Mahlzeiten eingenommen. Nach jeder Verabreichung sollte der Patient eine Reihe kleiner Schlucke Milch zu sich nehmen. Die Einnahmedauer sollte drei Wochen bis längsten zwei Monate betragen. Bei komplizierterem Verlauf bzw. fortgeschrittenem Stadium sollte zur Injektionskur mit Aloe-Extrakt übergegangen werden: Dreißig Tage lang täglich eine Injektion von 1ml unter die Haut (Oberschenkel), danach eine spritzenfreie Phase von dreißig Tagen, woran sich eine erneute Injektionskur von dreißig Ampullen zu 1ml anschließt. Die vorstehenden Therapie-

KAPILLAREN BESTIMMEN UNSER SCHICKSAL

hinweise für Aloe-Saft-Anwendungen wie auch in Bezug auf Injektionen mit Aloe-Extrakt sind auch für Enteritis, die Entzündung des Dünndarmes, gültig, welche die gleichen Symptome wie eine Gastritis haben kann.

Besonderer Literaturhinweis: Zahlreiche Therapien mit Aloe dieses Kapitels wurden dem Buch von Dr. Wolfgang Wirth "Mit Aloe heilen" entnommen. Vor einer Anwendung einer Aloe-Kur nach Dr. Wirth, sollte der Arzt, bzw. der medizinisch interessierte Laie dieses Buch erwerben, um dadurch umfassend informiert zu werden. Rückfragen zu den Aloe-Therapien nach Dr. Wirth können unter Beifügung eines vorfrankierten Rückantwortkuverts an die nachstehende Anschrift gerichtet werden:

Arbeitsgemeinschaft Grundlagenforschung für biologische Medizin
Postfach 61 0 220
D-10923 Berlin

Rezepte für Aloe-Kraft-Getränke

Vitalgetränke aus dem Gel der Blätter der *Aloe vera* L. und der *Aloe arborescens* Miller können sogar gut schmecken. Hierzu gibt die Zeitschrift "Frau im Spiegel" interessante Rezepte für die Zubereitung. Wie wir wissen, sind Obst und Gemüse überaus wichtig für unsere Gesunderhaltung, und die Gesundheitsminister der EU ermuntern ihre Bürger, täglich mehrere Portionen Gemüse und Obst zu essen. Die Aloe ist von den Inhaltsstoffen her das wertvollste Gemüse und ist in der EU beheimatet. Leider werden unsere Obst- und Gemüsesorten äußerlich zwar immer schöner, dafür aber leider immer mehr inhaltsstoffärmer. Von allen Obst- und Gemüsesorten sind diese beiden Aloe-Pflanzen die absoluten Spitzenprodukte und können den Mangel an Inhaltsstoffen der überzüchteten Obst- und Gemüsesorten ausgleichen. Die Aloe ist die Kaiserin der Heilpflanzen und wird in über 100 Krankheitsbildern von erfolgreichen und berühmten Ärzten seit Jahrtausenden therapeutisch eingesetzt. Die Aloe ist für die Gesunderhaltung und zur Wiedererlangung der Gesundheit das wichtigste Vitalgetränk dieser Erde.

Man entnimmt diesen Aloeblättern das saftige kristalline Gel und zerkleinert es im Küchenmixgerät zu einem Saft als Basis für folgende Rezepte:

Klassisch: 25 ml Aloe-Saft (etwa 2-3 Eßlöffel) mit 75 ml Mineralwasser mixen, einen Spritzer Zitrone, auf Eiswürfeln servieren. Schmeckt wie Tonicwasser!

Fruchtig: 25 ml Aloe-Saft mit frisch gepreßtem Orangen- und Mangosaft pürieren, mit einer Scheibe Kiwi dekorieren. Enzyme pur!

Herb: 25 ml Aloe-Saft in frisch gepreßter Grapefruit auflösen, mit Honig nach Geschmack süßen.

Herzhaft: Frischen (oder gekauften) Gemüsesaft - z.B. Tomate - mit 25 ml Aloe-Saft mixen, mit Pfeffer und Salz abschmecken.

Gute-Laune-Getränk: 25 ml Aloe-Saft mit Karotten- und Ananassaft.

Diese Aloe-Getränke sind lt. Dr. Terry Pulse reine Turbolader! „Der Hauptwirkstoff des Aloe-Saftes, Acemannan, nährt und reinigt die Zellen und stärkt die Widerstandskräfte des gesamten Organismus. Die weißen Blutzellen werden so gestählt, daß selbst aggressive Viren nicht mehr durch die Zellwände dringen können, Bakterien und Pilze, die sich besonders gern in Schleimhautfalten einnisten, haben keine Chance einzudringen. Im Knochenmark wird die Bildung neuer Blutzellen angeregt, chronische Entzündungen des Darmes (z.B. Colitis ulcerosa), die den ganzen Stoffwechsel vergiften und so die Zellalterung beschleunigen, werden gelindert. Wenn die Leber nicht richtig arbeitet, zeigt sie es durch fahle, gelbliche und schlaffe Haut. Nach einer langen Nacht mit zuviel Alkohol wirkt das Wüsten-

KAPILLAREN BESTIMMEN UNSER SCHICKSAL

wunder Aloe wie eine Putzkolonne in den Gefäßen, wo sie Kalk- und Cholesterin-ablagerungen verhindert."

Wer keine *Aloe vera* L., oder *Aloe arborescens* Miller im Sommer im Garten (in Ländern mit Bodenfrost, muß die Aloe in der kalten Jahreszeit ins Haus genommen werden) oder in seiner Wohnung hat, kann sich frische Blätter, besser noch eine Pflanze aus dem Urlaub aus sonnigen Ländern mitbringen. Vor der Zubereitung wäscht man das Blatt, schneidet durch zwei Längsschnitte die Blattkanten mit den Dornen ab, dann das Blatt flach der Länge nach auf und entnimmt das Gel prak-tisch wie ein Filet mit einem Messer oder einem Löffel. Das untere Blattende (ca. 5-8 cm), wo sich zwischen der Blatthaut und dem Gel oftmals ein gelblicher Saft befindet, sollte man verwerfen, um zur höchsten Qualität des Aloe-Saftes zu gelan-gen. Wer über keine frischen Aloe-Blätter verfügt, kann auch von den zahlreichen Anbietern fertigen naturbelassenen Aloesaft kaufen und sich die wohlschmecken-den Vitalgetränke bereiten. Wichtig ist, daß man eine gute und vertrauenswürdige Marke findet. Man sollte sich versichern, daß es reiner Aloesaft ist, der naturbelas-sen und lediglich mit den international üblichen und in der Nahrungsmittelindustrie zugelassenen Konservierungsstoffen stabilisiert wurde. Vermeiden Sie Saft aus erhitzter Produktion und Saft aus in Wasser aufgelösten gefriergetrocknetem Aloepulver. Einige Anbieter liefern bereits das fertige Vitalgetränk mit Früchten gemischt, um den Geschmack zu verbessern.

Aloe-Aufzucht in Berlin

Im Süden Berlins gibt es einen Spezialbetrieb auf 1300 m² für Kakteenkulturen mit wunderschönen Gewächshäusern. Eine Augenweide für Kakteenfreunde. Zu meiner Überraschung führt dieser Betrieb auch die beiden wichtigsten Aloepflan-zen, die *Aloe vera* L. und die *Aloe arborescens* Miller in verschiedenen Größen. Der Inhaber der Firma Helmut Matk, Herr Thomas Matk, erklärte sich bereit, das Angebot für die Aloepflanzen zu vergrößern, um die Leser meiner Bücher im Raume Berlin mit den richtigen Aloepflanzen versorgen zu können. Seine Anschrift lautet: John-Locke-Str. 36/40, 12305 Berlin, Tel. (030) 745 88 80 Montag - Freitag 9 - 13 und 14 - 17 Uhr, Sonnabend 10 - 13 Uhr.

Die Firma „Gesellschaft für innovative Gesundheit" in der Herbert-Bayer-Str. 4 in D-13086 Berlin (Tel. 030 47 022 042) hat sich spezialisiert auf den Versand von Aloe-Pflanzen und Blätter.

E-Mail: a-rackow@t-online.de

REZEPTE FÜR ALOE-KRAFT-GETRÄNKE

Aloe-Pflanzen und Frischblätter

Grundsätzlich kann man in jedem Blumenfachgeschäft die beiden wichtigsten Aloepflanzen beziehen. Sollte die Aloe nicht vorhanden sein, bringt der Blumenhändler diese dann gerne vom Blumengroßmarkt mit. Sollten Schwierigkeiten bei der Bestimmung der Pflanze bestehen, zeigen Sie die Photos und Zeichnungen der Pflanzen aus diesem Buch. Ihr Blumenhändler ist ausgebildeter Fachmann und wird Sie professionell bedienen.

Sollten trotzdem Schwierigkeiten bei der Beschaffung bestehen, bieten sich noch folgende Adressen an:

Aloe-Pflanzen: Adis Pflanzenparadies, (Inhaber Reinhold Adis),
Linkenheimer Allee 3 in D-76344 Eggenheim, Tel. (0724) 70 74 71.

Koch's Bio Welt in Konstanz gegenüber dem Media Markt

In Österreich die Gärtnerei Schwaighofer, Weikersbach 18,
A-5760 Saalfelden Tel. (06582) 72401

Aloe-Frischblätter: Aloe Center Monika Jocher, Geranienweg 4 in
D-72574 Bad-Urach Tel. (07125) 3762 E-mail: hjocher@aol.com

Frau Christine Dittmann, Mindener Weg 6 in D-32457 Porta Westfalica,
Tel. (0571) 74 846

Natur- und Eine-Welt-Laden Pyramide, Schillerstr. 5 D-63785 Obernburg
Pyramide.naturkist@gmx.de
Hat auch Blätter der Aloe arborescens Miller

Der größte Anbieter von Aloe-Pflanzen in Deutschland ist:
Kakteenland Steinfeld
Wengelspfad 1
76889 Steinfeld/Südliche Weinstraße
Tel.:   (06340) 12 99
Fax: (06340) 90 46 77
Inhaber: Karl Werner Beisel

In der Schweiz: Aloe-Frischblätter in 3114 Oberwichtrach
Frau Jeanette Schmid, Tel. (031) 7 81 48 64 oder Mobil: 7 94 14 17 74

KAPILLAREN BESTIMMEN UNSER SCHICKSAL

Nebenwirkungen der Aloe

Bei der Durchsicht der historischen Aloe-Weltliteratur findet man Textstellen von einigen Nebenwirkungen und besonderen Hinweisen, die sich jedoch meistens, oder besser gesagt fast ausschließlich, auf die früher üblicherweise benutzte denaturierte Aloe (gekocht, eingedickt und kristallisiert) beziehen. Diese treffen auf frische naturbelassene Aloe nur in ganz seltenen Ausnahmefällen zu. Da inzwischen seit rund zwei Jahrzehnten, im Gegensatz zu früher, die frische naturbelassene Aloe als Vitalgetränk weltweit millionenfache Anwendung findet, sollte man trotzdem folgende Zeilen aufmerksam lesen und zur Kenntnis nehmen.

Von der Forschungsstelle für Gesundheitserziehung der Universität Köln wurden die Nebenwirkungen der Aloe zusammengestellt. Obwohl diese, wie gesagt, fast ausschließlich nur für die kristallisierte (erhitzt, eingedickt und kristallisiert) Aloe zutrifft, die danach wieder zum Gebrauch aufgelöst wurde, sollte der Anwender der frischen naturbelassenen Aloe auch dieses gesammelte Wissen kennen. Wegen der zahlreichen Nebenwirkungen ist die "tote", also die kristallisierte Aloe aus dem Gel des Blattinneren gewonnen, heute nicht mehr im Gebrauch. Den Unterschied zwischen erhitzten und naturbelassenen Nahrungsmitteln kann man z.B. klar erkennen bei der Milch. Wenn man Kälber mit pasteurisierter Milch großziehen will, überleben weniger als 50 % der Kälber. Zur Pasteurisierung wird die Milch lediglich kurzfristig erhitzt. Diesen gewaltigen Unterschied zwischen naturbelassen und erhitzt beobachtet man bei dem Gemüsesaft der Aloe ebenso und deshalb ist immer der naturbelassene Saft der Aloe besser.

Wirkung: Die Aloe wirkt antiadsorptiv und aufgrund einer Volumenzunahme des Darminhalts und einer dadurch herbeigeführten Anregung der Darmperistaltik hydragog (stark abführend). Dem aus dem Mesophyll der Blätter von *Aloe vera* L. gewonnenen Aloe-vera-Gel werden antiphlogistische (entzündungshemmende), wundheilende und feuchtigkeitshaltende (Haut) Wirkungen zugesprochen.

Nebenwirkungen: In Einzelfällen können krampfartige Magen-Darm- Beschwerden auftreten. In diesen Fällen ist eine Dosisreduktion erforderlich. Bei Dauergebrauch (Mißbrauch): Elektrolytverluste, insbesondere Kaliumverluste, Albuminurie (Ausscheidung von Eiweiß im Harn) und Hämaturie (Ausscheidung nicht zerfallener roter Blutkörperchen im Harn); Pigmenteinlagerungen in die Darmschleimhaut (Pseudomelanosis coli), die jedoch harmlos ist und sich nach Absetzen der Aloe in der Regel zurückbildet. Der Kaliumverlust kann zu Störungen der Herzfunktion und zu Muskelschwäche führen, insbesondere bei gleichzeitiger Einnahme von Herzglykosien, Diuretika (harntreibende Mittel) und Nebennierenrindensteroiden.

Anwendung: Bei Obstipation (Stuhlverstopfung) erfolgt eine Dosierung von Aloepulver in Form wäßriger, wäßrigethanolischer Trocken-, Dick- oder Fluidextrakte, sowie methanolischer Trockenextrakte zum Einnehmen. Soweit nicht anders verordnet: 20-30 mg Hydroxyanthracenderivate/Tag, berechnet als wasserfreies Aloin. Die individuell richtige Dosierung ist die geringste, die erforderlich ist, um einen weichgeformten Stuhl zu erhalten.

KAPILLAREN BESTIMMEN UNSER SCHICKSAL

Aloin ist der laxierende Inhaltsstoff der Aloe; ein Anthracen-Derivat (= Glyko-Aloe-Emodin-Antron). Seine alkoholische Lösung dient in der Medizin auch zum unspezifischen Blutnachweis im Harn.

Hinweis: Die Darreichungsform sollte auch eine geringere als die o.g. Tagesdosis erlauben.

Überdosierung: Elektrolyt- und flüssigkeitsbilanzierende Maßnahmen.

Besondere Hinweise

a) Im Laufe der Behandlung kann eine harmlose Rotfärbung des Harns auftreten.

b) Die Darreichungsform sollte auch eine geringere als die übliche Tagesdosis von 20-30 mg Hydroxyanthracenderivate, berechnet als wasserfreies Aloin, erlauben.

c) Gegenanzeigen: Darmverschluß, akut-entzündliche Erkrankungen des Darmes, z.B. Morbus Crohn, Colitis Ulcerosa (schwerwiegende Dickdarmentzündung), Appendizitis (ugs. Blinddarmentzündung), abdominale (im Unterleib gelegene) Schmerzen unbekannter Ursache. Kinder unter 12 Jahren. Aufgrund noch unzureichender toxikologischer Untersuchungen nicht anzuwenden in Schwangerschaft und Stillzeit.

d) Stimulierende Abführmittel dürfen ohne ärztlichen Rat nicht über längere Zeiträume (mehr als 1 bis 2 Wochen) eingenommen werden.

e) Eine über die kurzdauernde Anwendung hinausgehende Einnahme stimulierender Abführmittel kann zu einer Verstärkung der Darmträgheit führen. Das Präparat sollte nur dann eingesetzt werden, wenn durch eine Ernährungsumstellung oder Quellstoffpräparate kein therapeutischer Effekt zu erzielen ist.

f) Wechselwirkungen: Bei Dauergebrauch (Mißbrauch) ist durch Kaliummangel eine Verstärkung der Herzglykosidwirkung, sowie Beeinflussung der Wirkung von Antiarrhythmika (Arzneimittel, die den Herzrhythmus normalisieren) möglich. Kaliumverluste können durch Kombination mit Thiaziddiuretika, Nebennierenrindensteroiden und Süßholzwurzel verstärkt werden.

g) Weit weniger als 1 % der Patienten ist allergisch gegen Aloe. Zur Überprüfung dieser Allergie schneidet man ein kleines, fingernagelgroßes Stück Aloe-Blatt ab und hält es mit der feuchten Seite zwei Minuten auf die Kopfhaut hinter dem Ohr. Kommt es zu einer Rötung ist dieser Mensch allergisch gegen Aloe, und es darf unter keinen Umständen Aloe angewandt werden, da schwere Körperschäden entstehen können. Sollte kein Aloe-Blatt zur Verfügung stehen, kann auch mit einigen Tropfen eines Aloe-Produktes (z.B. Aloe-Gel oder Aloe-Saft) dieser Test nachvollzogen werden.

NEBENWIRKUNGEN DER ALOE

h) Nur bei der Verwendung der Aloe/Honig/Alkohol-Mischung, also die Mischung mit dem Ganzblatt der Aloe, wie in diesem Buche vorgestellt, kann es lt. Pater Romano Zago OFM in einigen Fällen zu folgenden Reaktionen kommen: Weicher Stuhl oder auch Durchfall. Diese Symptome sollen jedoch innerhalb von 3 Tagen verschwunden sein. Ganz selten dagegen, tritt z.B. bei Krebskranken, die diesen speziellen Aloesaft trinken, in den ersten 1-3 Tagen dunkler, roter bis schwarzer Urin auf, eventuell auch mal ein leichter Ausschlag, leichtes Fieber und/oder Furunkel. Diese Symptome verschwinden jedoch normalerweise zwei bis drei Tage nach Beginn der Aloe-Kur und sollen als ein sichtbares Zeichen angesehen werden, daß sich der Körper von krankeitserzeugenden Giftstoffen befreit. Die durch die Aloe bewirkte Erweiterung der verengten Kapíllaren zum normalen und gesunden Durchmesser, kann nunmehr wieder vermehrt Stoffwechselmüll abtransportiert werden, wodurch das Blut kurzzeitig verunreinigt werden kann. Es kann in einzelnen Fällen zu einem Ausschlag kommen, der aber nach 2-3 Tagen verschwinden soll. Wenn die Symptome jedoch nach drei Tagen nicht verschwunden sind, sollte ein Arzt konsultiert werden.

KAPILLAREN BESTIMMEN UNSER SCHICKSAL

Medikation mit Naturheilmitteln während der Schwangerschaft.

Viele Menschen unterschätzen die Wirksamkeit von Produkten aus der Natur. Besonders in der Schwangerschaft muß zum Schutz des ungeborenen Lebens auch auf die richtige Auswahl der Naturprodukte Wert gelegt werden. Diese muß immer in Zusammenarbeit mit dem Arzt getroffen werden.

Für die Schwangeren sollten folgende Regeln beachtet werden:

1. Jede Medikation, ohne Ausnahme, immer mit dem Arzt absprechen.

2. Medikamente mit nur einem Wirkstoff vorziehen. Keine Kombinationspräparate verwenden.

3. Die kleinste wirksame Dosierung wählen, besonders zu Beginn der Schwangerschaft.

4. Ausreichend erforschte Medikamente wählen.

5. Dauermedikation vermeiden.

6. Maximaldosen vermeiden.

7. Auf Zigaretten und Alkohol verzichten.

Solange noch keine wissenschaftlichen Beweise für die Unschädlichkeit der Aloe in frischer Form (wie in diesem Buch beschrieben) für die Leibesfrucht vorliegen, soll eine Schwangere niemals Aloe einnehmen.

Die Schädlichkeit der denaturierten Form der Aloe (eingekocht, eingedickt und kristallisiert) für die Leibesfrucht ist in der Literatur allgemein beschrieben, zumal diese durch Jahrhunderte sogar als Abtreibungsmittel verwendet wurde.

Vorsicht bei Selbstmedikation

Ein großer Teil pflanzlicher Präparate wird rezeptfrei in der Apotheke abgegeben und vom Verbraucher zur Selbstmedikation benutzt. Allerdings sollte man bei einer Selbstmedikation, sei es nun mit pflanzlichen oder anderen Arzneimitteln, folgende Grundregeln beachten:

1. Selbstmedikation nur kurzfristig betreiben; halten die Beschwerden länger als drei Tage an, sollte man immer den Arzt aufsuchen. Bei Infektionen und Vergiftungen kann es manchmal sogar zu spät sein. Daher am besten immer gleich einen Arzt konsultieren.

KAPILLAREN BESTIMMEN UNSER SCHICKSAL

2. Nur bekannte Krankheitssymptome, die man bei sich kennt und eindeutig als Zeichen einer "harmlosen Erkrankung" einstufen kann (z.B. leichte Schlafstörungen, Erkältungen, Kopfschmerzen), kann man selbst behandeln.

3. Bei neu auftretenden Befindlichkeitsstörungen, wie z.B. Bewußtseinsstörungen, Krampfanfälle, Lähmungen, plötzliche Atemnot, daran denken, daß sie mögliche Frühsymptome einer ernsten Krankheit sein können - nicht nur im Zweifelsfall, sondern immer den Arzt fragen.

4. In der Schwangerschaft oder während der Stillzeit nie selbst behandeln.

5. Kinder nur mit natürlichen Heilweisen (z.B. Wadenwickel, Kamillendampfinhalation usw.) behandeln.

6. Wenn Nebenwirkungen oder Unverträglichkeiten auftreten, immer den Arzt befragen.

7. Aloe ist keine alternative Medizin, sondern soll nur parallel zur hochschulmedizinischen Behandlung vom Arzt verordnet und vom Patienten verwendet werden, um die Heilungserfolge bei verschiedenen Krankheiten (wie z.B. Krebs, Fibromyalgie und AIDS) zu verbessern und zu beschleunigen.

8. Vor der Anwendung von Aloe-Produkten stets einen Allergietest machen (fingernagelgroßes Stück Aloe mit der feuchten Schnittfläche, oder Tropfen des Aloe-Gels für zwei Minuten auf die Haut hinter dem Ohr halten. Tritt Rötung auf, ist der Patient gegen Aloe allergisch. Weniger als 1 % der Menschen sind erfahrungsgemäß allergisch gegen Aloe). In diesen Fällen keine Aloe-Produkte verordnen.

Parallele Behandlungsmethoden

Über 90 % der Bundesbürger glauben, daß parallele Behandlungsmethoden eine sinnvolle Ergänzung zur Hochschulmedizin sind. Parallel bedeutet die sinnvolle Nutzung aller natürlichen und praktischen Mittel durch den Arzt als Ergänzung zur traditionellen Medikation.

Die Hochschulmedizin sollte bei jeder Erkrankung nach wie vor an erster Stelle stehen. Nicht nur schwere Erkrankungen wie Krebs und akute Beschwerden, sondern jede noch so leichte Erkrankung kann vom Hochschulmediziner immer noch am besten erkannt und geheilt werden. Fragen Sie immer ihren Hausarzt oder einen anderen Hochschulmediziner, der aufgeschlossen für Naturprodukte ist, nach Sinn und Wirksamkeit einer parallelen Behandlung.

Pro und kontra bei Blatthaut und Aloin

Die weltweite Diskussion, ob die segensreichen Heilmittel aus den Blättern der *Aloe vera* Linné und *Aloe arborescens* Miller unter der Mitverwendung der Blatthaut oder ohne Blatthaut zur Anwendung kommen sollen, kann kurzerhand wie folgt beendet werden:

Durch Jahrtausende wurde stets nur das Innere der Blätter benutzt, das fleischige und glitschige Gel. Wo die Aloepflanzen direkt zur Verfügung standen, wurde der Saft daraus stets frisch und naturrein angewendet. Dort wo keine frischen Pflanzen zur Verfügung standen, wie z.B. im Heiligen Römischen Reich Deutscher Nation und später im Deutschen Reich, in Österreich und der Schweiz (bis etwa 1920), wurden Aloe-Kristalle aus den Anbaugebieten, meist aus Afrika importiert. Dieser wertvolle Aloesaft wurde dort im Ursprungsland eingekocht, eingedickt und kristallisiert. Man erzielte damit aus ca. 400 l Frischsaft in etwa 1 kg Aloe-Kristalle, wodurch es zu erheblichen Gewichtsersparnissen beim Transport kam. Aus diesen Kristallen wurden Jahrhunderte hindurch die wichtigsten Arzneimittel in Europa hergestellt. Wie wir wissen, ist jedoch ein erhitztes Naturprodukt denaturiert und verschieden in seiner Wirkungsweise gegenüber naturbelassener frischer Ware. So haben diese historischen Aloe-Produkte viel Segen bringen können, hatten aber auch zahlreiche Nebenwirkungen, hervorgerufen durch den Aloingehalt dieser aus dem Saft des Aloe-Gels gewonnenen Kristalle. In der denaturierten kristallisierten Aloe kommt es leider zum Zusammenbruch der Harmonie der über 300 sich gegenseitig ergänzenden Inhalts- und Wirkstoffe, so daß dadurch das Aloin aus der neutralisierenden Bindung mit den übrigen Wirkstoffen ausbricht und ab bestimmten Konzentrationen sogar schädlich wirken kann.

Heute werden aus dem Gel der Aloeblätter hervorragende Vitalgetränke als Nahrungsergänzung gefertigt, die nun naturbelassen und frisch verarbeitet werden und dadurch nicht mehr die schädlichen Nebenwirkungen aufweisen, wie bei den seinerzeit aus dem Aloesaft unter Hitzeeinwirkung hergestellten Kristallen.

Auf dem Markt findet man heutzutage hochwertige naturbelassene Aloe-Säfte berühmter Firmen und Marken wie z.B. der Firma Forever Living Products, LifePlus (Gesellschaft für innovative Gesundheit/Berlin), Ayuveda, Pharmos, WTF (Aloe Jaumave S.A. aus Mexiko), Aloevida S.A. aus Paraguay, Firma LR, Aloelixir, Total Process Aloe (Dr. Schneller), VESIS International, NaturKraftWerke/Schweiz, Elisabeth Lugbauer in Österreich, um nur einige wenige zu nennen, die in diesem gesundheitsspendendem Sektor aktiv sind.

Diese inzwischen weltweit angebotenen naturbelassenen Aloe-Produkte kennen nicht die historischen Nebenwirkungen der Aloe-Kristalle und sind somit die vorzüglichsten Vitalgetränke dieser Erde. Die Gesundheitsminister der Europäischen Union empfehlen täglich 5 Portionen frisches Obst oder Gemüse zu essen. **Von allen in der Europäischen Union beheimateten Obst- und Gemüsesorten ist das Gemüse Aloe das wertvollste** durch das in der Natur einmalige breitgefächerte Angebot der lebenswichtigen Inhaltsstoffe der Aloe, sofern der Saft naturbelassen genossen wird.

KAPILLAREN BESTIMMEN UNSER SCHICKSAL

Verfälschungen der Aloe

Auf diesem Sektor muß jedoch sehr aufgepaßt werden. Wie in der Literatur vor fast 2000 Jahren schon von dem griechischen Arzt, Pedanios Dioskurides, Autor der fünfbändigen Arzneimittellehre und vom römischen Schriftsteller, Plinius dem Älteren, in seiner 37 Bände umfassenden Naturgeschichte (Naturalis historia) ausführlich beschrieben, gab es damals bereits viele Verfälschungen der Aloe. Deshalb soll man beim Einkauf des Aloesaftes darauf bestehen, daß es sich um reinen Saft handelt, der nicht mit Wasser verdünnt geliefert wird und dessen Aloe-Bestandteil direkt aus dem reinen Gel des frischen Blattinnern der Aloe gewonnen und naturbelassen blieb. Saft oder Gel sollte nach Möglichkeit bald aus den abgeschnittenen Blättern extrahiert werden; es gibt jedoch eine Ausnahme, bei der die abgeschnittenen Blätter noch eine Woche bis zehn Tage im Dunkeln bei 3°C gelagert werden, um sie biostimulieren zu können, wodurch nach der Lehre von Prof. Wladimir Petrowitsch Filatow noch weitere zusätzliche Heilwirkungen aktiviert werden. In dieser Phase der Dunkelheit und der Kälte kämpft das Pflanzenblatt ums Überleben und aktiviert alle ihm zur Verfügung stehenden Heilkräfte. Bei der Saftzubereitung dürfen außerdem nur erprobte Konservierungsstoffe verwendet werden, die von den internationalen Gesundheitsbehörden freigegeben sind, wie z.B. Kaliumsorbat, Natriumbenzoat und Natriumcitrat. Diese Konservierungsstoffe werden weltweit auch von der Lebensmittelindustrie benutzt. Abgeschnittene Blätter sind bei luftiger und kühler (z.B. 18 °C) Lagerung bis einen Monat ohne Konservierung haltbar.

Nicht verwendet werden dürfen für Therapien Aloesäfte, die erhitzt oder zuerst zu Kristallen verarbeitet wurden unter nachträglichem Zusatz von Wasser. Die Hitzebehandlung verursacht die beschriebenen schädlichen Nebenwirkungen des Aloins.

Aloe-Saft, der zuerst durch das moderne Gefriertrocknen zu Pulver verarbeitet, und danach wieder mit Wasser aufbereitet wurde, im Verhältnis 1:200 - 1:400, hat noch eine große Anzahl von therapeutischen Wirkungen ohne die bekannten Nebenwirkungen der erhitzten Aloe. Trotzdem sollte man immer dem naturbelassenen Saft den Vorrang geben, da in diesem die Vitalstoffe viel aktiver sind.

Denaturierte und kristallisierte Aloe

Die kristallisierte Aloe wurde früher exportiert in die Länder, wo die Aloe-Pflanzen nicht beheimat sind, d.h. wo es zum winterlichen Bodenfrost kommt. Dazu zählten auch Deutschland, Österreich und die Schweiz. In den Jahren von 1500 bis 1920 wurde die Aloe fast nur in eingekochter, kristallisierter, also denaturierter Form geliefert. Diese Kristalle dienten als wertvolle Rohstoffe für die Herstellung der Medikamente, wurden aber auch als Abführ- und Abtreibungsmittel, als sogenanntes Drasticum und Emmenagogum bekannt, wenn die Dosierung hoch überschritten wurde. Man bedenke auch, daß aus 400 g Aloesaft nur 1 g Aloekristall gewonnen wurde.

Diese Kristalle wurden in Gramm bzw. Milligramm abgewogen und zur Medikation in Formeln verarbeitet, die erfolgreich zur Bekämpfung von zahlreichen Krankheiten zum Einsatz kamen. Die Literatur der vergangenen 500 Jahre ist voll von erfolgreichen Therapien. In der heutigen Zeit sind diese Aloe-Kristalle völlig außer Gebrauch. Heute gibt es als trockenes Konzentrat nur noch gefriergetrocknetes Pulver, welches in großen Mengen besonders in der kosmetischen Branche benutzt wird. Bis heute gibt es kein besseres Produkt für die Haut und Schönheitspflege als die Aloe, und in Tausenden verschiedenen Zubereitungen der kosmetischen Industrie finden wir sie bereits.

Vitalkräfte aus frischem Aloe-Saft bzw. Aloe-Gel

Die 100 % naturbelassenen Aloegetränke, die lediglich von der Lebensmittelindustrie zugelassene Stabilisatoren und Konservierungsmittel enthalten, sind der kristallisierten Ware in ihrer Wirkung haushoch überlegen und werden in der Therapie selbst schwerer und schwerster Krankheitsbilder inzwischen weltweit mitverwendet ohne die früher bekannten o.g. Nebenwirkungen. Dank der modernen Verkehrswege durch das Flugzeug kommen heute endlich frischer Aloesaft und sogar frische Aloe-Blätter aus dem Süden der Europäischen Union und aus Übersee direkt nach Deutschland, Österreich und der Schweiz.

Zu den international allgemein schon bekannten Anwendungen des frischen Aloe-Gels gehören: Verbrennungen der Haut durch Sonnenstrahlen, Säuren, Radioaktivität und Röntgenstrahlen. Selbst bei Verbrennungen dritten Grades war die Aloe am erfolgreichsten.

Bei Magenentzündungen, offenen Beinen, Schuppen, Schuppenflechte, Akne, Ekzemen, Tuberkulose, Blutarmut, Zuckerkrankheit, Rhinitis, Bettnässen, Hämorrhoiden, Fußpilz, Juckreiz, Ungezieferstichen, Schnitt- und Stichwunden, Augenverletzungen und Augenentzündungen war es der Saft der Aloe, der bemerkenswerte Ergebnisse brachte.

Befürchtungen mit Anthranoid

Nun liegt zwischen der Blatthaut und dem Gel eine kleine Schicht, die Anthranoidderivate (Aloin) enthält. Dieses Aloin steht in Verdacht, Darmkrebs zu erzeugen bzw. die Darmpolypenbildung zu erhöhen. Dies trifft sicherlich 100 %ig bei einem erhitzten und kristallisierten Aloe-Gel mit den Anthranoidderivaten zu, oder wenn das Anthranoidderivat völlig isoliert angewendet wird. Aus diesem Grunde warnt berechtigterweise das Bundesgesundheitsministerium davor. Das BfArM (Bundesinstitut für Arzneimittel und Medizinprodukte) hat z.B. für anthranoidhaltige Abführmittel, die Drogen, Drogenzubereitungen oder isolierte Inhaltsstoffe bestimmter Pflanzengattungen beinhalten, Indikations- und Anwendungs-Einschränkungen sowie therapiegerechte Packungen angeordnet. Der Wortlaut des Bescheides vom 21.6,1996 ist in einer Bekanntmachung im Bundesanzeiger Nr. 123 vom 5.7.1996, auf S. 7581 veröffentlicht worden.

KAPILLAREN BESTIMMEN UNSER SCHICKSAL

„Betroffen von diesen Maßnahmen sind Arzneimittel der Pflanzengattungen Andira, Cassia (Sennesblätter, Sennesfrüchte), Rhamnus (Faulbaumrinde), Rheum (Rhabarberwurzel) und Aloe. Diese dürfen nur noch zur kurzfristigen Anwendung bei Verstopfung (Obstipation) und nicht mehr in anderen Anwendungsgebieten wie z.B. zur Verdauungsförderung oder zur sogenannten Blutreinigung oder als Mittel zur Gewichtsabnahme eingesetzt werden. Eine Einnahme sollte nicht länger als über ein bis zwei Wochen erfolgen. Daraus abgeleitet dürfen die pharmazeutischen Unternehmer ihre Arzneimittel nur noch in entsprechenden Packungsgrößen anbieten. Weiterhin ist die Angabe sonstiger Gegenanzeigen angeordnet worden, so z.B. während Schwangerschaft und Stillzeit sowie bei Kindern unter zehn Jahren.

Diese Anordnung trat mit Wirkung vom 1.November 1996 in Kraft: Therapiegerechte Packungsgrößen und Packungsbeilagen nach den Vorschriften des Arzneimittelgesetzes mußten ab dem 1.Februar 1997 vom pharmazeutischen Unternehmer abgegeben werden. Diese Maßnahmen sind zur Risikominderung im Interesse eines vorbeugenden Verbraucherschutzes erforderlich geworden, die aktualisierten Packungsbeilagen informieren Arzt und Patient über den gegenwärtigen wissenschaftlichen Kenntnisstand.

Der Gebrauch von pflanzlichen Abführmitteln, die stimulierend auf die Darmträgheit wirken, ist in der Bevölkerung der Bundesrepublik Deutschland weit verbreitet. Obwohl derartige Arzneimittel seit langem verwendet werden, sind bis heute verhältnismäßig wenige präzise Untersuchungen über die pharmakologischen Eigenschaften der verwendeten Pflanzenextrakte und deren Inhaltsstoffe bekannt. Der medizinische Nutzen dieser Arzneimittel und die mit der Anwendung verbundenen Gefahren waren auf der Basis der vorhandenen medizinisch-wissenschaftlichen Erkenntnisse zu bewerten.

Zu den möglichen Risiken dieser Arzneimittel, vor allem bei langfristigem Gebrauch, zählen eine zu starke Wirkung (Diarrhöe), Störungen der natürlichen Darmfunktion, die wiederum einen Dauergebrauch einleiten können, und Störungen des Wasser- und Salzhaushaltes des Organismus, die zu schwerwiegenden Nebenwirkungen auf das Herz- und Kreislaufsystem führen können. Initiiert durch das frühere Bundesgesundheitsamt (BGA) wurden seit 1992 alle Aspekte geprüft, die für eine Bewertung des Nutzens und der möglichen Risiken dieser Arzneimittel erforderlich sind. Anlaß für diese Neubewertung waren seinerzeit toxikologische Untersuchungen mit dem Anthrachion Danthron, die Hinweise auf eine im Tierversuch krebserregende Wirkung lieferten. Untersuchungen zu erbgutverändernden Wirkungen einzelner Inhaltsstoffe aus den o.g. Pflanzengattungen sowie Beobachtungen in einer kleinen Studie, daß bei Patienten mit Darmtumoren sich Hinweise auf einen häufigeren und langfristigen Gebrauch dieser stimulierenden Abführmittel fanden, folgten. Angesichts dieser Information war eine Überprüfung geboten.

Dazu mußten alle relevanten Erkenntnisse zusammengetragen und ausgewertet werden. Dies galt für die qualitative und quantitative Bestimmung der in den Arzneimitteln enthaltenen Anthrachione ebenso, wie für die Prüfung auf erbgutverän-

PRO UND KONTRA BEI BLATTHAUT UND ALOIN

dernde und krebserzeugende Wirkung dieser Stoffe und die Untersuchung der Verstoffwechselung nach der Einnahme. Weiterhin erfolgte die Auswertung der Verdachtsfälle von Nebenwirkungen und die Auswertung von epidemiologischen Untersuchungen über den Umfang des Gebrauches von Anthranoid enthaltenden Abführmitteln und vor allem zur Häufigkeit von Tumorerkrankungen des Darmes beim Menschen im Zusammenhang mit der Anwendung dieser Arzneimittel.

Aus allen Untersuchungsergebnissen leitet das BfArM ab, daß bei langfristiger Anwendung dieser Arzneimittel das Risiko für die Auslösung einer schädlichen Wirkung den möglichen Nutzen eindeutig übersteigt. Bei kurzdauernder Anwendung und bei Beachtung aller Sicherheitshinweise ist jedoch keine Gefahr für die Auslösung unvertretbarer Nebenwirkungen, wie z.B. Tumoren, zu sehen.

Das BfArM wiederholt aus diesem Anlaß die bereits mehrfach in der Vergangenheit veröffentlichten Empfehlungen zum Gebrauch von Abführmitteln jeglicher Art. Verbraucher sollten unbedingt die Packungsbeilage lesen und die Anwendungsempfehlungen und Anwendungsdauer beachten, um gesundheitliche Schäden zu vermeiden. Grundsätzlich ist nämlich die Anwendung von Abführmitteln nur in wenigen Fällen medizinisch indiziert.

Der Vorbeugung oder Vermeidung einer Verstopfung seitens der Patienten muß Vorrang vor der Einnahme von stimulierenden Abführmitteln gegeben werden. Stimulierende Abführmittel sollten grundsätzlich nur dann eingenommen werden, wenn durch eine Ernährungsumstellung oder mit Quellstoffpräparaten, z.B. Leinsamen oder Flohsamen-Zubereitungen, keine Wirkung erzielt werden kann.

Sprechen Sie mit ihrem Arzt hierüber oder lassen Sie sich vom Apotheker beraten."
Soweit der Text des BfArM.

Schlußfolge: Die historisch verwendeten Produkte aus erhitzter und denaturierter Aloe (Aloe-Kristalle) haben zahlreiche Nebenwirkungen, sind völlig überholt und sollten daher gemieden werden. Nur im frischen naturbelassen Zustand ist der Aloesaft frei von diesen Nebenwirkungen.

Gute Erfahrungen mit frischem Aloesaft mit Blatthaut

Bei der Verwendung frischer Aloe zusammen mit der Blatthaut in der Mischung mit Honig und Alkohol, konnten diese Befürchtungen bisher trotz jahrzehntelanger Anwendung in Brasilien und anderen Ländern nicht beobachtet werden. Obwohl bei dieser Mixtur in einem Küchenmixgerät die gesamte Menge der anthranoidhaltigen Bestandteile des Aloe-Blattes in die Mischung geht, hebt die direkte Vereinigung des frischen naturbelassenen Blattes mit reinem Honig und Alkohol die negative Wirkung der anthranoidhaltigen Bestandteile scheinbar auf. Es liegen bereits japanische Studien vor, die dies bestätigen. Wird jedoch Anthranoid isoliert verwendet ohne Verbindung mit allen naturbelassenen Bestandteilen der Aloe oder in der erhitzten Form (in Kristallen), können die Befürchtungen des BGA bestätigt werden.

KAPILLAREN BESTIMMEN UNSER SCHICKSAL

Pater Romano Zago OFM, der seit 1988 Erfahrungen mit der Aloe gewonnen hat, berichtet über Personen, die Jahr für Jahr mehrfach diese Mischung von Aloe/Honig/Alkohol nehmen und vollauf gesund und sogar krebsfrei sind. Er selbst empfiehlt, jährlich eine Zehntage-Kur mit dieser erprobten Mischung zu machen, da unsere „gut bürgerliche Ernährung" eines Tages zum Krebs führen kann und eine solche Kur diese Gefahr abwehren hilft. Pater Romano Zago OFM berichtet über verschiedene Bevölkerungsgruppen in Venezuela und Mexiko, die schon seit Jahrhunderten in dieser Form Aloe zu sich nehmen und mit hervorragender Gesundheit strotzen. In diesen Ländern gehört das Gemüse Aloe (Gel und Blatthaut) bei bestimmten Volksgruppen zum Morgenfrühstück. Sollte Aloe in frischer Form Probleme verursachen, wären diese Volksgruppen bereits vor Jahrzehnten und Jahrhunderten ausgestorben.

Das gleiche Phänomen beim Vergleich von kristallisierter und denaturierter Aloe mit frischer naturbelassener Ware gilt sicherlich auch für die Abtreibung durch Aloe. Der Franziskanermönch Romano Zago warnte stets, während der Schwangerschaft Aloe einzunehmen, auch nicht entsprechend der brasilianischen Formel aus frischer Aloe mit Honig und Alkohol. Alte Schriften zitieren in Bezug auf die Abtreibung nur die Verwendung von Aloe-Kristallen (erhitzt und daher denaturiert), von blattfrischer Aloe liegen keine derartigen Meldungen vor. Er hat jedoch Kenntnis genommen, daß trotz seiner ständigen Warnungen in den letzten achtzehn Jahren unzählige schwangere Frauen die brasilianische Naturformel anwandten. Es wurde niemals eine Abtreibung durch dieses naturbelassene Produkt bekannt. Er vermutet, daß die in der Literatur erwähnte Abtreibung nur mit denaturierter, kristallisierter Aloe möglich sein kann. Trotzdem empfiehlt er als katholischer Priester und aus religiösen Sicherheitsgründen den schwangeren Frauen, nicht die Aloe zu benutzen, bis eine offizielle wissenschaftliche Bestätigung der Unschädlichkeit für die Leibesfrucht bei der Einnahme der brasilianischen Erfolgsformel Aloe-Ganzblatt/Honig/Alkohol vorliegt.

Auch hat er nie negative Berichte gehört bei der Anwendung der von ihm propagierten Formel, selbst wenn Patienten die zehnfache der von ihm empfohlenen Menge benutzten und diese auch über größere Zeiträume konsumierten. Er kennt Personen, die diese Aloe-Mischung schon jahrelang Tag für Tag einnehmen und sich bester Gesundheit erfreuen.

In seiner Erfolgsformel, die Teil des Jahrhundertalten brasilianischen Volkswissens ist, wird immer die Blatthaut mitverwendet. Lediglich die Dornen an den Rändern der Blätter werden entfernt. Seine Formel ist jedoch ganz speziell zur Unterstützung der hochschulmedizinischen Krebstherapie, jetzt auch für die begleitende AIDS-Therapie und zur Behandlung der Fibromyalgie gedacht, wobei besonders bei Krebs die Ergebnisse überaus beeindruckend sind.

Zusammenfassend kann man also folgendes aussagen: Aloe-Gel lediglich aus dem Blattinneren ist als Vitalgetränk hervorragend geeignet zur Vorbeugung und Therapieunterstützung bei sehr vielen Krankheiten also Gesunderhaltung. Aloe-Gel zusammen mit der Blatthaut, Honig und Alkohol ist speziell für Krebs, AIDS und

PRO UND KONTRA BEI BLATTHAUT UND ALOIN

Fibromyalgie gedacht. Wenn die Patienten auf Aloe reagieren (bis zu 70 % lt. Pater Romano Zago OFM bei ordnungsgemäßer Anwendung) und sich ihre verengten Kapillaren dadurch wieder auf den normalen und gesunden Durchmesser erweitern, ist die Mitverwendung dieses Aloe-Ganzblatt/Honig/Alkohol-Getränkes z.B. bei der Krebstherapie, bei AIDS-Kranken und im Falle der Fibromyalgie richtig und häufig auch erfolgreich.

Die Frau von einem Angestellten meiner Firma leidet unter AIDS. Nachdem Pater Romano Zago OFM über die AIDS-Heilung mit Aloe berichtet hatte, bat ich meinen Angestellten um einen Versuch. Ich wollte es persönlich erleben. Wir vereinbarten, regelmäßige Analysen des AIDS-Befundes seiner Frau vornehmen zu lassen. Ein Analysenwert mit einer Viruslast von 110.000 zeigte sich am 18.12.99, trotz bereits langfristiger Einnahme von AZT. Danach sollte seine Frau zusätzlich zu AZT das Gemisch Aloe/Honig/Alkohol 3 x täglich einen Eßlöffel voll vor den Mahlzeiten als Ernährungsergänzung zu sich nehmen. Am 28.1.2000 zeigte die Analyse überraschenderweise bereits einen Wert der Viruslast von nur noch 23.000. Der Arzt, der diese Patientin begleitet, war völlig überrascht. Nachdem die Patientin ihrem Arzt berichtete, daß sie nun neben AZT auch Aloe nach der Formel des Paters Romano Zago OFM nimmt, zeigte sich der Arzt sehr erfreut und ermunterte die Patientin, diese zusätzliche natürliche Gabe von Aloe fortzusetzen. Kurz darauf sank die Viruslast auf 5.000.

Deshalb sollten alle, die in Unkenntnis der klinischen Ergebnisse und Erfahrungen, die Blatthaut der Aloe als Abfall verdammen, ihre Antipropaganda einstellen und erst mal beweisen, daß die Blatthaut zu nichts gut ist. In der Blatthaut befinden sich nämlich zusätzlich wertvollste Öle, alle Aloe-Wirkstoffe in höchst konzentrierter Form, sowie nur dort die wertvollen Bitterstoffe, die das wäßrige Gel nicht aufweisen kann. Es darf angenommen werden, daß sich in der naturbelassenen Form die nicht erwünschten Bestandteile der Aloe gegenseitig neutralisieren oder entgiften. Die über 300 verschiedenen pharmazeutischen Wirkstoffe der Aloe mischen sich im Küchenmixer, so daß der naturbelassene Aloesaft aus dem Ganzblatt mit seinem etwas höheren Anteil an Anthranoid bis heute noch keine Problemfälle bildete. Im Gegenteil, die Anwendung des Aloesaftes aus dem Aloe-Ganzblatt, also mit Blatthaut (aber ohne Dornen) hat sich besonders für schwere Krankheiten segensreich zur Unterstützung der hochschulmäßigen Therapien bewährt. Die Dornen werden lediglich entfernt, um eine Verletzungsgefahr zu vermeiden, falls die Dornen im Mixgerät nicht vollkommen desintegriert werden.

Zu den bekanten Firmen, die ebenfalls Aloe-Produkte herstellen, bei denen die Blätter aufgetrennt, das Gel filetiert und vom Aloin befreit und danach die Blatthaut mitverwendet wird, gehören Pharmos, Dr. Schneller und LifePlus. LifePlus benutzt z.B. das ganze Blatt und mittels eines patentierten Verfahrens wird das „berüchtigte" Aloin und Aloe-Emodin - das in denaturierter oder isolierter Form zu Durchfall führen kann - extrahiert. Dieses Produkt wird zusätzlich mit dem Extrakt aus der cats claw-Rinde sowie der Suma-Wurzel wegen der besonderen Immunstärkung ergänzt.

Kapillaren bestimmen unser Schicksal

Der wichtigste und größte Fernsehsender Brasiliens, „TV Globo", der in allen Bundesstaaten Brasiliens ausgestrahlt wird, brachte in seiner Sendung vom 5. April 2000 die offizielle Mitteilung, daß die *Aloe vera* L. nunmehr von der Gesundheitsbehörde Brasiliens komplett freigegeben wurde. Eine ähnliche Verfügung soll auch seit Jahren aus den USA vorliegen.

Im März 2002 wurde ich als Autor des Buches "Aloe, Kaiserin der Heilpflanzen" zur beliebten TV-Talkshow "Fliege" von Brasilien aus nach München eingeladen und als "Aloe-Papst" begrüßt. In dieser ARD-Fernsehsendung wurde auch die Zubereitung der traditionellen brasilianischen Aloe Mixtur in einem Küchenmixgerät von Herrn Dietmar Dietz, aus Berlin, von der Gesellschaft für innovative Gesundheit vorgenommen. Der Moderator, Herr Pastor Fliege, und zahlreiche im Studium anwesende Zuschauer, erhielten Kostproben dieses einmaligen Vitalgetränkes der Spitzenklasse, bei dem die Blatthaut mitverwendet wurde.

Diese Fernsehsendung, die bereits dreimal bundesweit ausgestrahlt wurde und auch in Österreich und der Schweiz zu sehen war, leitete eine wahre Aloe-Revolution in Deutschland, Österreich und der Schweiz ein. Die Aloe wurde dadurch bekannter, bzw. von vielen wiederentdeckt und der Verbrauch der Vitalgetränke der Aloe stieg sprunghaft in Deutschland um 80 % an und hat inzwischen den Konsum vom reinen Aloesaft von ganz Japan übertroffen.

Seit der Fernsehsendung treffen täglich unzählige Zuschriften von dankbaren Personen ein, welche die Fliege-Sendung im ARD verfolgten und dadurch den Aloesaft mit der Blatthaut kennenlernten und für ihre speziellen Probleme anwandten. Diese für Europa neue Mischung hilft inzwischen mit, besonders bei schweren und oft sogar unheilbaren Krankheiten zusätzliche Vitalstoffe zu liefern, um somit die Therapien der Hochschulmedizin wirksam zu unterstützen.

Somit steht jetzt neben dem bereits seit zwei Jahrzehnten im europäischen Handel befindlichem beliebten Vitalgetränk aus dem Gel der Aloe, nunmehr für spezielle Anwendungszwecke das brasilianische Spitzenprodukt aus dem Ganzblatt der Aloe mit Honig und Alkohol zur Verfügung, wobei diese Zusammensetzung in etwa aus 65 % Honig, 30 % Aloe-Ganzblatt und 1,2 % Alkohol besteht.

Diesen Saft kann sich sogar ein jeder selbst zubereiten, wenn ein Frischblatt der *Aloe vera* L. oder Blätter der *Aloe arborescens* Miller zur Verfügung stehen. Diabetiker ersetzen den Honig durch Agaven-Dicksaft.

Halten Sie sich wieder eine Aloe im Haus!

Wie wir wissen haben viele unserer Großeltern und Urgroßeltern bis zum Ersten Weltkrieg eine echte *Aloe vera* L. zu Hause gehalten, die als sogenannte "Erste-Hilfe-Pflanze" galt und in vielen Fällen geholfen hat. Man nahm sie hauptsächlich für Schnitt- und Brandwunden, da man über ihre anderen Heilkräfte noch nicht informiert war. Die heutige Tendenz lautet "Zurück zur Natur". Immer mehr Menschen entdecken, lieben, schützen und verteidigen die Natur. Diese grüne Bewegung ist seit vielen Jahren Trend.

Auch viele Reisen der Deutschen, Österreicher, Schweizer und Nordeuropäer gehen im Urlaub vorzugsweise in die warmen Länder. Man kann den Touristen einen sehr wertvollen Tip mit in den Urlaub geben: Bringen Sie als Andenken von Ihren Reisen in den sonnigen Süden stets eine *Aloe vera* L. und/oder *Aloe arborescens* Miller mit und pflanzen Sie diese zu Hause als Zierpflanze(n) ein. Um keine Verwechslungen aufkommen zu lassen, vergleichen Sie bitte die Zeichnungen in diesem Buch, die der deutsche Naturkundler und Ornithologe Rolf Grantsau extra gefertigt hat, mit den in den Urlaubsgebieten angebotenen Aloe-Pflanzen und verwechseln Sie diese nicht mit einer der vielen Arten der Agaven.

Wenn Sie nun in Deutschland, Österreich oder der Schweiz mit ihrer Aloe-Pflanze ankommen, dann besorgen Sie sich einen Blumentopf mit einem Durchmesser im Verhältnis von 1/3 der Länge des größten Blattes. Es empfiehlt sich die Pflanze gelegentlich umzutopfen und dabei stets die Empfehlung für den Topfdurchmesser zu beachten, denn wenn übermäßig Erde/Sand angeboten wird, verlegt die Pflanze zuviel von ihrer Kraft auf die Entwicklung der Wurzeln. Die Aloe-Pflanze braucht poröse Erde bzw. Sand. Am besten Erde und Sand im Verhältnis 1:1 mischen. Sie braucht Wind und einige Stunden Sonne pro Tag. Frost verträgt sie nicht, besonders nicht gefrorenen Boden, obwohl die Pflanze selbst kurzfristig auch Temperaturen unter Null Grad Celsius verträgt. Die Pflanze braucht Wasser, aber nicht sehr oft. Sie holt sich das Wasser hauptsächlich aus der Luft. Beim Gießen muß darauf geachtet werden, daß das Wasser nicht in den Blattachseln stehen bleibt, da es dort anfangen kann zu faulen. Im Winter braucht sie sehr wenig Wasser, im Sommer mehr.

Das Wachstum dieser Pflanze außerhalb ihrer natürlichen Umgebung ist unterschiedlich und geht in den Wintermonaten zurück. Sollte der Topf zu groß sein, dann würde die Pflanze in den Wintermonaten die Wurzeln unnötig wachsen lassen und dabei die Blätter vernachlässigen.

Falls die Erde nicht porös genug sein sollte, empfiehlt es sich, diese Erde mit mehr Sand zu mischen. Obwohl viele glauben, daß die Aloe-Pflanze als Wüstenpflanze keinen besonderen Boden benötigt, trifft das nicht zu. Sie braucht einen Boden mit Nährstoffen mit einem leicht sauren pH-Wert.

Bevor der Frühling beginnt sollte man die Aloe-Pflanze düngen. Wer jedoch die Pflanze für Heilzwecke nutzen will, sollte keinen Kunstdünger anwenden. Gut ange-

KAPILLAREN BESTIMMEN UNSER SCHICKSAL

bracht sind Aschen, wie z.B. Knochenasche. Auch der Saft vom Gemüsekochen ist ideal für diese Pflanze. Der Pflanzentopf muß so zubereitet werden, daß überschüssiges Wasser rasch abfließen kann. Das Loch am Boden des Topfes darf nie verstopft sein. Am besten wäre es Tonscherben draufzulegen, die den Abfluß freihalten können.

Beim Gießen immer daran denken wie das natürliche Leben dieser Pflanze war. Fehlendes Regenwasser übersteht die Pflanze gut, jedoch Regen im Überfluß oder in einem feuchten Tal gepflanzt ist der Tod für sie. Normalerweise wird die Aloe-Pflanze dreimal pro Monat im Sommer gegossen. Am besten ist es sogar, ein Schildchen in den Topf zu stecken, auf dem Gießanweisungen und Daten vermerkt sind.

Was die Aloe-Pflanze reichlich braucht sind Sonne und Wind. Junge Setzlinge sind jedoch noch empfindlich gegen zuviel Sommersonne; ebenso wie Pflanzen, die lange in der Wohnung standen und wenig Sonne erhielten, urplötzlich im Hochsommer in die pralle Sonne gestellt werden. In diesem Falle muß sich die Pflanze erst graduell gewöhnen, genau wie ein bleicher Mensch, der urplötzlich in den sonnigen Süden fährt und sich dort der Sonne vollkommen aussetzt. Ein gewaltiger Sonnenbrand wäre die Folge und unserer Aloe-Pflanze geht es ähnlich.

Obwohl die Aloe eine sehr robuste Pflanze ist, empfiehlt es sich mit folgenden Problemen ihrer Haltung vertraut zu werden:

a) Blätter nach innen gerichtet und sehr fein: Möglichkeit, daß zuwenig gegossen wurde, so daß die Pflanze ihr eigenes Wasser konsumiert.

b) Blätter der *Aloe vera* L. überwiegend horizontal statt vertikal: Kann Zeichen von fehlendem Sonnenlicht sein, oder auch, daß die Ableger zu stark wurden (über 15 cm hoch), wodurch die Pflanze zuviel Kraft an die Ableger abgibt. In diesem Fall müssen die Ableger von der Mutterpflanze getrennt werden.

c) Die inneren Blätter der *Aloe vera* L. knicken ein: Zuviel Wasser.

d) Blattspitzen viel zu dunkel: Die Aloe-Pflanze erhielt zuviel Sonne auf einmal nach einer langen Zeit mit Mangel an Sonne.

e) Kleine dunkle Flecken: Das Gießwasser enthält zuviel Fluoride. Besser dann Regenwasser benutzen als Leitungswasser.

f) Die Pflanze wächst zu langsam: Erde oder Gießwasser zu alkalisch, zuviel Wasser, die Knospen oder Ableger rauben der Mutterpflanze zuviel Kraft, der Blumentopf ist zu groß (in kaltem Klima) oder der Blumentopf ist zu klein und behindert das Wachstum der Pflanze.

g) Die Blätter verfaulen an der Basis und fallen ab: Zuviel Wasser oder Dränage verstopft.

HALTEN SIE SICH WIEDER EINE ALOE IM HAUS

h) Blätter sind empfindlich gegen Berührungen: Zuviel Wasser oder zuviel Dünger.

i) Blätter sind nicht prall gespannt mit Gel gefüllt, sehen etwas unterentwickelt aus, obwohl die Blätter die richtige Länge haben: Es fehlt Wind! Die Pflanze ernährt sich hauptsächlich von den Nährstoffen und dem Wasser der Luft. Bei fehlendem Wind ist die Pflanze unterversorgt. In der Wohnung soll die Aloe nicht in eine Ecke gestellt werden, sondern immer dort, wo Luftzug herrscht.

j) Blätter laufen blau bzw. bläulich an: Sauerstoffmangel! Position wechseln zu einem Platz wo mehr Luftzug ist.

Wenn Ihre Pflanze trotz aller Fürsorge nicht gedeiht, kann ein Schädling die Ursache sein. Ein sehr kleines Insekt, welches weiße oder graue Häufchen an den Wurzeln anlagert, kann der Grund sein. In diesem Falle tauscht man die ganze Erde aus, entfernt die betroffenen Wurzeln und wäscht den Rest Wurzeln mit warmem Wasser ab. Danach taucht man die Wurzeln in Alkohol und pflanzt in neue Erde mit Sand.

Der Botaniker G.W. Reynolds schreibt, daß die Aloe-Pflanze eine sehr dankbare Pflanze ist und wenig Pflege bedarf. Sie hat sehr gerne Knochenasche und hält lange Trockenheit ohne Probleme durch. Im steinigen Garten gepflanzt, braucht sie nur den normalen Regen. Ein anderer wichtiger Hinweis ist beim Pflanzen zu beachten: In der Wildnis findet man selten den Blattstamm im Boden, lediglich die Wurzeln sind im Erdreich. So sollte es auch beim Pflanzen im Topf sein.

Wenn die Aloe zu medizinischen Zwecken benutzt wird, empfiehlt es sich, mehrere Töpfe mit der Pflanze im Haus zu haben, da man die drei bis fünf Jahre alten äußeren Blätter dazu bei Bedarf an der Blattwurzel abschneidet. Wenn zu viele Blätter nacheinander abgeschnitten werden, kann die Pflanze Schaden nehmen, da sie sehr langsam wächst und sich erst einmal vom Verlust eines Blattes erholen muß.

Die Ableger der *Aloe vera* L. können direkt weiterverpflanzt werden. Auch abgeschnittene Blätter dienen für neue Pflanzen. Man wickelt die abgeschnittenen Blätter in Zeitungspapier ein und läßt die Blätter zwei Wochen eingewickelt an einem dunken und trockenen Ort. Die Schnittfläche heilt dann zu. Die Pflanze aktiviert in dieser Zeit ihre Kräfte zum Überleben. Nach zwei Wochen kann das Blatt dann mit der zugeheilten Schnittfläche in die Erde gegeben werden, wo es dann schnell Wurzeln schlägt.

Die Ableger der *Aloe arborescens* Miller dagegen werden abgeschnitten, drei Monate trocken und luftig gelagert und erst dann ins Erdreich gepflanzt. Andere Pflanzer geben die Ableger direkt nach dem Abschneiden in die Erde.

Sie erhalten die Pflanzen auch beim Blumenhändler. Sollte der Blumenhändler keine Pflanze im Laden vorrätig haben, so bringt er diese Ihnen gerne vom

KAPILLAREN BESTIMMEN UNSER SCHICKSAL

Blumengroßmarkt mit. Zeigen Sie zur besseren Identifikation die Photos und Zeichnungen der Aloe aus diesem Buch.

In Berlin hat sich eine Firma spezialisiert auf den Versand von Aloe-Pflanzen und Blättern:

Gesellschaft für innovative Gesundheit,
Herbert-Bayer-Str. 4
D-13086 Berlin
Tel.: (030) 47 022 042
Fax.: (030) 47 022 041
E-mail: a-rackow@t-online.de

Liste von Ärzten, die mit der Aloe Erfahrungen haben

In diesem Abschnitt möchte ich Namen und Adressen der Ärzte setzen, die bereits mit der Aloe arbeiten. Ärzte können sich dazu bei mir melden unter mpeuser@hotmail.com. Bis zu dieser Ausgabe liegen folgende Namen vor:

Dr. A. P. Schneller
Bleichstr. 55-57
60313 Frankfurt
Tel.: 069-91398596
Spezialität: Chirotherapie und Sportmedizin

Dr. med. Fred-Holger Ludwig
Weinstr. 35
76887 Bad-Bergzabern
Tel.:   (06343) 9 36 30 von 12.00-13.00 Uhr
Fax: (06343) 93 63 63
E-mail: dr.med.f.h.ludwig@t-online.de

Kirlianfotografie beweist die Spitzenstellung der Aloe als Kaiserin der Heilpflanzen

Die Kirlianfotografie ist ein von dem russischen Ehepaar Semjon D. und Valentina Kirlian entwickeltes Verfahren, bei dem die energetischen Abstrahlungen lebender Objekte, die Aura, dargestellt wird. Bei diesem Verfahren werden mittels eines elektrischen Hochfrequenzfeldes hoher Spannung Leuchterscheinungen an Objekten erzeugt und aufgezeichnet. Die Erfinder dieses Verfahrens arbeiteten in den 50er Jahren des vergangenen Jahrhunderts an der Kirow-Staatsuniversität von Kasachstan (Alma-Ata, Ex-UdSSR) .

Im physikalischen Sinne sind diese Glimm- oder Korona-Entladungen Leuchterscheinungen bei Werten von einigen kV für die Spannung und im Bereich mA für den Strom. Speziell in den 60er und 70er Jahren des vergangenen Jahrhunderts erregte die Kirlianfotografie großes Aufsehen, zum einen wegen der Schönheit der Bilder - Farbaufnahmen von Pflanzen - zum anderen wegen der Deutung der zu beobachtenden Strukturen. Als besonders spektakulär wurde der leider nicht immer reproduzierbare "Phantomblatteffekt" empfunden, bei dem ein Laubblatt trotz abgeschnittener Spitze im Bild vollständig erscheint.

Die Kirlianbilder lebender Objekte hängen äußerst sensibel sowohl vom Zustand des Objektes, als auch von dessen psychisch-seelischem Zustand im weitesten Sinne, wie auch von der Gesamtheit der Aufnahmebedingungen ab. Insofern stießen rein physikalische Erklärungsversuche hier an ihre Grenzen.

Kirlianfotografie wurde und wird aus einer Vielzahl anderer Sichtweiten heraus beschrieben und gedeutet. Eine mögliche Erklärung liefert die von Wilhelm Reich ausgehende Theorie der Bio- oder auch Orgonenenergie, zu deren Bild der "Aura" eines bioenergetischen Systems eine direkte visuelle Verwandtschaft besteht.

Vorwiegend aus Asien stammende Sichtweisen des Lebendigen, deren Praxis wir etwa als Akupunktur, Akupressur oder Shiatsu kennen, sprechen von Meridianen und Kraftzentren (Shakren). die mit den Effekten der Kirlianfotografie verbunden und dadurch erklärbar werden können. Weiterhin können verschiedene Feldkonzepte zur Erklärung der Kirlianphänomene dienen. So vielseitig wie die Deutungsweisen sind die potentiellen und bereits realisierten Anwendungen: Kirlianfotografie wurde zur Untersuchung von PSI-Erscheinungen wie auch zur Lokalisierung von Mineralien verwendet. Sie wird als heilpraktische Methode eingesetzt und könnte selbstverständlich auch zur Materialprüfung, sowie in der Landwirtschaft genutzt werden. Außerdem hat sie einen hohen ästhetischen Reiz.

Bei den Pflanzenaufnahmen erweist sich leider die mangelnde Reproduzierbarkeit als größtes Problem. Man weiß noch nicht ausreichend, was überhaupt Pflanzen fühlen, wie wir ihre "Seele" verletzen können und wie - für uns normale - Umweltbelastungen ihr Pflanzenleben beeinträchtigen können. Wir wissen noch zuwenig über das Reagieren von Pflanzen auf Geräusche, Musik, elektrisches Licht, Radio- und Fernsehwellen, Mikrowellenherde, usw.. Will man den Einfluß

KAPILLAREN BESTIMMEN UNSER SCHICKSAL

zeitlicher Entwicklungen oder äußerer Eingriffe - etwa Absterbeprozeß oder Musikeinfluß - untersuchen, so ist es oft unvermeidlich, die Aufnahmebedingungen zu verändern (Austausch des Fotopapiers). Zudem stellt die Aufnahmeprozedur und deren Vorbereitung selbst unter Umständen einen massiven Eingriff auf das "Seelenleben" der Pflanze dar mit ungünstigem Kontaktieren (Druck und Verletzungen) und hohen Stromstärken, die sogar zum sofortigen Absterben einer Pflanze wie auf einem "elektrischen Stuhle" führen kann.

Um ein definiertes, reproduzierbares Potential des Objektes zu schaffen, wird es bei den Aufnahmereihen über einen direkten Kontakt mit der geräteinternen Masse verbunden. Dies geschieht bei Pflanzen mit Krokodilklemmen. Um die Stromstärke zu begrenzen, wird meistens mit einem Ohm'schen Widerstand von 27 MegaOhm gearbeitet. Ohne diesen Widerstand erreichte die Stromstärke bei günstiger kapazitiver Kopplung einige Zehntel Milliampere. An einer Hand würde man dies als deutlich unangenehm bis schmerzhaft empfinden.

Bei den Aufnahmen wird das Fotomaterial (Schwarz-weiß-Fotopapier oder Farbdiafilm) im allgemeinen direkt unter das Objekt auf die Deckplatte des Gerätes gelegt. Legt man ein geeignetes Objekt auf die Deckplatte des Apparates, d.h. über die Hochspannungselektrode, so ist bereits mit bloßem Auge ein schwaches bläuliches Glimmen zu beobachten. Die Stärke dieses Entladungsleuchtens hängt zunächst entscheidend davon ab, auf welchem Potential sich das Objektiv relativ zur Elektrode befindet und wieviel Strom über das Objekt abfließen kann.

Bei allen untersuchten Pflanzenarten findet man eine deutliche Abhängigkeit des Bildes von der Taktfrequenz der anliegenden Hochspannung. Im allgemeinen zeigen sich schwache, filigrane Strukturen bei kleinen Frequenzen (ca. 20 Hz), stärkere und gröbere bei mittleren Frequenzen (ca. 100 Hz) und ein Verschwinden jeder Innenstruktur bei einigen 100 Hz.

Der Phantomblatteffekt konnte bisher leider noch in keinem Universitätsversuchszentrum reproduziert werden. Man vermutet, daß diese Ergebnisse von dem lebensenergetischen Zustand einer Pflanze abhängen muß. Institutsräume mit Neonlicht und Klimaanlagenluft und die dann noch durch Hochspannung belästigten Pflanzen stellen eine denkbar schlechte Kombination dar und bieten zudem ungünstige Voraussetzungen für diese Forschungsaufgaben. Auch die Versuche, die Musikempfindlichkeit der Pflanzen und die Musikarten, die ihnen wohlgefällig sind, herauszufinden, werden häufig durch einen in der Nähe der Pflanze befindlichen Radiorekorder, der auch andere unmusikalische Außenreaktionen bewirken kann, beeinträchtigt.

Nur die Aloe hat eine Aura von allen Farben des Regenbogens

Die Forschungen ergaben, daß deutlich arttypische Strukturen und Frequenzeinflüsse bei Pflanzen beobachtet werden konnten. Jede Pflanze hat seine ganz spe-

KIRLIANFORSCHUNG BEWEIST DIE SPITZENSTELLUNG DER ALOE

zifische Aura, seine ganz spezifische Farbe bzw. Farbkomposition. Hier hat sich, wie Jurandir Toledo aus Curitiba mitteilte, eine brasilianische Gruppe Pflanzen-auraforscher unter der Leitung von Dr. Neuci da Cunha Gonçalves verdient gemacht. Diese Forscher ermittelten die Farbkomposition der Aura von unzähligen in Brasilien beheimateten Pflanzen. Hierbei entdeckten die Forscher eine einzige Ausnahme, die besondere Begeisterung hervorrief. Man entdeckte, daß nur die Aloe eine Aura hat, die aus allen Farben des Regenbogens zusammengesetzt ist. Dadurch erhebt sich die Aloe über alle Pflanzen der Erde und beweist zusätzlich durch ihre Aura, daß sie die Kaiserin der Heilpflanzen ist. Diese reichhaltige Farbkomposition wird sicherlich daherrühren, daß die Aloe ein Füllhorn aus der Apotheke Gottes ist, ein Cocktail aus über 300 verschiedenen pharmazeutischen Wirkstoffen ist und somit ein Vitalgetränk liefern kann, welches für die Gesunderhaltung der Menschheit eine absolute Spitzenstellung einnimmt. Da das Vitalgetränk der Aloe direkt auf den Hauptentscheidungsträger unserer Gesundheit einwirkt, hilft es den gesunden und normalen Durchmesser der 150.000 km Kapillaren unseres Organismus wieder herzustellen.

Die Kirlianfotografie wird heute bereits eingesetzt als Diagnose zur Früherken-nung von Krankheiten, zur Erkennung von Krankheitsursachen, zur langzeitlichen Beobachtung von körperlichen Veränderungen und zur sofortigen Überprüfung der Wirksamkeit von Therapien. Lange bevor sich Symptome einer Erkrankung zeigen, sind die Energien im Körper gestört. Energie bedeutet immer Sauerstoffversorgung. Wenn sich die Kapillaren, das Hauptentscheidungsorgan der Gesundheit unseres Körpers, mit seiner Länge von 150.000 km, verengt und dadurch die Sauerstoff-versorgung des Körpers beeinträchtigt, ist dieser Umstand bereits mit Hilfe der Kirlianfotografie erkennbar bevor chemische Analysen oder körperliches Unwohl-sein auf eine gefährliche Veränderung im Organismus hinweisen. Krankheiten wer-den sichtbar bevor hochschulmedizinische Befunde Hinweise z.B. im Blutbild, hier-auf geben können. Eine energetische Unterversorgung durch eine Verengung der Kapillaren wird sofort aufgedeckt.

Der Forscher, Peter Mandel, hat die Kirlianfotografie zur sogenannten Energetischen Terminalpunkt-Diagnose (ETD) fortentwickelt und in Anlehnung an die Elektroakupunktur nach Voll eine Topographie der Organbezüge und psychi-schen Konstellationen entworfen. Unmittelbar nach durchgeführter Therapie wird stets ein weiteres Kirlianbild zur Kontrolle über die Wirksamkeit der Therapie und für Hinweise auf den weiteren Fortgang der Behandlung erstellt.

Peter Mandel definierte dabei drei Konstitutionstypen, wobei selbstverständlich auch Mischformen auftreten können.

* die endokrine Strahlenqualität
* die toxische Strahlenqualität
* die degenerative Strahlenqualität

Unter endokriner Strahlung versteht man eine Schwäche des Hormonsystems und alle Störungen des vegetativen Nervensystems. Hierunter fallen: Nervosität,

KAPILLAREN BESTIMMEN UNSER SCHICKSAL

Spannungen, Depressionen, Kreislaufstörungen, Kopfdruck, kalte Füße, Handschweiß, Herzklopfen, Magenbeschwerden usw. . Die hochschulmedizinische Diagnose spricht meist von "vegetativer Dystonie". Diese Strahlenqualität weist bei der Kirlianfotografie eine schwache Strahlung mit Lücken auf.

Die toxische Strahlungsqualität erkennt man an schwarzen Punkten inner- und außerhalb des Strahlenkranzes. Je nach Intensität dieser Zeichen im Gesamtbild und der Entfernung vom Fingerumlauf kann man den Schweregrad der Entwicklung abschätzen. Es kann sich bspw. um entzündliche oder verborgene Krankheitsherde handeln. Aufgrund der Lage der Punkte läßt sich der betroffene Organsektor festlegen. Häufig zeigen sich solche im Darmbereich, den Mandeln, den Ohren und den Nasennebenhöhlen.

Die degenerative Strahlungsqualität zeigt sich durch massive Zunahme der Energie in stark verdichteten Wärmekränzen, bei denen keine einzelnen Strahlen mehr zu erkennen sind. Dies kann auf Erkrankungen degenerativer Natur hindeuten, sich jedoch auch lediglich um Energieblockaden und um eine Starre im körpereigenen Informationssystem handeln, die es durch die entsprechenden Therapien aufzulösen gilt. Besonderes Augenmerk bei diesen Patienten liegt auf Entsäuerung, Entgiftung und Stärkung des Immunsystems.

Neben einer körperbezogenen Interpretation gibt das Kirlianbild zahlreiche Hinweise auf psychische Krankheitsursachen.

Unter anderem lassen sich erkennen:

*   vorgeburtliche Störungen und Geburtsbelastungen

*   psychische Belastungen in bestimmten (kindlichen) Lebensaltern - Neigung zur Verkrampfung und zum Sich-unter-Druck-Setzen

*   gravierende Störungen im Verhältnis zur Mutter und/oder zum Vater

*   Ängste und ungelöste vorpubertäre Konflikte, Lernblockaden

*   das Immunsystem schwächende Konflikte

*   usw.

Eine zusätzliche Anwendung der Aloe bei der hochschulmäßigen Therapie stellt in vielen Fällen eine Ganzheitsbehandlung dar und kann in vielen Fällen eine deutliche Verbesserung des Heilungsprozesses darstellen, wobei die Kirlianfotografie diese Heilwirkungen farbenprächtig begleiten kann.

Hauptkrankheitsursache: Falsche Ernährung

Bevor ich mit diesem sehr wichtigen Thema beginne, habe ich fünfzig berühmte Zitate zu diesem Thema aufgelistet, die zum Nachdenken anregen sollen und damit zur besseren Einstimmung.

1. Und Gott sprach: Sehet da, ich habe euch gegeben alle Pflanzen, die Samen bringen, auf der ganzen Erde, und alle Bäume mit Früchten, die Samen bringen, zu eurer Speise. (1. Buch Moses 1:29)

2. Ein Weiser sagte zu unseren falschen Eßgewohnheiten: Es ist immer verlockend, die Zukunft zu opfern, um die Gegenwart ungestört genießen zu können! (unbekannt)

3. Alles was wir wirklich lernen, ist eine Ansammlung von Vorurteilen, mit denen wir bis 18 Jahren mit dem Breilöffel gefüttert werden! (Albert Einstein)

4. Beginne heute mit Deinem neuen Leben; denn morgen kann es zu spät sein! (Volksmund)

5. Iß roh und Du wirst froh, iß kalt, dann wirst Du alt! (Volksmund)

6. Erst dann, wenn Schweiß und Urin nach der zuletzt genossenen Frucht riechen, herrscht wahre Gesundheit! (Altindische Weisheit)

7. Die Menschen erbitten sich Gesundheit von den Göttern, daß sie selbst darauf Einfluß nehmen können, wissen sie nicht! (Heraklit, ca. 550-480 v.Chr.)

8. Veränderte Ernährungsgewohnheiten können helfen, Krebs im Allgemeinen und bestimmte Krebsarten im Besonderen zurückzudrängen! (Prof. Dr. Dr. h.c. mult. Harald zur Hausen, Vorsitzender und wissenschaftliches Mitglied des Stiftungsvorstandes des Deutschen Krebsforschungszentrums Heidelberg)

9. Die Welt kann nur durch die gefördert werden, die sich ihr entgegenstellen! (Goethe)

10. Den vorliegenden Daten kann man entnehmen, daß immerhin rund ein Drittel der bösartigen Erkrankungen insgesamt vermeidbar sind, wenn einer gesundheitsdienlichen Ernährung zugesprochen wird! (Prof. Dr. med. Christian A. Barth, wissenschaftlicher Direktor des Deutschen Instituts für Ernährungsforschung)

11. Lieber geht der Mensch zugrunde, als daß er seine Gewohnheiten ändert! (Leo Tolstoi)

KAPILLAREN BESTIMMEN UNSER SCHICKSAL

12. Baut Häuser und wohnt darin; pflanzt Gärten und eßt ihre Früchte.
    (Jeremia 29:5)

13. Pflanze morgen Obst- und Nußbäume. Sie sind anspruchslos und selbst mit nichtgenutzten Ödflächen zufrieden! (Volksmund)

14. Der Arzt ist so sehr mit der Heilung von vorhandenen Krankheiten beschäftigt, daß er der Frage der Verhütung von Krankheiten kaum Zeit widmen kann. Dies trifft nicht nur auf die Krebserkrankungen, sondern auch auf andere Krankheiten zu.
    (Prof. Dr. med. Christian A. Barth, wissenschaftlicher Direktor des Deutschen Instituts für Ernährungsforschung)

15. Du sollst wiederum Weinberge pflanzen an den Bergen Samarias; pflanzen wird man sie und ihre Früchte genießen. (Jeremia 31:5)

16. Mein Sohn, meine Tochter, prüfe dich in deiner Lebensweise, beobachte, was dir schlecht bekommt, und meide es! Denn nicht alles ist für alle gut, nicht jeder kann jedes wählen. Giere nicht nach jedem Genuß, stürz dich nicht auf alle Leckerbissen. Denn im Übermaß des Essens steckt die Krankheit, der Unmäßige verfällt heftigem Erbrechen. Schon viele sind durch Unmäßigkeit gestorben, wer sich aber beherrscht, verlängert sein Leben.
    (Altes Testament, Buch Jesus Sirach 37:27-31)

17. Für einen guten und edlen Menschen ist nicht nur die Nächstenliebe eine heilige Pflicht, sondern auch die Barmherzigkeit gegen vernunftlose Geschöpfe! (Isaac Newton)

18. Nimm dir aber Weizen, Gerste, Bohnen, Linsen, Hirse und Spelt und tu alles in ein Gefäß und mache dir Brot daraus, daß du daran zu essen hast.
    (Hesekiel 4:9)

19. Alles Gescheite ist schon gedacht worden. Man muß nur versuchen, es noch einmal zu denken! (Goethe)

20. Wer die Gesundheit erwerben will, der muß sich von der Menge der Menschen trennen; denn die Masse geht immer den Weg gegen die Vernunft und versucht immer, ihre Leiden und Schwächen zu verbergen. Laßt uns nie fragen: Was ist das Übliche, sondern: Was ist das Beste!
    (Seneca, Philosoph und Rohköstler)

21. Alles Große ist einfach, wenn Du Dein Gehirn vom alten Ballast befreist!
    (Volksmund)

22. Bessere und schnellere Heilresultate erhält man durch Fasten. Alle Heilkraft dieser Erde liegt im Körper selbst. Medikamente "kuren" nicht! Kuren beseiti-

HAUPTKRANKHEITSURSACHE: FALSCHE ERNÄHRUNG

gen nicht die Ursachen der Erkrankungen. Ursachen sind aber die Menschen selbst mit ihren jahrhundertenlangen falschen Lebensweisen.

(Prof. Hilton Hotema)

23. Vor lauter Krankheiten vergessen wir die Gesundheit des normalen Menschen. Heute noch verläßt der künftige Arzt die Fakultät, ohne wirklich zu wissen, was die Gesundheit ist und welches ihre Gesetze sind!

(Prof. Dr. med. DeLore, Lyon)

24. Nicht die ärztliche Wissenschaft ist das Ziel, sondern die Gesundheit des Menschen! (Prof. Dr. med. Werner Kollath)

25. Ich bin sowohl Vegetarier, wie auch leidenschaftlicher Antialkoholiker, weil ich so besseren Gebrauch von meinem Gehirn machen kann!

(Thomas Edison, Erfinder der Glühlampe)

26. Ich bin (geboren im Jahre 1857) ein sogenannter Vegetarier seit 1881. Seit mehr als einem Vierteljahrhundert lebe und arbeite ich ohne Fleisch, Fisch, Geflügel, Tee, Tabak und Alkohol. Hat ein Beefsteakesser eine höhere Leistungsfähigkeit? Ich glaube, er hat eine niedrigere Abstinenz-Enthaltsamkeit. In diesem Sinne bin ich kein Abstinenzler und kein Asket, sondern Genießer. - Mir riet allerdings der Arzt einmal: „Essen Sie Fleisch, sonst müssen Sie sterben". Ich tat keines von beiden!

(George Bernard Shaw, Schriftsteller, starb 1950 mit 94 Jahren durch Unfall bei der Obsternte)

27. In meiner fünfzigjährigen Tätigkeit als Arzt gelange ich immer mehr zu der Überzeugung, daß ich durch allopathische (unterdrückende) Methoden - selbst bei einer anscheinend gelungenen Kur - die verlorene Gesundheit nicht wiedergeben konnte. Ich ahnte, daß in den überlieferten Theorien und Dogmen eine Lücke sein müsse. Ich konnte mir niemals vorstellen, daß das größte Wunderwerk des Schöpfers, der menschliche Körper, so mangelhaft gebaut sei, daß er der ungeheuren Menge von über 1500 verschiedenen Arzneimitteln (heute sind es über 30.000) und der vielen Krankenanstalten bedürfe, um ihn vor Schaden, vor vorzeitigem Untergang zu beschützen!

(Dr. med. Rosendorf)

28. Wir sind auf dem besten Wege, die Erde in ein einziges Alters- und Siechenheim zu verwandeln! (Dr. med. Hass)

29. Der biologische Verfall der Zivilisationsvölker hat ein Ausmaß und Tempo erreicht, wie wir es vor einem Jahrzehnt nicht für möglich hielten!

(Prof. Dr. Med. Kötschau)

30. Wenn einer auf Zigaretten mit Tabak-Ersatzmaterial übergeht, ist das als wenn einer aus dem 36. Stockwerk springt statt aus dem 39!

(Englischer Ausschuß für die Gesundheitserziehung)

KAPILLAREN BESTIMMEN UNSER SCHICKSAL

31. Ich will die Früchte auf den Bäumen und den Ertrag auf dem Felde mehren, daß euch die Heiden nicht mehr verspotten, weil ihr hungern müßt.
(Hesekiel 36:30)

32. Wir müssen umdenken, wenn wir überleben wollen! (Einstein)

33. Die sogenannte Krankheit ist nichts anderes als die Anstrengung der Natur, diese Gifte wieder aus dem Blut zu entfernen. Alle Erkrankungen sind Krisen der angehäuften Vergiftungen! (Dr. Tilden)

34. Versuch's doch mit deinen Knechten zehn Tage und laß uns Gemüse zu essen und Wasser zu trinken geben. Und nach zehn Tagen sahen sie schöner und kräftiger aus als alle jungen Leute, die von des Königs Speise aßen.
(Daniel 1:12)

35. Mut verloren, alles verloren, der wäre besser nicht geboren! (Goethe)

36. Persönlich halte ich es nicht für richtig, einen Arzneistoff zu verschreiben, wenn nicht vorher oder gleichzeitig besonders krasse Ernährungsschäden beseitigt sind, wenn nicht die allergröbsten Verirrungen der Lebensweise in Ordnung gebracht werden! (Prof. F. Eichholtz, Pharmakologe)

37. Dreißig Jahre bin ich nun Arzt. Wie viele Dogmen der wissenschaftlichen Heilkunde habe ich in dieser kurzen Zeit stürzen sehen. Wie viele 'naive' mit Hohn und Spott überhäufte Vorstellungen gelten heute als selbstverständliche Tatsachen! (Dr. med. Erwin Liek)

38. Wer ungesund lebt und sich falsch ernährt, bereitet sich sein Leben lang auf den Krebs vor! (Prof. Dr. med. Kollath)

39. Die Zukunft gehört den Völkern, welche imstande sind, aus der neuen Ernährungswissenschaft die besten Lehren zu ziehen!
(Prof. Dr. G. von Wendt, Schweden)

40. Wenn jemand Gesundheit sucht, frage erst, ob er bereit sei, künftighin die Ursachen der Krankheit zu meiden. Erst dann darfst du ihm helfen.
(Socrates)

41. Jede Krankheit hat ihren besonderen Sinn, denn jede Krankheit ist eine Reinigung; man muß nur herausbekommen, wovon. Es gibt darüber sichere Aufschlüsse; aber die Menschen ziehen es vor, über Hunderte und Tausende fremde Angelegenheiten zu lesen und zu denken, statt über ihre eigenen. Sie wollen die tiefen Hieroglyphen ihrer Krankheiten nicht lesen lernen und interessieren sich noch weit mehr für das Spielzeug des Lebens als für seinen Ernst. Hierin liegt die wahre Unheilbarkeit ihrer Krankheiten, im Mangel an und im Widerwillen gegen Erkenntnisse hierin, nicht in Bakterien.
(Christian Morgenstern)

HAUPTKRANKHEITSURSACHE: FALSCHE ERNÄHRUNG

42. Wenn die Krebsfälle weiterhin so anwachsen wie bisher, so wird dies Problem eine Frage von Sein oder Nichtsein für die menschliche Rasse. Der Krebs wird den Menschen ebenso sicher austilgen, wie die prähistorischen Katastrophen die geflügelten Drachen zerstört haben, deren Fossilien uns heute noch so lebhaft interessieren! (Michel Demy)

43. Allen Tieren wäre es leichter in Deiner Nähe, Mensch, wenn Du selber besser wärst! (Dostojewski)

44. Vorurteile sind selbstverständlich mit dem Geist echter Wissenschaft unvereinbar, trotzdem sind von allen Fehlern, die dem wissenschaftlichen Denken unterlaufen, diese am weitesten verbreitet! (Prof. Dr. Karl Friedrichs)

45. Lies das Etikett: Heutige Konsumenten, Ernährungsexperten und Gesundheitsschreiber bitten uns, die Etiketten zu lesen, damit wir wissen, was in Packung und Flasche ist. Aber die wirkliche Wahrheit entgeht allen: Wenn eine Nahrung den Inhalt auflistet, kaufe sie nicht! Sie ist denaturiert!
(Dr. Shelton)

46. Kräftige, robuste Gesundheit ist ein Normalzustand der menschlichen Existenz. Wer sie nicht hat, hat verhängnisvolle Übertretungen gegen das unveränderliche Naturgesetz begangen! (Anonym)

47. Es steht fest, daß Leben aus dem natürlichen Leben kommen sollte. Wenn sich ein Paar von der lebendigen Kost der Mutter Natur ernährt, mit Früchten und Gemüse, hat es eine größere Chance, gesundes Leben in die Welt zu setzen. (Dick Gregory, hat 9 gesunde Kinder und ißt seit 20 Jahren nur Früchte)

48. „Der Fraß tötet mehr Menschen als das Schwert!" hat der große griechische Arzt Claudius Galenus von Pergamon um 67 n. Chr. geschrieben. Seitdem ist es eher noch schlimmer geworden; denn ein großer Teil unserer Nahrung wird heute so hergerichtet, daß unser Körper nichts mehr damit anfangen kann. Zahlreiche schwere Gesundheitsschäden sind die Folge.
(Dr. med. et phil. Bernhard Detmar)

49. Und an dem Strom werden an seinem Ufer auf beiden Seiten allerlei fruchtbare Bäume wachsen; und ihre Blätter werden nicht verwelken, und mit ihren Früchten hat es kein Ende. Sie werden alle Monate neue Früchte bringen; denn ihr Wasser fließt aus dem Heiligtum. Ihre Früchte werden zur Speise dienen und ihre Blätter zur Arznei. (Hesekiel 47:12)

50. Wissenschaftliche Wahrheit pflegt sich nicht in der Weise durchzusetzen, daß ihre Gegner überzeugt werden, sondern vielmehr, indem sie allmählich aussterben! (Max Planck-Atomphysiker)

KAPILLAREN BESTIMMEN UNSER SCHICKSAL

Essen Sie was Ihnen bekommt, und bei Beachtung einiger kleiner Regeln können Sie Ihre Gesundheit besser erhalten bzw. wiederherstellen!

Rund 70 % aller Krankheiten haben ihre Ursache in unserer "gut bürgerlichen Kost". Richtige Ernährung und ein gesunder Lebensstil verhüten zahlreiche und verbreitete Krankheiten. Daß sich auch die anderen chronischen Krankheiten in der zivilisierten Welt immer weiter ausbreiten, ist allgemein bekannt. Weniger bekannt ist die Tatsache, daß alle diese Krankheiten wie Krebs, Herz- und Kreislaufstörungen, Nierenleiden, Blutarmut, Magen- und Darmkrankheiten, Fibromyalgie, die Zuckerkrankheit, Gicht und Rheuma, die Nervenleiden usw. letzten Endes auch auf falsche Ernährung des modernen Menschen zurückgehen. Entsprechend meiner Kapillarenlehre provoziert besonders unsere verkehrte Ernährung ein Zusammenziehen der 150.000 km Kapillaren und führt zu schwerem Sauerstoffmangel unseres Organismus. Die Folgen davon sind tragisch.

Es ist kein Zufall, daß über die Frage „Wie soll der Mensch sich ernähren?" seit rund 130 Jahren heftig gestritten wird. Die bekannten Schlagworte "Gemischte Kost", "Trennkost", "Vegetative Diät", "Rohkost", usw. , zeugen davon. Ohne Übertreibung kann man sagen, daß die richtige Ernährung von ausschlaggebender Bedeutung für unsere Gesundheit ist, wichtiger als alle vielgepriesenen Heilmittel und Kuren.

Das folgende, sehr umfangreiche Kapitel, möchte Ihnen einleitend in leichtverständlicher Form allumfassend die Vorschläge für eine gesunde Ernährung des Menschen aufzeigen. Man kann heute sicher davon ausgehen, daß je höher der Prozentsatz ist, den man innerhalb dieser Richtlinien erreicht, desto höher auch die Gesundheitserwartungen sind. Jeder Leser dieses klar und eindeutig geschriebenen Kapitels ist selbst imstande, danach in allen Ernährungsfragen für sich die richtigen Entscheidungen zu treffen, um gesund zu bleiben, bzw. wieder gesund zu werden. Jeder Mensch ist verschieden, jeder hat auf Grund seiner Abstammung, seiner Blutgruppe, seines Säuregehaltes und seiner Darmflora andere Bedürfnisse für seine Ernährung. Der eine verträgt dies, der andere das. Trotzdem gibt es gewisse Leitlinien, die man kennen sollte, um daraus für sich das bestmögliche für seine Gesundheit bzw. Wiederherstellung derselben zu schöpfen.

Leider ist das so wichtige Ernährungsproblem bis heute von der Medizin immer als Stiefkind behandelt worden. Die Medizin behandelt bedauerlicherweise oft nur die Krankheit und nicht die Ursachen. Gott sei Dank nimmt die Zahl der Ärzte zu, welche die Hauptursache der Krankheiten in falscher Ernährung sehen und ihre Patienten entsprechend beraten. Wer sich trotzdem heute noch der Erkenntnis von der überragenden Bedeutung der Ernährung für die Gesundheit des Menschen verschließt - sei er Laie oder Arzt - zeigt, daß er die Zeichen der Zeit nicht erkannt hat.

KAPILLAREN BESTIMMEN UNSER SCHICKSAL

Mit Datum vom 17.5.2002 erhielt ich ein längeres Schreiben von Herrn Harald Thoene aus Montevideo/Uruguay, welches er mit folgenden Worten abschloß: „Ich verdränge die große Frage, warum ich - als ich Ihr Buch geliehen bekam- 64 Jahre alt werden mußte und mir niemand, auch kein Arzt, mein Suchen nach dieser einmalig guten Ernährung stillen konnte."

Abschließend werden zusammenfassende Ernährungsvorschläge für die Gesunderhaltung gemacht und solche, die es zum Ziel haben, mitzuhelfen, den erkrankten Körper so rasch wie möglich zu entgiften, die Kapillaren wieder zum normalen und gesunden Durchmesser zu erweitern, um damit die Ursache vieler Krankheiten zu beseitigen. Mit diesen leicht verständlichen Ernährungsabänderungen wird der Stoffwechsel entlastet und gewaltige Energien freigesetzt. Der in vielen Jahren und Jahrzehnten angesammelten Stoffwechselmüll kann durch die dann wieder auf den normalen und gesunden Durchmesser erweiterten Kapillaren und deren Poren rasch ausgeschieden werden. Die lebenswichtige Sauerstoffversorgung des Organismus verbessert sich ebenfalls durch die verbesserte Zirkulation der roten Blutkörperchen in den nunmehr nicht mehr verengten Kapillaren.

Unser Körper, ein Meisterwerk der Schöpfung

„Gott schuf den Menschen!" Jawohl, so steht es in der Heiligen Schrift. Gott schuf den Menschen nach seinem Ebenbild. Gott schuf den Menschen nicht in einem Augenblick, sondern formte ihn nach und nach durch Jahrmillionen hindurch, bis das Wunderwerk des Schöpfers vom Instinkt zur Vernunft kam und schließlich sogar eine unsterbliche Seele erhielt. Gott hat Zeit, viel Zeit, da er ja schließlich auch die Zeit geschaffen hat. Er ist der Herr der Zeit!

Der menschliche Körper ist in der Natur die herrlichste Schöpfung. Er ist die Krone der Schöpfung. Nichts kommt ihm gleich an Kraft, Leistungsvermögen und Anpassungsfähigkeit. Unser kleines Herz schlägt ungefähr hunderttausendmal in 24 Stunden. Bedenken Sie, daß das Herz und seine klug durchdachten Pumpanlagen 5-6 Liter Blut durch über 150.000 km Blutgefäße pumpt. Die Länge unserer Blutgefäße entspricht mehr als 3 1/2 mal dem Umfang unserer Erde. Unser Herz pumpt täglich 9.000 Liter Blut, das sind 165 Millionen Liter in 50 Jahren. Diese 5-6 Liter Blut bestehen aus über 24 Billionen Zellen, die sich täglich durch unseren Körper bewegen, und in jeder Sekunde werden sieben Millionen neue Blutzellen produziert. Unsere Herzpumpe hat die Fähigkeit, ohne einmal Pause zu machen, ohne einmal in Ferien zu gehen, jahrzehntelang zu arbeiten, ohne jemals einen Schlag auszusetzen. Haben Sie schon einmal nachgedacht, was für eine gewaltige Ingenieursleistung es sein muß, unseren Körper konstant auf exakt 37°C zu halten? Unsere Haut, das größte Organ unseres Körpers besteht aus vier Millionen Poren, die als konstantes Kühlsystem für diesen Körper fungiert. Jeder Quadratzentimeter unserer Haut enthält: 15 Talgdrüsen, 1 m Adern, 5 Haare, 6.000.000 Zellen, 5.000 Sinneskörper, 100 Schweißkörper, 12 Kältepunkte, 2 Wärmepunkte, 200 Schmerzpunkte, 4 m Nervenfasern und 25 Druckpunkte.

ESSEN SIE WAS IHNEN BEKOMMT

Das Verdauungs- und Stoffwechselsystem hat die Fähigkeit, die aufgenommene Nahrung in gesundes Blut, Knochen und Zellstrukturen umzuwandeln. Die Lungen versorgen das Blut mit dem notwendigen Sauerstoff. Ein komplettes Knochengerüst gibt den stützenden Rahmen und ermöglicht damit dem Körper, aufrecht zu stehen und zu gehen. Dies Knochengerüst arbeitet in vollkommener Harmonie mit einem erstaunlichen Muskelsystem in Einklang, wodurch erst ein vom Gehirn gesteuerter Bewegungsablauf entstehen kann.

Unser Körper oder einmal in Anführungsstrichen "Transportmaschine" für die irdische Wanderung unserer Seele genannt, kann sich erstaunlicherweise sogar selbst erneuern. Die geniale Kraft und göttliche Weisheit, die notwendig sind, ein befruchtetes Ei in Stecknadelkopfgröße in einen ausgewachsenen Menschen zu verwandeln, übersteigt unser aller Vorstellungsvermögen. Inzwischen gelingt das Klonen aus einer einzigen Körperzelle. Was für gewaltige Daten müssen da gespeichert sein, Informationen, die nötig sind, um einen Menschen zu reproduzieren. Es geht fast über unseren Verstand, die Fähigkeiten unserer fünf Sinne zu begreifen; nur alleine, daß wir klar sehen können, besser als die Wiedergabe auf einem Bildschirm des Fernsehers, ohne Linien und ohne Punkte. Daß wir die Herrlichkeit der Schöpfung Gottes bewundern können, die es bereits 14,5 Milliarden Jahre vorher gab, bevor das erste Auge sich bildete. Vorher gab es kein irdisches Wesen, welches die Schöpfung beobachten oder bewundern konnte. Die Liste der Millionen Aktivitäten, die in unserem Körper regelmäßig ablaufen, könnten Bibliotheken füllen. Gesteuert wird dies absolut perfekte System vom Gehirn, das alle diese wunderbaren Aktivitäten überwacht und sicherstellt und dies mit einer Präzision, die einen mit jeglicher bekannten und noch so modernen Elektronik und Computertechnik vertrauten Maschinenbauer dagegen unbeholfen erscheinen läßt.

Unser Gehirn besteht aus 25 Milliarden Zellen, die am höchsten entwickelten Zellen, die wir kennen. Wenn wir uns den gesamten Kosmos einmal vorstellen mit seinen Billionen Galaxien und jede Galaxie wieder mit x-Milliarden Sonnen, x-Milliarden Planeten, x-Milliarden Monden und x-Milliarden Kometen und nehmen einmal an, daß es dort kein organisches Leben gebe, dann wäre der ganze Kosmos ein Nichts gegenüber einem einzigen menschlichen Gehirn. Bei der Betrachtung einer einzelnen Gehirnzelle werden Sie noch mehr beeindruckt sein. Man kann sie ohne Hilfe eines Mikroskops nicht sehen und doch ist das, was in ihr vorgeht, phantastisch. Die gespeicherten Informationen einer einzelnen Zelle - so wird gesagt - übertrifft alles bis heute angesammelte Wissen der gesamten menschlichen Rasse. Sogar die kleinste Zelle in Ihrem Körper ist ungefähr eine Milliarde mal größer als ihr kleinster Baustein. Jede Zelle ist der Schauplatz von mehr chemischen Reaktionen als alle chemischen Reaktionen aller Chemiefabriken dieser Erde zusammengenommen. Ich weiß das zu würdigen als Unternehmer im pharmazeutisch-chemischen Bereich. Jede einzelne Zelle hat Tausende von verschiedenen Bestandteilen: Chromosome, Gene, Organellen, Mitochondrien, DNS, Enzyme, Hormone, Aminosäuren sowie Tausende von verschiedenen chemischen Stoffen und Verbindungen, zu zahlreich, um sie alle im Rahmen dieses Buches zu erwähnen. Und noch hat keiner auf dieser Welt eine genaue Erklärung bereit, wie die Zelle arbeitet und wie die 75 Billionen Zellen im Einklang funktionieren.

235

KAPILLAREN BESTIMMEN UNSER SCHICKSAL

In jeder Zelle ist ein Kern, der Chromosomen enthält, die wiederum Gene enthalten. Und in diesen Genen befindet sich der Lebenscode: DNS (Desoxyribosenukleinsäure). Die DNS bestimmt die Augenfarbe, den Duft einer Blume oder das Farbenspiel der Schmetterlingsflügel. Wenn man alle DNS aus allen Genen der 75 Billionen Zellen eines einzigen menschlichen Körpers herausnehmen würde, so paßten sie alle bequem in eine einzige kleine Streichholzschachtel. Und doch, wenn alle diese DNS abgewickelt und aneinandergereiht werden würden, reichte diese DNS-Schnur 400 mal von der Erde zur Sonne und zurück. Das entspräche 130 Milliarden Kilometern. Alles für uns unfaßbar, sollte uns aber helfen mehr Respekt vor unserem Körper, das Ebenbild Gottes, zu bekommen, ihm mehr notwendige Aufmerksamkeit zu schenken.

Eine einzige Zelle, isoliert in einem Labor, frei von jeglicher körperlichen Beeinflussung, wird sich 50 mal teilen, ehe sie stirbt. Würden sich alle unsere Zellen derartig oft teilen, würden wir ein Gewicht von mehr als achtzig Billionen Tonnen eines Tages bekommen. Und wir sind schon entsetzt, wenn wir die 100 kg unseres Körpergewichtes überschreiten. Nur mit Hilfe dieser schwindelerregenden Zahlen ist es möglich, sich eine Vorstellung von den unendlich gespeicherten Informationen zu machen, welche notwendig sind, die Aktivitäten einer derartig astronomischen Anzahl zusammenarbeitender Zellen zu koordinieren. Zum krönenden Abschluß der Bewunderung unseres Körpers möchte ich Ihnen noch sagen, daß Ihr Körper am heutigen Tage Quadrillionen verschiedene Prozesse durchführt! Nicht Millionen oder Milliarden oder Billiarden oder Trillionen, nein, Quadrillionen! Alle für den Stoffwechsel und die Erhaltung Ihrer Existenz lebensnotwendigen Prozesse werden nicht wahllos, sondern mit äußerster Präzision durchgeführt.

Viele haben ein Auto. Ein Wunderwerk der Technik! Ein Werk von Denkern, Ingenieuren, Elektronikern, Meistern, Gesellen und Facharbeitern. Ein Automobil im Werte von 10.000, 20.000, 50.000 oder mehr Euro, wird von seinem Besitzer oft besser behandelt als seinen Körper. Die Autos erhalten den richtig gemischten Treibstoff, der Ölwechsel erfolgt regelmäßig, die Batterie, das Kühlwasser und der Luftdruck der Reifen werden regelmäßig überprüft, damit das Auto fehlerfrei fährt und uns nicht im Stich läßt. Auch die vom Hersteller empfohlenen Revisionen entsprechend der km-Zahl werden von den meisten Automobilbesitzern peinlich genau eingehalten, und alle zwei Jahre wird der Wagen dem TÜV vorgeführt. Wir haben scheckheftgepflegte Autos, aber keinen scheckheftgepflegten Körper, was eigentlich viel wichtiger ist. Warum lassen wir unseren Körper nicht auch regelmäßig vom Arzt durchchecken wie ein Auto vor einer größeren Reise, anstatt nur zu ihm zu gehen, wenn man krank ist.

Anders ist es mit unserem eigenen Körper. Wo sind da die regelmäßigen Revisionen? Sollte da nicht jedes Neugeborene bei der Registrierung auf dem Standesamt einen Gesundheitspaß für die ganze Lebenszeit in Form eines Scheckheftes bekommen, wie es auch die Fahrzeughersteller für ihre Autos tun. Darin könnten alle Impfungen, regelmäßige Kontrolluntersuchungen usw. von den Ärzten abgezeichnet werden. Haben wir uns schon einmal Gedanken gemacht, wie hoch eigentlich der Wert unseres eigenen Körpers ist? Sicherlich, er ist unbezahlbar, und viele auf dem Sterbebett würden alles von ihrem Besitz hergeben, um einen neuen gesunden Körper zu erhalten. Aber zählen wir doch einmal theoretisch einige Posten unseres Körpers zusammen und wir werden staunen, was für ein Wertobjekt unser Vehikel ist, welches wir für unsere irdische Reise vom Herrgott zur Verfügung gestellt bekamen.

Was kostet ein Auge? Was kosten zwei? Was ist der Wert eines Herzens bei der Transplantation? Was kosten die zwei Lungen, die Leber, die Nieren? Was kosten unsere Zähne? Lassen Sie sich mal neue anfertigen, Sie werden sich wundern! Was kosten unsere Haare? Wie viele würden ein Vermögen ausgeben, wenn sie ihre Glatze aufforsten könnten mit echten Haaren! Was kostet ein Quadratzentimeter unserer Haut? Was kostet ein neues Hüftgelenk? Oder eine Armprothese? Man könnte noch lange weiteres Aufzählen und wir würden zu schwindelerregenden Summen kommen, die zwar theoretisch sind, jedoch mithelfen sollen, uns zum Nachdenken anzuregen. Unser Körper ist unbezahlbar, selbst Millionen und Abermillionen von Euro oder Dollar könnten unseren Körper nicht bezahlen. Wir können uns zwar schon heute eine Reihe von Ersatzteilen leisten, aber wir haben nur einen Körper und nur ein von Gott geschenktes Leben.

Behandeln wir eigentlich unseren Körper dem Werte entsprechend? Wird da nicht viel Schindluder von uns getrieben? Es sieht oft so aus, als wenn wir unser Auto schonender behandeln als unseren eigenen Körper. Sie können den rasantesten Sportwagen der Welt haben, aber wenn Sie ihn mit Bier betanken, wird er nicht fahren. Sie können den richtigen Wagen und den richtigen Treibstoff haben, aber wenn die Zündkerzen nicht richtig eingestellt sind, werden Sie keine besonderen Leistungen erreichen. Interessant ist es auch zu beobachten, daß Autobesitzer bereit sind hohe Beträge für Spitzenmotorenöle auszugeben, für ihren eigenen Körper jedoch die billigsten und minderwertigsten Speiseöle kaufen, anstatt auch hier hochwertige Produkte zu erwerben, wie z.B. kaltgepresstes Olivenöl, eine Wohltat für jeden Körper.

„Natürliche Hygiene" eine gesunde Ernährungsform

Vieles, was ich Ihnen an Wissen vermitteln werde, mag an Ihren Überzeugungen rütteln. Manches wird mit Ihren bisherigen Vorstellungen von einer gesunden Lebensweise nicht übereinstimmen. Doch diese wertvollen Ideen, die ich Ihnen hier weitergebe, sind bereits von Millionen Menschen getestet und für richtig befunden worden. Diese Gesundheitserkenntnis ist unter dem Namen "Natürliche Hygiene" bekannt und, seit 200 Jahren zuerst von kleineren Gruppen praktiziert, inzwischen zu einer Volksbewegung aufgestiegen.

Überlegen Sie zunächst, ob Sie nicht auch bei Ihnen wirken könnte und ob Ihr aktuelles Gesundheitsverhalten die wirksamste Methode ist, mit Ihrem Körper umzugehen. Versuchen Sie einmal, zehn bis dreißig Tage nach diesen Prinzipien zu leben, und beurteilen Sie dann selbst anhand der Ergebnisse ihre Gültigkeit. Es sind derartig einfache Gesetze, daß der, der sie einhält, belohnt wird durch ein gesünderes Leben, mehr Vitalität, vielleicht sogar richtiges Gewicht und ein längeres Leben in Gesundheit. Beleuchten wir einmal die einzelnen Aspekte:

KAPILLAREN BESTIMMEN UNSER SCHICKSAL

Luft, unser wichtigstes Nahrungsmittel

Beginnen wir mit dem Element, das wir am nötigsten brauchen. Nicht das Essen ist das wichtigste, denn wir können bis zu sieben Wochen fasten ohne zu sterben. Nicht das Wasser ist das wichtigste, denn wir können bis zu drei Tagen ohne Flüssigkeit auskommen. Das wichtigste für unseren Körper ist die Luft, denn ohne Luft sind wir in fünf Minuten tot. Luft ist für die Existenz lebendiger Organismen unter allen Umständen erforderlich. Die Haupternährung der Bäume kommt aus der Luft, ebenso für die Aloe, die in wüstenähnlicher Umgebung lebt, also kaum etwas aus dem Boden ziehen kann, und spärlich Regen bekommt. Sie zieht ihr Wasser hauptsächlich aus der Luft, zusammen mit den vielen anderen wertvollen gasförmigen Elementen.

Noch vor 90 Jahren gab es Ärzte, die behaupteten, frische Luft sei für Kranke gefährlich. Luft wurde allen Ernstes gefürchtet, besonders die Nachtluft. Die Fenster wurden fest verschlossen gehalten und alle Luftlöcher verstopft, um nur ja keine Frischluft hereinzulassen. Die damaligen Anhänger der "Natürlichen Hygiene" versuchten, begreiflich zu machen, daß man sich frischer Luft sogar bewußt aussetze und sie nicht meiden solle. Doch sie wurden wegen dieser "unwissenschaftlichen" Ansichten für verrückt erklärt. Wie gesagt: Neue Erkenntnisse haben es immer schwer, sich durchzusetzen, und da wird auch vor einer offensichtlichen Notwendigkeit, wie frische Luft, nicht halt gemacht. Glücklicherweise würde heute nicht einmal mehr der rückständigste "Experte" Experimente verlangen zum Beweis, ob frische Luft besser sei als schlechte; wir machen also schon gewaltige Fortschritte. Es ist auch nicht lange her, daß Ärzte sagten, Rauchen sei nicht schädlich. Vor wenigen Jahrzehnten wurde dann eingeräumt, daß Raucher im Durchschnitt etwas früher sterben als Nichtraucher. Dann kam man zu einer Zahl von fünf Jahren, vor zwanzig Jahren stieg der Unterschied auf zehn Jahre und inzwischen ist man bereits bei fünfzehn Jahren statistischer verminderter Lebenserwartung bei Rauchern angekommen. Trotz dieser erdrückenden Erkenntnisse soll es auch noch vereinzelt Ärzte geben, die rauchen! Erschreckend muß man mit ansehen, wie viele Krankenschwestern rauchen! Traurig ist mit ansehen zu müssen, daß Frauen nun vermehrt mit diesem Laster begonnen haben, während Männer sich vom Rauchen befreien. Daher kommt auch der Witz, daß man einen rauchenden Mann anspricht mit den Worten: „Ich dachte, Du seiest ein richtiger Mann!" Vielleicht sind die Frauen des Witwendaseins im Alter überdrüssig, da die Frauen ja im Durchschnitt jünger sind als ihre Ehepartner und normalerweise auch eine höhere Lebenserwartung als die Männer haben. Wenn die Frauen jedoch nun rauchen, werden sie im Durchschnitt fünfzehn Jahre früher sterben als Nichtrauchende. So werden wir dann, wenn die Entwicklung so weitergeht, in Zukunft mehr Witwer als Witwen haben. Die Zahl der Raucher sank vernünftigerweise in den letzten beiden Jahrzehnten und die der Raucherinnen stieg. Ein lebensgefährlicher Sieg auf dem Wege zur Gleichberechtigung beim Lungenkrebs.

Übrigens sterben täglich 8.000 Menschen an den Folgen des Rauchens, das sind 3 Millionen Menschen pro Jahr. Nur der Himmel weiß, in welchem Ausmaß Krankheit und schlechte Gesundheit durch Rauchen verursacht werden. Was wir

ESSEN SIE WAS IHNEN BEKOMMT

jedoch wissen, liest sich wie eine Horrorgeschichte, eine Geschichte des Schreckens: Krebs (15 % der Krebsursache ist Rauchen), Herzkrankheiten, Lungenemphyseme, Bronchitis, Fehlgeburten, Säuglingstod, Geburtsfehler, Magengeschwüre, Schädigung des DNS, Blutzucker, Bluthochdruck, Unfruchtbarkeit, Impotenz, eingetrocknete Keimdrüsen, krankhaft beschleunigter Herzschlag und als Folge davon, Herzschädigung, Verengung und Absterben der Kapillaren, Taubheit in den Händen und Armen, erhöhte Magensäure, Lähmung der Geschmacksnerven sowie massive Zerstörung vitaler Zellen von der Lippe bis zur Lunge; von der Verdickung und Verfärbung der Finger, der Vergilbung der Zähne, der Gardinen, der Tapeten, der Sessel, der Sofas, der Kleidung, der gestrichenen Wände, des Innenraumes ihrer Fahrzeuge und dem ekligen Geruche kalter Tabakreste ganz zu schweigen. Meist merken die Raucher gar nicht, was sie auch beim Küssen ihrem nichtrauchenden Partner zumuten. Oft brennen sie noch die Tischdecken durch, und einige verbrennen sogar selbst im Bett, wenn sie beim Rauchen einschlafen.

Tabakrauch ist heißer als heißes Essen. Er vernichtet Zellen und Geschmacksnerven in großer Zahl. Haben Sie schon einmal bemerkt, wie viel Salz und Pfeffer Raucher verwenden? Sie tun das, weil sie stark geschwächte Geschmacksempfindungen haben. Diese Gewürze irritieren zusätzlich die Mundschleimhaut, die Lippen, die Zunge, Kiefer, Zahnfleisch und Kehle. Grundlage einer guten Gesundheit ist saubere Luft. Mit der sauberen Luft gelangt der Sauerstoff in unseren Blutkreislauf und durch einen gesunden Blutkreislauf über nicht verengte Kapillaren werden die Nährstoffe in jede Zelle Ihres Körpers transportiert. Mit einem gesunden Kreislauf werden Sie lange und gesund leben können. Die wichtigste Einflußgröße in diesem System ist und bleibt die Atmung. Sie versorgt den Körper mit Sauerstoff und bildet so die Grundlage für die elektrischen Prozesse in den Zellen.

Sehen wir uns das einmal etwas genauer an, wie unser Körper funktioniert. Die Atmung bewirkt nicht nur die Sauerstoffversorgung der Zellen, sondern auch die des Lymphsystems, in dem die weißen Blutkörperchen enthalten sind, die den Körper schützen. Das Lymphsystem kann man als die Kanalisation des Körpers betrachten. Jede Zelle der Körpers ist von Lymphflüssigkeit umgeben. Im Körper befindet sich viermal soviel Lymphflüssigkeit wie Blut. Das Blut führt Sauerstoff und Nährstoffe und pumpt diese vom Herzen durch die Arterien in die dünnen, porösen Kapillaren, von wo sie dann in die, die Zelle umschließende Lymphflüssigkeit gelangen. Die Zellen, die genau wissen, was sie benötigen, nehmen den Sauerstoff und die Nährstoffe, die sie brauchen, auf und sondern Giftstoffe ab, von denen einige zurück in die Kapillaren gelangen. Tote Zellen, Blutproteine und andere toxische Stoffe können meistens nur von dem Lymphsystem ausgeschieden werden. Das Lymphsystem wiederum wird durch die Atmung aktiviert. Wenn Sie also einen gesunden Blutkreislauf und ein gut funktionierendes Lymph- und Immunsystem haben wollen, sollten Sie tief atmen und sich richtig bewegen. Auch für bettlägerige Patienten sollte man ein für den jeweiligen Fall ausgearbeitetes Bewegungsprogramm entwickeln. Ein sicherlich wertvolles Aufgabengebiet für Heilgymnastiker. Achten Sie bei jedem Gesundheitsprogramm darauf, ob es unterrichtet, wie Sie Ihren Körper durch wirksame Atmung reinigen können.

KAPILLAREN BESTIMMEN UNSER SCHICKSAL

Einer von drei Amerikanern bekommt Krebs. Doch nur einer von sieben amerikanischen Sportlern bekommt Krebs. Auch Sänger in den Gesangsvereinen und regelmäßige Kirchenbesucher, die kräftig jeden Sonntag mitsingen, haben weniger Krebsprobleme. Warum? Die vorgenannten Untersuchungen geben uns eine Erklärung dafür. Sportler und Sänger versorgen das Blut mit dem wichtigsten und notwendigsten Element - mit Sauerstoff. Eine andere Erklärung besteht darin, daß Sportler das Immunsystem ihres Körpers durch die Bewegung der Lymphflüssigkeit maximal stimulieren, genau wie auch die Sänger durch die vermehrte Aktivität ihrer Lungen.

Wie hungrig fühlen Sie sich nach einer Körperübung? Wollen sie ein großes Steak zu essen, wenn sie gerade 10 km gelaufen sind? Wohl kaum. Warum nicht? Weil Ihr Körper durch die gesamte Atmung bereits mit allem versorgt ist, was er benötigt.

Die andere entscheidende Komponente des gesunden Atmens sind tägliche aerobische Übungen. Wer einer beruflichen Tätigkeit mit geringer körperlicher Aktivität nachgeht, sollte sich pro Tag mindestens eine halbe Stunde lang körperlich bewegen und mindestens eine Stunde pro Woche eine intensive körperliche Tätigkeit ausüben. Beispiele für moderate körperliche Aktivitäten, die täglich für mindestens eine halbe Stunde ausgeübt werden sollten, sind: Zügiges Gehen (3 km/30 min.), Fahrrad fahren (6 km/30 min.), Tanzen. Beispiele für intensive körperliche Aktivitäten sind: Schwimmen (2,5 km), Laufen (8 km/ Stunde), Tennis spielen.

Die wichtigste Erkenntnis aus diesem ersten Abschnitt zum Thema Luft sollte sein, daß Luft für uns Energie ist, und wir stets ausreichend frische Luft zur Verfügung haben müssen. Vergessen Sie den dummen Spruch: „Es sind schon viele erfroren, aber noch nie einer erstunken!" Schlafen Sie daher stets mit offenem Fenster und suchen Sie oft die frische Luft auf. Unser Körper beginnt erst dann abzubauen und zu vergreisen, wenn unsere Lunge immer schwächer wird und uns somit nach und nach die wichtigste Nahrungsquelle versiegt.

Die Wichtigkeit wasserhaltiger Nahrung

Unser Körper besteht zu 70 % aus Wasser, unser Gehirn sogar aus 90 %. Was sollte Ihrer Meinung nach Ihre Nahrung enthalten? Wasser! Ihre Ernährung sollte zu 70 % aus wasserhaltiger Nahrung bestehen. Das bedeutet vor allem frisches Obst oder Gemüse und frisch ausgepreßte Säfte, die jedoch in kleinen Schlücken getrunken werden sollten, um dem Saft die Chance zu geben, sich mit unserem Speichel zu vermischen. Richtiger ist jedoch, das Obst pur zu essen und in die Frucht zu beißen, da damit die absolute Gewähr besteht, daß die Mischung mit dem Speichel perfekt ist. Bedenken Sie, kein Tier läuft mit einer Saftpresse herum und kann sich einen Saft ausdrücken, und die Tiere der Wildnis sind durchweg gesünder als wir Menschen.

Wissen Sie übrigens was in den Texten der Heiligen Schrift steht über die für den Menschen vorgesehene Nahrung? Alles nur wasserreiche Nahrung, Obst und

ESSEN SIE WAS IHNEN BEKOMMT

Gemüse! In Genesis 1:29 steht: „Und Gott sprach: Sehet da, ich habe Euch gegeben alle Pflanzen, die Samen bringen auf der ganzen Erde, und alle Bäume mit Früchten, die Samen bringen, zu Eurer Speise".

Der Mensch und seine engeren menschenähnlichen Vorläufer leben auf diesem Planeten ungefähr seit 15 Millionen Jahren. 14,95 Millionen Jahre lang davon (ca. 99,7 %) aß er fast nur rohe Pflanzennahrung: Früchte, Gemüse und Samen, alles frisch und unverarbeitet. Feuer und Werkzeuge, Kochtöpfe, Bratpfannen, Kühlschränke, Büchsenöffner und Saftpressen waren ihm unbekannt. Der Mensch mußte pflücken, sammeln und essen, was die Saison jeweils hergab! Ein Teil der Forscher sind daher der Ansicht, daß der Mensch diese 14,95 Millionen Jahre lang hauptsächlich ein Früchteesser war. Man kam zu Forschungsergebnissen, welche die frühmenschliche Ernährung in etwa 75 % Früchte, 20 % Gemüse und 5 % Nüsse aufteilte. Sicherlich wurden auch zur Abwechslung einige Insekten, Eier, Schnecken, Fische und auch kleine Tiere verspeist, die der Urmensch erhaschen konnte.

Also in der Zeit, in welcher der Herrgott den Menschen nach seinem Ebenbild formte (in der Bibel steht, daß er ihn aus Lehm formte, also aus etwas, das schon da war, aus einem Teil der Schöpfung). Wie ich einleitend berichtete, war die paradiesische Nahrung die beste und die gesündeste. Sind denn unsere Hände nicht ideal geformt, um Früchte zu pflücken? Alles ist doch so praktisch. Reife Früchte brauchen nicht vorbereitet zu werden. Man braucht keinen Ketchup auf den Apfel tun und auch keinen Mostrich auf die Banane. Der Mensch aß das, was gut aussah, was gut roch und was gut schmeckte. Und das 500.000 Generationen lang! Unsere Nahrungsumstellung erfolgte sehr langsam erst in den letzten 500.000 Jahren und ganz speziell und dann radikal in den letzten 10.000 - 20.000 Jahren nach der 'Vertreibung aus dem Paradies', nachdem der Mensch sich gezwungenerweise Werkzeuge schuf und das Feuer zu eigen machte. Diese für uns gewiß lange Zeit von 500.000 bzw. 10.000 - 20.000 Jahren ist aber in der Entwicklungsgeschichte eine sehr kurze Zeitspanne. Unsere Gene, unsere Anlagen sind häufig noch auf pflanzliche Frischkost eingerichtet. Jedermann kann das sofort nachprüfen, indem er diese besten Lebensmittel für den Menschen wieder seinen Organen zuführt. Testen Sie einmal ihren Organismus, ob diese Ernährung ihnen gut tut! Früchte sind leicht verdaulich, wenn die Darmflora in Ordnung ist und nicht eventuell gerade durch Antibiotika geschädigt wurde bei der Behandlung einer schweren Infektion. Auch die richtige Magensäurekonzentration ist für die Obstverdauung von Wichtigkeit. Beim Obstverzehr steht uns dann bereits im Magen oder spätestens im oberen Dünndarm der wichtige Fruchtzucker als beste Energienahrung zur Verfügung. Aus der Frucht kommen 90 % Energie, bei nur 10 % Verdauungsverlust, aus dem Gemüse bekommen wir 70 % Energie, bei nur 30 % Verdauungsverlust, aus dem Fleisch nur 30 % Energie, aber 70 % Verlust!

Je weniger Energie wir für die Verdauung verbrauchen, desto mehr Kraft, d. h. auch Nervenkraft, steht für uns bereit. Und Früchte liefern uns das Wasser in der richtigen Form. Rein, sauber, ungechlort und sogar ohne Fluorid und in reichlichen Mengen. Auf Grund neuerer Erkenntnisse wird empfohlen, täglich bis zu 3 Liter

KAPILLAREN BESTIMMEN UNSER SCHICKSAL

Flüssigkeit dem Körper zuzuführen. Man hat festgestellt, daß bei einem Liter Mehrverbrauch die Weltgesundheit sich drastisch verbessern würde. Unser Wasser ist leider zum größten Teil gar nicht so großartig für die notwendige Flüssigkeitszufuhr. Es gibt sogar Mineralwasser, welches unsauberer ist als Leitungswasser von den Wasserwerken. Dieses wird täglich mehrmals umfangreich analysiert. Aber das Leitungswasser enthält gezwungenermaßen neben dem wichtigen Chlor leider auch Fluoride und andere chemische Stoffe. Anstatt Ihren Körper mit zweifelhaftem Wasser durchzuspülen, brauchen Sie nur die Nahrung zu sich zu nehmen, die von der Natur her wasserhaltig ist. Wenn Menschen vorwiegend Nahrung zu sich nehmen, die wenig Wasser enthält, hat das fast zwangsläufig schädliche Auswirkungen auf den Körper. Alexander Bryce schreibt in seinem bekannten Buch: 'The Laws of Live and Health': „Wenn zuwenig Flüssigkeit zugeführt wird, hat das Blut ein größeres spezifisches Gewicht, und die giftigen Abfallstoffe des Gewebes oder des Zellaustausches werden nur sehr unvollkommen ausgeschieden. Der Körper wird dann von seinen eigenen Ausscheidungen vergiftet, und es ist nicht zuviel behauptet, wenn man sagt, daß der Hauptgrund dafür zu geringe Flüssigkeitsaufnahme ist, so daß die Abfallstoffe der Zellen nicht beseitigt werden können."

Wie viel Prozent Ihrer Speisen besteht aus wasserhaltiger Nahrung? Wenn Sie eine Liste all der Dinge aufstellen müßten, die Sie während der vergangenen Woche verdaut haben, wie viel würde davon reich an Wasser sein? Siebzig Prozent? Fünfundzwanzig? Fünfzehn? Bei Umfragen besonders in der 1. Welt wird immer wieder festgestellt, daß die Menschen nur fünfzehn bis zwanzig Prozent wasserhaltige Nahrung zu sich nehmen in Form von frischem Obst und Gemüse. Dieser niedrige Prozentsatz ist gerade selbstmörderisch.

Wenn Sie sich in der Natur umsehen und die größten und kräftigsten Tiere betrachten, werden Sie entdecken, daß es sich dabei um pflanzenfressende Tiere handelt. Elefanten, Kamele, Pferde, Rinder, Giraffen, Nashörner und so weiter ernähren sich allesamt nur von wasserreichen Pflanzen. Pflanzenfresser leben länger als Fleischfresser.

Wußten Sie übrigens, daß alle in der freien Natur lebenden fleischfressenden Tiere (ausgenommen bei Aas) im Normalfall nur pflanzenfressende Tiere reißen und sich dabei zuerst auf den Mageninhalt stürzen? Diese fleischfressenden Tiere haben nur einen sehr kurzen Darm, der ideal für Fleisch ist. Aus diesem Grunde holen sich diese Tiere das lebenswichtige Gemüse schon vorverdaut von den pflanzenfressenden Tieren, die einen entsprechend langen Darm dafür haben.

Wußten Sie überhaupt schon, wo zum ersten Male eine Gesundheitsdiät erwähnt und aufgeschrieben wurde? Sie werden erstaunt sein! In der Bibel! Und zwar im Alten Testament im Buch des Propheten Daniel 1:10 -17: Da ist die Geschichte von den Jünglingen, die stets am Tische des Königs essen mußten, wo es jeden Tag nur Festessen gab. Sie baten um eine andere Speise beim obersten Kämmerer, und dieser hatte Angst, ihnen etwas anderes zu geben, da er glaubte den Jünglingen würde es dann schlechter gehen. Aber hören wir mal was die Bibel uns zu berich-

ESSEN SIE WAS IHNEN BEKOMMT

ten weiß: Ich zitiere wörtlich: „Ich fürchte mich vor meinem Herrn, dem König, der euch eure Speise und euren Trank bestimmt hat. Wenn er merken würde, daß euer Aussehen schlechter ist als das der anderen jungen Leute eures Alters, so brächtet ihr mich beim König um mein Leben. Da sprach Daniel zu dem Aufseher, den der obere Kämmerer über Daniel, Hanaja, Mischaël und Asarja gesetzt hatte: Versuch's doch mit deinen Knechten zehn Tage und laß uns Gemüse zu essen und Wasser zu trinken geben. Und dann laß dir unser Aussehen und das der jungen Leute, die von des Königs Speise essen, zeigen; und danach magst du mit deinen Knechten tun nach dem, was du sehen wirst. Und er hörte auf sie und versuchte es mit ihnen zehn Tage. Und nach diesen 10 Tagen sahen sie schöner und kräftiger aus als alle jungen Leute, die von des Königs Speise aßen. Da tat der Aufseher die Speise und den Trank, die für sie bestimmt waren, weg und gab ihnen Gemüse". (Und nun kommt der schönste Teil in diesem Text): „Und diesen vier jungen Leuten gab Gott Einsicht und Verstand für jede Art von Schrift und Weisheit!" Und einige Sätze weiter heißt es: „Und der König fand sie in allen Sachen, die er sie fragte, zehnmal klüger und verständiger". (Wer will das nicht werden oder sein! Sind das nicht herrliche Worte in der Heiligen Schrift?!)

Die Gesundheitsminister der EU empfehlen täglich bis zu 5 Portionen frisches Obst und Gemüse. Von dieser Gruppe Obst und Gemüse hat die Aloe den umfangreichsten Cocktail von Vitalstoffen und ist allen Obst- den Gemüsesorten überlegen. Sie braucht keinen kunstgedüngten Boden und begnügt sich mit etwas Sand und Steinen. Ihr Wasser und Ihre Nährstoffe bezieht diese Pflanze fast ausschließlich aus der Luft. Unser Obst und Gemüse, mit Ausnahme der Aloe, wird äußerlich zwar immer schöner, aber innerlich leider besorgniserregend ärmer bei den Inhaltsstoffen.

Anders sieht es dagegen bei den heute bekannten synthetischen Nahrungsergänzungsstoffen aus, die einzelne dieser Substanzen in pharmakologischen Dosen enthalten. In Interventionsstudien zur Chemoprävention mit Supplementation einzelner oder kombinierter Antioxidantien konnten sowohl protektive als auch die Krebsraten erhöhende Effekte beobachtet werden.

Das Deutsche Institut für Ernährungsforschung in Potsdam-Rehbrücke empfiehlt: Während des ganzen Jahres sollten täglich 400 - 800 g, bzw. fünf oder mehr Portionen verschiedener Gemüse- und Obstsorten verzehrt werden. Diese Empfehlung ist eine zentrale Forderung an die tägliche Ernährung und wird als einzelne Maßnahme den größten präventiven Effekt erzielen. Zu der Gruppe der Gemüse zählen keine stärkereichen Lebensmittel, wie zum Beispiel Kartoffeln, dafür aber die Kaiserin der Heilpflanzen, die Aloe.

Millionen Menschen sterben unnötig und viel zu früh an Krankheiten, die ihre Ursache in der verkehrten Ernährung haben. Information über gesunde Ernährung ist daher dringend angeraten. Auf verkehrte Ernährung reagiert unser Organismus mit einer Verengung der Kapillaren. Die Sauerstoffversorgung der Zellen wird gestört oder bricht zusammen. Die Folgen sind eine ganze Reihe schwerer Krankheiten.

KAPILLAREN BESTIMMEN UNSER SCHICKSAL

Innerliche Reinigung und Entgiftung unseres Körpers

Nunmehr kommen wir zu dem wichtigsten Punkt der gesunden Ernährung. Ein Punkt, welcher der Hauptschlüssel für Ihre Gesundheit sein kann und für mich bereits seit einigen Jahren ist. Wenn man Sie fragen würde, was Ihrer Meinung nach die ungünstigste Zeit für eine Mahlzeit wäre, was würden Sie antworten? Wahrscheinlich „vor dem zu Bett gehen", wie so viele andere Menschen. Nun ist zwar Essen unmittelbar vor dem Schlafengehen tatsächlich eine schlechte Angewohnheit, aber auch wieder nicht so schlecht, wie das Frühstück gleich nach dem Erwachen am Morgen. Wie bitte? Bis hierher kann ich Ihre Ungläubigkeit und Ihre innere Entrüstung spüren! Ja, was ist denn mit all' den Ermahnungen, doch ein herzhaftes Frühstück zu essen, um genügend Energie für den Tag zu haben? Haben wir nicht von unseren Eltern, Großeltern und Ururgroßeltern gelernt, daß man morgens wie ein Kaiser essen soll, mittags wie ein Bürger und abends wie ein Bettler! Auf einmal soll das alles nicht mehr wahr sein? Nun, was ist damit? Wissen Sie, was die überall übliche Kaffeepause bedeutet? Die Menschen essen ein herzhaftes, üppiges Frühstück (z.B. um 7.00 Uhr), um Energie zu gewinnen, belasten aber dabei ihren Körper mit soviel Verdauungsarbeit, daß Muntermacher wie Kaffee (um 9.00 Uhr) die einzige Möglichkeit sind, sich bis zum Mittagessen vor dem Einschlafen zu bewahren. Es ist mir durchaus bewußt, welchen Tiefschlag ich damit einer weit verbreiteten und tief verwurzelten Auffassung versetze.

Vergessen Sie für eine Weile alles, was Sie über das Frühstück zu wissen glauben. Vergessen Sie eine Weile all´ die guten Ratschläge der Ernährungsfachleute, Diätberater, Ärzte und anderer Experten. Verlassen Sie sich für einen Augenblick auf Ihren eigenen gesunden Menschenverstand, der Ihnen sagen wird, ob das Frühstück einen positiven oder negativen Einfluß auf Ihre Gesundheit haben kann.

Bedenken Sie, für das Leben brauchen Sie Energie! Wenn Sie am Morgen erwachen, sind Sie ausgeruht und auf der Höhe Ihres Energiepegels, vorausgesetzt, Ihr Organismus mußte sich nicht die ganze Nacht mit den Folgen eines Mitternachtsimbisses oder einer falsch zusammengestellten Mahlzeit (wir kommen noch zu diesem Thema) herumschlagen. Wie werden Sie diese morgendliche Energiereserve nutzen? Für ein herzhaftes Frühstück? Sie wissen sicherlich, daß die Verdauung einen großen Energieaufwand benötigt. Ein reichliches Frühstück, das meistens nicht einmal richtig zusammengestellt ist, kann Ihnen keine Energie verschaffen, sondern wird sie verbrauchen! Wie könnte die Nahrung verdaut werden, wenn nicht mit Energie? Das traditionelle Frühstück, bestehend aus Toast, Brötchen, Brot, Butter, Eiern, Käse, Schinken, Aufschnitt, Marmelade, Getreidegerichten mit Milch oder sogar Fleisch und Kartoffeln, ist falsch zusammengestellt und bedeutet die größte gesundheitliche Bedrohung für unseren Körper. Schauen Sie sich einmal das Frühstück der Nordamerikaner an. Eine schlimmere Zusammenstellung kann es für den Körper nicht geben und als Prämie haben die Nordamerikaner die schlechteste Gesundheit der Welt. Sie haben die meisten Krankheiten, die meisten Krankenhausaufenthalte, die meisten Medikamente und die meisten Krebsfälle. Die amerikanischen Kinder haben in den ersten zwanzig Jahren ihres Lebens 127 Erkältungen, gegenüber 79 Erkältungen bei deutschen Kindern. Bei amerikani-

244

ESSEN SIE WAS IHNEN BEKOMMT

schen Kindern ist die Haupttodesursache Krebs. Es gibt Länder, da ist Krebs bei Kindern unbekannt. Die verkehrte Frühstückzusammensetzung der Amerikaner (das sog. „American Breakfast") zwingt den Körper zu stundenlanger Verdauungsarbeit, bei der seine Energie verbraucht wird und den größten Stoffwechselmüll hinterläßt. Schon eine richtig zusammengestellte Mahlzeit bleibt ungefähr drei Stunden im Magen oder sogar noch länger. Und solange die Nahrung nicht vom Darm absorbiert wird, kann sie keine Energie bilden. Ist es also - vom Standpunkt der Energie her gesehen - überhaupt sinnvoll, nach dem Erwachen zu frühstücken? Ich kann mir nicht vorstellen daß die 500.000 Generationen unserer Vorfahren sich nach dem morgendlichem Aufstehen an einen Frühstückstisch setzten. Man hatte ja noch keinen Kühlschrank zum Frischhalten der Nahrungsmittel und nicht einmal Gefäße. Ich glaube, unsere Vorfahren haben sich am Vormittag irgendwie beschäftigt und wenn sie dann Hunger bekamen, sind sie mittags z.B. auf einen Baum geklettert und haben Früchte gegessen.

Erinnern wir uns mal, wie man sich nach einem richtigen Eisbeinessen (oder in Brasilien nach einer "Feijoada") fühlt! Man möchte sich am liebsten hinlegen und schlafen. Deshalb gibt es in Betriebskantinen auch normalerweise kein Eisbein, sonst würden noch mehr Unfälle im Betrieb passieren als sonst nach dem Mittagessen am frühen Nachmittag. Wie viele Menschen ertrinken beim Baden nach dem Essen! Wenn Sie also ein typisches American Breakfast einnehmen wird es Ihnen ähnlich gehen. Sie werden aber nicht in Ohnmacht fallen, wenn Sie Ihr Frühstück einmal ausfallen lassen, da der Körper ohnehin von der Nahrung des vergangenen Tages zehrt, sondern Sie werden sich im Gegenteil weit munterer und energiegeladener sehen.

Wissen Sie welche die z.Zt. beste Armee der Welt ist, die klein ist, aber sich gegen eine dutzendmal größere Übermacht behaupten muß? In dieser Armee ist es jedem Soldaten verboten bis 12.00 Uhr irgend etwas zu sich zu nehmen. Dies ist eines der Geheimnisse der Schlagkraft dieser Armee. Sicherlich können Sie sich schon denken um welche Armee es sich handelt: Es ist die Armee von Israel, welche die wissenschaftlichen Daten und Quellen der ganzen Welt zur Verfügung hat und dessen Volk die meisten Nobelpreisträger stellt im Verhältnis zu seiner Volksgröße.

Wir haben es den Herausgebern der Bücher "Fit fürs Leben" zu verdanken, daß Sie in klarster Form das Geheimnis unseres Unwohlseins, unserer Krankheiten und deren Ursache lüfteten. Das im "Fit fürs Leben" -Buch vorgelegte Gesundheitsprogramm enthält als Hauptpunkt die Reinigung des Körpers durch Respektierung der sogenannten täglichen Ausscheidungsphase. Durch jahrelange Beobachtungen und Analysen ist man zur Überzeugung gekommen, daß jeder menschliche Körper jeden Tag eine Ausscheidungsphase hat. In dieser Phase sind alle Energien des Körpers gebündelt, um Stoffwechselmüll, Gifte, Schlacken usw. aus den Kapillaren, Blutbahnen und Geweben zu entfernen. Durch Blutuntersuchungen konnte festgestellt werden, daß alle Menschen jeden Tag ohne Ausnahme diese Phase durchmachen. In der Zeit von morgens um 4.00 Uhr bis 12.00 Uhr mittags ist unser Blut mit den meisten Abfallstoffen gemischt, die aus dem Körper entfernt

KAPILLAREN BESTIMMEN UNSER SCHICKSAL

werden müssen. Es wird also jeden Tag von unserem Körper ein Großreinemachen innerlich organisiert. Die dazu aufgewendete Energie ist derartig gewaltig und soll zusammengerechnet der Energie entsprechen, die ein Alpinist benötigt, um auf die Gipfel zu klettern. Das heißt also, daß von 4.00 Uhr morgens, wo wir normalerweise noch schlafen, bis zur Mittagsstunde unser Körper vollauf mit dem Reinemachen beschäftigt ist. Nun hat man festgestellt, daß, sobald irgend etwas in dieser Ausscheidungsphase in den Magen kommt, was ihm Arbeit gibt, in der gleichen Sekunde die Reinigungsarbeit eingestellt wird. Nun, da wir die Gewohnheit haben, morgens nach dem Aufwachen zu frühstücken, provozieren wir die große Katastrophe für unsere Gesundheit. Unser Körper macht entsprechend des Zeitpunktes des Morgenfrühstückes nur etwa die Hälfte seiner Arbeit des Großreinemachens oder manchmal sogar nur ein Drittel. Somit bleiben jeden Tag Stoffwechselmüll, Giftstoffe und Schlacken in unserem Körper übrig, die durch das verkürzte Reinemachen liegengeblieben sind. Diese nicht weggeräumten Körperverunreinigungen akkumulieren sich rasch im Laufe der Monate, Jahre und Jahrzehnte und bewirken als Abwehrreaktion eine Verengung der Kapillaren und bilden somit die Ursache für 70 % aller Krankheiten und Gebrechen und weit über 50 % der direkten Ursachen des Krebses.

Nun hat man festgestellt, daß rohes reifes Obst, das einzigste Nahrungsmittel ist, welches diesen Reinigungsprozeß nicht stört. Reifes und frisches Obst ist in einer Form, als wenn es schon vorverdaut ist und bedarf des Magens nicht. Somit kann reifes und frisches Obst fast direkt ungehindert durch den morgendlichen leeren Magen innerhalb von 10-30 min wandern, gelangt in den Darm und gibt dort Vitamine, Mineralsalze und Energie ab, die der Körper benötigt. Der Reinigungs- und Entgiftungsprozeß wird nicht gestört.

Zusammengefaßt merken Sie sich folgendes: Vom Augenblick des Erwachens am Morgen bis mindestens zur Mittagszeit sollten Sie nur frisches und reifes Obst essen oder frisch gepreßten Saft zu sich nehmen! Sie können davon essen und trinken, soviel Sie wollen, Sie brauchen sich in dieser Hinsicht keine Einschränkungen auferlegen. Essen Sie, wann immer Sie wollen, aber hören Sie auf Ihren Körper. Überessen Sie sich nicht!

Wenn Sie tatsächlich nur frisches Obst und frischen Obstsaft und besonders das Vitalgetränk der Aloe zu sich nehmen, können Sie sich einen riesigen Energievorrat für den Tag anlegen, anstatt Energie zu verbrauchen, denn sie brauchen im Magen nicht verdaut zu werden; Obst muß allerdings immer gut gekaut werden, Obstsaft sollte stets in kleinen Schlücken genommen werden und die Vermischung des Obstsaftes mit dem Speichel bewußt vorgenommen werden. Es ist wichtig, daß sich unser Speichel mit dem Obstsaft vermischt, damit selbst der sauerste Obstsaft alkalisch wird, wenn er in den Magen gelangt. Also niemals Obstsaft in großen Schlücken oder zu hastig trinken, da sonst unser Speichel keine Möglichkeit hat seine wichtige Neutralisierungsaufgabe zu erfüllen. Am Besten ist es natürlich statt eines Saftes, die Frucht selbst, geschält oder nicht, Stück für Stück in den Mund zum Zerkauen stecken, weil dadurch die Vermischung mit dem Speichel viel perfekter garantiert ist. Bedenken Sie immer, daß kein Tier in der Wildnis eine

ESSEN SIE WAS IHNEN BEKOMMT

Saftpresse besitzt und alle Tiere der Wildnis gesünder leben als wir. Vergessen Sie bei der Bekämpfung des Krebses und der meisten schweren Krankheiten, daß es auch Säfte aus Flaschen und Büchsen gibt. Die meisten dieser Getränke sind leider mit Wasser verdünnte Konzentrate, die schon einmal erhitzt wurden, also denaturiert sind. Täglich, wenn ich über die Autobahn zu meinem Betrieb fahre, sehe ich die herrlichen, blitzblanken Edelstahltanklastzüge, die das Konzentrat der Orangen Brasiliens im Werte von mehreren Milliarden US Dollar zum Hafen Santos bringen. Diese Vitaminbomber transportieren auf der einen Seite ein überaus wertvolles weltweit geschätztes Getränk, welches sich jedoch niemals mehr mit den Heilqualitäten eines Saftes aus einer frisch verzehrten Orange messen kann. Die in den industrialisierten Säften enthaltenen Vitamine erbringen nur noch einen Teil ihrer ursprünglichen Wirkung. Vielleicht steckt doch etwas wahres an dem Spruch: „Iß roh und Du wirst froh, iß kalt und Du wirst alt!" Wichtig ist es, niemals fanatisch und einseitig bestimmte Ernährungsempfehlungen befolgen. Wenn man die Wahrheit einmal erkannt hat, dann sind diese Empfehlungen eine wertvolle Richtlinie für ein gesundes Leben. Da jeder Mensch aber anders reagiert, sollte jedoch die Hauptregel sein: Erlaubt ist, was bekommt!

In Bezug auf die Förderung der Gesunderhaltung mit dem Einsatz von Orangen wurde in den USA eine der größten und längsten Langzeitstudien gemacht. Die Universität von Los Angeles in Kalifornien verpflichtete 11.348 Personen, die 20 Jahre lang zusätzlich zu ihrer normalen Ernährung täglich 2 Orangen und 0,15 g Vitamin C einnahmen. Bei Männern sank die Sterbequote bei Herztod um 42 %, bei Frauen um 25 %. Weitere Ursachen wie z.B. Krebs gingen bei Männern um 35 %, bei Frauen um 23 % zurück.

Durch den Verzehr von Obst wird Ihr Tag produktiver und energiegeladener werden, denn Sie haben Energie gesammelt statt verbraucht. Sie werden erstaunt sein, auf welch dramatische Weise sich Ihr ganzes Leben verändern wird, wenn Sie sich erst einmal daran gewöhnt haben, bis zum Mittag nichts als Obst und Obstsäfte zu sich zu nehmen. Wenn Sie diese Wohltat erst einmal erfahren haben, so wie ich, werden Sie sich fragen, warum Sie vorher jemals morgens eine schwere Mahlzeit zu sich genommen haben. Meine liebe Frau Mechtild bereitet mir jeden Morgen einen herrlichen, bunten dekorativ Früchteteller, voll mit der Nahrung aus dem Paradies. Und dies schon seit zehn Jahren, seit ich "Fit fürs Leben" gelesen hatte. Nur wer Obst am Morgen ißt, speist in Wirklichkeit wie ein Kaiser. Eine Weide für die Augen, eine Wohltat für unsere Nase und ein Genuß für unsere Zunge. Wir brauchen keinen Zucker, kein Salz, keinen Ketchup und keinen Mostrich. Es ist das Frühstück, welches uns Gott zur Verfügung gestellt hat. (Siehe Altes Testament, Genesis 1:29)

Auf ein leichtes Frühstück folgt ein leichter, lebensfroher Tag und auf ein schweres Frühstück ein schwerer. Sie können während des ganzen Morgens soviel Obst essen wie Sie wollen, bis ungefähr 20-30 Minuten vor dem Mittagessen. Der ausschließliche Verzehr von Obst und Obstsäften am Morgen ist der Kernpunkt der "Fit fürs Leben" - Lehre. Interessanterweise sagen viele Leute, daß sie das Gesamtprogramm nicht immer genau befolgen, dazu gehöre auch ich, den alleinigen Obstverzehr bis Mittag jedoch konsequent einhalten, denn alleine schon damit seien enorme Wohltaten für den Organismus verbunden. Ohne Frage handelt es sich um den wichtigsten Punkt der modernen Ernährungswissenschaft, die auch von der Armee Israels in noch verschärfter Form strikt eingehalten wird, denn da wird überhaupt nichts mehr gegessen in der Ausscheidungsphase.

1993 habe ich mich einmal versuchsweise sechs Monate strikt nach dem kompletten "Fit fürs Leben" - Programm (morgens Obst, mittags und abends Trennkost) ernährt. Dabei verbesserten sich meine vorher ungesunden Analysenwerte beim Cholesterin total von 398 auf 198, bei Cholesterin LDL von 262 auf 130, beim Cholesterin VLDL von 39 auf 16 und bei den Triglyceriden von 148 auf 78. Und das alles, ohne in diesem Zeitraum irgend ein Medikament zu nehmen.

Auch beim Früchteessen gibt es eine natürliche Ordnung. Es gibt zwar Ernährungsfachleute, die meinen, daß man bei dieser Gesundheitsdiät nur einen Typ einer Fruchtart jeweils essen soll. Kann eventuell besser sein! Ich bleibe jedoch bei den Ernährungsfachleuten, die gemischte Früchte empfehlen. Diese empfehlen jedoch bei der Fruchtmischung jeweils zuerst die wasserreichsten zu essen und zuletzt die wasserärmsten. Das bedeutet, daß man die Melone zuerst ißt und zuletzt die Banane. Nach ihren Berechnungen gehen die wasserreichen innerhalb von 10 Minuten durch den leeren Magen, während die wasserarmen 30 Minuten dafür brauchen. Sollte man also die Banane zuerst essen, würde sie die darauffolgende Melone für 30 Minuten blockieren. Je schneller der Magen wieder leer ist desto besser die Ausscheidungsphase und Entgiftung. Also auf die Reihenfolge achten. Die restlose Ausscheidung aller in Jahren und Jahrzehnten angesammelten Giftstoffe und Stoffwechselmüllsorten durch die Gesundheitsdiät kann sich über Monate und Jahre hinziehen, innerhalb von Tagen werden Sie jedoch unwahrscheinlich energiegeladen und lebensfroh sein. Gewöhnlich vollzieht sich die durch diese Diät eingeleitete Ausscheidung ohne weitere äußere Anzeichen oder Beschwerden. Nur wenige klagen in der ersten Zeit über leichtes Unwohlsein. Der größte Fehler wäre es in diesem Falle sofort die Flinte ins Korn zu werfen und zu Ihren alten Eßgewohnheiten zurückzukehren. Betrachten Sie diese Beschwerden als Zeichen, daß die Entgiftung begonnen hat. Diese kritische Phase sollten Sie durchstehen und nicht vereiteln. Sie haben doch ein klares Ziel vor Augen: Ihre Gesundheit!

Trennkost hilft, die Bildung von Stoffwechselmüll zu verringern

Während wir im vorherigen Kapitel erfahren haben, wie wir unseren Körper entgiften können und Sie gesehen haben, wie leicht das ist, werde ich Ihnen nun auch erklären, wie Sie die Bildung neuer Giftstoffe in Ihrem Körper vermindern können. Auch das ist sehr einfach und scheint logisch zu sein.

Auch hier muß man etwas in die Geschichte zurückschauen. Unsere 500.000 Generationen von Vorfahren kannten keine Mischkost, da sie sich ja, wie bereits

ESSEN SIE WAS IHNEN BEKOMMT

geschrieben, überwiegend von Obst (70 %), Gemüse (25 %) und Nüssen (5 %) ernährten, sowie eventuell einigen Maden, Grashüpfern, Schnecken, Eiern oder auch mal einem kleinen Tier. Diese unsere Vorfahren sind vielleicht, wenn sie Hunger hatten, auf einen Apfelbaum geklettert und haben sich dort sattgegessen. Auf dem Baum gab es ja nichts zum Mischen. Da hingen keine Kartoffeln, keine Schalen von Reis, keine gebackenen Brote oder Fertiggerichte. Wenn sie dann gesättigt vom Baum kletterten haben sie vielleicht noch etwas frisches Gemüse zur Abrundung gegessen, welches auf ihrem Weg wuchs und eventuell noch einige wohlschmeckende Nüsse, die unter den Nußbäumen lagen. Das Mischen von verschiedenen Nahrungsmitteln, die nicht harmonisieren, begann erst vor Kurzem, vor einigen Zehntausenden Jahren, als unsere Vorfahren beschlossen, sich Gefäße aus Ton und später aus Metall anzufertigen, um Nahrungsmittel zu horten oder zuzubereiten. Hinzu kam später noch das Feuer zur Speisenbereitung. Daß sich die Menschen schließlich aus der hauptsächlich für Vögel und Nagetiere vorgesehenen Speise, den Körnern, Mehl bereiteten und später daraus Brot, ist noch eine sehr neue Erfindung und erst 6.000 Jahre alt. Unser Verdauungssystem, durch 15 Millionen Jahre hindurch auf Obst, Gemüse und Nüsse eingespielt, hat sich in dieser so kurzen Zeit noch nicht auf die neue Mischkost umgestellt. Dazu benötigt unser Körper noch Millionen Jahre Anpassungszeit, um mit dieser Mischkost zurechtzukommen ohne dabei der Gesundheit zu schaden. Solange können wir jedoch nicht warten.

Wenn man das nun erkannt hat, sollte man aus dieser Erkenntnis die richtige Schlußfolgerung ziehen und unseren Körper respektieren durch vermehrte Einhaltung einer gesunden Trennkost. Diese entspricht unserer Entwicklung, ist gesund und kann unseren Körper vor Krankheiten schützen und die Kapillaren offen halten. Diese Ernährungsart erlaubt uns sogar, fast alles zu essen und zu genießen, wenn man die einfachen Ernährungsregeln der "Natürlichen Hygiene" kennt und sich danach richtet.

Manche Menschen halten das Kombinieren von Nahrungsmitteln, die sogenannte Trennkost, für sehr kompliziert, doch im Grunde ist es denkbar einfach: Manche Nahrungsmittel sollten nicht in Verbindung mit anderen gegessen werden. Verschiedene Arten der Nahrung erfordern verschiedene Arten von Verdauungssäften und nicht alle Verdauungssäfte sind miteinander verträglich. Essen Sie beispielsweise Fleisch und Kartoffeln zusammen? Wie steht es mit Käse und Brot oder Milch und Getreideprodukten oder Fisch mit Reis? Was, wenn ich Ihnen sage, daß diese Kombinationen für Ihren Körper absolut schädlich sind, Ihnen Energien rauben und den Boden für unzählige Krankheiten vorbereiten? Ich will Ihnen erklären, warum diese Kombinationen schädlich sind und wie Sie große Mengen an Energie sparen, die Sie gegenwärtig vergeuden und wie Sie Gesundheit tanken können. Verschiedene Nahrungsmittel werden auf verschiedene Weise verdaut. Stärkereiche Nahrung wie Reis, Brot, Kartoffeln und so fort, benötigen ein alkalisches Verdauungsmittel, das im Mund durch das Enzym Ptyalin geliefert wird. Proteinreiche Nahrung wie Fleisch, Milchprodukte, Nüsse, Getreide und ähnliches erfordern zur Verdauung Säure und zwar Salzsäure und Pepsin. Nun wissen wir aus der Chemie, daß zwei gegensätzliche Mittel wie Säure und Laugen nicht gleichzei-

KAPILLAREN BESTIMMEN UNSER SCHICKSAL

tig wirken können. Sie neutralisieren sich gegenseitig. Wenn Sie protein- und stär-kehaltige Nahrung gleichzeitig essen, wird die Verdauung beeinträchtigt oder wird vollkommen unterbrochen. Unverdaute Nahrung ist aber der Nährboden für Bakterien, die sie zur Gärung bringen und zersetzen, was zu Verdauungsstörungen, Blähungen, Stoffwechselmüll, Schlacken, Giftbildungen und zur Verengung der Kapillaren führt. Miteinander unverträgliche Nahrungskombinationen nehmen Ihnen die Energie, und alles, was zum Verlust von Energie führt, ist ein potentieller Krankheitserreger. Diese Mischung von Nahrungsmitteln, die nicht zusammen ver-daut werden sollen, bewirkt eine Übersäuerung des Organismus. Das Blut verdickt dadurch, zirkuliert langsamer, die roten Blutkörperchen verfallen in die Azidosestarre, verlieren ihre Elastizität und können sich nicht mehr in die engsten Kapillaren hineinzwängen. Somit wird dem Körper Sauerstoff vorenthalten. Erinnern Sie sich noch, wie Sie sich letztes Jahr nach dem Weihnachtsfest gefühlt haben? Wie förderlich ist so etwas wohl für Ihre Gesundheit, einen gesunden Blutkreislauf, eine kraftvolle Physis? Wie förderlich ist das für die Resultate, die Sie im Leben erreichen wollen?

Einfache Trennkostregeln zur Gesunderhaltung

Vielleicht gibt es auch bei uns den gesunden Menschenverstand, der uns davor schützt, ungesund zu leben. Genau darum geht es bei der Kombination von Nahrung. Es gibt eine einfache Möglichkeit, sich die Regeln einzuprägen: Nehmen Sie pro Mahlzeit eine konzentrierte Nahrung zu sich? Was ist eine konzentrierte Nahrung? Die Antwort ist leicht zu behalten: Alles was nicht Obst, Gemüse oder Salate sind, ist konzentrierte Nahrung!!! So einfach ist die Regel, die man sich mer-ken muß. Alles ohne Ausnahme. Essen Sie zu jeder Mahlzeit stets nur eine kon-zentrierte Nahrung und Sie werden sich wohlfühlen, Sie essen Gesundheit und den meisten Krankheiten die Nahrung weg.

Wenn Sie also das nächste Mal Appetit z.B. auf Eisbein haben, essen Sie einmal nur das Fleisch und dazu nur das Sauerkraut. Sie werden vom Tisch aufstehen und sich wohl fühlen. Wenn Sie jedoch in diesem Falle noch die Kartoffeln und das Erbspürree mitessen, werden Sie einen Stein im Magen haben. Essen Sie was Ihnen bekommt, was Sie bei Figur und bei Laune hält, denn Sie können einfach fast alles essen mit dieser Gesundheitsdiät, aber jeweils nur eine konzentrierte Nahrung zu jeder Mahlzeit. Wenn Sie sagen, das funktioniert bei mir zu Hause, aber wie ist es im Restaurant? Jeder Gastwirt wird alles machen, um seine Kunden zufrieden-zustellen. Sie sollen ja wiederkommen. Sie als Gast bestimmen was Sie essen wol-len und Sie sagen Ihre Speisewünsche bzw. Ihre Speisezusammenstellung dem Kellner. Wenn Sie jedoch noch Vorspeisen nehmen, noch zusätzlich Brot mit Butter, eine tolle Nachspeise und dann noch einen Kaffee und etwas Gebäck, dann brau-chen Sie sich nicht zu wundern, daß Sie dadurch vielleicht vielen Krankheiten die Tür öffnen.

Wachen Sie morgens müde auf, selbst wenn Sie sechs, sieben oder auch acht Stunden geschlafen haben? Wissen Sie warum? Weil Ihr Körper, während Sie schlafen, Überstunden macht, um die unverträglichen Speisekombinationen zu

ESSEN SIE WAS IHNEN BEKOMMT

verdauen, die Sie in sich hineingestopft haben. Viele brauchen für die Verdauung mehr Energie als für alles andere. Wenn unverträgliche Speisen im Verdauungstrakt zusammenkommen, kann es bis acht, zehn, zwölf und vierzehn Stunden und manchmal auch länger dauern, bis sie verdaut sind. Wenn Speisen richtig kombiniert werden, kann der Körper seine Arbeit wirksamer verrichten, und die Verdauung dauert durchschnittlich drei bis vier Stunden, so daß Sie nicht Ihre ganze Energie darauf vergeuden müssen.

Zusammengefaßt möchte ich den wichtigen Lehrsatz noch einmal hervorheben: Jeweils nur eine konzentrierte Nahrung pro Mahlzeit zu sich nehmen. Was ist konzentrierte Nahrung? Alles was nicht Obst, Gemüse oder Salate sind, ist konzentriert! Wenn Sie danach leben, verhindern Sie die Vergiftung Ihres Körpers mit dem Stoffwechselmüll und die Verengung der Kapillaren, Ursachen für schwere und schwerste Krankheiten. Nunmehr kommen wir zu einem weiteren wichtigen Thema:

Obstessen hat seine Regeln

Obst ist vollkommenste Nahrung. Unser Körper benötigt zur Verdauung von Obst am wenigsten Energie, bezieht daraus jedoch mehr Nährstoffe als aus jeder anderen Nahrung. Die einzige Nahrung, die Ihr Gehirn braucht, ist Traubenzucker. Obst besteht hauptsächlich aus Fruchtzucker, der leicht in Traubenzucker umgewandelt werden kann, und häufig aus neunzig bis fünfundneunzig Prozent Wasser. Das bedeutet, es reinigt und nährt zugleich.

Im Zusammenhang mit dem Verzehr von Obst gibt es allerdings ein Problem: Die meisten Menschen wissen nicht, wie sie es essen sollen, um dem Körper die enthaltenen Nährstoffe am wirksamsten zuzuführen. Obst muß immer auf leeren Magen gegessen werden. Warum? Obst wird vor allem im Dünndarm und nicht so sehr im Magen verdaut. Das Obst gelangt innerhalb weniger Minuten durch den Magen in den Dünndarm, wo es den Zucker abgibt. Wenn der Magen aber mit Fleisch, Kartoffeln oder Stärke angefüllt ist, wird das Obst dort festgehalten und beginnt zu gären. Ein Schnellzug stößt auf einen Bummelzug! Haben Sie schon einmal nach einer üppigen Mahlzeit zum Nachtisch Obst gegessen und festgestellt, daß Sie für den Rest des Tages einen unangenehmen Geschmack im Munde hatten und aufstoßen mußten? Obst sollte immer auf leeren Magen gegessen werden! Niemals als Nachtisch! Obst kann bis zu 20 Minuten vor jeder Mahlzeit gegessen werden, also als Vorspeise. Und wie wir schon vorher lernten, sollte Obst am Vormittag bis um 12.00 Uhr exklusiv gegessen werden!

Kennen Sie die zwei typischsten Beispiele des Fehlens von frischem Obst in der Ernährung? Ich werde Sie Ihnen erzählen: Im Ersten Weltkrieg mußte das deutsche kaiserliche Kriegsschiff „Kronprinz Wilhelm", welches im Nordatlantik im Einsatz war, einen amerikanischen Hafen anlaufen (im Kriege durften Kriegsschiffe der kriegsführenden Nationen bis zu drei Tage lang neutrale Häfen anlaufen. Die USA waren zu dieser Zeit noch neutral), weil alle an Bord krank waren. Es fehlte nicht an Essen und Eingemachtes war genügend an Bord, Konserven in Hülle und Fülle. Aber alles war gekocht und eingekocht. Denaturierte Nahrung also, kaum Vitamine.

251

KAPILLAREN BESTIMMEN UNSER SCHICKSAL

Die saure, man kann sogar sagen „tote" Kochkost hatte die gesamte Mannschaft lahmgelegt. Man besuchte in Amerika im Hafen einen Markt, kaufte frisches Obst und Gemüse ein, und in Kürze war die ganze Besatzung wieder gesund.

Das andere Beispiel ist aus Brasilien, aus dem Jahre 1910/1912. Die Arbeiter der Eisenbahnlinie „Madeira-Mamoré-Railway", die ursprünglich Brasilien mit Bolivien verbinden sollte, kamen aus vielen Ländern, auch viele Deutsche waren darunter. An Geld fehlte es nicht. Das gesamte Essen wurde in Konserven aus Europa mitgebracht. Alles denaturierte Konservennahrung, Mehl für weißes Brot, süße Marmelade, Zucker, Schmalz, Kräcker, Trockenbeef und noch reichlich Kaffee dazu. Eine ganz tolle Mischung. Die Kost war 100 % denaturierte Kochkost, ohne eine einzige Frucht, ohne ein einziges grünes Blatt Salat. Diese Ernährung kostete 4.000 Menschen das Leben. Der Friedhof „Candelária Graveyard" zeugt noch heute von ihrem Sterben. Obgleich vierzig Ärzte die Arbeiter begleiteten, starben sie wie die Fliegen. Man erkannte damals den Grund nicht. Selbst der Chefingenieur P.H. Ashmed wurde wegen Arbeitsunfähigkeit nach England zurückgeschickt. Das war seine Rettung. Auf seiner Rückkehr bekam er einen unwiderstehlichen Drang nach Orangen. Glücklicherweise hatte das Schiff eine große Ladung Orangen aus Brasilien an Bord. Ashmed aß davon und wurde schnell wieder gesund.

Aber wie konnten Ärzte und Arbeiter nur so blind sein und nicht von der Natur um sie herum lernen. Brasilien ist das Land der Vitamine. Tausende Affen und andere wilde Tiere tollten sich bei reichlicher tropischer Obstkost gesund und fröhlich in ihrer nächsten Nähe! Aber wie sagt man so schön in Deutschland: „Was der Bauer nicht kennt, das ißt er nicht!" Der Mensch hatte sich derartig an die Kaffee/Weißbrot- und Marmeladenkost gewöhnt, daß er mit Blindheit geschlagen war. Dr. Shelton hat diese Erfahrung in einem Zitat zusammengefaßt, das wie folgt lautet: „Lies das Etikett! Ernährungsexperten und Gesundheitsschreiber bitten uns, die Etiketten zu lesen, damit wir wissen, was in den Packungen oder Flaschen ist. Aber die wirkliche Wahrheit entgeht allen: Wenn eine Nahrung den Inhalt auflistet, kaufe sie nicht! Ein Apfel, eine Banane, eine Melone, Kirschen, Johannisbeeren usw. brauchen keine Etiketten mit Inhaltsangabe. Das ist die Nahrung aus dem Paradies, das ist die Nahrung für unsere Gesunderhaltung und unsere Nahrung als Schutz vor vielen schweren Krankheiten."

Weniger denaturierte Nahrung

Jede erhitzte Nahrung ist leider denaturisiert. Das Kochen, Braten, Backen, Pasteurisieren, Rösten und Grillen zerstört im Moment der Hitzeanwendung viele Wertstoffe unserer Lebensmittel. Das Erhitzen vernichtet und verändert ihre Aminosäuren. Stärke und Zucker werden zu Dextrinen umgewandelt, sie karamelisieren und oxidieren. Vitamine werden vernichtet oder verändert und ihre Wirkung auf einen Bruchteil herabgesetzt. Mineralsalze kehren in ihre anorganische Form zurück und können in dieser Form nicht mehr vom Körper voll und ganz assimiliert werden. Jedes erhitzte Essen vermindert unsere Chance, die verlorene Gesundheit wieder zu erlangen und unseren Körper besser gesund zu erhalten. Beweis ist die Verdauungsleukozytose, die nur bei erhitzter Nahrung erscheint. Der Name ist vom

ESSEN SIE WAS IHNEN BEKOMMT

Wort „Leukozyt" abgeleitet, die wissenschaftliche Bezeichnung der weißen Blutkörperchen. Von denen gibt es normal 6000 per Kubikmillimeter; essen wir aber denaturierte Nahrung - insbesondere süße Sachen und Kuchen - dann kann die Zahl der weißen Blutkörperchen im Blut auf das Dreifache ansteigen, d.h. auf 18.000, und da nun weiße Blutkörperchen als die Schutzleute des Organismus immer zur Stelle sind, wenn Gefahr vorhanden ist, sehen wir, daß das Blut durch denaturierte Nahrung, die wir gegessen haben, stark vergiftet wird.

Die vollständige, also 100 prozentige Rohkost, erzeugt keine Verdauungsleukozytose. Die frische, rohe Pflanzenkost, wie Nüsse, Obst und Gemüse, ist basisch; auch frische, rohe, nicht pasteurisierte Milch ist basisch; werden diese Produkte aber bis zum Siedepunkt erhitzt, bekommen sie alle einen Säureüberschuß, was äußerst ungünstig für unseren Organismus ist. Bestimmte Nahrungsmittel dürfen jedoch unter dem Siedepunkt kurz erwärmt oder gedünstet werden bis zu folgenden Temperaturgrenzen: Milch und Eier 88°C, Fleisch 89°C, Gemüse, Früchte und Nüsse zwischen 90°C und 97°C ohne zur Verdauungsleukozytose zu führen. (Siehe: Geheimarchiv der Ernährungslehre von Dr. Ralph Bircher S. 63-66)

Hippokrates, der größte Arzt des Altertums, konnte all das noch nicht wissen. Aber aus seiner intuitiv-empirischen Kenntnis riet er schon vor 2400 Jahren; „Das Gemüse esse man ungekocht voraus....Gekochtes nimmt dann als nächsten Gang....Obst in mäßiger Menge vor den Hauptmahlzeiten". Diese Reihenfolge ist richtig und sehr gesund!

Ein versäuerter Organismus führt zur Azidosestarre. Dabei büßen die roten Blutkörperchen ihre Elastizität ein und können sich nicht mehr in die feinsten und engsten Kapillaren hineinzwängen. Dadurch kommt es zur Unterversorgung bestimmter Bereiche, z.B. des Knochengewebes. Es kann dadurch Knochenerweichung und Osteoporose mitentstehen. Früher stand an den Berliner Straßenbahnen der Werbespruch: „So wichtig wie die Braut zur Trauung ist „Bullrich Salz" für die Verdauung. „Bullrich Salz" ist Natriumbicarbonat und hilft mit, den durch die unvernünftige gutbürgerliche Mischkost versäuerten Organismus zu neutralisieren.

Soweit die Zähne gut genug sind, wird die Rohkost gegessen, wie sie ist, nur gereinigt. Kann man sie nicht gut kauen, muß man sie unmittelbar vor dem Essen zerkleinern, aber dadurch verliert sie sofort einen Teil der Vitamine. Äpfel können in Stückchen geschnitten, Wurzeln und Knollen gerieben, keimende Getreidekörner und grüne Blätter gehackt werden; sie dürfen nicht zerdrückt werden, indem sie durch eine Maschine getrieben werden. Durch das Zusammenpressen und Zusammenquetschen der Blätter in der Maschine verlieren die grünen Blätter ihre lebende Kraft. Zerkleinertes Gemüse muß sofort gegessen werden. Ein Stehenlassen verträgt es nicht, auch nicht zugedeckt. Wenn man z.B. rohgeriebene Mohrrüben und Rote Beete nur eine halbe Stunde der Luft aussetzt, verlieren sie nicht nur ihre frische Farbe, sondern auch den Geschmack und graduell mit der Zeit ihre Vitamine. Rohkost muß sorgfältig gekaut werden, am besten so gut, daß sie von selbst in die Speiseröhre hinuntergleitet. Und selbst die zerkleinerte Rohkost muß in jedem Fall gut eingespeichelt werden.

253

KAPILLAREN BESTIMMEN UNSER SCHICKSAL

Frische, rohe Pflanzenkost ist reine lebendige Vitalnahrung, ist Sonnenlichternährung, ist die Lebensquelle selbst! Deshalb besitzt frische, rohe Pflanzenkost den höchsten Nährwert und dieser kann durch gar keine Maßnahme vermehrt oder erhöht, sondern nur verringert werden, und das geschieht, indem die Pflanze stirbt, sei es, daß dies durch Trocknen und Welken, durch Lagerung oder Gärung und Verwesung geschieht, oder weil wir sie kochen, backen, braten oder sterilisieren. Und wenn das Leben aus der Nahrung fort ist, ist der Geschmack fort. Zerkochtes Gemüse schmeckt an sich nach nichts, etwas muß dazugetan werden, damit das Essen wenigstens nach irgend etwas schmeckt, und das tun wir denn auch. Deshalb darf Gemüse höchstens kurz gedünstet (max. 90°C) werden. Die Bergbewohner haben meist eine robuste Gesundheit, da durch die Höhe der Berge, der Siedepunkt bei ihrer Speisenbereitung viel niedriger liegt und die Nahrung dadurch weniger denaturisiert wird.

Die Rohkost ist leicht verdaulich, gibt eine gute harmonische Ausnützung und nur wenige Schlacken bzw. Stoffwechselmüll; sie schont und stärkt auf jede Weise den Organismus durch ihren Gehalt an Leben, an Basen, Vitaminen und Mineralsalzen in ihren natürlichen, lebendigen Verbindungen und im richtigen Verhältnis zueinander. Unsere heutige "gutbürgerliche Kost" ist Hauptursache körperlicher und seelischer Krankheit und kontinuierlicher Degeneration durch sich verengende Kapillaren, die sogar vererblich sind. Kein Wunder, daß die Krankheiten florieren und der Krebs immer häufiger zuschlägt, nicht nur bei den immer älter werdenden Bürgern sondern auch schon vermehrt bei Kindern.

Wie viele Kinder nehmen schon Schaden vor der Geburt, weil sich die Mutter falsch ernährt und sich dadurch die Kinder von dem schlechten Blut im Mutterleib ernähren müssen. Krankheiten können dadurch vorbereitet werden, sie können im Mutterleibe entstehen, so daß das Kind bereits krank zur Welt kommt.

Deshalb, je früher wir die Rohkost vermehrt in unseren Speiseplan einführen, desto besser und schneller wirkt sie. Kinder haben es von Natur aus leichter, sich an Rohkostbeilagen zu gewöhnen und diese sollten bei keiner Mahlzeit fehlen. Die ältere Generation hat es schwerer, sich umzustellen, da der Organismus durch verkehrte, denaturierte Nahrung oft und zugleich medizinvergiftet und dadurch nicht mehr so schnell aufnahmefähig ist für einen höheren Rohkostanteil.

Die berühmte dänische Ärztin, Dr. Kirstine Nolfi, heilte alle von den Ärzten aufgegebenen Kranken in ihrer Klinik "Humlegaarden" durch Nahrungsumstellung, frische Luft und Sonnenbäder. Sie berichtete über kränkliche Säuglinge, die wenig Muttermilch und daher Zusatz von verdünnter gekochter Kuhmilch erhielten: Mutter und Kind erholten sich jeweils schnell, als ihnen totale Rohkost verordnet wurde. Die Mutter bekam dadurch umgehend genug Milch und innerhalb von vierzehn Tagen wurde das Kindchen, das vorher blaß, apathisch, schlapp, abgestumpft und nicht zum Lächeln zu bewegen war, wieder voll gesund. Es war nunmehr sonnengebräunt, lachte, strampelte und verhielt sich springlebendig mit einem Lächeln zu allen, die es anguckten. Es grenzt ans Unbegreifliche, daß es so schnell gehen kann, bloß weil ein Kind erstklassige Muttermilch bekam, so viel, wie es bedarf und

ESSEN SIE WAS IHNEN BEKOMMT

späterhin abwechselnd Obst und Beerenfrüchte nebst Gemüse, zu Mus frisch gerieben, aber nur so viel, wie es freiwillig nehmen will. Es ist ein großer Fehler der Mütter, daß sie immer das Kind nötigen wollen, mehr zu essen, als es verlangt. Das Kind fühlt, wenn es genug bekommen hat, und danach soll man sich richten. Und dann müssen die Kinder außerdem Bewegung, Licht, frische Luft und gute Hautpflege haben. Die Ärztin berichtet, daß durch Rohkost selbst eine große Kinderschar in wenigen Monaten sich in frische, frohe und gesunde Kinder verwandelte, die sich viel besser als früher vertrugen und viel umgänglicher waren.

Die dänische Ärztin Kirstine Nolfi berichtet über ihre persönlichen Erfahrungen mit Rohkost und Krebs: „Im Winter 1940/41 fühlte ich mich auffallend müde und schlapp, aber eine bestimmte Krankheit konnte ich nicht feststellen. Im Frühjahr entdeckte ich zufällig einen ganz kleinen Knoten in meiner rechten Brust. Müde und schlapp wie ich war, beachtete ich ihn nicht. Groß war deshalb mein Entsetzen, als ich fünf Wochen später, wieder ganz zufällig, entdeckte, daß der kleine Knoten an meiner Brust jetzt etwa die Größe eines Hühnereies hatte und in die Haut hineingewachsen war. Und das tut nur der Krebs." Frau Dr. Nolfi schreibt weiter: „Auf dem Krebs-Kongreß, der vor einigen Jahren in Helsingfors in Finnland tagte, sagte Prof. Dr. Holst aus Oslo u.a.: Die gewöhnliche Behandlung des Krebses (Operation, Röntgen- und Radiumbehandlung) ist nur eine Surrogatbehandlung. Die Ursache des Krebses kennen wir nicht. So war ich mir sofort ganz klar darüber, daß ich diese Behandlung jedenfalls nicht anwenden wollte. Aber was dann? Etwas Ernstes, und zwar das Richtige mußte ich tun, sonst würde ich bald an Krebs sterben. Und da fühlte ich es beinahe als etwas Selbstverständliches, daß ich die Rohkost ganz bis auf 100 Prozent durchführen mußte. Ich mußte mit meinem eigenen Leben als Einsatz beweisen, was 100-prozentige Rohkost zu bewirken vermag.

Müde war ich und blieb ich auch noch die beiden ersten Monate, und während dieser Zeit verminderte sich der Knoten in der Brust nicht. Er hielt sich unverändert; aber dann kam die Besserung. Der Knoten wurde kleiner, die Kräfte kehrten zurück, ich erholte mich offensichtlich und fühlte mich so wohl, wie seit vielen Jahren nicht mehr." Dr. Nolfi weiter: „Vorher hatte ich mich mit Dr. M. Hindhede beraten, mit dem ich oft zusammen war. Dr. M. Hindhede war mit mir darüber einig, daß ich Krebs gehabt habe, riet mir aber unter allen Umständen von einer Biopsie ab; wir wußten beide, daß eine solche die Blutbahn öffnen und der Krebs sich dann verbreiten würde, und deshalb habe ich das nicht getan. Als ich mich etwa ein Jahr lang mit 100-prozentiger Rohkost gutbefunden hatte, versuchte ich es, auf dringende Aufforderung von Dr. Hindhede, wieder mit vegetarischer Kost und zwar teils gekocht, teils Rohkost; etwa 60-75 Prozent Rohkost, das ging aber nicht. Nach drei bis vier Monaten fühlte ich stechende Schmerzen in der Brust in dem nach meinem Krebs entstandenen narbenartigen Gewebe an dieser Stelle, wo er ursprünglich an der Haut festgewachsen war. Es ist nämlich so, daß wenn die Krebszellen auch sterben, diejenigen Krebszellen, welche die Bindegewebezellen zusammenhalten, nicht sterben; denn die sind wie normale Zellen und die bilden dies narbenartige Gewebe. In den darauffolgenden Wochen nahmen diese Schmerzen stark zu, und nun verstand ich plötzlich: Jetzt beginnt der Krebs wieder zu wachsen. Wieder kehrte ich zur 100-prozentigen Rohkost zurück, wodurch die Schmerzen schnell

KAPILLAREN BESTIMMEN UNSER SCHICKSAL

verschwanden und auch die beginnende Müdigkeit wich. Und der Krebs, der sich in der Haut über der Brust bei der gewöhnlichen vegetarischen Kost verbreitet hatte, kam zum Stillstand."

Frau Dr. Nolfi folgerte daraus: „Und was nun? Ich war ja Ärztin, also mußte ich jetzt in größerem Maßstabe meine gewonnene Erfahrung benutzen, um meinen kranken Mitmenschen zu helfen; das war mir ganz klar. Auch mein Mann hatte Interesse dafür gewonnen. Wir bauten ein Solarium an unserem Hause an, so daß wir im kommenden Sommer vier bis fünf Patienten bei uns einlogieren konnten. Wir haben alle 100-prozentige Rohkost gegessen und alles ging gut. Die Patienten erholten sich. Dann verkauften wir unser Haus im äußersten Stadtbezirk von Kopenhagen und kauften "Humlegaarden" beim Sund, acht Kilometer südlich von Helsingör, und richteten das Haus als Rohkost-Kuranstalt ein." Ausführlich zu lesen in ihrem Buch "Meine Erfahrungen mit Rohkost", erschienen im "Medizinpolitischer Verlag Hilchenbach". Frau Dr. med. Kirstine Nolfi verstarb am 29. April 1957 im Alter von 76 Jahren.

Ähnliches berichtete auch Dr. med. et phil. Bernhard Detmar in seinem 1951 in der Schweiz erschienenem Buch "Iß richtig, und du bleibst gesund!" Er beginnt sein Buch mit dem Spruch: „Der Fraß tötet mehr Menschen als das Schwert! hat der große griechische Arzt Galen schon vor 1700 Jahren gesagt. Seitdem ist es eher noch schlimmer geworden; denn ein großer Teil unserer Nahrung wird heute so hergerichtet, daß unser Körper nichts mehr damit anfangen kann. Zahlreiche schwere Gesundheitsschäden sind die Folge. Das zeigt dies Buch an vielen Beispielen mit aller Deutlichkeit. Es zeigt aber auch den Weg zurück zur Gesundung durch einfache unverfälschte Kost." Auch Dr. Detmar heilte alle seine schwer erkrankten Patienten durch Abänderung ihrer Diät.

Paracelsus (1497-1543), wahrscheinlich bis heute der größte unter den Ärzten des Abendlandes und deren tiefster Denker, hat mit Stolz bekannt, daß er sein Wissen bei den Kräuterfrauen und in allen Winkeln des Volkes holte. Die Wissenschaft seiner Zeit war Spekulation und papierne Überlieferung. Die Wissenschaft unserer Zeit ist "Natur"-wissenschaft ohne Natur. Sie braucht dringend Wandlung auf allen Ebenen. Das heißt in der Medizin, daß naturgemäßes Denken und die Hilfe des Einfachen dort wieder einkehren, wo sie berechtigt sind. Der Arzt und auch der Patient müssen wieder lernen, natürlich zu denken und in medizinischen Dingen ihrem Gefühl und gesundem Menschenverstand zu vertrauen. Wir alle wissen, daß die Verunstaltung der Nahrungsmittel ebenso wie der Genußkonsum, der Mißbrauch von Arzneimitteln und die Verseuchung von Wasser und Lebensluft, kurz, die Chemisierung des Lebens, zur allgemeinen Erkrankung der Kulturvölker führt.

Kein anderes der 700 000 verschiedenen Lebewesen auf dieser Erde erhitzt sich sein Essen und zerstört es dadurch. Humorvoll eingeblendet kann man berichten: „Nicht einmal der Pinguin, der auf dem Eis des Südpols wochenlang steht und auf seinen Füßen die Eier ausbrütet, kocht sich eine Suppe oder einen heißen Tee. Er bekommt nicht einmal einen Schnupfen." Die Art unserer heutigen "gutbürgerlichen

ESSEN SIE WAS IHNEN BEKOMMT

Kost" ist eine reine Modetorheit, da sie zuwenig naturbelassene Nahrungsmittel beinhaltet. Die Bestrafung durch die Natur erleben wir täglich in der Arztpraxis, den Krankenhäusern, Alters-, Pflege- und Siechenheimen!

Weltberühmt sind die großangelegten Tierversuche mit Kälbern, Katzen und Ratten. Man versuchte Kälber mit pasteurisierter Milch aufzuziehen, also mit einmal kurzzeitig erhitzter Milch. 60 % starben. Man bildete Gruppen von Katzen; die eine Gruppe erhielt nur rohe Nahrung, die andere die gleiche Nahrung, jedoch alles nur einmal vorher kurz erhitzt. Die Katastrophe war vorprogrammiert. Während die eine Katzengruppe mit der natürlichen Ernährung völlig gesund lebte durch Generationen hindurch, erlitt die andere Katzengruppe die verschiedenartigsten Krankheiten, und eine Anzahl davon konnte sich in der dritten Generation nicht einmal mehr vermehren. Ähnliches konnte auch bei Ratten beobachtet werden in Bezug auf die Häufung der Krankheiten bei ausschließlicher erhitzter Nahrung.

Wissen Sie eigentlich wie viel Vitamine und Spurenelemente der Mensch pro Jahr benötigt? Sie werden staunen! Die Menge von wenigen Kubikzentimetern. Aber diese Vitamine und Spurenelemente sollten aus der reinen, nicht erhitzen Natur kommen. Aus der lebendigen und organisch intakten Natur. Wenn diese Vitamine und Spurenelemente aber erhitzt sind oder aus synthetischer Fertigung der Industrie kommen, benötigen wir oft die zehn-, hundert- oder tausendfache Menge, um auf gleiche Wirkungen im Organismus zu kommen. Gehen Sie einmal in einen amerikanischen Supermarkt. Da ist die Nahrung zum größten Teil denaturisiert. Fast alles wunderschön in Dosen, Flaschen und praktischen Schachteln einladend und traumhaft verpackt. Alles bereits fertig vorbereitet und dabei erhitzt. Also sind die Vitamine bereits aus ihrer natürlichen Form in die denaturierte Form umgewandelt worden. Da diese Vitamine und Spurenelemente nun in der Nahrung vermindert wurden oder oft gänzlich fehlen, sehen wir im gleichen Supermarkt jedes Jahr mehr und mehr größere Packungen von Vitaminen und Spurenelementen, die man dann separat kaufen kann. Das gleiche gilt sinngemäß auch für die Mineralsalze.

Man kauft schon jetzt in Kilopackungen die Vitamine, Spurenelemente und Mineralsalze. Ein Wahnsinn! Denn diese sind ja teilweise auch bereits hitzebehandelt, so daß man im Endeffekt diese kiloweise im Jahr schlucken müßte, um den an sich mengenmäßig kleinen Mangel der naturbelassenen so wichtigen Nahrungsbestandteile auszugleichen. Die Mineralsalze und besonders die Spurenelemente werden in so geringer homöopathischer Dosis benötigt, wo sie als Kommandogeber für die chemischen Prozesse in unserem Körper dienen. Sie geben am Besten jedoch diese Kommandos, wenn sie in naturbelassener Form in unseren Körper gelangen. Kein anderes Lebewesen hat die Möglichkeit in einen Supermarkt oder eine Apotheke zu gehen, um sich dort die fehlenden Vitamine und Mineralsalze zu kaufen. Alle Lebewesen in der freien Natur bedienen sich aus dem Füllhorn der Apotheke Gottes, unserer Natur. Deshalb geht an alle der Aufruf, Gesunde und Kranke: Vermindert die denaturierte Nahrung und vermehrt drastisch den Anteil an naturbelassener Kost. Sie können durch vermehrte Gesundheit belohnt werden.

KAPILLAREN BESTIMMEN UNSER SCHICKSAL

Einige Worte zum Thema Milch

Tradition und Literatur haben uns beigebracht, daß Milch und Honig fließen müssen, daß gerade für Kinder die Milch eine freundliche, gefällige und notwendige Nahrung sei. Das versucht uns besonders die Milchwerbung fast täglich über alle Medien vor Augen zu führen. In der Tat hat die Kuhmilch mehr Kalk, mehr Fett, mehr Cholesterin und auch mehr Substanzen, die Allergien erzeugen. Das Fett macht bei Vollmilch 49 % der Kalorien aus. Ferner hat Milch einen Überschuß an Protein in Form von Kasein, mit dem unser Körper aus Mangel an dem Enzym LAB sehr schwer fertig wird. Dazu kommen die Kohlehydrate, Milchzuckermoleküle, die ebenfalls von Erwachsenen nicht verdaut werden können, weil sie das Enzym Laktase ab der Entwöhnung von der Mutterbrust nicht mehr besitzen. Wenn man bei Milch von perfekter Nahrung spricht, vergißt man, daß Milch keine Faserstoffe enthält und einen großen Mangel an Linolsäure, Eisen, Niacin und Vitamin C hat. Sie ist sicherlich ein perfekter Stoff, aber nur für das Kalb bis zur Zahnbildung, das sehr schnell wächst, Horn und Hufe hat, aber ein verhältnismäßig kleines Gehirn. Im Gegensatz dazu wächst der Mensch langsam, unser Gehirn wächst umfangreicher und unsere Lebensspanne ist mehrfach höher als diejenige einer Kuh. Milch ist eine exklusive Nahrung für den Säugling und das Saugkalb. Nur bis zum 3. Lebensjahr kann ein Kind die Milch einigermaßen richtig aufnehmen und verarbeiten, wenn sie von der Kuh kommt. Muttermilch dagegen kann ein Kind bis zum 5. und 6. Lebensjahr problemlos verarbeiten und Kinder, die lange gestillt wurden, sind erfahrungsgemäß im Durchschnitt gesünder als andere. Die pasteurisierte Kuhmilch ist vielleicht das am meisten verkleisternde Produkt, bringt entsprechend der medizinischen Literatur die höchste Verstopfungsrate und erzeugt, neben den Getreideprodukten, die meisten Allergieprobleme.

Wie steht es mit dem Kalk, der in der Milch enthalten ist und so gut für den Aufbau und die Stärkung der Knochen sein soll? Eine Untersuchung an insgesamt 78 000 amerikanischen Krankenschwestern zeigte bei denen, die täglich mindestens zwei Gläser Milch tranken, sogar ein leicht erhöhtes Risiko, sich die Knochen zu brechen. Anti-Milch-Gruppen, entsprechend einem Bericht im Stern 49/99, sprechen angesichts solcher Forschungsergebnisse und gleichzeitiger Pro-Milch-Propaganda von „Milchkonsumrassismus" - in den sonst politisch so korrekten USA ein hartes Wort. Die Autorin des Stern-Berichtes "Sauer macht gebrechlich" Jattua von Campenhausen schreibt weiter:"Darüber, warum die Knochen im Alter so porös und brüchig werden, sei allerdings wenig bekannt. Jetzt mehren sich die Anzeichen dafür, daß die Auswirkungen des pH-Wertes im Körper bislang unterschätzt wurden. Milch versäuert den Körper und läßt den pH-Wert des Körpers im sauren Bereich." Hinzu kommt noch die Azidosestarre der roten Blutkörperchen, die ihre Elastizität einbüssen und dadurch die Knochen nur unzureichend versorgen können. Westeuropäer und Nordamerikaner haben den höchsten Milchkonsum der Erde und müßten der Milch-Proganda entsprechend die besten Knochen der Welt haben, richtige Superknochen, unzerbrechlich! Aber genau das Gegenteil ist wahr. Diese milchtrinkenden Völker haben im Alter mehr morsche Knochen, da die Milch noch zusätzlich der größte Kalkräuber ist. Zuerst wird ja die Milch erhitzt durch die Pasteurisierung. Durch die Pasteurisierung wird die Milch für den Körper im Magen

258

ESSEN SIE WAS IHNEN BEKOMMT

sauer und bildet im Magen einen Klumpen. Die Milch versäuert den Körper und der eigene Körper benutzt daher zur Entsäuerung, also zur Neutralisierung der Säure, den Kalk von unseren Knochen. So ist an der ganzen Milchgeschichte genau das umgekehrte wahr. Wir lesen regelmäßig Berichte in den Zeitungen, die vermutlich von der Lobby der Milchproduzenten bezahlt sind, wie wichtig die Milch ist, besonders im hohen Alter, wegen des Kalkgehaltes. Am besten wäre es, so wird es empfohlen, gleich 3 Liter jeden Tag zu trinken. Das wäre natürlich ideal für die Milchindustrie aber wahrscheinlich schlecht für unsere Gesundheit. Nun gibt es Völker, die überhaupt keine Milch trinken. Und wie sieht es dort aus mit ihren Knochen? Alles perfekter und besser als bei den milchtrinkenden Völkern. Die bekannten Ärzte Dr. K.A. Oster und Dr. D. Ross haben kürzlich den XO-Faktor entdeckt. Sie berichteten, daß die Milch bei den zahlreichen bisher bekannten Ursachen beim Herzinfarkt noch vor Cholesterin und Nikotin liegt. Das sollte doch zu denken geben.

Einige Worte zum Thema Fleisch.

Der Fleischkonsum betrug in Deutschland am Anfang des vorigen Jahrhunderts 8 kg/Jahr pro Kopf. In den 90er Jahren stieg er auf 40 kg und am Ende des Jahrhunderts, an der Schwelle des Jahres 2000, ist er unter die 40 kg gesunken. Tendenz nunmehr sinkend! Proportional zu dem Ansteigen des Fleischkonsums sind auch proportional die Krankheiten gestiegen. Der Mensch ist zwar von der Entwicklungsgeschichte her nur ein gelegentlicher Fleischesser, denn erst seit er sich Waffen und Steinmesser fertigte, konnte er anfangen, Tiere zu jagen und zu töten. Wie konnte er auch vorher ohne Waffen, ohne Messer, ein Tier erlegen und zerteilen. Unsere Vorfahren in der Frühgeschichte werden z.B. nicht hinter einem Kaninchen hergerannt sein, um es mit der Hand zu fangen, zu töten, ins Fell zu beißen, um es dann roh zu essen mit Haut und Haaren.

Der Mensch ist kein Karnivore, also Fleischesser, denn wir haben nicht das Enzym Urikae, um die bei der Fleischverdauung entstehenden Harnsäuremengen ausscheiden zu können. Echte fleischfressende Tiere kauen nicht, sie schlingen das rohe, frische Fleisch mit Innereien hinunter. Sie können diese rohen Fleischmengen dennoch gut verdauen, weil ihre Salzsäurekonzentration im Magen 1100fach größer ist als beim Menschen.

Übrigens ist der Fleischgenuß ernährungswissenschaftlich die dümmste Ernährung für den Menschen. Zum einen liefert sie uns nur 30 % Energie und raubt uns dafür 70 %. Ist das rationell bei den teuren Fleischpreisen? Jetzt kommt hinzu, daß zur Erzeugung von Fleisch Unmengen von Nahrungsmitteln für die Tierzucht verbraucht werden. Ein Rind alleine frißt pro Jahr Nahrungsmittel, die zehn Menschen theoretisch ernähren könnten. In Brasilien gibt es 160 Millionen Rinder auf der Weide, so daß pro Brasilianer ein Rind zur Verfügung steht. Ohne Rinder hätte Brasilien aber zusätzliche Nahrungsmittel für 1,6 Milliarden Menschen. Schauen wir nach Indien. Da laufen 250 Millionen Rinder herum, die theoretisch gerechnet das Essen für 2,5 Milliarden Menschen verzehren. Also die Ernährung würde sich in Indien, praktisch gesehen, besser gestalten ohne die große Zahl Rinder.

KAPILLAREN BESTIMMEN UNSER SCHICKSAL

Der Mensch kann und darf Fleisch zur Abwechslung essen, die Länge seines Darmes gestattet es ihm auch etwas Fleisch zu essen. Im Krankheitsfall, besonders bei Krebs, empfiehlt es sich erfahrungsgemäß jedoch sofort jeden Fleischkonsum zu stoppen. Dafür lieber Gemüse essen und viel Obst. In gesunden Tagen ist Fleisch erlaubt in der richtigen maßvollen Quantität und natürlich unter Beachtung der vernünftigen Trennkost. Dann dankt der Körper es Ihnen mit guter Gesundheit. Weniger Fleisch ist in gesunden Tagen immer besser als viel Fleisch. Früher gab es Fleisch nur zu Festtagen, heute gibt es schon viele Menschen, die zweimal am Tage Festtagsessen zu sich nehmen. Man darf sich dann über die Folgen nicht wundern.

Übrigens habe ich mir mal die krebsbezogene Literatur in einem der größten deutschen Krebsinstitute angesehen. Von den dort vorhandenen 406 Büchern zum Thema Krebs befaßten sich nur 26 (6,4 %) mit der Ernährung und nur 16 (4,0 %) mit den Genußmitteln wie Rauchen und Alkoholmißbrauch. Alle nur möglichen und unmöglichen Krebsursachen wurden wissenschaftlich unter die Lupe genommen, aber den Hauptursachen des Krebses wurde nur herzlich wenig Aufmerksamkeit geschenkt.

Dagegen weisen die zahlreichen Schriften der Deutschen Krebshilfe und der Deutschen Krebsgesellschaft e.V. ganz gezielt auf die Hauptursachen der Krebs-bildung hin. Sie empfehlen besonders vermehrten Obst- und Gemüsekonsum, das Rauchen zu lassen, den Alkoholkonsum zu verringern, fettärmer zu essen und sich mehr zu bewegen.

Zusammenfassende Merksätze für die gesunde Ernährung

Die drei Hauptgebote

1. Von morgens um 4.00 Uhr bis 12.00 Uhr mittags möglichst nur frisches und reifes Obst essen! (Nicht die Reinigungsphase des Körpers stören).

2. Bei den Mahlzeiten nach Möglichkeit nicht zwei oder mehrere konzentrierte Nahrungsmittel mischen. Was ist konzentrierte Nahrung? Alles was kein Obst, Gemüse oder Blattsalat ist !

3. Obst soll nur auf leeren Magen gegessen werden! Niemals als Nachspeise! Obst kann bis zu 20 min vor jeder Mahlzeit gegessen werden!

10 Empfehlungen

1. Den Anteil von Rohkost drastisch erhöhen!
2. Kuhmilch ab dem 3. Lebensjahr vermindern!

3. Mehlspeisen und Brot vermindern!
4. Immer bei offenem Fenster schlafen!
5. Fleischkonsum vermindern!
6. Richtig atmen lernen!
7. Nicht Rauchen und auch passives Rauchen vermeiden!
8. Statt Erfrischungsgetränke vermehrt wasserhaltiges Obst konsumieren!
9. Genußmittel (Kaffee, Tee, Bier, Wein und Spirituosen) einschränken.
10. Täglich wenigstens 30 min leichte sportliche Übungen machen!

Ernährungsvorschläge für den Krebsfall und bei Krankheiten im allgemeinen

Wer aufmerksam die sehr ausführlichen Texte über die gesunde Ernährung gelesen hat, kann sich schon jetzt denken, wie die richtige Reaktion sein sollte, wenn der Verdacht auf Krebs oder eine andere schwere Krankheit aufkommt, bzw. diese vom Arzt bestätigt werden. Jetzt sind keine großen Erklärungen mehr nötig!

Zur Unterstützung der Maßnahmen, die der Arzt im Rahmen der erprobten Hochschulmedizin vornimmt, sollte der Patient, in Absprache mit seinem Arzt, seinerseits alles tun, um die Genesung durch Umstellung seiner Lebensgewohnheiten zu fördern und den Krankheiten die Haupt-Ursprungsquelle zu nehmen. Da über 70 % der Krankheiten in der Ernährung und den Genußmitteln ihren Ausgangspunkt haben, sollte der Patient von sich aus prompt reagieren und die ärztlichen Anstrengungen durch eine Einleitung einer Entgiftungsphase unterstützen. Die durch die verkehrte Ernährung verengten Kapillaren können dadurch in vielen Fällen wieder zum normalen und gesunden Durchmesser, zur Verbesserung der Sauerstoffversorgung der Zellen, erweitert werden; dazu gehört:

1. Radikal die Ernährung umstellen! Am besten morgens nur frisches Obst, mittags nur frisches Gemüse mit kalt gepreßtem hochwertigen Speiseöl (z.B. Traubenkernöl, Sonnenblumenöl, Olivenöl und Extragabe von jeweils drei 500 mg Kapseln Nachtkerzenöl nach jeder Mahlzeit als Ernährungsergänzung) und abends nur frisches Obst! Personen, die kein frisches Obst und Gemüse vertragen, da ihre Darmflora durch die Verabreichung von Antibiotika bei schwerer Infektion geschädigt wurde, oder deren Verdauungssäfte im Magen nicht in Ordnung sind, können auch gedünstetes Obst und Gemüse in diesen Ausnahmefällen zu sich nehmen. Essen Sie soviel Sie wollen! Sie brauchen nicht zu hungern.
Im Krebsfall solange wie nur möglich durchhalten während der Krebsbehandlung, mindestens aber zwei Monate bis der Krebs reagiert! Danach dann stets morgens nur Obst und mittags und abends Trennkost, jedoch mit Verzicht auf Fleisch über möglichst längere Zeit. Wenn Sie glauben, die 100-prozentige Rohkost nicht schaffen zu können, dann mindestens morgens nur frisches Obst und mittags und abends Trennkost mit viel Rohkost.

KAPILLAREN BESTIMMEN UNSER SCHICKSAL

2. Rauchen sofort einstellen und wenn es noch so schwer ist! Stecken Sie sich eine Knoblauchzehe in den Mund zwischen Zähnen und der Wange. Dann schmeckt Ihnen keine Zigarette mehr!

3. Viel Sonne, dabei jedoch die direkte grelle Sonne zwischen 10.00 - 16.00 Uhr vermeiden, um dem Sonnenbrand vorzubeugen, viel frische Luft und Bewegung! Je mehr, desto besser!

4. Sofort in Absprache mit Ihrem Arzt mit der Aloe-Zusatzernährung auf Basis der wertvollen Aloe-Vitalgetränke, die aus dem Gel des Blattinneren der Aloeblätter gewonnen werden, beginnen. Üblicherweise trinkt man davon vor den 3 Mahlzeiten jeweils 20 -50 ml.
Bei Krebs, AIDS und Fibromyalgie die Therapie mit der bewährten brasilianischen Formel des Franziskanerpaters Romano Zago OFM beginnen! Üblicherweise dreimal täglich einen Eßlöffel voll von der Aloe-Ganzblatt/Honig/ Alkohol-Mischung. Jeweils einen Eßlöffel voll auf nüchternem Magen vor den Mahlzeiten. Jeweils nach zehn Tagen Kur eine Einnahmepause von 10 Tagen. In diesem Rhythmus fortfahren bis zur Besserung des Gesundheitszustandes.
Vor Einnahmebeginn Allergietest vornehmen, durch Aloe-Kontakt von einem Tropfen des Aloesaftes auf einer empfindlichen Hautstelle für 1-2 min, z.B. hinter dem Ohr auf der Kopfhaut. Kommt es zu einer Rötung der Haut, Aloe nicht anwenden.

5. Positiv denken! Weniger Zeitung lesen, dafür lieber humorvolle Bücher, weniger wahlloses Fernsehen, dafür lieber nur ausgewählte fröhliche Filme. Meiden Sie negative Menschen, ziehen Sie positiv denkende Freunde vor, schenken und erhalten Sie Liebe und vergessen Sie das Gebet nicht und bitten Sie auch um ein Gebet.

Einem Bericht in der "Frankfurter Allgemeine Zeitung" vom 4.11.1998 können wir entnehmen: „Obwohl nach einer Erhebung des Amtes 40 Prozent der Menschen in Deutschland auf die Gesundheit achten und an gesunder Ernährung interessiert sind, lebten nur 4 Prozent konsequent gesundheitsbewußt. Nur knapp die Hälfte der Deutschen hielt regelmäßigen Sport für notwendig. Das Interesse an ausgewogener Ernährung nehme im Alter zu. Ursache vieler Krankheiten sei übermäßiger Konsum von Alkohol und Zigaretten. Vor allem Jugendliche rauchten mehr als vor zehn Jahren."

„Wer die Gesundheit erwerben will, der muß sich von der Menge der Menschen trennen; denn die Masse geht immer den Weg gegen die Vernunft und versucht immer, ihre Leiden und Schwächen zu verbergen. Laßt uns nie fragen: Was ist das Übliche, sondern: Was ist das Beste!"

Seneca, Philosoph und Rohköstler

Die Macht des Gebetes

Viele Leser werden vielleicht ungläubig den Kopf schütteln, in unserer heutigen hochtechnologischen Zeit, der Zeit des Wohlstandes und der Macht des Geldes, der Zeit der "Single-Haushalte" und der "Lebensabschnittspartnerschaften", der Zeit der leeren Kirchen! Viele sind durch ihre Geschäftstüchtigkeit so beansprucht, daß sie leider den Schöpfer vergessen und nicht wissen oder denken, warum sie überhaupt auf der Erde sind und eingeladen wurden, ein Leben mitmachen zu dürfen.

Unser Leben ist im Endeffekt nur eine Aufnahmeprüfung bzw. eine schwierige Reifeprüfung. Lt. den Hl. Schriften wurden vor den Menschen Heerscharen von Engeln geschaffen, welche die sichtbare Gegenwart Gottes erlebten. Trotzdem fielen viele Engel ab. Die Prüfung der Menschen, als Geschöpfe Gottes, hat zusätzliche Schwierigkeitsgrade. Unsere Prüfung ist zwar meist kurz, es handelt sich schließlich oft nur um Jahrzehnte, aber wir leben und erleben nicht die persönliche sichtbare Gegenwart Gottes wie seinerzeit die Engel. Wir sehen zwar die Schöpfung Gottes und erahnen aus ihr Seine Größe und Macht, werden aber durch das alltägliche hektische Leben zu sehr abgelenkt. Uns fehlen leider Zeit und Muße, sich auf uns selbst zu besinnen. Manche finden die Muße dafür erst auf dem Krankenbett. Dies sollte man als Gnade empfinden.

Wir wissen vom Himmel, wissen aber nicht, wo er ist. Ist er außerhalb der Schöpfung, außerhalb des unermeßlichen Weltalls? Obwohl wir nicht die Distanz wissen, können wir mit Gott direkt sprechen. Drahtlos, ohne Hilfe eines Handy's und sogar gebührenfrei, trotz Ferngespräch. Selbst wenn der Himmel außerhalb der Schöpfung wäre, ist uns der Schöpfer stets nah. Selbst wenn der Himmel beispielsweise 15 Milliarden Lichtjahre entfernt wäre, sind wir im direkten Kontakt mit Gott durch das Gebet, denn die größte Geschwindigkeit, die es gibt, ist die Gebetsgeschwindigkeit! Wenn unsere Gebete den Naturgesetzen gehorchen müßten und dadurch nur mit der angeblich schnellsten Geschwindigkeit, der Lichtgeschwindigkeit, in Richtung Himmel eilten, würde bei der von mir beispielsweise genannten Entfernung Erde - Himmel von 15 Milliarden Lichtjahren unser Gebet erst in 15 Milliarden Jahren dort ankommen. Die Antwort würde ebenfalls so lange dauern, also insgesamt 30 Milliarden Jahre. Die Gebete, die den Gesetzen der Geschwindigkeit der Naturgesetze unterliegen, würden sinnlos werden. Aber Gott, der Schöpfer aller sichtbaren und unsichtbaren Dinge, ist durch die Gebetsgeschwindigkeit immer direkt zu erreichen, ganz gleich in welcher Entfernung sich der Himmel befindet.

Deshalb sollten und dürfen wir das Gebet, das Gespräch mit Gott, unserem Schöpfer, nicht vergessen, ganz gleich welcher Religion wir angehören oder auch nicht angehören.

Doppelblindstudien beweisen die Kraft der Gebete

Interessanterweise wurden bereits klinische Forschungen mit Gebeten durchgeführt, wie die brasilianische Zeitung "O ESTADO DE SÃO PAULO" vom 12. Dezem-

KAPILLAREN BESTIMMEN UNSER SCHICKSAL

ber 1999 meldete. Der Reporter Luiz Roberto de Souza Queiroz brachte einen ausführlichen Bericht, mit dem wissenschaftlich bewiesen wurde, daß bei Patienten, für die gebetet wurde, die Heilung besser und schneller war. Er berichtete folgendes unter dem Titel „Ärzte studieren den Zusammenhang zwischen Gebeten und Heilung: Forscher vom amerikanischen Krankenhaus Saint Luke mit Sitz in Kansas City im Staate Missouri, haben gerade festgestellt, daß Gebete die Gesundung der Patienten beeinflussen können. In einer Forschung, die mit fast tausend Patienten mit Herzproblemen durchgeführt wurde, stellte man fest, daß diejenigen, für die gebetet wurde, sich besser erholten als die, für die nicht gebetet wurde."

Diese Forschung, die starke Polemik hervorrief, wurde von William Harris geleitet und 1999 in der wissenschaftlichen Zeitschrift "American Medical Association" veröffentlicht. Die Arbeit begann mit der Auswahl aus dem Archiv von fast tausend Patienten mit Herzproblemen, angefangen mit Herztransplantationen bis zu kurzen Internierungen von nur 24 Stunden. Jeder Name wurde mit einer Nummer versehen und separat den Ärzten übergeben. Während diese nur mit der Nummer arbeiteten, erhielt eine Gebetsgruppe von Freiwilligen Namenskarten von der Hälfte der Versuchsgruppe der Patienten mit der Auflage, vier Wochen lang personenbezogen eine bestimmte Anzahl „Vater unser" und „Ave Maria" zu beten.

Alle Patienten wurden informiert, daß für sie gebetet würde. Aber es war nicht die Wahrheit. In Wirklichkeit wurde nur für 466 Patienten gebetet. Für die anderen war die Gebetsmeldung nur ein Plazebo. Später stellte man bei der Überprüfung fest, daß die Gruppe der Patienten, für die gebetet wurde, eine wirklich bessere Genesung erfuhr als die andere Gruppe. Die bessere Genesung wurde von zehn Ärzten analysiert, die eine Bewertungstabelle von 1 - 10 benutzten, die exakten Resultate wurden jedoch noch nicht veröffentlicht. Dies soll demnächst erfolgen, wenn alles wissenschaftlich hieb- und stichfest ist.

Übrigens war dieser Test nicht der erste seiner Art. Bei einem anderen Test, der im Jahre 1988 durchgeführt wurde, wurden weder die Patienten noch die Ärzte vorher von den Gebeten informiert. Die Gebetsgruppe bestand darauf, die Namen der Patienten zu wissen, da sie der Meinung war, daß bei der himmlischen Anrufung der persönliche Name wichtig ist. Einige berichteten, daß bei der Anrufung von Heiligen mit der Bitte um Fürsprache bei Gott, die Nennung des Namens im Gebet vorgenommen wurde. Kritiker dieses Forschungstestes behaupten, daß das Punktsystem nicht präzis genug ist. Es wurden nur die Punkte von Patienten gezählt, wenn bei der Beurteilung des klinischen Zustandes des Patienten mindestens 90 % Übereinstimmung bei den zehn Ärzten vorlagen. Durch diese ersten Teste sind nunmehr andere Institutionen ebenfalls bereit, wissenschaftliche Arbeiten über die Wirksamkeit der Gebete zu erstellen, so daß wir in naher Zukunft mehr wissenschaftliche Ergebnisse vorliegen haben.

Die Macht des Gebetes

Gebete und Gedanken sind physikalisch meßbare Energie

Interessant zu diesem Thema sind auch die umfangreichen Studien des mit mir befreundeten deutschen Parapsychologen und Schriftstellers Rudolf Passian, der in Horw/Schweiz lebt und dem ich persönlich mehrere Male auf seinen 18 Brasilienreisen begegnete. Ich hatte die Ehre, verschiedene seiner brillanten Vorträge in São Paulo im Kolpinghaus zu organisieren.

Rudolf Passian hielt am 14. März 2001 in Gallusheim einen sehr bemerkenswerten Vortrag zum Thema "Gedanken- und Vorstellungskräfte", der sich mit den neuesten Forschungsergebnissen der physikalisch meßbaren Energie von Gebeten und Gedanken befaßt und der folgende Informationen bringt:

„In den zwanziger Jahren des vergangenen Jahrhunderts befaßten sich französische Forscher wie Dr. Baraduc, Major Darget, Hector Durvilkle und andere mit Experimenten zur Sichtbarmachung gedanklicher Wirkungen. Sie verwendeten mit Schwefelkalzium imprägnierte Sichtschirme, die man durch Gedanken aufleuchten lassen konnte. Ja, es gelang sogar der Nachweis, daß diese Formen unterschiedlich gefärbt sind, je nach emotionaler "Qualität" der Gedanken!

Hierbei waren besonders aufschlußreich die Gedankenformen und -farben beim Gebet. Egal, ob man das Vaterunser bloß denkt oder es laut ausspricht, es bilden sich im Kopf des Betenden blaue bis violette Felder, aus denen eine große blaue Kugel aufsteigt. Bei wiederholtem Beten formt sich ein hoher blauer Kegel, wie ein Trichter, dessen Spitze vom Haupt der betenden Person ausgeht. Eingeweihte fassen dieses Erscheinungsbild als Zeichen von Gebetserhörung auf. Das innige Gebet kann sich aber auch in Form einer hellgelben Lichtsäule manifestieren. Diese geht ebenfalls vom Kopf aus und wurde bis zur Zimmerdecke reichend beobachtet. Dort zeigte sich ein runder Lichtfleck von etwa 40 cm Durchmesser!

Beim Beten kommt es offenbar auf die Intensität unserer damit verbundenen Gedanken und Gefühle an, nämlich wie weit die mentale Energiestärke reicht: ob bloß bis an die Zimmerdecke oder über das ganze Gebäude hinaus bis in jene geistige Welt, die außerhalb der Wahrnehmungsfähigkeit unserer materiengebundenen Sinne liegt. Auf jeden Fall können wir uns jetzt erklären, warum Jesus Christus so oft auf die außerordentlich große Bedeutung des innigen und gottvertrauenden Gebetes hinwies. Anscheinend ist es von größter Wichtigkeit, unsererseits energetisch stets den ersten Schritt in diese geistige Richtung zu tun, d.h. die energetische Voraussetzung zu schaffen, um Anschluß zu bekommen an höherfrequente göttliche Bereiche! Mit anderen Worten: Man muß quasi "die richtige Telefonnummer wählen", bzw. dafür die richtige Gedankenfrequenz erzeugen, um eben hierdurch empfänglicher zu werden für höherfrequente Energien. Das sollte eigentlich einleuchten!

Beim Ave-Maria-Gebet nun entstehen rosarote geflügelte Formen, die ebenfalls nach oben streben. Sie sind vergleichbar mit der „geflügelten Sonne", das uralte

KAPILLAREN BESTIMMEN UNSER SCHICKSAL

heilige Symbol der Ägypter. Demnach wäre das Rosenkranzbeten allein schon deshalb wertvoll, weil hierdurch starke positive Energiefelder erzeugt werden. Wer dennoch an Gebetswirkungen nicht zu glauben vermag, der möge bei Gelegenheit folgendes ausprobieren: Wenn bei einer öffentlichen Hypnose-Veranstaltung zwei oder drei Personen im Raum still beten, so wird der Hypnotiseur blockiert. Es wird ihm kaum noch etwas gelingen; auf jeden Fall wird er eine Gegenkraft spüren. Das bedeutet, daß die Gebetskraft stärker ist als die Suggestionskraft eines Hypnotiseurs. In gleicher Weise kann man auch Heilerinnen oder Heiler blockieren, denen die Gottverbundenheit fehlt und nur das Geld die Hauptrolle spielt.

Auch beim Exorzismus bzw. Befreiungsdienst gibt es augenscheinliche Reaktionen auf das Gebet. Pater Dr. Jörg Müller aus Freising in Bayern, schreibt in einem seiner Bücher: „Jeder dämonisch attackierte, besessene oder besetzte Mensch, reagiert über kurz oder lang sogar auf Ferngebete, von denen er nichts weiß!" Auf Ferngebete reagieren, von denen man nichts weiß, bedeutet aber, daß hier von einer Suggestionswirkung oder Einbildung nicht mehr die Rede sein kann! Zum gleichen Ergebnis kamen großangelegte ärztliche Studien (wie bereits oben beschrieben) an amerikanischen Krankenhäusern. Schon 1986 berichtete die Fachzeitschrift "Medical Tribune" über einen Großversuch in San Francisco mit Herzkranken. 400 Herzkranke waren 10 Monate lang beobachtet worden. Für die eine Hälfte der Patienten wurde gebetet, für die andere Hälfte nicht. Den Betenden hatte man lediglich den Namen der Kranken mitgeteilt, sonst nichts. Hier wie auch bei später folgenden, noch größeren Versuchen dieser Art zeigte sich, daß jene Kranken, für die gebetet wurde, deutlich weniger Komplikationen erlitten und weniger Medikamente benötigten als die anderen, für die nicht gebetet worden war!

Gebündelte Gebetsenergie

Daß die Muskelkraft mehrerer Personen, vereint eingesetzt, die Leistungsfähigkeit eines einzelnen weit übertrifft, ist eine Binsenweisheit. Dasselbe trifft aber auch auf die Gebetskraft zu. Welch starke Energiefelder in einem Raum durch gemeinsame Gebete entstehen können (Jesus lehrte: „Wenn sich zwei oder drei in meinem Namen versammeln, dann bin ich unter ihnen"), zeigen Messungen in der Kirche des katholischen Wallfahrtsortes Medjugorje im ehemaligen Jugoslawien. Der amerikanische Professor, Boguslav Lipinski von der Universität Boston, nahm dort Messungen mit einem Strahlungsmesser vor, wie er auch in der Kernphysik verwendet wird als Dosimeter für ionisierende Strahlungen, vergleichbar mit der Messung der Radioaktivität. Diese Strahlung wird auch in Milli-Rem (mR) gemessen.

Während der normalen Gottesdienste in amerikanischen Kirchen konnten mit diesem Gerät 20 - 70 mR gemessen werden. In Medjugorje jedoch wurden während bestimmter Gebete sage und schreibe 100.000 mR (pro Stunde) gemessen werden. Menschen, die dort häufig die Messe besuchen, müßten an den Nachwirkungen dieser hohen ionisierenden Strahlung zugrunde gehen! Da das jedoch nicht geschieht, sieht man sich zu der Annahme genötigt, daß die Gebetsenergie anderen Ursprungs sein muß - sagen wir: spirituellen Ursprungs.

DIE MACHT DES GEBETES

Das heißt: diese Energiefelder sind mit dem genannten Gerät zwar meßbar, aber es handelt sich nicht um die übliche Radioaktivität. Auch baut sich das Feld sehr rasch wieder ab.

Auf jeden Fall steht experimentell fest, daß wir durch unser Denken reale Energien erzeugen und in Gang setzen, bewußt oder unbewußt. Da jedoch auch diese Energien und Energiefelder dem Gesetz von Ursache und Wirkung unterliegen, wäre zu fragen, ob und wie sich dies auf uns selber auswirken kann. Oder ist es völlig egal, welche Art von Gedanken man "hegt und pflegt"? Nun, allein schon die Erfahrungen der psychosomatischen Medizin reden eine deutliche Sprache: Unsere (auf unserem Denken beruhende) Charakterhaltung und Lebenseinstellung prägen im Laufe der Zeit sogar unsere Gesichtszüge der positiven oder negativen Beeinflussung, von unserer gesundheitlichen Verfassung ganz zu schweigen. Das heißt: Unser Gedankenleben wirkt sowohl nach innen auf unseren Körper, als auch nach außen, auf unsere Umgebung. Diese Beeinflussung wirkt sich auch auf die Kapillaren aus! Nicht von ungefähr kommt der Ausspruch: ...."an Gram gestorben". Und daß jeder Gedanke an eine andere Person dieselbe mit absoluter Sicherheit erreicht, das beweisen die Ergebnisse der experimentellen Telepathie.

Da gibt es z.B. ein Gerät, der Plethysmograph, der Veränderungen im Blutvolumen im Finger anzeigt. An diesen Apparat werden - jeweils an einem Finger - zwei Versuchspersonen angeschlossen. Jede der beiden befindet sich in einem anderen Raum. Wenn dann eine der beiden Personen intensiv an die andere zu denken beginnt, so registriert der Plethysmograph bei dieser anderen Person eine Veränderung des Blutvolumens im Finger!

Praktische Nutzanwendungen

Soweit es der verfügbare knappe Raum gestattet, seien hier einige Hinweise zur Nutzanwendung erkannter Tatsachen und logischer Gesetzmäßigkeiten für unser Alltagsleben angefügt: Wie alles, so kann man auch Gedanken- und Wunschkräfte in positiver (gottbezogener) oder negativer (gottablehnender) Weise einsetzen. Positiv ist, anderen Gutes zu wünschen, sie zu segnen, für sie zu beten. Extrem negativ hingegen sind Gedanken der Mißgunst, des Neides, der Eifersucht, des Ärgers oder gar des Hasses. Die damit verbundenen mentalen Energien sind oft weit intensiver als solche des Wohlwollens und der Liebe. Und wenn man darüber hinaus weiß, daß alles, was wir gedanklich aussenden, früher oder später auf uns zurückfällt (z.B. auf die Kapillaren), so sollte man eine entsprechende Gedankenhygiene pflegen und ungute Gedanken bewußt meiden. Ein Mißbrauch gedanklicher Kräfte, der sich in jedem Fall rächt, liegt besonders vor bei Verfluchungen und Verwünschungen.

Wie aber sollten wir in ethisch vertretbarer Weise reagieren, wenn jemand schlecht über uns spricht, um unseren Ruf zu schädigen, uns wirtschaftlichen Schaden zufügt oder sonstwie das Leben erschwert. Wie wehrt man sich, wie schützt man sich?

KAPILLAREN BESTIMMEN UNSER SCHICKSAL

Nun, im Falle unguter Gedanken, mit denen man jemanden bombardiert, sollte man folgendes wissen: Wenn die gedankliche Frequenz des Empfängers jener des Aussenders ganz und gar nicht ähnelt, so können die Gedanken quasi "nicht landen". Es ist keine Empfangsantenne da, und so muß die ausgesandte Energie zu ihrem Ursprung, ihrem Erzeuger, zurückkehren! Im Französischen spricht man da vom „Choc de retour". Und der ist erfahrbar. Für unseren Alltag bedeutet dies: Haben wir gute, segensvolle Gedanken ausgesandt, so kommt ein lichter Segensstrom zu uns zurück. Erzeugen wir jedoch negative Frequenzen, so verfangen diese nur dann, wenn sie auf eine ihrem Charakter ähnliche oder gleiche Struktur bzw. Frequenz treffen. Wenn nicht, so richtet sich ihre zerstörische Energie gegen uns selber! So gesehen, bekäme die gleichnishafte Weisung im Neuen Testament vom "Hinhalten der anderen Wange" überhaupt erst einen verständlichen und akzeptablen Sinn: Mit dieses Aussage Christi war nämlich nicht gemeint, daß wir uns widerstandslos schlagen lassen sollen, sondern, daß wir - wenn andere uns Unrecht antun - nicht in gleicher Weise reagieren und frequenzmäßig nicht auf die gleiche niedere Charakterstufe stellen sollen, weil wir uns sonst empfänglich machen für das Ungute, das uns angewünscht wird!

Wir sollten schon deshalb nicht mit gleicher Münze zurückzahlen, weil sonst eine negative Kausalkette von Ursache und Wirkung ausgelöst wird! "Die andere Wange hinhalten" bedeutet, daß wir denen, die uns übelwollen, statt irgend welcher Revanchegedanken, gute, verzeihende Gedanken zusenden wollen. Das mag im Einzelfall nicht gerade leicht sein; aber wohl nur so ist die von Christus geforderte Feindesliebe zu verstehen und nicht, daß wir denen, die uns nicht mögen, liebesbeteuernd um den Hals fallen sollen (das wäre wohl reichlich weltfremd!). Nein, wir sollen vielmehr „das Gesetz" walten lassen, das sind diejenigen seelisch-geistigen Gesetzmäßigkeiten und Wechselwirkungen, womit jeder Mensch zum Selbstgestalter seines Schicksals wird. Diese Gesetzmäßigkeiten sind "Gottes Mühlen", die zwar - im allgemeinen - langsam mahlen, aber mit absoluter Präzision!

Bete nie zum Schein, es könnte erhört werden!

Zum Schluß gibt der Parapsychologe Passian noch ein Beispiel zum Thema "Bete nie zum Schein, es könnte funktionieren!" Es handelt sich um ein Erlebnis an der Schwelle zum körperlichen Tode, das der amerikanische Kardiologe Dr. Maurice Rawlings mit einem Notfallpatienten hatte und welches erst dann verständlich wird, wenn man die moderne Sterbeforschung und ihre Ergebnisse kennt. Diese besagen nämlich, daß selbst im Zustand des klinischen Todseins noch Empfindungen da sind und Wahrnehmungen gemacht werden. Fast alle, bei denen es gelang, sie zu „reanimieren", d.h. ins Leben zurückzuholen, berichteten von intensiven Erlebnissen an der Schwelle zum Jenseits. Sie sind vom Weiterleben des Ichs ebenso überzeugt wie von der Wirklichkeit nichtirdischer Existenzebenen und von einer höheren Gerechtigkeit.

Näheres darüber entnehme man den Büchern von Dr. Moody, Dr. Melvin Morse, Frau Dr. Kübler-Ross und anderen Forschern. Es empfiehlt sich, deren Aussagen nicht auf die leichte Schulter zu nehmen. Und auch hier, in der Phase des soge-

DIE MACHT DES GEBETES

nannten Sterbens, zeigt sich, daß die Art unseres Denkens, wie auch das ernsthafte Gebet entscheidend sind für unser weiteres Schicksal. Das Wort Christi: „Euch geschehe nach eurem Glauben" (Matth. 9,29) scheint eine erheblich erweiterte Bedeutung zu haben als nur auf eine persönliche Glaubensheilung.

Bei dem obigen Notfallpatienten von Dr. Rawlings handelte es sich um einen Briefträger namens Charlie. Der Arzt war beim Einsetzen eines Herzschrittmachers und mußte den Brustkorb des Patienten rhythmisch drücken. Doch jedesmal, wenn er dies unterbrach, begann Charlie zu toben, verdrehte die Augen, verfiel in Zuckungen und schrie: „Um Gottes willen, nicht aufhören! Jedes Mal, wenn Sie loslassen, bin ich in der Hölle! Bitte beten Sie für mich!" Dr. Rawlings empfand dies als Zumutung und sagte unwirsch, er sei Arzt und kein Pfarrer. Charlie sollte seinen Mund halten! Aber Charlie flehte weiter um Gebete, und da waren auch die erwartungsvollen Blicke der Krankenschwestern. Rawlings sagt: „Mir blieb keine andere Wahl, ich mußte, wenn auch nur zum Schein, ein Gebet erfinden."

Während er nun mit der einen Hand die Wiederbelebungsversuche fortsetzte, regulierte er mit der anderen Hand den Herzschrittmacher. Halb verzweifelt sagte er zum Patienten: „Sprechen Sie mir nach: Jesus Christus ist Gottes Sohn, los, sagen Sie es! Bewahre mich vor der Hölle, und wenn du mich am Leben bleiben läßt, so will ich für immer dir gehören. Los, sagen Sie es!"

Charlie wiederholte das erfundene Gebet und war plötzlich nicht mehr der schreiende, tobsüchtige Irre, der mit wildem Blick um sein Leben kämpfte. Er war jetzt ganz ruhig und kooperativ geworden! Sollte das zum Schein gesprochene Gebet eine solche Wirkung haben? Dr. Rawlings, bis dahin religiös gleichgültig, ist seitdem überzeugter Christ. Und er beschließt seinen Bericht mit den Worten: „Was lernen wir daraus? Daß man nie zum Schein ein Gebet sprechen sollte, es könnte funktionieren!"

Beten ist wichtiger Teil der Quartettstrategie

Dieser wichtige Abschnitt meines Buches will auf die Wichtigkeit des Gebetes und der innerlichen geistigen Haltung hinweisen und stellt den oft vergessenen vierten Teil der Quartettstrategie zur logischen Heilung dar. Bei der logischen Behandlung Kranker sollte stets an erster Stelle die hochschulmäßige Therapie der Krankheit stehen. Die in diesem Werk erklärten begleitenden Parallelmaßnahmen, wie die von Therapiebeginn an empfohlene Mitverwendung des Vitalgetränkes Aloe, der Kaiserin der Heilpflanzen, auf welches 70 % der Kranken sehr gut reagieren und die sofortige Umstellung der Ernährung auf 100 %ige gesunde Ernährung gelten als zweiter und dritter Schritt. Die Quartettstrategie aus Hochschulmedizin, Aloe, gesunde Ernährung und Beten, stellt die höchstmögliche Heilungsrate im Krankheitsfall dar. (Siehe das vierbahnige Logo auf der Vorderseite des Buchumschlages)

Es sollte der Wert eines Gebetes niemals unterschätzt werden. Ein jeder sollte, ganz gleich welcher Weltanschauung, zum innerlichen Frieden finden, schon jetzt

KAPILLAREN BESTIMMEN UNSER SCHICKSAL

von der Kraft des Gebetes profitieren, selbst beten und auch andere um ein Gebet für sich bitten, nicht erst bei einer schweren Krankheit.

Die in diesem Kapitel von mir aufgezeigte Quartettstrategie, die man ohne weiteres als "logische Krankheitsbehandlung" bezeichnen kann, hat sogar einen biblischen Hintergrund:

1.) **100 %ige Anwendung der Hochschulmedizin:** Altes Testament - Das Buch Jesus Sirach 38:1-3 „Schätze den Arzt, weil man ihn braucht; / denn auch ihn hat Gott erschaffen. Von Gott hat der Arzt die Weisheit, / vom König empfängt er Geschenke. Das Wissen des Arztes erhöht sein Haupt, / bei Fürsten hat er Zutritt." 38:12-14 „Doch auch dem Arzt gewähre Zutritt! / Er soll nicht fernbleiben; denn auch er ist notwendig. Zu gegebener Zeit liegt in seiner Hand der Erfolg; denn auch er betet zu Gott, er möge ihm die Untersuchung gelingen lassen / und die Heilung zur Erhaltung des Lebens."

2.) **Die sofortige Mitbenutzung der Aloe bei Krankheitsbeginn:** Altes Testament - Das Buch Jesus Sirach 38:4 „Gott bringt aus der Erde Heilmittel hervor, / der Einsichtige verschmähe sie nicht."

3.) **Die sofortige Umstellung auf gesunde Ernährung im Krankheitsfall:**
Altes Testament - Das Buch Jesus Sirach 37:27-31 „Mein Sohn, meine Tochter, prüfe dich in deiner Lebensweise, / beobachte, was dir schlecht bekommt, und meide es! Denn nicht alles ist für alle gut, / nicht jeder kann jedes wählen. Giere nicht nach jedem Genuß, / stürz dich nicht auf alle Leckerbissen! Denn im Übermaß des Essens steckt die Krankheit, / der Unmäßige verfällt heftigem Erbrechen. Schon viele sind durch Unmäßigkeit gestorben, / wer sich aber beherrscht, verlängert sein Leben."

4.) **Beten im Krankheitsfall:** Altes Testament - Das Buch Jesus Sirach 38:9 „Mein Sohn, meine Tochter, bei Krankheit säume nicht, / bete zu Gott; denn er macht gesund."

Bibliographie

ADAMS, Ruth. „Aloe vera: anti-viral agent" Better Nutrition for Today's Living. April 1992, B. 54, nr. 4, S. 21-26.

ALESHKINA, Ya.A. und Rostowskii B.K. „An Aloe emulsion - a new medicinal preparation". Med. Prom. UdSSR. 11 (4) S. 54.

ALI, MI.; Shabaly NM.; Elgamal MH.; et al. „Antifungal effects of different plant extracts and their major component of selected aloe species". Phytother Res. (England), Aug. 1999 13(5) S. 401-407.

ALLEN, J.G. M.D., „Aloe Book" University of Chicago Press.

AGARWAL, O.P. „Prevention of Athermatous Heart Disease". Angiology. Nr. 36, 1985, S. 485-92.

AJABNOOR M.A. „Effect of aloes on blood glucose levels in normal and alloxan diabetic mice". J. Ethnopharmacol 28:2 Febr. 1990, S. 215-220

ARENDAREVSKI, LF „Faktoren, die den Erfolg der Chemotherapie und die Wiederkehr der Tumoren beeinflussen". Onkologiya (Kiew). 2:15, l971

ATHERTON P. „Aloe vera: magic or medicine?" Nurs Stand (England), Jul 1-7 1998, 12(41) S. 49-52, 54.

BAILEY, J.M. „Lipid metabolism in cultured cells" Lipid Metabolism in Mammals II ed. Snyder F., Plenum Press, New York, S. 352 1975

BAILEY, L.H. „Manual of Cultivated Plants". Rev. Ed. The MacMillan Co. New York 1973.

BAKER, O.T. „Amazing plant of the magic valley". Texas Parade: 30, 1968

BAMES, E. „Lebensmittel-Lexikon". Carl Heymanns Verlag, 1933, Berlin.

BARCROFT, Alasdair. „Aloe Vera: Nature's Legendary Healer" Souvenir Press. März 1997

BARNES, T.C."The healing action of extracts of Aloe vera leaf on abraions of human skin". Am. J. Bot. 34(10) S.597 (Biol. Abs. 22:24324). 1947.

BARUZZI, M.C. und Rovesti, P. „Research on cutaneous effects of Aloe vera L. Sap.". Riv. Ital. Essenze. Profumi, Piante Offic., Aromi, Saponi, Cosmet., Aerosol. 52(1) S. 37 1971.

BENNER, Prof. Dr. med. K. U. „Gesundheit und Medizin heute". Bechtermünz 2000

BEPPU, Hidehiko; Yochichi, Nagamura und Keisuke Fujita. „Hypoglycemic and Antidiabetics Effects of Aloe arborescens Miller var. Aloe natalensis Berger". Proc. Inter. Congress of Phytotherapy. The Pharmaceutical Society of Korea. Aloe Research Foundation. Okt.1991, S. 16-17. Korea.

BERINGER, Alice. „Aloe vera- Königin der Heilpflanzen". 1997 Heyne Verlag, München.

BERINGER, Alice. „Aloe". 1999

BERINGER, Heyne Tischbox. „Aloe vera" 1999

BERTALOT, Maria. „Aloe vera", Bericht in der brasilianischen Zeitschrift „Chão e Gente" Instituto de Economia Associativa ELO Nr. 22, Februar 1997, S. 13, Botucatu S.P. Brasilien.

BEYRERSDORF, D. „Biologische Wege zur Krebsabwehr". Ewald Fischer, Heidelberg, 1996.

BIAZZI, Eliza S. „Saúde Pelas Plantas" (Gesundheit durch die Pflanzen) S.71 und 72. Brasilien. 1989

KAPILLAREN BESTIMMEN UNSER SCHICKSAL

BIELER, Dr. Henry. „Richtige Ernährung, Deine Beste Medizin". 4. Auflage 1979, Hermann Bauer Verlag KG. Freiburg im Breisgau.

BIESALSKI, H.-K.; Hofele, K.; Zürcher, G. „Gesund und bewußt essen bei Krebs: Wie Sie Schutzstoffe nutzen und Ihr Immunsystem stärken. Mit Appetit und Freude essen. 28 köstliche Rezepte aus der Vollwertküche". TRIAS, Stuttgart, 1998.

BIRCHER, Dr. Ralph. „Geheimarchiv der Ernährungslehre" Bircher Benner Verlag, Friedrichsdorf/Ts. 2001

BJELKE, E. „Dietary vitamin A and human lung cancer". Int. J. Cancer 15, S.561-505 1975.

BLAND, Jeffrey. „Effect of Orally consumed Aloe vera Juice on Gastroinstestinal Function in Normal Humans". Preventive Medicine. März/April 1985, S. 135-139.

BLITZ, J. O.O.; Smith, James W. D.O. und Gerard, Jack R., D.O.; „Aloe vera Gel in Peptic Ulcer Therapy: Preliminary Report". Journal of the American Osteopathic Association. Band 62, April 1963, S. 731-735.

BLOCK, G.; Patterson, B. und Subar, A. „Fruit, vegetables and cancer prevention". A review of the epidemiological evidence. Nutr. Cancer, 18, S. 1-29 1992.

BOEING, Dr. Heiner und Kroke, Dr. Anja. „Krebsprävention durch Ernährung". Deutsches Institut für Ernährungsforschung Potsdam-Rehbrücke. 1999

BÖSING, Br. Waldemar, S.J. „Krebsbehandlungen durch Aloes und Honig". Familien-Kalender-Jahrbuch der Familie 1997. Deutschsprachiger Kalender der Jesuiten in Brasilien. Livraria Editora R. Reus. Porto Alegre 1997 S. 88 und 89.

BÖTTCHER, Ingrid. „Ernährung bei Krebs" Ein Ratgeber nicht nur für Betroffene. Die blauen Ratgeber 33. Deutsche Krebshilfe e.V., Bonn 1998.

BÖTTGER, Prof. Dr. W. „Schlickum's Ausbildung des jungen Pharmazeuten". 12. Aufl., 1914 Verlag von Johann Ambrosius Barth, S. 718 und 894.

BORECKY, L.;Lacovic, V.;Blaskovic, D. „An Interferonlikes Substance Induced by Mannans". Acta Virol. 1967, Band II, S. 264-66.

BOTHA, Prof. Dr. med. Marthinus C. „Aloe-Extrakte enthalten Stoffe, die Heilwirkungen haben können" Heilpflanzen in der Dermatologie/ Teil 3: Aloe vera L.und Aloe ferox Miller. Alexanderhausklinik.

BOUCHEY, G.D. und Gjerstad, G. „Chemical studies of Aloe vera juice II. Inorganic ingredients". Quart, J. Crude Drug Res. 9 (4) S. 1445, 1969.

BOVIK, E.G. „Aloe vera, panacea or old wives' tales? For postoperative treatment in dental sugery". Texas Dental J., Band 84, S.13 1966.

BOVIK, E.G. „For postoperative treatment in dental surgery (Aloe)", Dental Journal, Texas, Band 84, S. 13.

BRAUN, Frohne. „Heilpflanzenlexikon" 6. Auflage, Gustav Fischer Verlag.

BRITTON, N.L. „Flora of Bermuda" Hafner Publishing Co., New York 1965

BRITTON, N.L. und Millspaugh C.F. „The Bahama Flora" Hafner Publishing Co. New York 1962.

BRITTON, N.L. und Wilson, P. „Scientific survey of Puerto Rico and the Virgin Islands". Botany of Puerto Rico and the Virgin Islands, Band 5. 1. Teil, New York 1923.

BROWN, W.H. „Useful Plants of the Philippines". Band 1 Tech. Bul. 10. Manila 1951

BRÜNING Jaime. „Cure-se com Remédios Caseiros (solução para centenas de

BIBLIOGRAPHIE

problemas)" („Heile Dich durch Hausmittel" - Lösungsvorschläge für hunderte Probleme) S. 48, Brasilien. 1989

BUCHELLA, Anna Paula. „Uma guerra sem fim" (Ein Krieg ohne Ende) Veja 17.1.2001 S. 62

BUCHHEISTER, G.A. „Vorschriftenbuch für Drogisten" 8. Auflage, S. 56 1919,

BUIATTI, E et. al. „A case-controle study of gastric cancer and diet in Italy. II. Associations with nutrients". Int. J. Cancer 45, S. 896-901 1990

BUNDESANZEIGER Nr. 123 vom 5.7.1996, S. 7581 „Anwendungseinschränkungen für Anthranoid-haltige Abführmittel angeordnet".

BURKILL, I.H. „A Dictionary of the Economic Products of the Malay Peninsula". Band 1, Ministry of Agriculture and Cooperatives. Kuala Lumpur, 1966.

CALDERONE, Stewart. „Prayer Works for Teens: Rock, Aloe Plant, Children of God". Saint Mary's Press. 6/1997

CAMPENHAUSEN, Jutta von. „Sauer macht gebrechlich" Stern 49/99 S. 257

CARIBÉ, Dr. José und Campos, Dr. José Maria. „Plantas que ajudam o homen" (Pflanzen, die dem Menschen helfen) 5. Auflage Cultrix/Pensamento. Brasilien. S. 125.

CERA, Lee M. D V M; Heggars, John P. PhD; et. al. „Therapeutic Protocol for Thermally Injured Animals and its Successful Use in an Extensively Burned Rhesus Monkey". Journal of the American Animal Hospital Association. Juli/August 1982. Band 18.

CHENEY, R.H. „Aloe drug in human therapy". Quart. J. Crude drug. Res. 10(1) S. 1523, 1970.

CHENEY, R.H. „A cosmetic from a house plant". Brooklyn Bot. Garden. Record-Plants and Gardens. 26(4) S. 19, 1970-1971.

CHENEY, R.H. „Phytotherapeutic medication value of 15 flowering plants". Acta Phytother. 19(5) S. 83, 1972.

CHINNAH, AD; Kahlon, JB;Kemp, MC. „Effect of Acemanano on the function and Synthesis of HN an F Glycoproteins of Newcastle Disease Virus". Virology, 1992.

CHINNAH, AD; Mirza, A; Baig, IR; Tizard, R; Kemp, M. „Anigen Depen dent Adjuvant Activity of a Polydispersed B(1.4)-Linked Acetylated Mannan (Acemanano)". Vaccine, 1992, Band 10 Nr. 8, S. 551-557.

CHITRA, P.; Sajithlal GB.; Chandrakasan G.; „Influence of Aloe vera on collagen turnover in healing of dermal wounds in rats". Indian J. Exp. Biol (India). Sep 1998, 36(9) S. 896 - 901.

CHITTENDEN, F.J. „Dictionary of Gardening". 2nd. ed. vol.1, Oxford 1965.

CHIU, B. C.-H., et al. „Diet and risk of non-Hodgkin lymphoma in older women". JAMA 275 (17) S. 1315-1321, 1996.

CHLEBOWSKI, R.T. et al. „For the Women's Intervention Nutrition Study (WINS) Adjuvant dietary fat intake reduction in postmenopausal breast cancer patient managment". Breast Cancer Research and Treatment 20, S. 73-84, 1991.

CHOPIA, RN und Gosh NN. „A Study of Aloe". Arch Pharmacy, 1938, Band 276, S. 348.

CHOPRA, R.N.; Chopra, I.C.; Handa, K.L. und Kapur, L.D. „Chopra's Indigenous Drugs of India". 2nd edition, Calcutta, 1958.

CHOPRA, R.N., Nayar, S.L. und Chopra, I.C. „Glossary of Indian Medicinal Plants". New Dehli 1956.

KAPILLAREN BESTIMMEN UNSER SCHICKSAL

CLUMECK, N. und Hermans, P. „Antiviral drugs other than zidovudine and immunimodulatins therapies in human immunodeficiency virus infection". The American Journal of Medicine. Band 85 (Erg. 2A), 1988, S. I65-172

COATS, Bill C. „The Silent Healer. A Modern Study of Aloe vera". 3. Auflage, 1992, USA

COATS, Bill C. „Aloe vera, The Inside Story", 1995, publiziert durch den Autor.

COATS, Bill C.; Hollans, Richard und Ahola, Robert. „Creatures in Our Care". Hurst Publishing, 1985, Dallas, Texas.

COLE, H.N. und Chen, K.D. „Aloe vera in oriental dermatology". Arch, Dermatol. & Syphilol. Band 47 S. 250, 1943.

COLLINS, CE und Collins, C. „Roentgen dermatitis treated with fresh whole leaf of Aloe vera". American Journal of Roentgenology, 33:1 S. 396-397, 1935.

CORRÊA, Anderson Domingues; Siqueira-Batista, Rodrigo und Quintas, Luis Eduardo M. „Plantas Medicinais" (Heilpflanzen) Editora Vozes 1992, Petrópolis/ Brasilien.

CORSI, MM.; Bertelli AA.; Gaja G. et al. „The therapeutic potential of Aloe vera in tumor-bearing rats". Int. J. Tissue React (Schweiz), 1998, 20(4) S. 115-118.

COWARD, Rosalind. „Nur Natur?" Die Mythen der Alternativmedizin. Kunstmann 1995

CREWE, J.E., M.D. „The External Use of Aloes" Minnesota Journal of Medicine. Band 20, S. 670-673, Okt. 1937

CREWE, J.E., M.D. „Aloes in the treatment of burns and scalds". Minnesota Journal of Medicine, Band 22 S. 538-539, 1939

D'AMICO, Maria Luiza." Fitoterapia". 1950, Band 21, S. 77-79

DANHOF, Ivan E.; Mc Analley Bill. „Stabilized Aloe vera: Effect on Human Skin Cells". Drug and Cosmetic Industry. Aug. 1983, 52-54, 110.

DANHOF, Ivan E. „New Approach in the Treatment of Diabethics Foot Alcers". Cara: Medical Update. Juli 1985, Band 1, Nr. 1

DANHOF, Ivan E. „Remarcable: Aloe Through the Ages". Omnimedicos Press. 1987, Grand Prairie, Texas.

DANHOF, Ivan E. „Some External Uses of Aloe". Aloe Today. Winter 1991/ 1992, S. 22-25.

DAVIS, RH; Agnew, PS; Shapiro. E. „Antiarthritic activity of anthraquinones found in aloe for podiatric medicine". Journal of American Podiactric Medical Association. 1986, 76(2) S. 61-66.

DAVIS, Robert H., et al. „Aloe vera - A natural approach for treating wounds, edema and pain in Diabetes". Journal of the American Podiatric Medical Association Band 78, Februar 1988

DAVIS, Robert H.; Rosenthal, K.Y.; Cesario, L.R.; Rouw, G.A. „Processed Aloe vera administered topically inhibits inflammation". Journal of American Podiactric Medical Association. 1989, 79(8) S. 397

DAVIS, Robert H.; Stewart, GJ; Bergaman PJ. „Aloe vera and inflamed synovial pouch model". Journal of the American Podiactric Medical Association. 812:3, S. 140-148, März 1992.

DAVIS, Robert H.; DiDonato, J.J.; Hartman, G.; Haas, R.C. „Antiinflammatory and wound healing activity of a growth substance in Aloe vera". Journal of the American Podiactric Medical Association. 84:2, S.77-81, Februar 1994.

BIBLIOGRAPHIE

DAVIS, Robert H.; DiDonato, J.J.; Johnson, R.W.; Steward, C.B. „Aloe vera hydrocortisone and sterol influence on wound tensile strengh and anti-inflammation". Journal of the American Podiactric Medical Association. 84:12, S. 614-621, Febraur 1994.

DAVIS, Robert H. „Aloe Vera: A Scientific Apprach" Vantage Pr. 9/1997

DE LEO, A. und Camarrone V. „Ascorbic acid contend of developing flowers and bracteal leaves of various Aloe species". Lav. Inst. Bot. Giardino Colon, Palermo 23:5 (Chem. Abs. 71:36395n).

DEHIN, Robert H. „Docteur Aloes". Editions Quebecor. 1992, Outremont, Quebec, Kanada.

DEHIN, Robert H. „Gesund und schön mit Aloe vera". 1997 Ariston Verlag.

DeNAVARRE, M.G. „The Chemestry and Manufacture of Cosmetics". Band 2 D. Van Nostrand Co. Princeton. 1962.

DER SPIEGEL. „Der Feind ist gestellt". Bericht im deutschen Nachrichtenmagazin „Der Spiegel", ohne Verfasserangabe in Ausgabe 17/1997 S. 236-248.

DESAI, K.N.;Wei, H.; Lamartinieire, C.A. „The preventive and therapeutic potential of the squalenecontaining compound, Roidex, on tumor promotion and regression". Cancer Lett. 3/ 1996, 101:1, S. 93-96

DETMAR, Dr. med. et phil. Bernhard „Iß richtig, und du bleibst gesund!" Albert Müller Verlag, AG., Rüschlikon-Zürich/Schweiz 1951, 1. Auflage.

DEUTSCHES KREBSFORSCHUNGS ZENTRUM. „Die Krebsmortalität im Überblick" http://www.dkfz-heidelberg.de/epi/Home_d/Programm/AG/ Krebshom/texte.../alle. ht 05.01.2000

DEUTSCHMANN, Hohmann, Sprecher, Stahl. „Pharmazeutische Biologie Drogenanalyse I: Morphologie und Anatomie", 3. Auflage, Gustav Fischer Verlag.

DIAMOND, Harvey und Marilyn: „Fit fürs Leben" 12. Auflage 1990, Goldmann Verlag.

DIAMOND, Harvey und Marilyn: „Fit fürs Leben 2" 1. Auflage 1991, Goldmann Verlag.

DIEPENAAR et al. „Nachtkerze und Krebs" South African Mecical Journal 62, S. 505; 683 (1982)

DIETERICH, Eugen. „Neues Pharmaceutisches Manual". 5. Auflage 1892 Verlag von Julius Springer in Berlin. S.77, 112, 383, 491und 564.

DILLER, I.C. „Degenerative Changes Induced in Tumors by S. Marcenses Polysaccharides". Cancer Resaerch. 1947, Band 7, S. 605-626.

DIOSCÓRIDES, Pedanius. Privatschrift über die medizinischen Wirkungen der Aloe. (Altertum)

DOMINGUEZ-SOTO, L. „Photodermatitis to the Aloe vera". Int. J. Derma-tol. Mai 1992, 31,5, S. 372.

DUNBAR, L.M. und Bailey, J.M. „Enzyme deletions and essential fatty acid metabolism in cultured cells" Journal of Biological Chemistry 250, S. 1152-1154, 1975.

ECKART, Wolfgang U. „Geschichte der Medizin" Springer Verlag, Berlin. 1998, 428 Seiten.

EHMANN, Dr. Hermann. „Aloe die sanfte Heilerin". Reformhaus

EL ZAWAHRY, M.M.; Hegazy, R. und Helal, M. „Use of aloe in treating leg ulcers and dermatoses". Int, J. Dermatol. 12(2) S. 68, 1973.

ENDERLEIN, Dr. Günther und Baum, Dr. med. Alfred. „SANUM-Therapie", 1986

KAPILLAREN BESTIMMEN UNSER SCHICKSAL

herausgegeben von der Wissenschaftlichen Abteilung der Firma Sanum-Kehlbeck GmbH & Co. KG.

ERDMANN-KÖNIG und Ing. Ernst Remenovsky."Grundriß der allgemeinen Warenkunde" Verlag von Johann Ambrosius Barth, Leipzig. 1. Band, 16. Auflage, 1921 S. 554.

EVERS. Marco. „Das verpilzte Volk" Der Spiegel, Heft 1/2000, 2000.

FABER, Stephanie. „Aloe vera. Schönheit aus der Natur". München 1988.

FAHIM, MS; Wang, M. „Zinc acetate and lyophilized Aloe vera as vaginal contraceptive". Conception. April 1996, 53:4, S. 231-236.

FARKAS, A. „Tropical medicament including polyuroxide derived from aloe". U.S. Patent N° 3,103,466 1963.

FARKAS, A. „Aloe polysaccharide composition and its preparation". U.S. Pat. N° 3,360,511 1967.

FARKAS, A. und Mayer R.A. „Polysaccharide product derived from the juice of the aloe plant and methods for preparing same". U.S. Patent N° 3,362.950 1968

FARNSWORTH, N.R. und Morris, R.W. „The sleeping Giant of the Drug Industry". Department of Pharmacognosy and Pharmacology, University of Illinois. 1975.

FAULSTICH, Hans. „Emagrecer sem sofrer" (Abmagern ohne zu leiden) 1. Auflage 1999. Vitalis São Paulo.

FICHTNER, Steffi. „Krebs als Krankheit" SFichtner-Krebstherapie-Seiten http://www.sfichtner.de/Buch/Buch.html 12.01.2000.

FILATOW, V.P. „Tissue Therapy in Cutaneous Leishmaniosis". American Review of Soviet Medicine. August 1945.

FINE, A; Brown, S. „Cultivation and clinical application of Aloe vera leaf". Radiology 31, S. 735-736, Dezember 1938.

FINNEGAN, John; Schmid, Reiner. „Aloe vera - das Geschenk der Natur an uns alle". 1998.

FISCHER B. und Hartwich C. „Hagers Handbuch der Pharmazeutischen Praxis für Apotheker, Ärzte, Drogisten und Medizinalbeamte". 9. Auflage, 1920, 1. Band, S. 217 - 230. Mit 119 Rezepten, die Aloe enthalten sowie 57 Geheimrezepten mit Aloe.

FISHBACH, Gary M.D. „Nature's Miracles, an MD's Experience". 1996

FLAGG. J. „Aloe vera gel in Dermatological Preparations". American Perfumier. 1959, Band 47, S. 27.

FLY, L.B. und Kiem, I. „Tests of Aloe vera for antibiotic activity". Econ. Bot. 17(1) S. 46, 1963.

FOGLEMAN, R.W.; Shellenberger, T.E.; Balmer, M.F.; Carpenter. R.H.; McAnalley, B.H. „Subchronic oral administration of acemanano in the rat and dog". Vet. Hum. Toxicol. April 1992, 34:2, S. 144-147.

FOLGLEMAN, R..W; Chapdelaine, J.M.; Carpenter, R.H.; McAnalley, B.H. „Toxicologic evaluation of injetable acemannan in the mouse, rat and dog". Vet. Hum. Toxicol. Juni 1992, 34:2, S. 201-205.

FONTHAM, E. et al. „Diet and chronic atrophic gastritis; a case-control study". J. Natl. Cancver Inst. 76, S. 621- 627, 1986.

FOSTER, G.B. „Herbs for Every Garden". E.P. Dutton & Co., Inc. New York City, S. 96, 1966

FRANÇA, Ronaldo. „Cardápio da Vida" (Speisekarte fürs Leben). Zeitschrift VEJA,

BIBLIOGRAPHIE

Brasilien, 2.September 1998

FRANCESCHI, S. et al. „Dietary factors and Non-Hodgkin's Lymphoma: A case-control study in the nordtheastern part of Italy". Nutr. Cancer 12, S. 333-341, 1989.

FRANCESCHI, S. et al. „Diet and Thyroid cancer: a pooled analysis of four european case-control studies". Int. J. Cancer 48, S. 395-398, 1991.

FUJITA, K.; Teradairam, R.; Toshiharu, H. „Bradykininase Activity of Aloe Extract". Biochemical Pharmacology, 1976, Band 25, S. 205.

GAGE, Diane. „Aloe vera. Nature's Soothing Healer". Healing Arts Press. 1996, Rochester, Vermont.

GALE, A.E. „Hipoallergenic Products". Med. J. Aust. Juli 1996. 165:1, S. 62.

GERHARDSSON, DeVerdier M. et al. „Meat, cooking methods and colorectal cancer: A case-referent study in Stockholm". Int. J. Cancer 49, S. 520-525, 1991.

GJERSTAD, G. und Bouchey, G. „Chemical Studies of Aloe vera Juice". Quarterly Journal of Crude Drug Research. 1968, Band 964,1, S. 1451.

GJERSTAD, G. und Riner, T.D. „Current status of aloe as a cure-all" Am. J. Pharm. 140(2) S. 58-64, 1968.

GJERSTAD, G. „Chemical studies of Aloe vera juice I. Amino acid analysis". Adv. Frontiers Plants Sci. 28:311 (Biol. Abs. 54:33019). 1971

GOLDBERG, H.C. „Aloe vera plant" Arch Dermat & Syph. 49:46, Januar 1944.

GOTTSHALL, R.Y.; Lucas, E.H., Lickfeldt, A. und Roberts, J.M. „The occurence of antibacterial Substance active against Mycobacterium Tuberculosis in seed plants". Journal of Clinical Investigation. 1949, 28, S. 920-923.

GOTTSHALL, R.H.; Jennings, J.C.; Weller, .CE.; Redman, C.T.; Lucas, E.H. und Sell, H.M., „Substances in Seed Plants Active Against Tuberculose Bacili". American Review of Tuberculosis. 1950, Band 62.

GRAUBNER, Heinz. „Das Hausbuch der Gesundheit" 1956, Deutsche Buch-Gemeinschaft, Darmstadt.

GRIBEL, N.V.; Pashinski, V.G. „Antimestastatic Properties of Aloe Juice". Vopr. Nkol. 1986, 32(12) S. 38-40.

GÜNTER, Ernst. „Gesundheit auch für Dich - 100 Heilungszeugnisse" 1. Auflage 1989 Verlag Ernst Günter, Thöringen/Schweiz.

GÜNTHEROTH, Horst und Lempke, Klaus. „Der Mineralien-Wahn" Bericht im Stern 8/96 S. 60-66, 1996, Hamburg.

HAGER, Dr. Hermann. „COMMENTAR zur PHARMACOPEA GERMANICA". 1. Band, Berlin 1873, Verlag von Julius Springer, S. 208-211.

HAGER, H.; Fischer, B. und Hartwich, C. „Kommentar zum Arzneibuch für das Deutsche Reich", Dritte Ausgabe, 1. Band, 1891, Verlag von Julius Springer, Berlin, S. 233-240.

HAGER, Dr. Hermann und Geissler, Dr. Ewald. „Pharmaceutische Centralhalle für Deutschland" Jahrgänge 31-35 (1890-1894)

HALLET, Thomas; Grebe, Monika; Meschede, Wolfgang; Rebholz, Heike; Yogeshwar, Ranga". Neues vom Krebs - Krebs in Deutschland - eine nüchterne Bilanz". WDR Köln, Sendung vom 23.09.1997

HALTER, Hans; Schedrowa, Irina. „Rückkehr der 'weissen Pest' " Der Spiegel 4/2001 S.174

KAPILLAREN BESTIMMEN UNSER SCHICKSAL

HARRIS, C.; Pierce, K.; King, G.; Yates, K.M.; Hall, J. und Tizard, I. „Efficacy of Acemannan in Treatment of Canine and Feline Spontneous Neoplasms". Molecular Biotherapy. Dezember 1991, Band 3, S. 207-13.

HART, L A't; Van Enckevort P.H. et al. „Two Functionally and Chemically Distinct Immunomodulatory Compounds in the gel of Aloe". Journal of Ethnopharmacology 23, 1988, S.61-71.

HARTWELL, J.L. „Plants used against cancer. A survey" Lloydia 33(1) S. 97, 1970.

HATTORI, M.; Akao, T.; Kobashi, K.; Namba, T. „Cleavages of the O- and C-glucosyl bonds of anthrome and 10, 10'-bianthrone derivatives by human intestinal bacteria". Pharmacology. Oktober 1993, 47 (Supl.), S. 125-33.

HAYDEN, Thomas; „Tuberculosis Is Making a Comeback", Newsweek, 8. Nov. 1999, S. 77.

HAYES, SM. „Lichen planus-report of successful treatment with aloe vera". Gen Dent (USA), May-Jun 1999

HEGGERS, J.P.; Pineless, G.R. und Robson, M.C. „Comparison of the Antimicrobial Effects of Dermaide Aloe and Aloe vera Gel". J. Amer. Med. technol. 41, N° 5, S. 293-294.

HEGGERS JP.; Elzaim H.; Garfield R. et al. „Effect of the combination of Aloe vera, nitroglycerin, and L-NAME on wound healing in the rat excisional model". J Altern Complement Med (USA), Summer 1997, 3(2) S 149-53

HEILIGE SCHRIFT „Altes und Neues Testament" Einheitsübersetzung der Römisch Katholischen Kirche. Sprüche Salomons 7:17, Joh. 19:39

HEINERMAN, John. „Aloe vera, Jojoba and Yuca". Keats Publishing Inc. 1982, New Canaan, Connecticut.

HELLRIEGEL,Klaus-Peter. „Die Heilungschancen werden steigen". Der Tagesspiegel 18.2.2000

HENNESSEE, Odus. „Aloe Mith-Magic & Medicine". Universal Graphics. 1989, Lawton, Oklahoma.

HIKINO, H.; Takahashi, T. „Isolation and Hypoglycemic Activity of Arborans A and B, Blycans of Aloe arborescens Miller. Variety of Aloe natalensis Leaves". International Journal of Crude Drug Research, 1986, Band 24. Nr. 4, S. 183-186.

HILLERS, V.; Massey, L. „Interrelationships of moderate and high alcohol consumption wirh diet and health status". Am. J. Clin. Nutr. 41, S. 356-362, 1985.

HOCHENEGG, Leonhard. „Tropische Heilpflanzen und ihre Wirkung" 1999

HODGE, W.H. „The drug aloes of commerce with special reference to the Cape species". Econ. Bot. 7 S. 99, 1953.

HORN, C.L. „Botanical science helps to develop a new relief for human suffering". J. New York Bot. Gard. 42(496) S. 88, 1941.

HORROBIN, D.F. „The reversibility of cancer: The revelance of cyclic AMP, calcium, essential fatty acid and Prostaglandin E 1". Medical Hypotheses 6, S. 469-486, 1980 und Medical Hypotheses 5, S. 969-985, 1979

HOWE, G.R. et al. „A collaborative case-control study of nutrient intake and pancreatic cancer within the SEARCH programme". Int. J. Cancer 51, S. 365-372, 1992.

HUMML, Simon. „Im Kampf gegen resistente Bakterien winkt kein Sieg" Frankfurter Rundschau.

HUNTER, D.J. et al. „Cohort studies of fat intake and the risk of breast cancer - a

BIBLIOGRAPHIE

pooled analysis". N. Engl. J. Med. 334, S. 356-361, 1996.

HUNTER, R.L.; Strickland, F.; Kezdy, F. „The role of hydrophile-lipophile balance" Journal of Immunology. 1981, Band 127, S. 1244-1250.

HUSEMANN, Armin J. „Das Herz vom Umkreis her denken" Das Goetheanum Nr. 47 19. Nov. 2000 S 965

HUTTER, J.A.; Salman, M.; Stavinoha, W.B.; Satsangi, N.; Williams, R.F.; Streeper, R.T.; Weintraub, S.T. „Antiinflammatory C-glucosyl chromone from Aloe vera". Journal of Naural Products. 5/1996, 59:5, S. 541-543.

IARC (1993) IARC Monographs on the Evaluation of Carcinogenic Risk to Humans, Vol. 56 „Some Naturally Coccuring Substances: Food Items and Constituents, Heterocyclic Aromatic Amines and Mycotoxins". Lyon, 1993.

IENA, M. „The Therapeutic properties of Aloe". Vrach Delo. Febr./März, 1993, 2-3, S. 142-145.

IMANISHI, K.; Ishiguron, T.; Saito H.; Suzuki, Y. „Pharmacological studies on a plant lectin, aloctin a. i. growth inhibition of mouse methylcholanthrene-induced fibrosarcoma (meth a) in Ascites form by aloctin". Experientia. 1981, 37 (11), S. 1186-1187.

IMANISHI, K. „Aloctin A. An active substance of Aloe vera Linné as an immunomodulator". Phytotherapy Research, Band 7, S. 20-22, 1993.

ISHII, Y.; Tanizawa, H.; Takino, Y. „Studies of Aloe. v. Mechanism of cathartic effect". Biol. Pharm. Bull. .Mai 1994, 17:5, S.651-653.

JANSSEN, Angelika. „Ihr grünes Wunder" Bericht über Aloe vera in der Zeitschrift VITAL . Deutschland, Juni 1997, S. 41 und 42.

JEDRYCHOWASKI, W. et al. „A case-control study of dietary factors and stomach cancer risk in Poland". Int. J. Cancer 37, S. 837-842, 1986.

JOCKYMAN, André. „ Babosa Cura Acne" (Aloe vera heilt Akne) Bericht in der brasilianischen Zeitschrift MANCHETE. 28.Juni 1997, S. 51.

JOHNSON, G.S.; Friedman, R.H.; Pastan, I. „Morphological transformation of cells in tissue culture by dibuttyryl adenosine cyclic monophosphate" Proceeding of National academy of Science USA, 68, S. 425- 429, 1975.

KAMMERT, Dazze. „Die Kräfte der Kräuter und Gewürze", 997

KARACA, K.; Sharma, J.M.; Nordgren. „Nitric oxide production by chicken macrophages activated by acemannan, a complex carbohydrate extracted from Aloe vera". International Journal of Immunopharmacology. März 1995, 17:3, S. 183-188.

KEMP, M.C.; Kahlon, J.B. und Chinnah, A.D. „In Vitro Evaluation of the Antiviral effects of Acemannan on the Replication on Pathogenesis of HIV-1 and Other Enveloped Viruses: Modification of the Processing of Glycoprotein Precursors". Proceedings of the Third International Conference on Antiviral Research. 1990.

KENT, Carol Miller. „Aloe vera". Arlington, Virginia . 1979.

KIM, H.S.; Cho, D.H.; Lee, B.M. „Chemopreventive effect of Aloe in male ICR mice treated with benzo(a)pyrene". Proc. Annu. Meet. Am. Assoc. Cancer Res. 1994, 35: A, S. 1937.

KING, G. und Pierce, K. „Management on treatment of Canine and Feline Fibrosarcoma with Acemannan: Follow up Report". Carrington Research and Development. Juni 1992. Doc. 8306.l.

KÖNIG, W. (Hg.), „Krebs - Ein Handbuch für Betroffene, Angehörige und Betreuer".

Springer, Wien, New York, 1997.

KOIKE, T.; Titani, K.; Suzuki, M.; Beppu, H.; Kuzuya, H.; Maruta, K.; Shimpo, K.; Fujita, K. „The Complete amino acid sequence of mannosebinding lectin from Kidachi Aloe (Aloe arborescens Miller, variedade natalensis Berger)". Biochem. Biophys. Res. Commun. Sept. 1995 214:1, S. 163-170.

KOZAK, S.A.; Stepanova, O.S.; Chekurda, A.I.; Prudnik, N.Z. und Chikalo, I.I. „Mineral composition of aloe leaves and aloe extract". Fiziol. Aktiv. Veshchestva, Respub. Meghvedom. 5 b (3) S. 302 (Chem. Abs. 77:58741y). 1971.

KOZAKOVA, Milena. „Asketen für die Fensterbank: Kakteen". WDR Sendung vom 16.3.98 um 15:55 Uhr.

KRETSCHMER, C.; Herzog, A. „Die Ernährung bei Krebs und Krebsgefährdung". Karl F. Haug/Hüthig GmbH., Heidelberg, 1995.

KRUEDENER, Stephanie et al. „Arzneipflanzen altbekannt und neu entdeckt". Botanischer Garten und Botanisches Museum Berlin Dahlem, 1993

KRUMBIEGEL, G; Schulz, H.U. „Rhein and Aloe-emodin kinetics from senna laxatives in man". Pharmacology. Okt. 1993, 43 (Supl. 1) S. 120-124.

KUNZE, Elke. „ABC der Aloe vera". 1998

LACKOVIC, V.; Borecky, L.; Sikl, D.; Masler, L.; Bauer, S. „Stimulation of interferon productian by Mannans". Proceedings of the Society for Experimental Biology and Medicine. 1970, Band 134, S. 874-879.

LAINETTI, Ricardo; Brito, Nei R. Seabra. „A Cura Pelas Ervas e Plantas Medicinais Brasileiras" (Die Heilung durch die brasilianischen medizinischen Kräuter und Pflanzen). Edições de Ouro , Brasilien. 1977

LA VECCHIA, C. „Nutritional factors and cancer of the breast, endometrium and ovary". Eur. J. Cancer Clin. Oncol. 25, S. 1945-1951, 1989.

LEARY et al. „Nachtkerze und Krebs" South African Mecical Journal 62, S. 661 1982

LEE, CK.; Han SS.; Shin YK.; et al. „Prevention of ultraviolet radiation-induced suppression of contact hypersensitivity by Aloe vera gel components". Int J. Immunopharmacol (England), May 1999, 21(5).

LEKIM, Dr. D. „BIOFRID-PLUS - Das Öl der Nachtkerze" Semmelweis-Verlag Hoya. 1. Auflage 1984.

LENTER, Ann-Katrin. „Aloe vera". Geislingen 1998, C. Maurer Verlag.

LERNER, M. „Wege zur Heilung. Das Buch der Krebstherapien aus Schul- und Alternativmedizin". Piper, 1998.

LEUNG, Alber Y. „Effective Ingredients of Aloe vera". Drugs and Cosmetics. Juni 1977, S. 34-35 und S. 154-155.

LINDEN, V. zur, „Krebs - Impuls für ein neues Leben". Karl F. Haug, Heidelberg, 1994.

LINDNER, Ulrike. „Aloe und Agave". WDR Sendung vom 4. August 1999.

LISSONI P.; Giani L.; Zerbini S.; et al. „Biotherapy with the pineal immunomodulating hormone melatonin versus melatonin plus aloe vera in untreatable advanced solid neoplasms". 1998 Nat. Immun. 16(1) : 27 -33

LORENZETTI, L.J.; Salisburi, R.; Beal, J.L. und Baldwin, J.N. „Bacteriostatic property of Aloe vera". Journal Pharm. Scien. 1964, 53 (10) S. 1287.

LOVEMAN, Adolph. „Leaf Aloe vera in the Treatment of Roentgen Ray Ulcers". Archives of Dermatology and Syphilology. 1937, Band 36, S. 838-843.

LUSHBAUGH, C.C. und Hale, D.B. „Experimental acute radiodermatitis following

BIBLIOGRAPHIE

beta irradation; histopathological study of the mode of action of therapy with Aloe vera". Cancer. 4.Juli 1953, Band 6, Nr. 4, S. 690-698.

LUTOMSKI, J. „Aloe, Topfzierpflanze mit therapeutischer Wirkung". Pharmazie in unserer Zeit, 1984, Band 13, S. 172-176.

MAIRE, R. „Flore de L'Afrique du Nord" Bd. 5, Paul Lechevalier, Paris, 1958.

MALTER/Süss, Decker & Müller Heidelberg. „Krebs im Blickpunkt". Spektrum der Wissenschaft, Sondernummer 1/96, 1996

MALTERUD, K.E.; Farbrot, T.L.; Huse, A.E.; Sund, R.B. „Antioxidant and radical scavenging effects of anthaquinoses and anthrones". Pharmacology. Oktober 1993, 47 (Supl. I), S. 77-85.

MANDEVILLE, F.B. „Aloe vera in treatment of radiation ulcers of mucous membranes". Radiology. Band 32, Mai 1939, S. 598-599.

MANGELSON, Mark L. D D S. „Effects of Aloe Irrigation on Pathogenic Microorganisms Associated with Moderate to Advanced Adult Periodontitis". University of Oklahoma College of Dentistry. Graduate of Periodonties Program.

MANNA, S.; McAnalley, B.H. „Determination of the position of the O-acetyl group in a beta- (1 - 4) mannan (acemannan) from the Aloe vera Linné". Carbohydrates Research, 17. März 1993, Band 241, Seiten 317-319.

MARSH, J.R. Jr. „Reconstitutable crystalline aloe gel". U.S. Patent 3,470,109 (Chem. Abs. 71:128588f) 1969.

MARTINEZ, M. „Las Plantas Medicinales de Mexico", 5th Ed. Ediciones Botas. Mexico, 1969.

MARY, N.Y. „Studies on Official Species of Aloe" Doctoral Dissertation Series Pub. 14:476. Univ. Microfilms, Ann arbor, Mich. 1955.

McCauley, Robert L. MD; Heggars, John P. PhD, et al. „Frostbite Injuries: A Rational Approach Based on the Pathophysiology". The Journal of Trauma, Band 23, 1983.

MacCARTHY, D.M.; May, R.J.; Maher, M.; Brennan, M.F. „Trace metal and essential fatty acid deficiency during total parenteral nutrition" American Journal of Digestive Diseases 23, S. 1009-1016, 1978.

McDANIEL, H.R., M.D. und McANALLEY, B.H. „Evaluation of Polymannoacetate (carrysin) in the treatment of AIDS". Clinical Research 1987, Band 35, Nr. 3.

McDANIEL, H.R., M.D. „The Universal Healer - The use of Aloe vera will be the most important single step forward in the treatment of diseases in the history of mankind". Dallas-Fort Worth Medical Center. USA.

McMICHAEL, A.J. et al. „Time trends in colocteral cancer mortality in relation to food and alcohol consumption: United States, United Kingdom, Australia and New Zealand". Int. J. Epidemiol 8, S. 295-303, 1979.

MEINTRUP, Marc. „Natürlich behandeln mit Aloe vera". Suedwest Verlag GmbH + Co. KG., 1998.

MEINTRUP, Marc. „Aloe Frischzellenkur", 1999.

MEYER-CAMBERG, Dr. Ernst. „Das Praktische Lexikon der Naturheilkunde" Bertelsmann Verlag, 1. Auflage 1953.

MILLER, M.B.; Koltai, P.J. „Treatment of experimental frostbite with pentoxifylline and Aloe vera cream". Arch. Otoloryngol. Head Neck Surg., Juni 1995, S. 121-126 und 678-680.

MOORE, Neecie. „The Miracle in Aloe vera. The Facts about Polymannans". Charis

KAPILLAREN BESTIMMEN UNSER SCHICKSAL

Publishing Co. 1995, Dallas, Texas.

MOORE, Timoty E. D D S „Aloe vera : Its Potential Use in Wound Healing and Disease Controle in Oral Conditions". The International Aloe Science Concil. 1996.

MORDVINOVA, N.P. und Rostotskii, B.K. „Comparative appraisal of the action of emulsion made from the juice of striped aloe for prophylaxis against X-ray damage". Med. Radiol. 6 (11) S. 16 (Biol. Abs. 41: 23058), 1961.

MORROW, D.M.; Rapapart, M.J. und Strick, R.A. „Hypersensivity to Aloe". Archives of Dermatology. September 1980, Bd. 116, S. 1064-1065.

MORSEY, Esam. „The Ultimate Aloe Reference Guide". Band I, 1980-1993, 579 Seiten. Band II 1993-1995, 108 Seiten. CITA International USA. The International Aloe Science Council. Irving, Texas 75062 USA.

MORTON, J.F. „Folk uses and commercial exploitation of Aloe leaf pulp". Economic Botany. 15(4) S. 311, 1961.

MORTON, J.F. „Medicinal plants". Bull. Med. Library assoc. 56, S.161, 1968.

MULLER, H.K.; Bukana, C.D.; Kripke, M.L.; Cox, P.A.; Saijo, S.; Strickland, F.M. „Ultraviolet irradiation of murine skin alters cluster formation between lymph node dendritic cells and specific T lymphocytes" Cellular Immunol. 1994, 157, S. 263-276.

NEAL, M.C. „In Gardens of Hawaii". Bernice P. Bishop Museum. Spec. Pub. 50. Bishop Museum Press. 1965.

NEGRIN, Eugenio. „Um Milagre da Natureza" (Ein Wunder der Natur) Editorial Panapo, Caracas/Venezuela. 1996.

NEUMAYER, Petra. „Die Heilkraft der Aloe vera" 1998. Knaur Verlag München.

NEWSLETTER of Northwest Academy of Prevebtive Medicine, ohne Verfasserangabe, „Nachtkerze und Krebs", S. Africa, Band 8, Nr. 1, 1983.

NIEBERDING, J.F. „Ancients knew value of aloe for bee stings". Am. Bee J. 114(1) S. 15, 1974.

NIEPER, Dr. Hans. „Revolution in Medizin und Gesundheit" (Schutztherapie + Diät). Ein Fach- und Informationsbuch für die Gesundheitsfürsorge. MIT-Verlag, Oldenburg. 1. Auflage November 1985.

NOLFI, Dr. Kirstine. „Meine Erfahrungen mit Rohkost" 9. Auflage 1981, Medizinalpolitischer Verlag Hilchenbach.

NOSKOV, A.D. „Tratamento da periodontose mediante injeções de extrato de babosa e sua influência sobre os metabolismos do sódio e do cálcio". Estomatologia. 1966. 45:(4) S. 13.

OH, Tou-Jin; Woong-Yank Park; Kwan-Hoi Kim; Jin-Tae Hong und Yeo-Pyo Yun. „Effect of Aloe vera Linné and Aloe arborescens Miller Mixture on Hepatitis and Liver Cirrhosis Patients". Proceedings, International Congress of Phytotherapy. 16.Oktober 1991, S. 107-116.

O'NEILL, Peter. „Gesundheit 2000" Verlagsgesellschaft Gesundheit. WHO 1982, 200 Seiten.

OSOL, A. und Farrar, G.E. „The dispensatory of the United States of America". 1950 Edition. Philadelphia. 1950.

OSOL, A.; Pratt, R. und Altschule, M.D. „The United States Dispensatory and Physicians' Pharmacology" 26th Ed. J. B. Lippincott Co. Philadelphia 1967

OTTERSBACH Georg und Buchheister G.A. „Handbuch der Drogisten- Praxis" Verlag von Julius Springer, Berlin, 1921, 14. Auflage, S. 566-568.

BIBLIOGRAPHIE

PARACELSUS (Theophrast Bombast von Hohenheim). „Geheimnisvolle Botanik" Aloe gegen Haarausfall. geb. 1494 gest. 1541

PARRY, O; Matambo, C. „Some pharmacological action of aloe extractes and Cassia abbreviata on rats and mice". Cent. Afr. J. Med., Okt. 1992, 38:10, S. 409-414.

PASSWATER, Richard (Herausgeber) „Aloe vera, Jojoba and Yuca. The Amazing Health Benefits they can Give you". Keats Publishing, 1982, New Canaan, Connecticut.

PELIKAN, Wilhelm. „Heilpflanzenkunde, Der Mensch und die Heilpflanzen". Band I, 3. Auflage 1975, Philosophisch-Anthroposophischer Verlag Goetheanum, Dornach/Schweiz. S. 352.

PELIKAN, Wilhelm. „Heilpflanzenkunde, Der Mensch und die Heilpflanzen". Band II, 2.Auflage, 1977, Philosophisch-Anthroposophischer Verlag Goetheanum, Dornach/Schweiz. S. 226.

PENG, S.Y.; Norman, J.; Curtin, G.; Corrier, D.; McDaniel, H.R.; Busbee. „Decreased mortality of Norman murine sarcoma in mice treated with the immunomodulador, Acemannan". Mol. Biother. Juni 1991, 3:2m, S. 79-87.

PERIEIRA, A. Jr. „Result of studies carried out by the phytochemistry service, with possibilities of immediate industrial application". Garcia Orta 14(4) S. 557 (Chem. Abs. 69:105094m) 1966.

PEUSER, Michael. „Krebs wird geheilt, AIDS-Krankheitsverlauf gebremst!" Untertitel: „'Penizillin' gegen Krebs aus der Apotheke Gottes". Brasil-Post Editora Brasil-Post Ltda. Nr. 2474 vom 3. Juli 1998, S. 8 und 10. Deutschsprachige Wochenzeitung in Brasilien.

PEUSER, Michael. „Kann Aloe vera Krebs heilen?" Brasil-Post Editora Brasil-Post Ltda. Nr. 2424 vom 11. Juli 1997, S. 16.

PEUSER, Michael. „Nachtkerzenöl, ein faszinierendes Heilmittel der Natur" Deutsche Zeitung, São Paulo/Brasilien 31. Juli 1998 , Seite 4.

PEUSER, Michael. „Jahrhundertentdeckung entlarvt den Verursacher des Herzinfarktes" Brasil-Post, São Paulo/Brasilien. 6. Juni 1997, S. 1 und S. 11.

PEUSER, Michael. „Aloe, eine ideale Heilpflanze gegen Hautverätzungen in der Galvanotechnik". Eugen G. Leuze Verlag. April 2000, Fachzeitschrift „Galvanotechnik".

PEUSER, Michael. „Neue Erkenntnisse in der Ernährungswissenschaft". Vortrag im Club Transatlântico São Paulo/Brasilien und als Fortsetzungsbericht in der Brasil-Post veröffentlicht ab Ausgabe BP 2278 São Paulo/Brasilien, 1995.

PHILLIPS, R.L. „Role of life-style and dietary habits in risk of cancer among Seventh-Day Adventists". Cancer Res. 35, S. 3513-3522, 1975.

PLASKETT, Dr. Lawrence G. „Scientific References to Stimulation of Phagocytosis and Other Immune Functions" aus seinem Buch „The Health and Medical Use of Aloe vera". Inside Aloe - Druckschrift der Firma Forever Living Products Brasil Ltda.

PITTMAN, Dr. John C. „Health consciousness". Band 13,. Nr. 1/1992 USA

POLLMER, Udo; Fock, Andrea; Gonder, Ulrike; Haug, Karin. „Prost Mahlzeit! Krank durch gesunde Ernährung". Kiepenheuer & Witsch, 1994.

POTH, Susanne. „Mit Kraut und Wickel: Aloe" Hessischer Rundfunk, 4.Juni 1998.

PROSERPIO, G. „Natural sunscreens: vegetable derivatives as sunscreens and tanning agents". Cosmetics and Toiletries. 91:34, 1976.

PUCK, T.T. „Cyclic AMP, the microtubule/microfilament system and cancer". Proceeding of the National Academy of Science, USA 74, S. 4491-4495, 1975.

PÜTZ, Jean; Kirschner, Monika. „Mediterane Lebenselixiere", 1999.

PÜTZ, Jean. „Wunder sind möglich - Unerklärliche Heilungen bei Krebs" Deutsche Krebshilfe e.V., Bonn, 1998.

QUEIROZ, Luiz Roberto de Souza. „Médicos estudam relações entre reza e cura". (Ärzte untersuchen die Zusammenhänge zwischen Gebet und Heilung.) O ESTA-DO DE SÃO PAULO, São Paulo 12.12.1999.

RAHN-HUBER, Ulla „Gesund und schön mit Aloe vera", 1999.

RAHN-HUBER, Ulla. „Natürlich heilen und pflegen mit Aloe vera", 1999.

RATTNER, H. „Roentgen ray dermatitis with ulcer". Arch. Dermatol, & Syphilol. 33:593, 1936.

READER'S DIGEST „Segredos e Virtudes das Plantas Medicinais" (Magic and Medicine of Plants, 1994, Australien), S. 139, Rio de Janeiro, 1999.

RENNER, Kh.; Canzler, H. „Ernährung und Krebs", Karl F. Haug/Hüthing GmbH., Heidelberg, 1995.

REYNOLDS, G.W. „The Aloes of Tropical Africa & Madagascar". The Aloe Book Fund, Mbabane, Swaziland, 1966.

ROBERTS, D.B.; Travis, E.L. „Acemannan-containing wound dressing gel reduces radiation-induced skin reactions in C3H mice". Int. J. Radiat. Oncol. Biol. Phys. 15.Juli 1995, 32:4, S. 1047-1052.

ROBOZ, E. und Haagen-Smit, A.J. „A mucilage from Aloe vera". J. Am. Chem. Soc. 70(10) S. 3248, 1948.

ROBSON, M.C.; Heggers, J.P. und Hagstrom, W.J. „Myth, magic, withcraft or fact? Aloe vera Revisited". JBCR Mai/Juni 1982, Band 3, Nr. 2, S.157-163.

ROBSON, M.C.; Murphy, R.C.; Heggers, J.P. „A new explanation for the progressive tissue loss in electrical injuries". Plastic and Reconstrutive Surgery. März 1984, Band 73 ,Nr. 3 ,S. 431-437.

ROHR, Wulfing von. „Die zwölf Heilwunder der Natur". 1997.

ROSE, J. „The Herbal Body Book". Grosset & Dunlap, New York 1976.

ROSTOWSKI, B.K. und Aleshkina, Ya.A. „Aloe emulsion" UdSSR Patent N° 111,903. 1958.

ROVATH, B. und Brennan, R.J. „Experimental thermal burns". Indust. Med. and Surg. Band 28, S. 364-368, 1959.

ROWE, Tom D. und Parkes Lloyd, M. „A Phyto chemical Study of Aloe vera Leaf". Journal of the American Pharmaceutical Association. 1939, Band 39, S. 262-265.

ROWE, Tom D. „Effect of fresh Aloe vera gel in treatment of thirddegree roentgen reaction on white rats". Journal of the American Pharmaceutical Association. (Scient. Ed.), 1940, Band 29, S. 348-350.

ROWE, T.; Parks, L. und Lovell, B.K. „Further Observation on the Use of Aloe vera Leaf in the Treatment of Third Degree X-Ray Reactions". Journal of the American Pharmaceutical Association. 1941, Band 62, S. 269.

RUND, C.R. „Non-conventional tropical Therapies for wound care" Ostomy Wound Manage. Juni 1996, 42:5, S. 18-20, 22-24 und 26.

SABEH. F.; Wright, T.; Norton, S.J. „Purification and characterization of the gluthatione peroxidase from the Aloe vera plant". Enzyme Protein. 1993 47:2, S. 92-98.

SAIJO, S.; Bucana, C.D.; Ramirez, K.M.; Cox P.A.; Kripke M.L.; Strickland, F.M. „Deficient antigen presentation....."Cellular Immunol. 1995.

SANDSTROM, A.G. „Action of aloes on the autonomic innervation". Compt. Rend. Soc. Biol. 97:1646, 1927.

SCHLECHTER, Steven R. „Aloe vera Produces Anti-Inflammatory Immune Strenghtening Effects on Skin". Let's Live. Dezember 1994, S. 50-52.

SCHNEIDER, Dr. A. „Pharmaceutische Centralhalle für Deutschland", Jahrgänge 1903 (S.243,782), 1904 (S.109, 110, 555), 1910 (S. 1151) und 1911(S.455).

SCHORR, Pater Prof. Benno J. „Um Remédio Incrível Para Um Mal Incurável e Outros Males" (Ein unglaubliches Medikament für unheilbare und andere Krankheiten), Bericht über Magnesiumchlorid. „Quimica e Biologia" Brasilianische Fachzeitschrift vom 30.9.1985.

SCHUSTER, Gerd. „Der Vitamin-Schwindel" aus der Serie: Wir armen Schlucker. Bericht aus der Zeitschrift Stern 32/94, Hamburg 1994.

SCHWARZ, Rudolf. „Heilmethoden der Aussenseiter-Hoffnung für Millionen". Bertelsmann, 1975.

SCHWEIZER, Marc. „Aloe vera, die Pflanze, die heilt" Apophtegme, Paris, 1994 bzw. „Aloe, die Pflanze, die pflegt und heilt". Paris, 1997, APB.

SENGUPTA, Christine; Grob, Peter; Stüssi, Hans. „Medikamente aus Heilpflanzen". 1991.

SEYGER MM.; van de Kerkhof PC.; van Vlijmen-Willems IM., et al. „The efficacy of a new topical treatment for psoriasis". Mirak. J. Eur Acad Dermatol Venereol (Etherlands) Jul 1998, 11(1) S. 13-18.

SHEETS, M.; Beverly, A.; Unger, G.F.; Giggleman, I.; Tizard, I.R. „Studies of the Effect of Acemannan on Retrovirus Infections: Clinical Stabilization of Feline Leukemia Virus-Infected Cats". Molecular Biotherapy. März 1991, Band 3, S. 41-45.

SHERRY, Michael M. „Confronting Cancer. How to Car for Today and Tomorrow". Insight Books. 1994. New York.

SHIDA, Takao; Akira, Yagi; Hirosha, Nishimura und Itsua, Nishioka. „Effect of Aloe vera Extract on Peripherical Phagocitosis in Adult Bronchial Asthma". Medicinal Plants. Februar 1985, S. 273-275.

SIEGERS, C.P.; Siemens, J.; Baretton, G. „Sennosides and Aloin do not promote dimethylhydrazine-induced colorectal tumors in mice". Pharmacology. 1993, 47 (Supl. I) S. 205-208.

SIMONS, Anne; Rucker, Alexander. „Gesund länger leben durch OPC". Maya Medizin 2000

SKOUSEN, Max. B. „The Ancient Egyptian Medicine Plant Aloe vera Handbook" Aloe Vera Research Institute. 1995, Cameron Park, CA.

SKOUSEN, Max B. „Aloe vera - Quotations from Medical Journals" Aloe Vera Research Inst., 2681 Cameron Park Dr., Cameron Park, CA 84120.

SOMBOONWONG J.; Thanamittramanee S.; Jariyapongskul A. et al. „Therapeutic effects of Aloe vera on cutaneous microcirculation and wound healing in second degree burn model in rats". J Med Assoc Thai (Thailand), April 2000, 83(4) S. 417-25

KAPILLAREN BESTIMMEN UNSER SCHICKSAL

STEINMETZ, K.A. und Potter, J.D. „Vegetables, fruit, and cancer". I. Epidemiology. Cancer Causes Control 2, S. 325-357, 1991.

STEINMETZ, K.A. und Potter J.D. „Vegetables, fruits, and cancer". II. Mechanisms. Cancer Causes Control 2, S. 427-442, 1991.

STERN MILLENNIUM. „Was ist dran an der neuen Welt" (1400-1499) Sonderbeilage der deutschen Zeitschrift Stern. 1999 Hamburg.

STEVENS, Neil. „Aloe vera" Celestial Connection, Editorial Sirio, S.A. Spanien, 1999

STRICKLAND, F.M.; Pelley, R.P.; Kriple, M.L. „Prevention of ultraviolet radiation-induced suppression of contact delayed hypersensitivity by Aloe vera gel extract". Journal Invest, Dermatologycal. Februar 1994, 102:2, S. 197-204.

STURM, P.G. und Hayes, S.M. „Aloe vera in Dentistry". The Jounal of the Society, Mai 1984, S. 11-14.

SUKHORUKOV, K. und Bolshakova, N. „Free and bound hormone of cell division in plants". Compt. rend. acad. ac. U.S.S.R. 53:471-474, 20.8.1946

SYDISKIS, R.J.; Owen, D.G.; Lohr, J.I.; Rosler, K.H.; Blomster, R.H. „Inactivation of enveloped viruses by anthraquinones extratected from plants". Antimicrob Agents Chemother. Dez. 1991, 35:12, S. 2463-2466.

SYED, T.A.; Ahmad, S.A.; Holt. A.H.; Ahmad, S.H.; Afzal, M. „Management of psoriasis with Aloe vera extracted in a hydrophilic cream: a placebo controlled, double-blind study". Trop. Med. International Health. August 1996, 1-4, S. 505-509.

TCHOU, M.T. „Aloe vera (jellow leeks)". Arch. Dermat & Syph. 47:249, Februar 1943.

TENNEY, Deanne. „Aloe vera" (Woodland Health Series) Woodland Publishing. Februar 1997.

TESKE, Magrid und Trentini, Anny Margaly M. „Herbarium Compêndio de Fitoterapia". Herbarium Laboratório Botânico, Curitiba, Paraná, Brasilien, 1995.

THOMPSON, James. „Upper Respiratory Tract Immunomodulator-Acetyl Mannan". USA. Vortrag vor der Jahresversammlung der Amerikanischen Akademie der Hals- Nasen- und Ohrenärzte im Sept. 1993.

TIZARD, Ian R.; Robert, H,; Caroenter, B.H.; McAnalley, H. und Kemp, H. „The Biological Activities of Mannans and Realted Complex Carbohydrates". Molecular Biotherapy. 1989, Band 1, Nr. 6, S. 290-296.

TIZARD, Ian R. „The effect of acemannan on the healing of wounds in experimental animals". International Symposium on Wound Healing and Wound Management". 10. Oktober 1992, New Orleans, Louisiana.

TIZARD, Ian R. „Use of Immunomodulators as an Aid to Clinical Management of Feline Leukemia Virus-Infected Cats". Journal of American Veterinary Medical Association. 15.November 1991, Band 1991, Nr. 10, S. 1482-1485.

TSUDA, H.; Matsumoto, K.; Ito, M.; Hirono, I.; Kawai, K.; Beppu, H.; Fujita, K. und Nagoo, M. „Inhibitory Effect of Aloe vera Linné variety Aloe natalensis Berger (Kidachi Aloe) on Induction of Preneoplastic Focal Lesion s in the Rat Liver". Phytotheraphy Research.. 1993, Band 7, S. 43-47.

TUYNS, A.J. et al. „Aloe of diet, alcohol and tobaco in oesophageal cancer, as illustrated by two constrasting high-incidence areas in Nord Iran and Est of France". In: Rozen P.; Eidelman, S. und Gilat, T., eds, Frontiers of Gastrointestinal Research, Vol. 4, Gastroinestinal Cancer: Advances in Basic Research, Basel, Karger, S. 101-110, 1979.

BIBLIOGRAPHIE

UEHARA, N.; Iwahori, Y.; Asamoto, M.; Baba-Toriyama, H.; Iigo, M.; Ochiai, M.; Nagao, M.; Nakayama, M.; Degawa, M.; Matsumoto, K.; Hirono, I.; Beppu, H.; Fujita, K.; Tsuda, H. „Decreased levels of 2-amino-3-methylimidazol [4,5f]quinoline-DNA adducts in rats treated with beta-carotene, alpha-tocopherol and freeze-dried aloe". Japan Journal Cancer Res. April 1996, 87:4, S. 342-348.

VAN WYK, B.E.; van Rheede; van Oudtshoorm, M.C.; Smith, G.F. „Geographical variation in the major compound of Aloe ferox leaf exudate". Mecicinal Plants. Juni 1995, 61:3, S. 250-253.

VAZQUEZ B.; Avila G.; Segura D., et al. „Antiinflammatory activity of extracts from Aloe vera gel". J. Ethhnopharmacol (Irland), Dez 1996, 55(10) S 69-75

VEJA, Brasilianische Wochenzeitschrift „Verde no espaço" (Grünes im Weltraum - Nasa entdeckt Pflanzen, die Luft reinigen) Aloe vera entfernt Formaldehyd aus den Raumschiffen. Veja, São Paulo/Brasilien. Ausgabe vom 3.August 1988.

VESTER, Frederic. „Phänomenen Stress" Deutsche Verlags-Anstalt 1976

VIANNA, Paulo. „Babosa, a planta milagrosa" (Aloe vera, die Wunderpflanze) Druckschrift der Firma Forever Living Products Brasil Ltda. 18.September 1997, Nr. 28.

VIDENTE, Olga. „Plantas e Ervas que curam" (Pflanzen und Kräuter die heilen) Brasilien. 1994

VISUTHIKOSOL V.; Chowchuen B.; Sukwanarat Y., et al. „Effect of Aloe vera gel to healing of burn wound a clinical and histologic study". J Med Assoc Thai (Thailand), Aug. 1995, 78(8) S. 403 - 409.

WILLIAMS MS.; Burk M.; Loprinzi CL., et al. „Phase III double-blind evaluation of an aloe vera gel as a prophylactic agent for radiation-induced skin toxicity". Int J Radiat Oncol Biol Phys (USA), 1.9.1996, 36(2)

VINK, A.A.; Strickland, F.M.; Bucana, C.; Cox, P.A.; Roza, L.; Yaroch, D.B.; Kripke, M.L. „Localization of DNA damage and its role in altered antigen-presenting cell function in UV-irradiated mice". J. Exp. Med. 1996, 183:1, S. 491-500.

VISUTHIKOSOL, V.; Chowchuen, B.; Sukwanarat, Y.; Sriurairatana, S.; Boonpucknavig, V. „Effect of Aloe vera gel to healing of burn wound. A clinical and histologic study". Journal Med. Assoc. Thai. August 1995, 78:8, S. 403-409.

WALSER, Dr. med Thomas, CH-8004 Zürich, „Fibromyalgie" http://www.dr. walser.ch/tm.htm 2001

WANDMAKER, Helmut. „Willst Du gesund sein? Vergiß den Kochtopf!" 6. Auflage 1991, Waldthausen Verlag.

WANIOREK, Linda; Wniorek, Axel. „Gesundheit und Schönheit durch Aloe vera". 1998

WATCHER, M.A.; Wheeland, R.G. „The role of tropical agents in the healing of full-thickness wounds". J. Dermatol. Surg. Oncol. 1989, 15 (11):1.188-195.

WEERTS, D.; DeWitt, S.; Gerard, M.; Rahir, F.; Jonckheere, J. und Clumeck, N. „A Phase II Study of Carrisyn (acemannan) Aloe and with AZT Among Symptomatic and Asymptomatic HIV Patients". 6. Internationale Konferenz über AIDS in San Francisco, Californien. 20.06.1990.

WEST, D.W. et al. „Adult Dietary Intake and Prostate Cancer Risk in Utah: A case Control Study with Special Emphasis on Aggresive Tumors". Cancer Causes and Control 2, S. 85-94, 1991.

WHITEMORE, A.S. et al. „Diet. Physical Activity, and Colorectal Cancer among

Chinese in North America and China". J. Natl. Cancer Inst. 82 (11) , S. 915-926, 1990.

WICHTL, M. „Teedrogen" Ein Handbuch für Apotheker und Ärzte. S.42-43.

WILLET, W.C. et al. „Relation of meat, fat, and fiber intake to the risk of colon cancer in a prospective study among women". N. Engl. J. Med. 323, S. 1664-1672, 1990.

WILLET, W.C. „Diet, Nutrition, and Avoidable Cancer". Environmental Health Perspectives 103. 1995.

WILLIAM, M.S.; Burk, M.; Loprinzi, C.L.; Hill, M.; Schomberg, P.J.; Nearhood, K.; O'Fallon, J.R.; Lauri, J.A.; Shanahan, T.G.; Moore, R.L.; Urias, R.E.; Kuske, R.R.; Engel, R.E.; Eggelston, W.D. „Phase III double-blind evaluation of an Aloe vera gel as a prophylactic agent for radiation-induced skin toxicity". Int. J. Radiat. Oncol. Biol. Phys. 1996, 36(2), S. 345-349.

WINKLE, Stefan. „Geißeln der Menschheit, Kulturgeschichte der Seuchen".Verlag Artemis & Winkler, Düsseldorf, Zürich, 1400 S., 1997.

WINTERS, W.D.; Benavides, R.; Clouse, W.J. „Effects of Aloe Extracts on Human Normal and Tumor Cells in Vitro". Econ Bot. 1981, 35(1), S. 89-95.

WIRTH, Wolfgang. „Mit Aloe heilen (Gewebe-Therapie - Aloe-Therapie - Agaven-Heilsystem. Die Wende für viele Leiden)". 12. Auflage Ennsthaler Verlag, Steyr. Österreich, 1997. (Hsgr. Therapietransfer).

WIRTH, Wolfgang. „Heilkosmetik", die 100 Wunder der Aloe. Eine Wüstenpflanze gibt ihr Geheimnis preis. 1990.

WOMBLE, D. und Helderman, J.H. „Enhancement of Allo-Responsiveness of Human-Lymphocites by Acemannan". International Journal of Immunopharmacology. 1988, Band 10, Nr. 8, S. 967-974.

WOMBLE, D. und Helderman, J.H. „The Impact of Acemannan on the Generation and Function of Cytotoxic T-Lymphocytes". Immunopharmacology and Immunotoxicology. 1992, Band 14, Nr. 1 und 2 , S. 63-77.

WRIGHT, Carroll S. „Aloe vera in treatment of roentgen ulcers and telangiectasis". Journal of the American Medicinal Association. 1936 Band 106, S. 1363-1364.

WÜNSTEL, Gawlik, Stübler. „Aktuelle Anwendungsmöglichkeiten der Homöopathie in der ärztlichen Praxis" Band 3, Weka-Verlag.

WYK, Ben-Erik; Smith, Gideon. „Guide to the Aloes of South Africa" 1999

YAGI, A.; Shibata, S.; Nishioka, I.; Iwadare, S. und Ishida, Y. „Cardiac stimulation action of constituents of Aloe saponaria". Journal of Pharmaceutical Sciences, 1982, Band 71, S. 739-741.

YAMAGUCHI, I.; Mega, N. und Sanada, H. „Components of the gel of Aloe vera L." Biosci. Biotechnol. Biochem. August 1993, Band 57:8, S. 1350-1352.

YUAN, A.X. „The molecular structure of iso-aloesin isolated from the leaves of Aloe vera L., variety chinensis Steud". Ching Kuo Chung Yao Tsa Chih., Oktober 1993.

ZAGO, Frei Romano OFM. „Câncer tem Cura!" (Krebs ist heilbar) 25. Auflage 1998, Editora Vozes, Petropolis/Brasilien.

ZATONSKI, W. et al. „Tobacco, alcohol and diet in the etiology of laryngeal cancer: a population-based case-control study". Cancer Causes Control 2, S. 3-10, 1991.

ZATTA, Irmã Maria. „A Farmácia da Natureza" (Die Apotheke der Natur) Brasilien. 1972 (Enthält die Aloe-Honig-Alkohol-Formel)

ZAWAHRY, M.; Rashad Hegazy, M.; Helal, M. „Use of Aloe in Treating Leg Ulcers,

BIBLIOGRAPHIE

Acne Vulgaris, Seborrhea and Dermatoses". International Journal Dermatol. Januar und Februar 1973, S. 68-74.

ZIMMERMANN, D.D.S. et al. „For inflammatory lesions in the mouth". College of Dentristry, Baylor University, in Oral Surgery, S. 122-127, Jan.1969.

ZONTA, F.; Bogoni, P.; Masotti, P.; Micali, G. „High-performance liquid chromatographic profiles of aloe constituents and dertermination of aloin in beverages, with reference to the EEC regulation for flavouring substances". J Chromatogr A., Dezember 1995.

KAPILLAREN BESTIMMEN UNSER SCHICKSAL

Namens- und Sachregister

A

Abführmittel 35, 36, 39, 91
Abraham 36
Abschürfungen 136
Absonderungen 61
Abszesse 36, 151, 175
Abtreibung 216
Abtreibungsmittel 39
Acemannan 49, 124, 125, 126, 127
Acemannanose 49
AEDS 115, 120
Aflatoxine 63
Afrika 38, 39, 40
Afterentzündung 151
Agaven-Dicksaft 71, 74, 111
Ägypten 34
AIDS 52, 63, 73, 75, 78, 113, 117, 119, 120, 122, 126, 137, 147, 216, 262
Akne 36, 133, 152
Alexander Bryce 242
Alexander der Große 33, 35, 42
Alexander Fleming 148
Alexander Trallianus 33
Alkoholmißbrauch 15, 30, 59, 62, 64, 97, 98, 116
Allergien 41, 133, 152, 161, 206
Allergietest 143, 258
Aloe 33, 34, 35, 36, 38, 39, 41, 50, 78, 86, 121
Aloe arborescens Miller 45, 48, 202
Aloe soccotrina Lamarck 35
Aloe striatula Haw 43
Aloe vera Linné 47, 51, 109, 202
Aloe-Aufzucht 202
Aloe-Emodin 217
Aloe-Kraft-Getränke 201
Aloe-Kristalle 91, 211
Aloe-Pflanzen 203, 219
Aloe/Honig/Alkohol/Mischung 49, 79, 86, 94, 113, 115, 126, 262
Aloeholz 33
Aloevida S.A. 211
Alogen-Therapie 93, 94
Aloin 211, 217
Ältere Menschen 29
Altersflecken 15
Alterungsprozesse 50
Alvagel 41
Alzheimer 29

Amenorrhoe 51
Amerika 37, 40
Aminosäuren 33, 49
Ampicillin 148
Amputation 110
Anämie 154
Anemueller 59
Angina 155, 178
Angina pectoris 19, 31, 106, 172
Angiogenese 25
Angst 97, 144
Anthrachion 214
Anthranoid 213
Antibiotika 58, 147, 148
Antillo 36
Antipruritikum 136
Aorta 20
Apostel Thomas 156
Apotheke 52
Apothekerbuch 33, 39
Appetitlosigkeit 61, 66
Arabien 36
Arbeitsplatz 62, 63
Aretaco 36
Armee von Israel 245
Arno Reckziegel OFM 44
Arterienverkalkung 155
Arteriosklerose 107, 172
Arthritis 155
Aruba 38
Asbest 63
Asien 40
Asthma 155
Atem 29
Atemnot 175
Atemrhythmus 31
Athleten-Füße 136
Atmung 21, 30
Atmungskette 55
Augen 36, 37, 43, 63, 101
Augenentzündung 39
Augenlidrandentzündung 156
Aura 223, 224
Ausleseverfahren 25
Ausscheidungsphase 246
Autosuggestion 99
Avicena 37
Ayurveda-Medizin 35, 179, 211
Azidosestarre 26, 116, 118, 121, 250, 253
AZT 78, 124, 126

B

Babylonien 34
Bacillus subtilus 157
Bakterien 126
Bakterium Heliobacter pylori 191
Ballaststoffe 59
Barbados 38
Bartflechte 157
Bauchfelldialyse 129
Bauchspeicheldrüse 62, 65, 105
Beine 43
Benzoldämpfe 63
Besprechen 167
Bestattungsbrauch 39
Bettnässer 158
Bewegungsmangel 30, 62, 98, 168
Bewegungsübungen 25
Bill Coats 105, 139
Bindehautentzündung 156, 157
Bircher-Benner 59
Bitterstoffe 51
Blähungen 158
Blasenentzündung 158
Blasenkatarrh 158
Blatthaut 210, 215
Blauer Fleck 159
Blut 19, 20, 29, 37, 65, 239
Blutarmut 233
Blutdruck 31, 104, 109
Bluterguß 159
Blutexamen 52
Blutgefäße 24, 30, 234
Blutgifte 116
Blutglucose 108
Bluthochdruck 158, 239
Blutkörperchen 15, 23, 24, 29, 30, 55
Blutkreislauf 19
Blutplasma 103
Blutproteine 239
Blutreinigung 159
Blutstillung 159
Blutung 61
Blutwerte 52
Blutzirkulation 21
Blutzucker 23, 108, 110, 113, 239
Bob Hayward 134
Bowman'sche Kapsel 103
Brandwunden 39, 40, 42, 135
Brasil-Post 14, 77, 86
Brasilien 47
Bronchitis 239

290

NAMENS- UND SACHREGISTER

Brot 62, 261
Brust 63, 65
Brustdrüsenentzündung 160
Brustkrebs 63, 66, 69
Brustuntersuchung 64
Bullrich-Salz 131, 253

C

Candida albicans 137, 157
Cefalexin 149
Chemikalien 30, 98
Chemotherapeutika 68, 89
Chemotherapie 43, 66, 68, 69, 83, 86, 87, 90, 98
China 35, 47
Chirurgie 83
Cholesterin 109
Cholesterin LDL 107
Cholesterinabbau 160
Cholesterinspiegel 155
Cholesterinwert HDL 107
Chromosomen 236
Chron-Krankheit 161
Chronische Nesselsucht 160
Cisplatin 89
Citrobacter 157
Club Transatlântico 78
CMV 115
Codex Anicine Julianae 36
Colitis ulcerosa 161
Copra 35
Corynebacterium xerosis 43, 157
Creston Collins 41, 87
Cyclophosphamid 89

D

Darm 63, 65
Darmflora 237
Darmparasiten 154
Darmschleimhaut 168
Darmträgheit 39
Darmverschluß 85
Denaturierte Nahrung 252
Deodorant 38
Depression 97
Deutsche Krebsgesellschaft 73, 260
Deutsche Krebshilfe e.V. 59, 60, 64, 72, 260
Deutsche Zeitung 77
Deutsches Krebsforschungsinstitut 72
Diabetes 101, 109
Dialysepatienten 129

Dickdarmentzündungen 124, 161
Dioskurides 33, 36, 37
Diphterie 166
DNS 236
Doxorubizin 89
Dr. A.P. Schneller 31, 211, 217, 222
Dr. Adolph Loveman 41
Dr. Akira Yagi 156
Dr. Alexander Farkas 43
Dr. Alfons Ulrich Müller 109
Dr. B. Rostotsky 169
Dr. Baraduc 265
Dr. Bill McAnalley 123
Dr. Blitz 43, 178
Dr. C.A. Hansen 177
Dr. Carrol D. Wright 41
Dr. Creston Collins 169, 189
Dr. D. Ross 259
Dr. Debra Womble 124
Dr. E.E. Collins 169, 189
Dr. Egon von Weidebach 77
Dr. El Zawahry 43, 186
Dr. Ellis G. Bovik 180
Dr. Faith Strickland 134, 193
Dr. Frederick Mandeville 41, 181
Dr. Gerard 43, 178
Dr. Gottshall 42, 196
Dr. Hale 42, 187
Dr. Hans Nieper 139
Dr. Harold Heldermann 124
Dr. Hegazy 43
Dr. Helal 43
Dr. J.E. Crewe 41, 184, 196
Dr. James Barrett Brown 170
Dr. James Thompson 156
Dr. John P. Heggers 157
Dr. K Somova 181
Dr. K.A. Oster 259
Dr. Keisuke Fujita 178
Dr. Kemp 124
Dr. Kristine Nolfi 254, 255, 256
Dr. Kübler-Ross 268
Dr. Lickfeldt 42
Dr. Logai 43
Dr. Lorenzetti 43
Dr. Lothar Weissbach 15, 73
Dr. Lucas 42
Dr. Lushbagh 42, 187
Dr. M. Hindhede 255
Dr. M.L. Kriple 193
Dr. Marcelino Pedrini Ruas 187
Dr. Martin Robson 134
Dr. Maurice Rawlings 268, 269
Dr. med. et phil. Bernhard Detmar 256

Dr. med. Robert Helbert Bammann 11
Dr. Meljankow 180
Dr. Melvin Morse 268
Dr. Moody 268
Dr. N. Nordvinov 169
Dr. N.N. Hermans 125
Dr. Neuci da Cunha Gonçalvez 225
Dr. Neville Baron 193
Dr. Oh 171
Dr. Orn Prakash Agarwall 107, 173
Dr. Paul Carrington 181
Dr. Peter G. Sturn 180
Dr. Peter Pugliese 139
Dr. R. Rovatti 197
Dr. R.J. Brennan 197
Dr. R.N. Chopia 125
Dr. R.P. Pelley 193
Dr. Ralph Bircher 253
Dr. Reginald McDaniel 123
Dr. Rjabinina 180
Dr. Robert Davis 105
Dr. S. Levenson 181
Dr. Smith 43, 178
Dr. Steven Hayes 180
Dr. Stuart Wallace 180
Dr. Syed 193
Dr. T. Zarimora 196
Dr. Terry Eatson 124
Dr. Terry Pulse 122, 201
Dr. Thomas Bell 180
Dr. Ulit 163
Dr. V. Visuthikosol 197
Dr. W. Rodionov 196
Dr. Weerts 125
Dr. Weinstein 174
Dr. William Engel 192
Dr. Windel Winters 46
Dr. Wolfgang Wirth 44, 156, 160, 161, 166, 170, 173, 174, 175, 179, 185, 188, 199
Dr. Wolgang Sauer 177
Dr. Worlitschek 26, 118 ,130
Dra. Meire Maman 183
Drüsenschwellungen 50
Duodenalulcera 199
Durchblutung 23, 24, 25
Durchblutungsstörungen 31
Durchfall 85, 126, 127, 161, 207
Durst 29
Dymenorrhoe 51
Dynastie Tang 36

291

KAPILLAREN BESTIMMEN UNSER SCHICKSAL

E

E. coli 157
Ebersche Papyrus 33, 34
Eierstöcke 63, 65
Eierstockkrebs 68
Eingetrocknete Keimdrüsen 239
Eisbeinessen 245
Eisen 154
Eiterbeulen 151
Eitergeschwülste 151
Eiternde Wunden 161
Ekzeme 41, 136, 161
Elektrokardiogramm 107, 108
Elisabeth Lugbauer 211
Emilie Coué 99
Endokrine Drüsen 161
Endothelzellen 23, 101
Energie 29, 241
Entgiftung 244
Entwicklungsgeschichte 24
Entzündung 26, 36, 61, 66, 136
Enzyme 33, 49, 162
Epidemien 147
Epitheliolyse 85, 87
Erblindung 102
Erblindungsursache 101
Erbrechen 88, 129, 173
Erbsubstanz 57
Erdbeer-Allergie 162
Erfrierungen 50
Erfrischungsgetränke 261
Erkältungen 39, 143
Ernährung 62, 183
Ernährungsvorschläge 261
Erste-Hilfe-Pflanze 13, 16, 40, 174
Erythrasma 162
Escherichia coli 136
Europa 38, 40
Euterobacter 157
Evolution 24
Ex-Leprosen 177

F

Fallsucht 163
Falsche Ernährung 227
Falscher HIV-Befund 120
Faltenbildung 162
Faulecken 163
Fehlgeburten 239
Fettleibigkeit 50
Fettstoffe 101
Fibromyalgie 19, 23, 52, 73, 75, 97, 98, 100, 217, 233, 262
Fibrose 85

Fieber 36, 50, 127, 136
Fingerumlauf 196
Fisteln 163
Fit fürs Leben 248
Fitneßgetränke 51
Flavio Josefo 34
Fleisch 259
Fleischkonsum 259, 261
Fluor 181
Flüssigkeit 241
Forever Living Products 51, 79, 211
Frauenkrankheiten 163
Freie Radikale 58
Frischblätter 203
Frostbeulen 134, 164
Fruchtbarkeit 38
Früchte 241
Früchteessen 248
Frühstück 244, 247
Fuchs'scher Fleck 156
Furunkel 151, 164, 207
Fußblasen 164
Fußpilz 133, 136, 164
Fußsohle 133

G

G. W. Reynolds 221
Galeno 36
Galle 65
Gammalinolensäure 58
Ganzheitsmedizin 110
Gärung 56, 59
Gastritis 165
Gebärmutterhalskrebs 63, 69
Gebärmutterkrebs 78
Gebärmutterschleimhaut 64
Gebet 263, 265
Gebetsgeschwindigkeit 263
Geburtsfehler 239
Gedanken 265
Gehirn 29, 31, 39, 235
Gehirnkrebs 81
Gehirnschlag 31
Gehirntumor 80
Gehörnervenentzündung 165
Gelbsucht 50
Gelenkschmerzen 36
Gemüse 65, 261
Gemüsesaft 13
Gene 56, 236
Genetische Faktoren 62
Genomen 15, 57
Genomforschung 74

Genußmittel 261
George Sachs 165
Gerstenkorn 166
Geschichte 33
Geschlechtskrankheiten 36, 39, 51
Geschlechtsorgane 64, 65
Geschlechtsspezifische Faktoren 62
Geschwüre 37, 41, 51, 61, 124
Gesichtskrebs 166
Gesunde Ernährung 58, 260
Gewichtsverlust 61
Gicht 166, 233
Gießen 220
Gifte 61
Giftstoffe 31, 246
Gilbert Westacott Reynolds 188
Ginseng 49
Glucose 101
Glucosespiegel 106
Glucosewert 105
Golferarm 97
Gott 263
Grablegung von Christus 34
Grabtuch Jesu 34
Grauer Star 156, 166
Griechen 36
Griffith Hughes 38
Grippe 66
Grüner Star 156, 167
Gürtelrose 167
Gut bürgerliche Kost 16, 104, 257

H

Haarausfall 36, 66, 68, 88, 91
H. R. McDaniel, M.D. 135
Haare 86
Hagers Handbuch 40
Halswirbelsäulensyndrom 97
Hämoglobin 21, 30
Hämorrhoiden 39, 168
Harald Thoene 234
Harn 103
Harnblase 63
Harnblasenentzündung 85
Hauptentscheidungsträger unserer Gesundheit 27, 31
Hauptkrebsursache 57
Haut 38, 50, 61, 63, 65, 87, 133, 140, 145, 234
Hautausschläge 95
Hautentzündung 50
Hautflecken 168
Hautgries 169
Hautkapillaren 20
Hautkrankheiten 124

292

Namens- und Sachregister

Hautpflege 169
Hautprobleme 36
Hautschäden 169
Hauttuberkulose 192
Hautverbrennungen 41
Hautverhärtung 194
Hector Durvilkle 265
Heiliges Land 44
Heilpraktiker 43
Heilungsberichte 44
Heiserkeit 61
Helicobacter pylori 165, 178
Hepatitis 63, 171
Hermann Hesse 30
Herpes 51, 136, 171
Herpes simplex 124, 180
Herz 19, 22, 30, 39, 234
Herz-Kreislauf-System 153
Herzarrhythmien 31
Herzinfarkt 31, 101, 107, 145
Herzklopfen 185
Herzkrankheiten 172, 239
Herzkranzgefäße 106
Herzleistung 31
Herzmuskel 106, 153
Herzpumpe 30
Herzrhythmusstörungen 107, 172
Herztonikum 108
Heuschnupfen 152
Heuschreckenauge 157
Hexenschuß 174
Himmel 263
Hippokrates 36
Hirn 26
Hirndurchblutung 25
Hirnhautentzündung 173
Hirnschwellung 85
Hirnzellen 26
Hiroshima 42
Hitzeausschlag 136
Hochschulmedizin 269
Hoden 65
Hodenkrebs 66
Holländische Antillen 38
Homöopathie 43
Hormone 145
Hormontherapie 83
Hormonumstellung 98
Hornhautentzündung 156, 173
Husten 61, 143
Hustenreiz 175
Hyperpigmentierung 85

I

Impotenz 239
Imunschwäche 115
Indien 35, 36, 38, 47
Infektionen 66
Infektiöse Erreger 62
Inhalation 25
Injektionsbehandlung 94
Innerliche Reinigung 244
Insekten 37
Insektenstiche 38, 136
Insel Curaçao 38
Insel Socotora 33
Instituto Palatini de Salzano 49
Insulin 101, 113
Ischias 174
Israel 14, 47
Italien 37, 44

J

J. Folkmann 25
J. E. Fulton, Jr. 134
Jamaika 38
Jattua von Campenhausen 258
Jerusalem 44
Jesuiten 38
Juckreiz 36, 133, 153, 168

K

Kaiser Napoleon I. 33
Kaiser-Wilhelm-Institut 55
Kaiserin der Heilpflanzen 41, 52
Kalifornien 47
Kalkräuber 256
Kaltgepreßte Öle 59
Kalziumisocitrat 108
Kapillaren 15, 16, 19, 20, 21, 22, 23,
   24, 25, 27, 30, 32, 57, 60, 71, 90,
   98, 101, 107, 109, 134, 233
Kapillarenlehre 83, 100
Kapillarenneubildung 102
Kapillarenöffnungen 24
Kapillarenverengung 107
Kapillarisierung 23
Kaposi-Sarkom 115, 118, 127
Karies 182
Karpaltunnel-Syndrom 98
Kathleen Shupe-Ricksecker 136
Katholische Kirche 70
Kehlkopf 63, 64
Kinder 210, 254
Kirlianfotografie 223
Klebsiella 157

Kleopatra 34, 134
Knochenbrüche 175
Knochenbrüchigkeit 66
Knochenerweichung 253
Knochenkrebs 68
Knochenmark 65, 68
Knochenstrukturen 31
Knötchenflechte 176
Knoten 61
Kohlehydrate 59
Kohlendioxid 20, 31, 95
Kollath 59
Kolpinghaus São Paulo 177
Kolumbus 37
Konjunktivitis 50, 156
Konservierungsstoffe 74, 212
Konzentrierte Nahrungsmittel 260
Kopf-Hals-Tumor 87
Kopfhaut 68, 90, 133, 167
Kopfschmerzen 31, 36, 173
Kosmetik 13
Krampfadern 176
Krankheit der Blauen 118
Krebs 15, 19, 37, 44, 45, 52, 55,
   57, 58, 59, 60, 61, 65, 70, 71,
   73, 75, 81, 83, 113, 124, 145,
   216, 233, 262
Krebsbehandlung 14
Krebsheilungen 44
Krebstherapie 86
Krebsursachen 62
Krebszelle 55, 56, 59, 60, 68, 69,
   118
Kreislauf 31, 50
Kreislaufstabilisierung 35
Kreislaufstörungen 233
Kretschmer-Dehnhard 59
Kretz 59
Kreuzritter 37
Kreuzzüge 37
Kristallisierte Aloe 39, 41, 212
Kuhmilch 260
Kurzatmigkeit 126, 127
Kurzsichtigkeit 94, 156

L

Laboratorium TAU 79
Leber 31, 50, 51, 64, 65
Leberkrebs 63, 81, 154
Leishmaniose 176
Leistungsabfall 97, 121
Lepra 176
Leukämie 63, 81
Leukozyten 94
Lichtgeschwindigkeit 263

293

KAPILLAREN BESTIMMEN UNSER SCHICKSAL

LifePlus 51, 211, 217
Lincomycin 148
LR International 51, 211
Luft 238
Luis de Santágel 37
Luiz Roberto de Souza Queiroz 264
Lumbago 174
Lunge 21, 29, 30, 39, 63, 65, 155, 235
Lungenbläschen 21, 30, 117
Lungenemphyseme 239
Lungenentzündung 127
Lungenkrebs 62
Lupus erythematodes 191
Lymphdrüsenkrebs 80
Lymphknoten 83
Lymphknotenschwellung 61
Lymphsystem 239

M

M. Miller 38
Madeira-Mamoré-Railway 252
Magen 36, 65
Magen- und Darmbeschwerden 36, 233
Magengeschwüre 178, 239
Magensäure 165
Magensäuremangel 178
Magenschleimhaut 68, 165
Magentonikum 36
Magnesium 25
Mahatma Gandhi 45
MAI 115
Majas 37
Major Darget 265
Makula 24
Makulopathie 102
Malaysia 35
Mandelentzündungen 178
Marco Polo 37
Margarine 59
Masern 124
Mastdarm 65
Max B. Skousen 105, 155, 169
Max-Kleine 59
McDaniel, M.D. 46
Measles 137
Medjugorje 266
Mehlspeisen 261
Melancholie 37
Menstruation 38
Menstruationsbeschwerden 97, 178
Mesopotamier 34
Metallkontaktekzeme 179

Metastasen 67
Methotrexat 89
Mexiko 38, 47
Migräneanfälle 31
Milch 258
Milz 51
Minderwertigkeitsgefühle 97
Mineralien 29, 58
Mineralstoffe 33
Mistelpräparat 25
Mitesser 152
Mitochondrien 117
Morbus Bechterew 179
Morbus Chron 179
Morphium 94
MS (Multiple Sklerose) 45, 180
Mückenstiche 174
Müdigkeit 61, 66
Mundfäule 66
Mundgeruch 183
Mundhöhle 63, 64
Mundhöhlengeschwüre 180
Mundhöhlenkatarrh 184
Muskelarbeit 22
Muskeln 26
Muskelsystem 235
Muttermal 61, 65

N

Nachtblindheit 184
Nachtkerzenöl 58, 261
Nagasaki 42
Nagelbettentzündungen 184
Nährstoffe 239
Narben 136
Nasenentzündung 184
Nasennebenhöhleninfektion 183
Natriumbicarbonat 253
Naturkraftwerke/Schweiz 211
Natürliche Hygiene 237, 238
Nebenwirkungen 14, 66, 67, 68, 83, 84, 85, 86, 205
Nekrose 135
Neovaskularisationen 102
Nerven 101
Nervenentzündung 184
Nervenleiden 233
Nesselfieber 185
Nesselsucht 185
Netzhaut 24
Netzhaut der Augen 101, 102, 156
Neurodermitis 185
Newcastle-Virus 124
Niere 29, 31, 103, 105, 129
Nierenerkrankung 104, 129

Nierenfunktionsstärkung 185
Nierenleiden 233
Nierenschmerzen 95
Nierentumor 93
Nierenvenenthrombose 127
Nikotin 15, 97, 98, 105
Nitrat 60
Nitrite 58, 116, 117, 119, 128
Nitrithaltige Medikamente 127
Nitritvergiftung 116, 118, 120
Nitrosamine 63
Nitrose Gase 117, 118, 121
Nofretete 34, 134

O

Obst 65, 249, 251, 261
Ödeme 105
Offene Beine 186
Offene Geschwüre 43
Ohnmacht 154
Ohrensausen 154
Ohrenschmerzen 143
Ohrfluß 186
Ohrfurunkel 186
Olivenöl 59, 261
Operation 65, 66, 68
Opportunistische Infektionen 15, 115
Orientbeule 176
Ostblock 43
Osteoporose 253
Osteosarkom 68
Otto von Bismarck 33
Otto Warburg 15, 25
Oxidationsgifte 58

P

P. H. Ashmed 252
Paracelsus 37, 168
Parasiten 30, 36, 98, 126
Passives Rauchen 261
Pasteurisierte Milch 257
Pasteurisierung 258
Pastor Fliege 190
Pater Hubert Röbig CSSp 177
Pater Paulino Pantas 79
Paulus von Egina 36
PCP 115
Penizillin 110, 148
Peptid 107, 134
Periodontitis 180
Persien 35
Peter Mandel 225
Pferd 46

NAMENS- UND SACHREGISTER

Pflanzenöl 58
Pflanzenschutzmittel 63
Pharaonen 34
Pharmos 51, 211, 217
Phytotherapie 43
Pigmentflecken 61
Pilger 14, 44
Pilze 116, 126
Pilzerkrankungen 188
Pilzinfektion 118
Plasmaeiweiße 20
Plinius 33, 36, 37
Polio 189
Polysacchariden 49
POP 115
Poppers 116
Poren 20
Portugal 37, 44
Prämenstruales Syndrom 59
Prof. Dr. Holst 255
Prof. Dr. Israel Bekhman 43
Prof. Dr. Jatente 78
Prof. Dr. med. Marthinus Botha 133
Prof. Dr. Michael Molls 83, 85
Prof. Dr. Rolf-P. Müller 83
Prof. Dr. Vladimir Filatow 43, 75, 176
Prof. Dr. Zerbini 78
Prof. Manfred von Ardenne 25
Prof. Otto Warburg 55, 56, 57, 59
Prostata 62, 65
Prostatakrebs 66, 78, 80, 94
Prostatauntersuchung 64
Proteine 121
Pseudonomas aeruginosa 136
Psoriasis 19, 133, 192

Q

Quartettstrategie 269
Quetschungen 136
Quillame Olivier 38

R

Rachen 64
Radioaktive Strahlungen 61, 63
Radioaktive Verbrennungen 42, 187
Radioaktivität 42, 80
Radioonkologie 83
Rauchen 30, 59, 62, 64, 234, 257
Retionpathie 102
Rheumatismus 188, 233
Richard Nixon 57
Ries 59
RNS 49

Robert Dehin 37
Rohkost 260
Romano Zago OFM 14, 44, 75, 77, 78, 79, 80, 81, 86, 90, 113, 216
Römer 36
Röntgenstrahlen 41, 87
Röntgenstrahlen-Verbrennungen 188
Rosazea 189
Rote Blutkörperchen 106, 121, 253
Rotfärbung des Harns 206
Rückenmarkentzündungen 189
Rückenmarkverpflanzung 82
Rückenschmerzen 94, 97
Rudolf Passian 265
Rudolf Steiner 149
Ruheangina 107

S

Sauerstoff 20, 25, 29, 56, 60, 71, 84, 95, 153, 239
Salermo 37
Salmonella paratyphy 43, 157
Salmonella schotimuellerie 157
Salmonella typhy 43, 157
Salmonellen 136
Salomon 33
Salzsäure im Magen 131
Sauerstoff-Mehrschritt-Therapie SMT 25
Sauerstoffaufnahme 121
Sauerstoffentleerung 120
Sauerstoffmangel 24, 30, 31, 55, 57, 118, 233
Sauerstoffmangelerkrankungen 31
Sauerstoffpartialdruck 30
Sauerstofftherapien 31
Sauerstoffversorgung 25, 26, 32, 57, 101, 239
Säuglingstod 239
Säure 249
Säure-Basen-Gleichgewicht 130
Säure-Basen-Haushalt 26
Säureblocker 131
Säureneutralisierung 130
Schädigung der DNS 239
Schälblasen 190
Scharlach 166
Schizophrenie 190
Schlafstörungen 31
Schlaganfall 145, 190, 191
Schlechte Nachrichten 98
Schleimbeutelentzündung 50
Schleimhäute 61, 66

Schluckbeschwerden 175
Schlucken 66
Schmerzen 36, 61, 66,
Schmerzmittel 93
Schmetterlingsflechte 191
Schnittwunde 40, 136
Schönheitsmittel 134
Schönheitspflege 139
Schultz-Friese 59
Schuppenflechte 133, 192
Schürfwunden 192
Schüttelfrost 173
Schwangerschaft 209, 210, 216
Schwarzer Urin 207
Schweißausbrüche 15, 125, 127
Schweißdrüsenabzeß 193
Schweiz 44
Schwellkörper 24, 71, 98
Schwerhörigkeit 165
Schwermetalle 63
Schwindel 154
Sebastian Kneipp 157
Seborrheia 133
Seborrhoische Dermatitis 194
Seele 25
Sehnenzerrungen 197
Sehschärfe 102
Selbstmedikation 209
Serratia marcescens 157
Seuchen 147
Seuchengefahr 42
Shigella paradysenteriae 43, 157
Siegmund Freud 27
Sinusitis 36, 194
Sir Robert Burton 39
Sir Georg Watt 38
Sitzposition 22
Sklerodermie 194
Sodbrennen 130
Sojaöl 59
Sonne 262
Sonnenbestrahlung 63
Sonnenblumenöl 59, 261
Sonnenbrand 36, 41, 135, 174, 195
Spanien 37, 38
Speiseröhre 63, 64, 65
Speiseröhrenkrebs 68
Sport 22
Spurenelemente 33, 257
Staphylococcus aureus 43, 136, 157, 164
Staphylococcus pyogenes 43
Steven R. Schechter, N.D. 134
Stickoxid 118
Stickstoff 20

295

KAPILLAREN BESTIMMEN UNSER SCHICKSAL

Stinknase 195
Stirnhöhlenbeschwerden 195
Stoffwechsel 60, 153, 235
Stoffwechselmüll 23, 24, 61, 99, 246, 248
Stoffwechselstörungen 31
Stoffwechselvorgänge 30
Stomatitis 180
Strahlenbehandlung 84, 169
Strahlenpilzerkrankung 195
Strahlentherapie 67, 83, 84, 86, 87, 91, 98
Strahlungen 30, 62, 98
Strategische Aloe-Lager 35, 42
Strategische Pflanze 35
Streptococcus mutans 180
Streptococcus pyogenes 136, 157
Streß 30, 58, 97, 98, 144
Stuhlgang 87
Stuhluntersuchung 65
Stuhlverstopfung 168, 205
Südafrika 38, 45
Sulfamethoxasole 117
Sulfonamide 58
Sumatra 35
Sumerer 34

T

Taubheit 173, 239
Terra Santa 79
Tetanus 198
Texas 38, 47
Thrombose 129
Thymus 25
Tibet 35
Total Process Aloe 51, 211
Trachom 156
Traubenkernöl 261
Trennkost 248
Trennkostregeln 250
Trichomonas vaginalis 137
Triglyceridspiegel 107
Trimethoprim 117
Tschernobyl 81
Tuberkulose 42, 147, 196
Tumor 25, 55, 60, 65, 66, 87, 124
Tumor im Mundraum 181
Tumornekrose 85
Turin 34
Türkei 47
Typhus 165

U

Übelkeit 66
Übersäuerung 120, 128, 130
Ulcus pepticus 43
Umlauf 196
Umweltgifte 30
Umweltverschmutzung 62
Unfruchtbarkeit 239
Ungesunde Ernährung 97
Urin 103
Ursula Dormien 77
Urtikaria 185
US-Präsident Clinton 57
USA 40
UV-Strahlen 193

V

Vaginitis 51
Vaskularisierung 26
Verbrennungen 37, 41, 42, 50, 66, 87, 136, 175, 196, 213
Verdauungsbeschwerden 66
Verdauungsleukozytose 252
Verdauungsprozess 51
Verdauungssäfte 249
Verengung der Kapillaren 250
Verfälschungen 212
Verjüngungsmittel 50
Verkehrte Ernährung 30, 62, 98
Verletzungen 36, 41
Verpflanzungen von Hornhäuten 43
Verrenkungen 197
Versand von Aloe-Pflanzen 222
Versäuerung 118
Verstopfung 50
VESIS International GmbH 51, 211
Veterinaerpraxis 39
Vincristin 89
Viren 30, 98, 126
Vitalgetränke 13, 45, 111, 201, 211
Vitamine 33, 58, 59, 65, 257
Vorbeugen 64

W

Wachstumsfaktoren 25
Walter-Reed-Skala 125
Warzen 61
Wasser 29
Wasserhaltige Nahrung 240
Wasserödeme 97
Wechseljahre 51, 145

Weicher Stuhl 207
Weichteilrheuma 97
Weiße Blutkörperchen 68, 253
Wilfried Jäckel 100
Wilhelm Busch 16, 40
Wilhelm Wundt 179
Wladimir Bechterew 179
WTF 51, 211
Wucherungen 26, 55, 56, 102
Wunden 35, 36, 39, 61, 105, 135, 175
Wunder 70
Wundheilung 26, 134
Wundliegen 136, 198
Wundrose 198
Wundschließung 135
Wundstarrkrampf 189
Wundversorgung 35
Wurmkrankheiten 51

Z

Zabel 59
Zähne 87, 181
Zahnfleischbluten 199
Zahnfleischentzündungen 36
Zahnheilkunde 180
Zahnpasta 182
Zahnschmerzen 199
Zahnzerfall 66
Zar Nikolaus II. 43
Zehrrose 191
Zellabbauprodukte 87
Zellatmung 55
Zelle 26, 30, 55, 236
Zellgärung 15, 25, 30, 56, 71
Zellsterben 122
Zelltod 30
Zellverlust 85
Zellwachstum 25
Zentralamerika 47
Zirkumzision 36
Zirrhose 171
Zuckerkrankheit 23, 74, 102, 113, 233
Zuckermoleküle 121
Zwölffingerdarm 199
Zystitis 158
Zytostatika 66, 87